HISTOIRE DE LA CASAMANCE

CHRISTIAN ROCHE

HISTOIRE DE LA CASAMANCE

Conquête et résistance : 1850-1920

Éditions KARTHALA
22-24, boulevard Arago
75013 — PARIS

Reprint de la première édition parue
aux Nouvelles Éditions Africaines, Dakar, 1976

ISBN : 2-86537-125-5
ISSN : 0290-6600

A la mémoire de mes amis fidèles,
Gabriel CARVALHO, médecin
Tété DIADHIOU, conseiller coutumier
qui m'ont vivement encouragé à écrire ce livre

Aux populations de Casamance
parmi lesquelles j'ai été heureux de vivre.

AVANT-PROPOS
à la seconde édition

La Casamance ne laisse personne insensible quand elle apparaît pour la première fois aux yeux du voyageur. Que l'on soit attiré par le tourisme ou par la vie professionnelle, elle laisse à tous ceux qui l'ont connue un souvenir durable, voire ineffaçable. La beauté de sa nature généreuse, illuminée par un soleil éclatant huit mois de l'année, la douceur et la gentillesse de ses populations sont des bienfaits recherchés par l'homme fatigué des aspects néfastes de la civilisation industrielle.

Les Casamançais, que je connais depuis une vingtaine d'années, sont passionnés par l'histoire de leur région et aspirent à connaître le passé des peuples auxquels ils appartiennent. Un contact chaleureux au départ et un vif désir de les mieux connaître sont à l'origine de cette étude historique.

Elle se propose d'abord de brosser un tableau vaste mais précis des grands événements qui ont marqué l'histoire casamançaise au siècle dernier. Elle veut être aussi pour les futurs historiens un fil d'Ariane qui leur permettra d'effectuer des travaux plus complets, car jusqu'à la première édition parue en 1976 aucun travail de synthèse n'avait été réalisé, en dehors de la thèse écrite en anglais par l'Américaine Fay Leary[1].

Cette seconde édition assurée par Karthala répond aux nombreuses demandes de lecteurs qui n'ont pu se procurer le livre au moment de sa première publication. Depuis, de nouveaux jeunes lecteurs sont intéressés par l'histoire de la Casamance et cette nouvelle impression vient donc satisfaire leur légitime curiosité. La transcription phonétique des noms propres casamançais peut surprendre. Les avis sont partagés. En 1976, un certain nombre d'africanistes le souhaitaient et j'ai dû céder à leurs sollicitations, d'autres l'ont regrettée, partant du principe que le texte étant rédigé en français, les noms propres devaient par conséquent être écrits dans leur forme francisée. Pour des raisons de commodité, j'ai conservé la transcription phonétique selon le système adopté au Sénégal. Je renvoie le lecteur à la page 12 pour se familiariser avec l'orthogra-

[1] Fay Leary. *Islam, Politics and Colonialism. A political history of Islam in the Casamance Region of Senegal (1850-1914)*, Evanston, Illinois, 1969.

phe des noms propres, car il n'est pas évident de voir écrit Jululu à la place de Diouloulou, et Jatakunda à la place de Diatakunda, etc.

Comme la plupart des pays, la Casamance n'a pas échappé aux invasions. Selon un processus bien connu, les premiers occupants ont résisté à la pénétration de nouveaux immigrants dès qu'ils ont commencé à devenir inquiétants par leur nombre et leur attitude. La Casamance, région sud du Sénégal, abrite aujourd'hui plus de six peuples qui coexistent pacifiquement. Les uns sont musulmans comme les Malinké et les Fula ; les autres sont païens ou en voie d'islamisation et de christianisation comme les Bañun, les Balant et les Joola.

A partir du XVIe siècle, des représentants de peuples européens qui longeaient la côte, remontèrent le fleuve et nouèrent des liens commerciaux avec les habitants. Portugais, Espagnols, Britanniques apprirent à connaître les rives de ce cours d'eau qui appartenait à un souverain noir connu sous le nom de « kansa-mansa ». Au début du XXe siècle, ce monarque n'était plus qu'un lointain souvenir dans la mémoire des Casamançais, et leur région était considérée comme une possession coloniale française.

L'implantation des Français en Casamance nous est révélée par des traditions orales, de nombreux rapports et récits d'administrateurs et de voyageurs. Succédant aux Portugais, rivalisant avec eux et les colons britanniques de la Gambie voisine, les Français de Saint-Louis et de Gorée, attirés par la perspective de nouveaux profits commerciaux, s'installèrent sur les bords du fleuve à partir de 1836. Il était intéressant de retracer les différentes phases de cette pénétration et les réactions diverses des habitants. Ces derniers commencèrent à résister avec vigueur dès que les relations strictement commerciales dégénérèrent en tentative de domination politique, économique et sociale. Selon les peuples, les formes de lutte furent multiples, et les conquérants durent adapter à chacun un mode d'action.

Une étude à caractère ethnographique est apparue indispensable pour apprendre d'abord à les connaître et tenter de comprendre leurs attitudes. Au début du XIXe siècle, ces peuples étaient divisés. Face à l'adversaire commun habile à exploiter leurs dissensions, ils ne réussirent pas à s'unir. Leur résistance courageuse, parfois héroïque, sera à long terme vouée à l'échec. Les Joola, ethnie de Basse Casamance, épris de liberté, très individualistes, et par conséquent peu enclins en raison du type de leur société à obéir à une autorité étrangère, furent particulièrement difficiles à dominer.

Si les peuples assujettis retiennent longuement notre attention, les causes de la présence de leurs conquérants en Casamance sont étudiées avec soin. Attirés vers 1850 par l'extension de la culture arachidière en Moyenne Casamance, les Français établirent leur domination sur les Malinké en s'appuyant sur leurs vassaux peul de Haute Casamance, alors en état de rébellion. Plus tard, vers 1885, avec le déclin de l'arachide et l'extension de la cueillette du caoutchouc dans les forêts de Basse Casamance, les Joola supportèrent les contraintes de l'administration coloniale en réagissant avec vigueur. Ce fut alors la phase âpre de la résistance joola entre 1900 et 1920, facilitée par une nature ingrate pour l'Européen et exacerbée par le recrutement militaire pendant la guerre de 1914-18.

Le caractère politique de la résistance est fondamental. Cependant loin de les négliger, les aspects économiques, sociaux, et culturels sont abordés comme par exemple : le refus des Malinké de vendre leurs arachides en 1882, excédés par les fraudes des traitants, ou bien l'adoption du bukut par les Joola, nouvelle forme d'initiation au début du XXe siècle, pour réagir au bouleversement apporté dans leur société, par l'extension de l'ordre colonial.

Notre étude se limite aux frontières de la Casamance imposées par la colonisation. On peut le regretter, mais les populations aujourd'hui, en République de Gambie et République de Guinée-Bissau, n'ont pas eu ou fort peu de contacts avec les Français. L'histoire de leur résistance à la conquête européenne s'inscrit dans un autre cadre. En traitant un tel sujet, je n'ai pas voulu faire une évocation colonialiste de la conquête française. Ce travail peut être considéré comme une contribution à une meilleure connaissance de la présence française outre-mer au XIXe siècle. Il est surtout un apport à l'histoire du Sénégal. Le souci de bien relater et de comprendre les résistances explique peut-être l'importance accordée aux populations casamançaises au détriment des Français qui ont vécu avec eux cette période de leur histoire. Refusant tout esprit partisan, j'ai essayé de m'en tenir à l'exposé et à la compréhension des faits, laissant au lecteur le soin de tirer ses propres conclusions. Quant à la sympathie de l'auteur pour la Casamance et ses habitants, elle est évidente, car on ne peut avoir vécu dans ce jardin du Sénégal, sans rester insensible à son charme.

L'approche historique des populations casamançaises diffère selon l'importance des traditions orales. Prolixe chez les Malinké et les Peul grâce aux griots et aux anciens, la tradition orale est en revanche quasi inexistante chez les Joola, peuple forestier, dans la mesure où ils n'ont pas été islamisés.

Pour recueillir la tradition orale, j'ai eu la chance d'utiliser plusieurs enregistrements sur bandes magnétiques effectués par Fay Leary en pays peul, malinké et joola. J'ai pris la piste de nombreuses fois pour aller aux sources, dans les villages parfois les plus lointains. Tous les chercheurs qui ont travaillé en Afrique savent combien ces enquêtes sont à la fois exaltantes et pénibles. Il y a d'abord les conditions physiques parfois très dures. La Casamance est accessible à peu près partout en saison sèche. Cependant dans la partie occidentale, l'usage de la pirogue est obligatoire pour atteindre certains villages isolés dans des îles entourées par un lacis de marigots qui sont de vrais labyrinthes. La température entre dix et seize heures est supérieure à 30° et il faut prévoir pour ces randonnées, une alimentation et des boissons appropriées en quantité suffisante. Quant à l'hébergement, il pose rarement des problèmes. L'hospitalité africaine n'est pas une légende et aucun villageois ne refuse son toit au voyageur ami qui passe. Le confort est plus aléatoire et il faut apprécier le camping pour s'adapter aux conditions locales.

Il est difficile de dresser un programme de travail précis. La notion stricte du temps ne compte pas en brousse. On connaît l'heure à laquelle on part, jamais celle du retour. Il m'est arrivé de partir pour la journée et de rentrer trois jours plus tard.

Malgré la chaleur de leur accueil, les villageois n'exposent pas facilement leurs problèmes à l'étranger qui vient les voir pour la première fois. Discrets, ils veulent d'abord savoir à qui ils ont à faire. Une faute de tact, même involontaire, peut fermer irrémédiablement les bouches et les cœurs. La courtoisie sénégalaise n'est pas un vain mot. L'homme des campagnes est aimable par nature, mais il entend faire respecter sa dignité et ne tolère pas qu'on vienne chez lui en pays conquis. Par conséquent, l'historien ou l'ethnologue doit avant tout plaire à ses hôtes s'il veut créer le contact indispensable à la communication. Très souvent, il est nécessaire d'arriver au village en compagnie d'un originaire qui vous introduit auprès du chef ou de la personne que l'on veut rencontrer. Après les salutations d'usage et une conversation à bâtons rompus, on en arrive à l'objet de la visite en prenant soin de ne pas brusquer l'interlocuteur. Le griot ou l'ancien raconte ce qu'il sait. Sa mémoire n'est pas toujours fidèle, mais il est imprudent de l'interrompre, car il perd parfois le cours de sa pensée. Le recueil de la tradition orale est peu compatible avec le principe de l'interview. Les questions se posent de préférence à la fin du récit. Par conséquent, ce travail passionnant exige au départ une connaissance suffisante du milieu que l'on fréquente, et un minimum de psychologie.

La tradition orale en pays joola est difficile à recueillir du fait même de la structure de la société. Chaque village se divise en quartiers autonomes séparés par des rizières. Ces quartiers correspondent à des lignages. Quand on s'installe dans un village joola, on est d'abord sur le territoire d'un lignage et il faut être agréé par son chef. En général, il n'y a pas de problèmes, mais dès qu'il s'agit de procéder à une enquête sur le passé, il est rare que les langues se délient, surtout en milieu non islamisé. Il faut alors passer le plus souvent par l'intermédiaire d'un interprète local, de préférence influent, qui interroge les anciens à votre place. La procédure est fâcheuse pour garantir l'authenticité de la tradition obtenue.

Je tiens à rendre un hommage particulier à la mémoire du Dr Gabriel Carvalho, ancien ambassadeur du Sénégal au Brésil et en Guinée, pour la part active qu'il a prise dans l'action que nous avons menée ensemble pour arriver à publier cet ouvrage. Il était mon ami. Hélas, la mort ne lui a pas permis de voir ce qu'il souhaitait avec tant d'ardeur. A cet hommage, je joins celui que je veux rendre à Tété Diadhiou, ancien conseiller coutumier du gouverneur de Casamance. Il fut le premier à me parler de l'histoire de la Casamance. Je me souviens avec émotion de la chaleur de son accueil, de la qualité de son hospitalité, des très nombreux entretiens qu'il m'a accordés. Je lui dois beaucoup.

Je n'oublierai jamais les moments passés à écouter Maya Dumbuya, fils du grand marabout diaxanké Fodé Kaba. Assis sur sa peau de mouton, un chapelet entre les doigts, il m'a raconté des heures durant, la longue histoire de sa famille avec un souci du détail remarquable. Je suis très honoré par sa confiance.

Luc Mendi, chef du quartier de Budodi, Seydu Kane, chef du quartier de Santiaba à Ziguinchor, Arfan Mbacké iman de la mosquée de Boucotte à Ziguinchor, de nombreux notables m'ont exposé leurs connaissances avec une grande complaisance[2]. Un grand nombre de mes élèves dakarois et ziguinchorois sont partis avec leur crayon et leur papier interroger leurs familles et ont rapporté des récits très intéressants. La connaissance du milieu bañun a été possible grâce à l'aide efficace des élèves du lycée de Ziguinchor que j'ai eu l'honneur de diriger. Que tous, ici, reçoivent le témoignage de ma gratitude.

[2] Les auteurs des traditions les plus intéressantes sont mentionnés dans la bibliographie.

Pendant plusieurs années, j'ai fréquenté assidûment la salle de lecture des Archives nationales du Sénégal. On ne dira jamais assez la richesse de ce fonds d'archives qui conserve les archives coloniales de l'Afrique occidentale. Mes recherches se sont poursuivies aux archives de la section Outre-Mer des archives nationales à Paris — anciennes archives du ministère de la France d'Outre-Mer. Pour l'histoire de la Casamance, elles paraissent moins riches que celles de Dakar. Les archives diplomatiques du quai d'Orsay permettent de mieux saisir les rivalités des impérialismes européens. Quant au fonds d'archives de la congrégation des Pères du Saint-Esprit, les journaux de paroisse de Ziguinchor, Karabane et Seju donnent des témoignages précieux sur la vie quotidienne des populations entre 1890 et 1920.

L'étude des archives britanniques et portugaises aurait assuré un travail plus complet. Les impératifs d'une présence continue au Sénégal n'ont pas facilité mes déplacements en Europe. En outre, la guerre d'indépendance qui sévissait en Guinée-Bissau rendait les autorités portugaises très réticentes dès qu'il s'agissait d'examiner les archives guinéennes. J'ai donc tenté de pallier à cette lacune par une étude des auteurs britanniques et portugais, et j'ai pu entrer en contact avec le Centre d'Études de Guinée à Bissau.

La Casamance orientale, peuplée de Peul, a appartenu pendant plusieurs siècles à l'empire malinké du Gaabu. La situation politique des deux Guinées avant 1975 ne m'a pas permis de me rendre sur place pour étudier les traditions orales qui sont d'une importance capitale. Les relations du Gaabu et du Fuuta-Jaloo sont déterminantes pour comprendre la chute du dernier mansa du Gaabu en 1867 et pour mieux saisir les problèmes des Peul de Casamance dans la seconde partie du XIXe siècle.

Aux autorités sénégalaises, à mes collaborateurs sénégalais, à ma femme, qui m'ont permis de mener ma tâche à son terme, j'adresse ici mes vifs remerciements et les assure de ma reconnaissance.

TRANSCRIPTION PHONÉTIQUE DES NOMS PROPRES CASAMANÇAIS

Chaque fois que cela a été possible, j'ai essayé de transcrire les noms propres casamançais selon le système de transcription phonétique adopté au Sénégal. J'ai conservé la forme francisée lorsque les noms n'avaient pas une origine autochtone, exemple: Soungrougrou (affluent de la Casamance), ou quand leur orthographe française est aujourd'hui d'utilisation courante et générale, exemple: Casamance, Ziguinchor.

On trouvera en annexe ci-dessous, une liste de noms propres fréquemment utilisés dans le texte avec leur orthographe française et indigène.

Les lettres suivantes ont la même valeur phonétique dans l'alphabet latin utilisé par la langue française [1].

a) Consonnes: p-b-m-f-t-d-n-s-r (roulé: catalan) l-k-g
b) Voyelles: i-a-o

Les lettres suivantes empruntées à l'alphabet latin ont dans les langues sénégalaises la valeur phonétique suivante:

e: équivalent de th*é*
u: équivalent de ou
c: équivalent de ty comme dans « tiens »
j: équivalent de dy comme dans « dieu »
h: correspond au h aspiré
w: équivalent de oui, ouate
y: équivalent de yeux
x: correspond au son de la jota espagnole

La lettre ñ que l'on retrouve dans toutes les langues sénégalaises a pour son le digraphe gn comme dans a*gn*eau. Exemple: le village de Bignona s'écrira Biñona.

[1] R. P. Doneux. *Les systèmes phonologiques des langues de Casamance*, Centre de linguistique appliquée de Dakar, Etude N° XXVIII.

Il existe dans les langues casamançaises des voyelles longues qui correspondent à des sons prolongés. Exemples :

aa comme dans Fulaadu, Balmaadu (noms de régions)
ee comme dans eelole (poule), prononcer èlole, en joola (diola)
ii comme dans fiil (sein) en joola
oo comme dans Fooñi (Fogny), région de la Casamance
uu comme dans Muusa (Moussa), prénom

II. Les groupes linguistiques casamançais

Les principales langues utilisées en Casamance par les autochtones au XIXe siècle étaient le Joola (Diola), le Manding et le Fula ou Pulaar. Le Bañun (Bagnoun), le Balant et le Toucouleur étaient parlés par des groupes minoritaires. Les travaux réalisés sur ces idiomes sont encore rares. M. S. Sauvageot, professeur de linguistique africaine à Paris, a entrepris une étude sur les dialectes bañun et ses premières observations semblent montrer que cette langue a des origines mandé et bantu ; ce qui ne surprend guère quand on sait combien les Bañun ont été métissés par les Manding. La langue joola est mieux connue [1], et se divise en dialectes qui varient souvent selon les villages. Jean David Sapir distingue cependant deux importants dialectes : le Fooñi et le Kasa qui sont structuralement à peu près identiques [2]. Le Kasa est parlé sur la rive sud, à Ziguinchor et dans un grand nombre de villages dispersés à l'ouest. Le Fooñi correspond au sous-groupe ethnique du même nom et il est parlé sur la rive nord autour de Biñona. Ce dialecte est pratiquement compris par tous les Joola. Sapir estime que les dialectes joola forment avec le Bañun et le Balant une sous-section de la branche atlantique occidentale de la famille Niger-Congo. Cette branche inclut d'ailleurs d'autres langues sénégalaises telles que le Sereer, le Wolof et le Peul [1].

Annexe

Transcription phonétique de quelques noms propres casamançais

1. *Basse Casamance*

Bignona	Biñona	Fogny	Fooñi
Diagnou	Jañu	Kaïlou	Kaïlu
Diagoubel	Jagubel	Kagnarou	Kañaru
Diakène	Jakene	Kagnobon	Kañobon
Diébali	Jebali	Kagnout	Kañut

[1] R. P. Wintz. *Dictionnaire Dyola-Français et Français-Dyola, précédé d'un essai de grammaire*, Paris, 1909. — R. P. Weiss. *Grammaire et Lexique du Diola-Fogny, Paris*, 1940. — Alistair Kennedy. *Dialect in Diola*, Journal of African Languages, vol. 3, Part I, London, pp. 96-101, 1964.

[2] Jean David Sapir. *A Grammar of Diola-Fogny*, Cambridge University Press in association with the West African Languages Survey and the Institute of African Studies, Ibadan, 1965.

Diembéring	Jembering	Ouonk	Uonk
Djibélor	Jibelor	Oussouye	Usuy
Diogué	Jogue	Séléty	Seleti
Diouloulou	Jululu	Sindian	Sinjan
Diola	Joola	Ytou	Itu

2. *Moyenne Casamance*

Balantacounda	Balantakunda	Kouniara	Kuñara
Balmadou	Balmaadu	Goudomp	Gudomp
Boudhié	Buje	Marssassoum	Marsasum
Bougnadou	Buñadu	N'Diama	Njama
Djibanar	Jibanar	Oudoucar	Udukar
Diatakunda	Jatakunda	Sedhiou	Seju
Diao	Jao		

3. *Haute Casamance*

Fafakourou	Fafakuru	Kouloumtou	Kuluntu
Firdou	Firdu	Soulabali	Sulabali
Fouladou	Fulaadu	Soumacounda	Sumakunda

PRÉSENTATION GÉOGRAPHIQUE

Etendue sur 28 350 kilomètres carrés, soit le 1/7 de la superficie du Sénégal, la Casamance, à peu près grande comme la Belgique apparaît, sur une carte, étroite et allongée, d'est en ouest, de part et d'autre d'un fleuve de trois cents kilomètres qui lui a donné son nom. Ses limites tiennent à la fois de la nature et de l'histoire. L'ouest voit l'océan Atlantique border ses rivages et la rivière Kuluntu, affluent de rive gauche de la Gambie, matérialise sa frontière orientale. Au nord et au sud, deux territoires étrangers limitent ses frontières : l'ancienne Gambie britannique et la Guinée-Bissau. Les voies de communication les plus directes avec le reste du Sénégal, et notamment avec Dakar, passent par le territoire gambien.

Le relief surprend par sa grande monotonie. La végétation recouvre des plateaux très bas, horizontaux, qui ne dépassent jamais soixante mètres d'altitude. Ils sont formés par des grès argileux du mio-pliocène sur lesquels reposent des alluvions anciennes et récentes constituées d'argiles et de sables argileux. A l'ouest en Basse Casamance, Paul Pélissier a remarqué une opposition entre des plateaux et des terres basses [1]. Les plateaux ne dépassent pas trente mètres, et leur rigidité est due à la présence à faible profondeur, d'un horizon en hydroxyde de fer dans la masse des grès argileux. Ils sont limités par un « réseau compliqué de marigots qui constituent des couloirs de pénétration à travers de véritables îlots de terres bien drainées, ceinturées de dépressions basses et humides où s'insinue la mangrove » [2]. Les alluvions qui les tapissent, varient d'aval en amont et des rives au chenal proprement dit. Elles sont en effet saturées de sel avec l'action de la marée et deviennent de plus en plus noires et gluantes au contact du chenal. Les bords du marigot sont souvent limités par des étendues argileuses, d'accès difficile en saison humide et qui sont dépourvues de végétation à cause de leur extrême salinité ; ce sont les tann.

[1] Paul PÉLISSIER. *Les paysans du Sénégal*, Saint-Yrieix, Imprimerie Fabrègue, 1966, XV, 936 pages.
[2] Paul PÉLISSIER. *Les paysans du Sénégal*, p. 626.

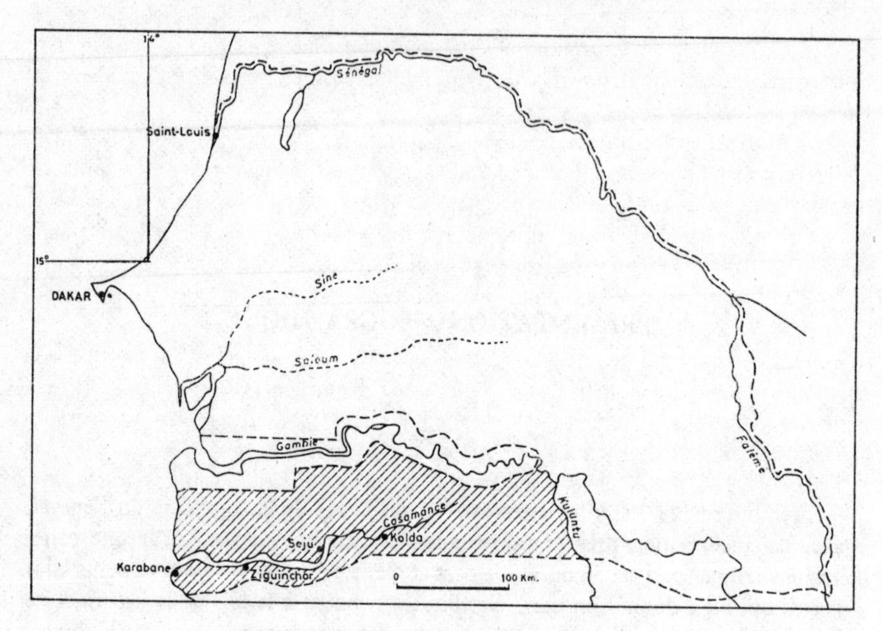

Fig. 1. La région de Casamance au Sénégal.

A l'est, la Moyenne et la Haute Casamance ne présentent guère de différences. Les plateaux sont un peu plus élevés, du sud vers le nord, et de l'ouest vers l'est. Ils sont masqués par des sols argilo-sableux, en général profonds, sauf à leur périphérie quand affleurent les niveaux latéritiques.

Le climat est caractérisé par une longue saison sèche d'octobre à juin et un hivernage particulièrement pluvieux pendant les mois d'été. La Basse Casamance, qui s'étend de l'océan au Soungrougrou, affluent de rive droite du fleuve, se distingue nettement du reste du pays par une forte pluviosité qui dépasse 1735 mm à Usuy (Oussouye) et 1547 mm à Ziguinchor. Apportées par la mousson occidentale, les pluies tombent en averses violentes et drues qui peuvent durer au mois d'août des journées entières. La température annuelle n'est pas très élevée, 25° 8 à Ziguinchor, mais en début et fin de saison sèche, la chaleur est accablante pendant la journée, et les nuits sont souvent pénibles à supporter. Cette région appartient « climatiquement au domaine guinéo-libérien qui, en Afrique occidentale, s'étend de l'embouchure de la Gambie au Cap des Palmes »[1].

La Moyenne et la Haute Casamance sont plus sèches car elles subissent les influences du climat soudanien. Moins arrosées, 1378 mm à Seju et 1256 mm à Kolda, elles sont plus chaudes avec deux maxima de température en mai et octobre. Les moyennes de température peuvent atteindre 30°. Il faut avoir circulé sur les pistes casamançaises pour se faire une idée réelle de la chaleur. Pourtant la route est rarement désagréable, car elle est presque toujours ombragée par une végétation généreuse qui apporte quelque réconfort.

[1] Paul Moral. *Le climat du Sénégal*, D.O.P.E.D.O.C. 70, p. II, Ecole Normale Supérieure, Dakar.

Sous l'influence de l'humidité et de la mer s'insinuant partout, deux formations végétales prennent une place de premier plan en Casamance occidentale. Ce sont la forêt et la mangrove.

Les formations forestières occupent les plateaux. De type guinéen et demi-sèches, elles sont souvent compactes et de pénétration difficile : exemple ; la forêt des Bayot au sud-ouest de Ziguinchor. Les arbres sont hauts, puissants et les plus majestueux sont les cailcédrats (*Khaya senegalensis*). Les espèces les plus répandues dans les hautes futaies sont le mampate (*Parinari excelsa*) et le tali (*Erythrophleum guineense*). L'écorce de cette dernière sert à des rites particuliers de la part de certains habitants au cours d'épreuves de type ordalique. Les futaies naturelles sont composées de très nombreuses espèces où se juxtaposent entre autres le ntaba (*Cola cordifolia*) et l'imposant fromager (*Ceiba pentadra*) aux racines gigantesques et spectaculaires. Le sous-bois est touffu, formé de petits arbustes et de lianes dont certaines donnent du latex (*Landolphia heudelotii*). Il est difficile d'accès. Si aujourd'hui les biches et les panthères ne sont pas rares, le gibier était abondant au siècle dernier. En 1850, le sous-lieutenant Hecquard signale dans un rapport que les forêts abritaient des perdrix, pintades, lièvres et biches en abondance, de toutes espèces. Parmi les animaux féroces, les léopards et les chats-tigres assez forts étaient nombreux. Il était émerveillé par la variété et la beauté des oiseaux comme le foliotocole, la veuve, le violet, le colibri et les cardinaux. Il redoutait par contre la présence des serpents, dont trois espèces particulièrement dangereuses : le trigonocéphale, un serpent gris qui s'attaquait aux bestiaux, et un serpent aux couleurs brillantes qui se tenait dans les cases et causait de nombreux accidents, notamment dans le bas du fleuve [1].

Les rives du fleuve et des marigots envahis par la marée sont le domaine de la mangrove qui, vu d'avion, dessine des ourlets de verdure, épousant les moindres méandres. Ce sont en fait de petites forêts-galeries qui disparaissent avec des dépôts sablonneux qui émergent à marée haute. Les palétuviers surprennent par le vert tendre et agréable de leur feuillage qui contraste avec l'enchevêtrement inextricable des racines enlisées dans la vase. Ils disparaissent dès que l'eau a tendance à devenir douce, notamment en Moyenne Casamance.

La Casamance soudanienne est recouverte aussi par la forêt. Elle est cependant plus sèche ; exemple : les zones forestières du Yasin et du Buje (Boudhié) en Moyenne Casamance, les forêts du Jimara et de Bakor dans le département de Kolda [2]. Les espèces sont variées, et on retrouve le tali et le santan (*Daniella oliveri*). Les arbres sont cependant moins hauts et les lianes disparaissent. « L'unité et la continuité du manteau forestier s'expliquent par la modestie du peuplement et le vide humain sur de très grands espaces. [3] »

La principale voie de pénétration en Casamance est son fleuve. Il marque une nette séparation dans sa partie inférieure entre les pays du nord et du sud. Long de trois cents kilomètres, il prend naissance à l'est de Kolda, par la réunion de plusieurs cours d'eau, près du village de Fafakuru. De ce lieu à l'océan, la

[1] Hyacinthe HECQUARD. *Rapport sur un voyage dans la Casamance en 1850*, Revue coloniale, mai 1852, pp. 409-432.

[2] Voir la carte de l'I.G.N. au 1/500 000, feuille République du Sénégal.

[3] Paul PÉLISSIER, *ibid.*, p. 502.

Casamance a une pente très faible de sept centimètres par kilomètre. La marée remonte longuement la vallée jusqu'à Seju. Le cours peut se diviser en trois sections : de Kolda à Jana-Malari, le lit est étroit, quelques mètres seulement à Kolda. En saison sèche, il y a très peu d'eau : 80 centimètres à Jana-Malari. La navigation est alors impossible pendant cette période. Pendant l'hivernage seulement, des barques à fond plat peuvent circuler sur le cours d'eau.

De Jana-Malari à Ziguinchor, le fleuve s'élargit, mais seuls des cotres et des chalands ayant au plus un tirant d'eau de 1 mètre peuvent l'utiliser. La navigation est rendue difficile à cause de bancs de sable situés entre Adéane et Ziguinchor. Face à Adéane, la Casamance reçoit son affluent principal de rive droite : le Soungrougrou. Né dans le Sonkodu, en Moyenne Casamance, de la réunion de quatre marigots, il a une pente très faible. Il rejoint le fleuve à Jao et la confluence donne l'impression d'un grand lac circulaire de trois à quatre kilomètres de diamètre [1]. Si l'origine du mot Soungrougrou est inconnue des Malinké, une tradition recueillie à Ziguinchor signale que le mot pourrait être une déformation de Saint-Grégoire, nom donné par les Portugais. Aucun élément sûr n'est venu jusqu'à ce jour confirmer cette interprétation.

De Ziguinchor à la mer, l'estuaire s'élargit considérablement pour atteindre l'embouchure entre la pointe de Jogue et l'île de Karabane. Elle est obstruée par des bancs de sable. Un chenal au nord permet le passage des bateaux qui remontent jusqu'à Ziguinchor un trajet balisé, sans difficulté.

Avec l'hivernage, les eaux montent jusqu'en août. La crue n'est pas spectaculaire, car les voies d'évacuation sont suffisamment larges. Les tann sont inondés et transformés en bourbiers. Dès la fin du mois d'octobre, les eaux commencent à baisser, mais il faut attendre décembre-janvier pour pouvoir circuler sur les pistes sans trop de gêne. Les ponts sont encore rares, surtout en Basse Casamance où les innombrables marigots ont toujours été un obstacle aux voies de communication. La pirogue et le bateau à fond plat sont les éléments indispensables pour pénétrer dans tous les marigots et visiter de nombreux villages. Le pont de Ziguinchor a été construit en 1977. Ces difficultés de communication ont été dans le passé vivement ressenties par les étrangers qui ont traversé le pays. Seuls, les Casamançais connaissant parfaitement leur région sillonnaient les cours d'eau de jour et de nuit, sachant profiter de l'avantage remarquable que leur procurait la nature pour s'opposer à d'éventuels adversaires.

Occupés à pêcher, à travailler dans les rizières et les champs, ou à récolter du vin de palme, les populations casamançaises savent plaire au voyageur par la chaleur de leur accueil. Cependant à travers les vissicitudes du passé, elles n'ont pas toujours manifesté de semblables dispositions. Fières de leurs origines et jalouses de leur liberté, elles ont réagi souvent avec violence contre toute atteinte à leur manière de vivre. Diverses par leurs races, leurs langues et leurs mœurs, elles méritent à présent toute notre attention.

[1] Assane SECK. *La Moyenne Casamance*, Institut des Hautes Etudes de Dakar, Travaux du Département de Géographie, N° 4, 1955, 49 pages.

PREMIÈRE PARTIE

La Casamance avant 1850

Chapitre Premier

MŒURS ET COUTUMES DES POPULATIONS CASAMANÇAISES VERS 1850

Trois grandes ethnies se partagent le pays casamançais auxquelles s'ajoutent des groupes moins importants par leur nombre mais qui jouent un rôle actif dans l'histoire de la Casamance. La Basse Casamance est peuplée de Bañun et de Joola. La Moyenne Casamance est le pays des Malinké, des Balant, et d'un petit groupe de Toucouleur. La Haute Casamance est surtout le domaine des Peul ou Fula qui, à cette époque, sont asservis par les Malinké du Gaabu. Toutes ces populations appartiennent à deux types de sociétés différentes, païenne ou musulmane.

Il est commun de dire aujourd'hui que la Basse Casamance est le pays des Joola. Leur nombre important évalué à plus de 200 000 personnes permet sans nul doute de vérifier cette affirmation. Cependant bien des nuances sont à considérer, ne serait-ce par exemple que les nombreux dialectes parlés par des groupes différents très attachés à leur terroir. En fait, au milieu du XIXe siècle, deux peuples vivent en Casamance occidentale, les Bañun et les Joola. Bérenger-Féraud les qualifie de primitifs par rapport aux populations de Moyenne Casamance, plus évoluées et envahissantes [1].

I. *LES PEUPLES FORESTIERS NON ISLAMISÉS*

A. Les Bañun ou Baïnuk

1. *Les origines*

Leurs origines sont encore très mal connues, mais les traditions locales sont unanimes pour affirmer qu'ils constituent le peuplement le plus ancien de la Casamance.

[1] **Bérenger-Féraud.** ***Les peuplades de la Sénégambie*, Paris, E. Leroux, 1879.**

a) *Les traditions orales*

Comme la plupart des peuples vivant sur la côte occidentale de l'Afrique, les Bañun affirment que leurs ancêtres sont venus de l'est, chassés par les Malinké du Gaabu qui ont obligé un de leurs grands rois, Gana Sira Bana Biaye, à venir s'installer dans la Casamance actuelle. Les Malinké les appellent Baïnunk (abaï = chassez-le, nunko = celui qui a été chassé).

Tous les vieux Bañun relatent l'histoire de Gana Sira Bana qui semble être leur dernier grand conquérant. Sa mort marque en effet le déclin de son peuple qui va devenir tributaire des Malinké. Connu aussi sous le nom de Masobti,

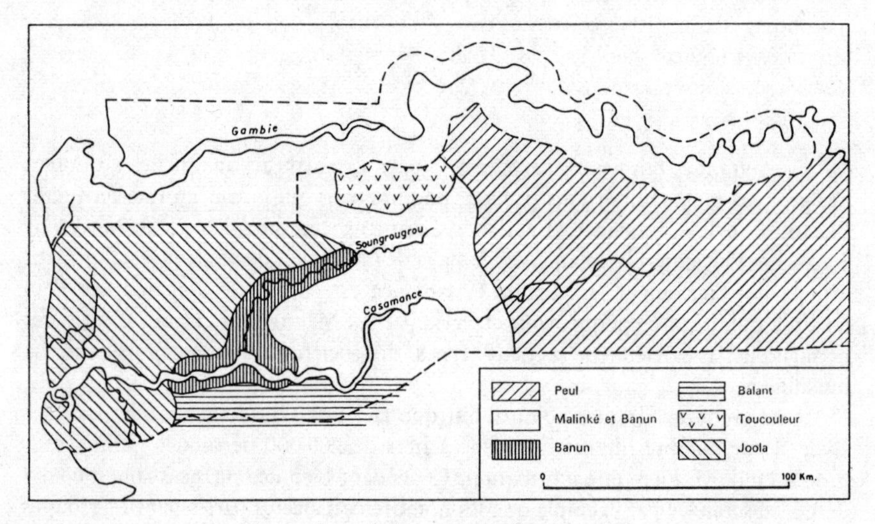

Fig. 2. Les ethnies casamançaises vers 1850.

Gana Sira Bana (nom malinké) occupa le Balantakunda actuel, sur la rive sud de la Casamance, face à l'embouchure du Soungrougrou, affluent de rive droite du fleuve. Ses guerriers se dispersèrent par la suite dans toute la région, jusque sur les rives de la Gambie. Il fonda une capitale, Brikama qui se situe aujourd'hui en pays balant, à quelques kilomètres de Gudomp, puis une autre du même nom, au Kombo (actuellement en République de Gambie, au sud de Banjul). Les circonstances de sa mort sont étranges et forment l'essentiel des récits des Anciens.

Le roi aurait été victime d'un complot ourdi par ses sujets mécontents de sa cruauté. Les conjurés préparèrent une trappe couverte de nattes et de sable, sur laquelle ils dressèrent le fauteuil royal. Puis ils organisèrent une fête grandiose où ils invitèrent leur souverain. Gana-Sira Bana tomba dans le piège et mourut lapidé par ses assassins. Avant de mourir, il maudit son peuple et lui prédit son déclin et sa disparition inéluctable. Ses héritiers, dispersés dans toute la Casamance, régnèrent sur des royaumes vassaux de celui de Brikama.

De ces traditions, trois éléments sont à retenir. D'abord le lieu d'origine, les Bañun semblent bien être venus du Gaabu. A. Texeira da Mota a recueilli en

Guinée-Bissau des traditions qui précisent qu'ils sont partis du pays « d'Abul », à l'est de la Guinée, qui correspond à la région de l'Ingorei [1].

La division du peuple bañun en tribus vassales d'un groupe plus puissant situé au sud de la Casamance, ne fait pas de doute. D'autres traditions et des faits historiques le confirment [2].

La malédiction de Gana Sira Bana Biaye a traumatisé les mémoires. C'est un des rares faits précis qui soit parvenu jusqu'à nous, probablement parce que les événements lui ont donné raison. Le peuple bañun a été victime d'un véritable génocide à partir du XVIIe siècle de la part de ses belliqueux voisins Malinké et Joola. Aujourd'hui encore, il passe pour être maudit et voué à disparaître. De nombreux Bañun sont encore victimes d'un complexe, renforcé par leur petit nombre, et la quasi-nécessité de se métisser avec les autres ethnies pour survivre. La langue se perd et de nombreux jeunes gens qui ont des mères étrangères, ne parlent plus le langage de leurs ancêtres.

Peut-on dater le règne de Gana Sira Bana? Aucun élément ne permet de le faire pour le moment. Les sources portugaises consultées ne font aucune mention de lui et à leur arrivée en Casamance, les Portugais trouvent déjà des Bañun soumis à des Malinké. D'autre part, rien ne permet de croire que Gana Sira Bana soit le premier roi bañun qui ait migré en Casamance. En conséquence, il est possible que le règne de ce souverain bañun ait eu lieu avant l'arrivée des premiers voyageurs portugais, au XIVe siècle peut-être, mais rien de concret ne permet de l'affirmer.

b) *Les sources historiques*

A Londres, en juillet 1972, au Congrès d'Etudes Manding, Jean Boulègue a apporté des renseignements précieux sur les Bañun de Casamance, dans une communication intitulée: *Le royaume du Kasa (Casamance)* [3]. Etudiant les récits des voyages de plusieurs navigateurs, il montre qu'en 1456, le Vénitien Alvise da Mosto remonte le fleuve de Casamansa « noir qui habite en amont sur ce fleuve, à environ 30 milles » [4]. Ce personnage qui a donné son nom au fleuve porte le titre malinké de mansa: Kasa mansa = roi des Kasa.

Au début du XVIe siècle, Valentin Fernandès décrit le royaume du Kasa mansa où il y a un mélange de plusieurs races. « Le roi de ce pays est de race mandinga comme la plupart de ses sujets et il s'appelle Casamança, c'est un grand seigneur, avec beaucoup d'or et de femmes. [5] »

En 1594, un Cap-Verdien, André Alvarès d'Almada, relate que le commerce de la Casamance dépendait d'un bras du São Domingo à cause d'une guerre de

[1] A. TEXEIRA DA MOTA. *Guiné portuguesa*, Agencia Geral do Ultramar, 1954, vol. I, p. 144.

[2] Voir ci-dessous.

[3] Jean BOULÈGUE. *Aux confins du monde malinké: le royaume du Kasa (Casamance)*. Communication présentée au Congrès d'Etudes Manding, Londres, juillet 1972, Département d'Histoire, Université de Dakar.

[4] Alvise DA MOSTO, édité par le R. P. Antonio BRASIO, dans *Monumenta Missionaria Africana*, segunda serie, vol. I, Lisbonne, 1958, pp. 287-373.

[5] Th. MONOD, A. TEXEIRA, DA MOTA, R. MAUNY, *Description de la Côte occidentale d'Afrique* par V. FERNANDES (1506-1510), Bissau, 1951, p. 59.

Noirs entre les Cassangas et les Banhums. Les Cassangas vivaient le long du fleuve en amont des Banhums et leur roi accueillait en 1581 des commerçants portugais avec lequel il faisait le commerce du sel et de la cire [1]. Les Cassangas ou Kasanke habitaient les deux rives du fleuve, mais surtout sur la rive sud, en amont des Banhums de Ezeguichor (Ziguinchor) [2]. Un autre voyageur portugais, Francisco de Lemos Coelho, le trouva à la fin du XVIIe siècle sur la rive sud, en face du royaume de Jase (Jasin) [3] ; la capitale était Brucama ou Brikama.

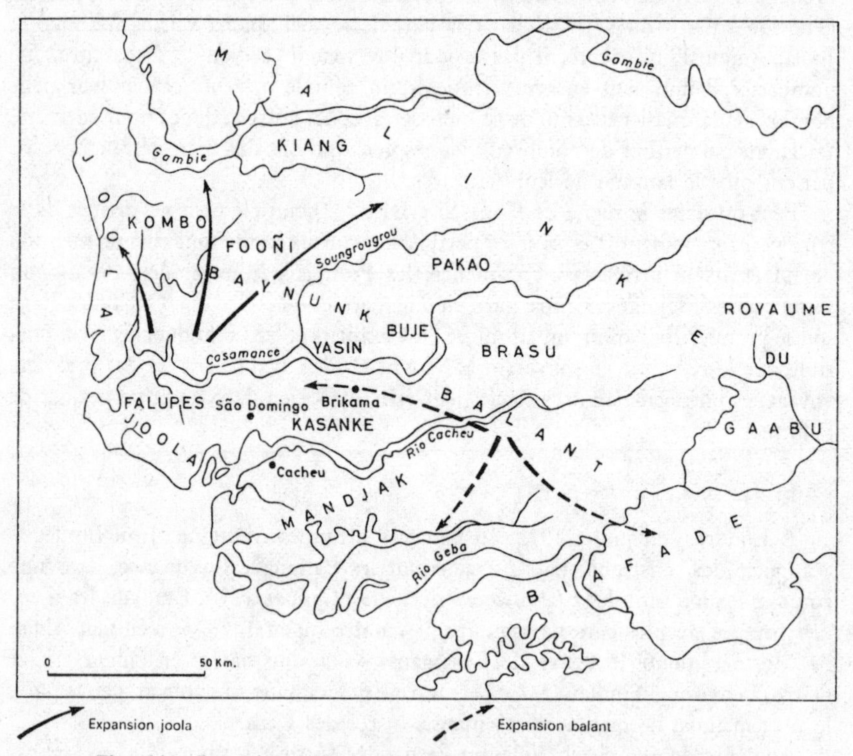

Fig. 3bis. La région de Basse Casamance vers 1640, d'après J. Boulôgne.

Au début du XVIIe siècle, le royaume du Kasa était entouré par les Malinké à l'est et par les Bañun qui s'étendaient du Rio Bintang au Rio Cacheu. « Le cours de la Vintang (Bintang) sépare le Fogny du Kian. Le Kian était habité par des Bagnuns aujourd'hui en partie assimilés aux Mandingues par lesquels ils ont été subjugués. Cérèges... était autrefois la capitale des Bagnuns du Kian. Au siècle dernier Anglais et Portugais y étaient installés et la Compagnie française y créa un établissement en 1700. A cette époque le roi de Cérèges conservait encore une certaine indépendance, car en 1670, les Anglais étaient venus l'intimider

[1] ALVARÈS D'ALMADA. *Monumenta Missionaria Africana*, édité par le R. P. BRASIO, segunda serie, vol. III, Lisbonne, 1964.
[2] Almada, p. 291, cité par Jean BOULÈGUE, p. 2.
[3] COELHO. *Duas Descrições Seiscentistas de Guiné*, Lisbonne, 1953, édité par Damião Pères.

avec une embarcation armée, et ils avaient été repoussés à coups de fusils par ses guerriers... Les Bagnuns formaient autrefois un Etat considérable. Ils occupaient en effet la plus grande partie des territoires compris entre la Gambie et le Cacheu et se trouvaient par conséquent à cheval sur la Casamance où ils occupaient la majorité des rives... [1] »

Les Joola appelés Falupes se répartissaient de part et d'autre de l'embouchure, alors que les Balant au sud-est des Kasanke occupaient les rives du rio Cacheu [2].

Les Kasanke étaient vraisemblablement des Bañun fortement mandinguisés. S'appuyant sur des traditions, Bérenger-Féraud écrit que les Cassas formaient un groupe bañun dont le roi avait réussi à imposer sa domination aux autres tribus [3]. « Au début du XVIIIe siècle, les Balant payaient un tribut au roi des Kassa et la confédération des Cassangas et des Bagnuns était puissante... Aujourd'hui, quoique ce petit état soit anéanti, il y a toujours un chef prétendant au titre de mansa qui réside à Jagniou », écrit Emmanuel Bertrand-Bocandé, résident de Karabane en 1851 [4]. A. Texeira da Mota estime aujourd'hui que les deux peuples Kasanke et Bañun parlent des dialectes d'une même langue [5].

A la fin du XVIIe siècle, Coelho écrivait : « Tous ces royaumes de Banhus que j'ai nommés (Sangedugu ou Herèges, Jase ou Jasi-Quinguin et Bichamgor) qui sont quatre en plus de celui de Caçamança disent qu'ils furent sujets de celui de Caçamança, aujourd'hui ils vivent tous dans l'indépendance. [6] » Le Kasa mansa conservait encore la suzeraineté sur une partie des Balant qui s'étendaient en amont du Kasa, sur la rive nord du Rio Cacheu, jusqu'à la hauteur de Farim.

Le XVIIIe siècle fut celui du déclin. Tous les royaumes bañun furent harcelés par les Joola à l'ouest, les Malinké à l'est et les Balant au sud. Ces derniers détruisirent le dernier vestige de la puissance kasanké en incendiant la capitale Brikama vers 1830 [7].

« Maintenant que le royaume de Casamance n'existe plus, les Cassas sont réduits à habiter quelques villages du côté du San Domingo »... « Les Cassangues qui demeuraient plus au Nord ont été expulsés ou bien ont fui devant les Balantes. [8] »

Vers 1850, les Bañun étaient sur le point d'évacuer le Buje et le Jasin, largement occupés par les Malinké islamisés, pour se réfugier à l'ouest, sur les rives

[1] BROSSELARD-FAIDHERBE. *Casamance et Mellacorée*, Paris, A la librairie illustrée, 1891, in 4°, 106 pages.

[2] Voir reproduction de la carte de Jean BOULÈGUE.

[3] BÉRENGER-FÉRAUD. *Les peuplades de la Sénégambie*, Paris, E. Leroux, 1879.

[4] Archives du Sénégal, 2 D. Résident de Karabane au Commandant particulier de Gorée, 20 juillet 1851.

[5] A. TEXEIRA DA MOTA. *Guiné portuguesa*, Lisbonne, 1954, vol. I, p. 233.

[6] COELHO, p. 32.

[7] A. VALLON. *La Casamance, dépendance du Sénégal*, Revue maritime et coloniale, février-mars 1862, pp. 456-474. « Les Cassas ou Cassangues ont cependant été... les maîtres du fleuve, dont le roi ou mansa habitait le grand village de Brikam que les Balantes ont détruit depuis une trentaine d'années » (p. 458).

[8] Emmanuel BERTRAND-BOCANDÉ. *Notes sur la Guinée portugaise ou Sénégambie méridionale*, Bulletin de la Société de Géographie, troisième série, t. XI, n° 65-66, mai-juin 1849, pp. 265-350 (p. 313 et p. 336).

du Soungrougrou, et à l'ouest de Ziguinchor. L'ancien royaume bañun du Kombo disparu depuis longtemps, fut assimilé par les Joola. Seuls des noms de clans rappellent leur ancienne présence : Koli, Sambu, Bojan. A leur tour les Joola du Kombo subirent une forte pression malinké venant de Gambie.

2. *Les relations du Kasa et l'empire du Mali*

Pour Jean Boulègue, l'appartenance du Kasa à l'empire du Mali paraît évidente, d'après ce que rapporte Alvise da Mosto au sujet de la souveraineté du Mali sur les pays situés au sud de la Gambie : lorsqu'il demande quel est le souverain des pays de la Gambie, on lui répond que le principal d'entre eux se nomme Farosangoli, qu'il réside à neuf ou dix jours du sud du fleuve, dans l'intérieur des terres et que lui-même est soumis à l'empereur du Mali [1].

A la fin du XVIe siècle, le roi du Kasa dépend du faren du Gaabu. « Bien que ce roi soit puissant, il obéit à un faren appelé Cabo qui est parmi eux comme un empereur et de cette manière, ils obéissent tous les uns aux autres jusqu'à aboutir au farim d'Olimança, je veux dire de Mandimança, qui est l'empereur des Noirs et dont les Mandingas ont pris le nom. [2] » Le Kasa était donc un royaume tributaire du Mali exerçant lui-même à son apogée un vaste contrôle sur une large partie de la Basse Casamance.

3. *Le système politique*

Le mode d'accession au trône du Kasa, décrit par Almada, révèle une influence malinké. Quand le trône devenait vacant, le nouveau roi était choisi par le capitaine des esclaves du roi précédent. L'élu était une personne proche de la famille royale et il n'était pas obligatoirement le plus âgé.

Au XIXe siècle, le Kasa mansa résidait toujours à Brikama mais le principe de succession s'était transformé. Six familles demeurant chacune dans un village différent fournissaient successivement le roi. « Les prétendants observent encore aujourd'hui cet ordre de succession. Ces villages sont Brikam, Niéné, Binako occupés par les Balantes ; Conjogolon, Adéane, tous sur la rive gauche et Bombouda sur la rive droite, actuellement abandonné. [3] »

Une assemblée de notables conseillait et imposait souvent sa volonté au souverain. En fait, les villages assez populeux étaient indépendants les uns des autres et vivaient sous l'influence d'un chef religieux qui offrait des sacrifices aux « Jalan » grands arbres vénérés et redoutés.

4. *Les mœurs*

Les Bañun étaient de taille moyenne. Ils avaient les oreilles percées de plusieurs trous dans lesquelles ils introduisaient des morceaux de roseau. Leur costume simple consistait en un pagne fort court autour des reins. Leurs bras et

[1] Alvise DA MOSTO, dans BRASIO, p. 355, cité par J. BOULÈGUE, p. 6.
[2] ALMADA, p. 298.
[3] Emmanuel BERTRAND-BOCANDÉ. *Notes sur la Guinée portugaise ou Sénégambie méridionale*, p. 314.

jambes portaient des bracelets de cuivre. Ils se taillaient les dents avec des ciseaux [1].

Cultivateurs, ils plantaient du riz, semaient un peu d'arachide et recueillaient de la cire d'abeille qu'ils vendaient aux Européens. Ils croyaient à l'existence de deux êtres surnaturels, l'esprit du Bien et l'esprit du Mal. Ils invoquaient surtout le second pour le supplier de les épargner et ils lui offraient de grandes quantités de riz et de volailles. Aujourd'hui les Bañun non convertis à une

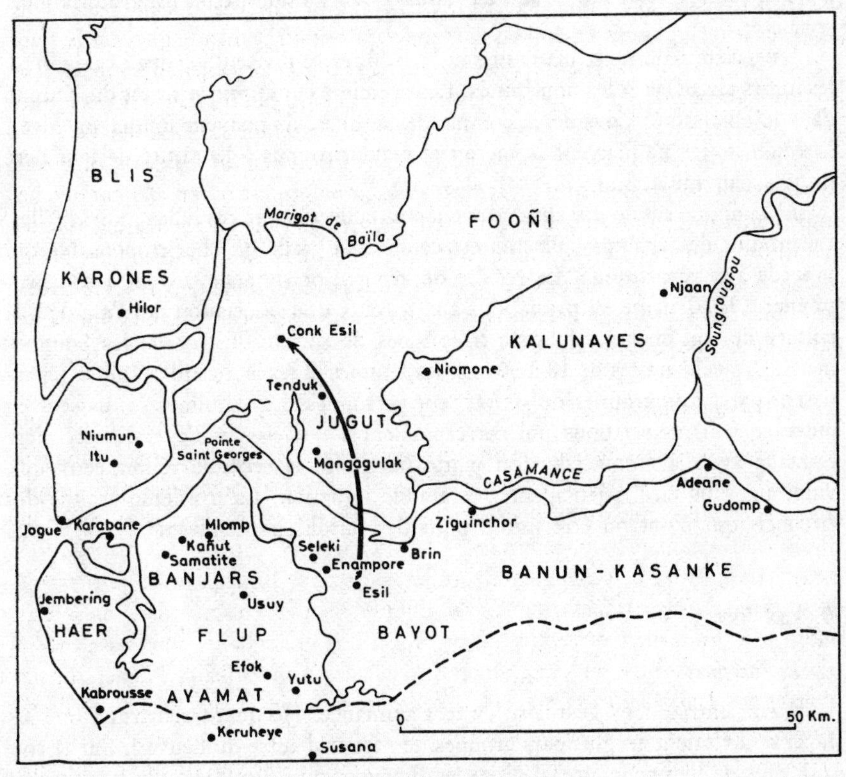

Fig. 3. Les pays bañun et joola.

religion révélée affirment leur croyance en un dieu tout puissant : Dino qui est le principe créateur dont émane tout ce qui existe. Il se manifeste aux hommes sous l'apparence du Kumpo.

Le Kumpo est un masque qui incarne l'âme collective du groupe. Il réside dans le bois sacré réservé aux hommes. Il initie les circoncis à son secret et justifie son autorité virile sur les femmes. Il protège les villageois contre les esprits malfaisants que sont les sorciers [2].

[1] Hyacinthe HECQUARD. *Rapport sur un voyage en Casamance en 1850*, Revue coloniale, mai 1852, pp. 409-432.

[2] Jean-Marie GIRARD. *Genèse du pouvoir charismatique en Basse Casamance*, Dakar, I.F.A.N., 1969, 372 pages.

Peu nombreux par rapport à leurs voisins, les Bañun étaient décrits par les Européens, tantôt comme des populations douces et soumises, tantôt comme des ivrognes abrutis par l'excès de vin de palme [1]. Ils occupent aujourd'hui un domaine restreint, de part et d'autre de la Casamance, à la longitude de Ziguinchor. Ils sont mêlés aux Joola, aux Balant et aux réfugiés de Guinée-Bissau.

L'organisation socio-économique des Bañun a été étudiée en 1967 par l'ethnologue Jean-Marie Girard au village de Niamone. Isolé au milieu des villages joola, il semble avoir été le lieu de diffusion du kumpo parmi les groupes joola voisins [2].

La société bañun est masculine et les adultes se divisent en deux catégories ; les initiés circoncis et les non-initiés. Les premiers ont appris le secret du Kumpo dans le bois sacré. Considérés comme des adultes, ils peuvent fonder un foyer. Les non-initiés ne peuvent se marier et restent soumis à l'autorité de leur père jusqu'à leur initiation.

L'économie rurale juxtapose des champs collectifs aux parcelles individuelles. Le produit des champs collectifs est confié à la garde du chef responsable qui procède aux répartitions. La récolte de la terre personnelle revient à son propriétaire. Il participe en prestations aux travaux de l'association qui l'a aidé à la culture de son champ. Il existe trois types de société de travail : les hommes mariés, les célibataires de 18 à 30 ans, les femmes et les jeunes filles qui se répartissent par petits groupes de six ou sept personnes. Les hommes se divisent en outre en trois associations qui correspondent à des classes d'âge. La première coïncide avec la circoncision ou petite initiation, la seconde réunit ceux qui, vingt ans plus tard, participent à la grande initiation. La troisième groupe des circoncis qui n'ont pu être initiés pour des raisons particulières [3].

B. Les Joola

1. *Les origines*

A son entrée dans l'estuaire de la Casamance, Hecquard remarqua que les Joola se divisaient en plusieurs groupes de part et d'autre du fleuve [4]. Sur la rive sud, près de l'embouchure, il visita les Feloupes ou Flup. De taille moyenne et

[1] Bérenger-Féraud. *Les peuplades de la Sénégambie.*

[2] Jean-Marie Girard, p. 146. « Notre explication sur les origines du kumpo est la suivante : Les Baynuk, premiers occupants nomades de Haute Casamance, entrèrent en contact... avec les conquérants mandingues qui possédaient un type de royauté charismatique et, d'une façon générale, une organisation supérieure à celle des peuples conquis. Ceux-ci furent ainsi progressivement ou détruits, ou contraints de se réfugier dans la mangrove de la Basse Casamance où ils se fixèrent en s'adaptant à la riziculture. Leurs croyances traditionnelles s'équilibrèrent avec le fait nouveau malinké, le réinterprétèrent en termes baynuk jusqu'à en faire le principe moteur de leur société. »

[3] La loi du bois sacré n'autorise pas un père et son fils à se retrouver pour une même retraite. Si un homme initié à 20 ans a un fils la même année, ce dernier sera circoncis, mais ne pourra pas entrer dans le bois, son père participant à l'âge de 40 ans à la grande initiation.

[4] H. Hecquard. *Rapport sur un voyage en Casamance en* 1850, Revue coloniale, mai 1852, pp. 409-432.

musclés, leur peau était d'un noir très foncé. Comme les Bañun, ils avaient des dents taillées, notamment celles de la mâchoire supérieure. Leurs cases étaient en bois, recouvertes d'un enduit d'argile très solide. Plus à l'est, il s'arrêta chez les Banjars, dans des villages gouvernés par des rois. Les rois de Samatite et de Batinière exerçaient des fonctions religieuses et offraient des sacrifices aux boekin (fétiches) pour obtenir la pluie et le beau temps.

Après avoir visité la rive sud, il parcourut quelques villages de la rive nord et séjourna dans le Fooñi, où les habitants lui parurent fort belliqueux et peu hospitaliers. Il ne s'attarda pas longtemps, et descendant le fleuve, il s'arrêta chez les Jigouches ou Jugut. Il fut surpris de n'y trouver aucune forme de gouvernement. « Seules, écrit-il, la force et la richesse font la loi. [1] »

Les observations faites par Hecquard qui effectuait une mission d'exploration sont évidemment sommaires et incomplètes. Elles sont cependant intéressantes car elles sont exactes dans l'ensemble. Nous aurons l'occasion de le montrer.

Par la suite, plusieurs essais de classement des populations joola furent élaborés. Bérenger-Féraud releva l'existence de neuf groupes joola et Maclaud au début du XXe siècle en énuméra dix [1]. Plus récemment, L. V. Thomas, s'appuyant sur des considérations anthropologiques et historiques, a proposé le classement suivant :

Sur la rive gauche, les Flup autour d'Usuy, les Jamat, appelés autrefois Ayamat autour des villages d'Efok et de Yutu, les Joola-Haer dont le centre principal est Kabrousse, les Joola de Jembering, ceux de la Pointe Saint-Georges (les Banjars de Hecquard), le groupe de Brin-Seleki et les Bayot [2].

Les Bayot résident au sud de Ziguinchor, à proximité de la frontière guinéenne. Ils furent les derniers à entrer en relations avec les Français au début du XXe siècle. De taille moyenne, les cheveux broussailleux, ils avaient le torse long par rapport aux jambes courtes et musclées. Les femmes avaient le crâne rasé et les lobes de leurs oreilles percés de deux ou trois trous laissaient passer de petits bâtons de trois à quatre centimètres de long. Ils ne se taillaient pas les incisives comme les Flup. Presque toujours nus, vêtus seulement d'un cache-sexe, ils avaient les cheveux souvent garnis de plumes blanches ou de petits boutons de lingerie acquis dans les trocs [3]. On les rencontrait armés d'arcs et de flèches, parfois de fusils à pierre pour la chasse au gros gibier comme la panthère. Dans les villages, au repos, ils fumaient la pipe taillée dans du bois de cailcédrat. Les femmes à l'âge de la puberté avaient un pagne roulé autour des reins qui descendait jusqu'aux genoux. Torse nu, elles aimaient se parer de colliers et de ceintures de dents d'animaux, de griffes, de verroterie.

Leur habitation se composait de plusieurs cases en banco ouvertes sur une cour intérieure fermée ou pas. Les murs de 40 à 50 centimètres d'épaisseur percés

[1] BÉRENGER-FÉRAUD. *Les peuplades de Sénégambie.*

Dr MACLAUD, La Basse Casamance et ses habitants, « Bulletin de la Société Commerciale de Géographie », tome XXIX, 1907.

[2] Louis Vincent THOMAS. *Les Diola, Essai d'analyse fonctionnelle sur une population de la Basse Casamance*, Dakar, I.F.A.N., 1959.

[3] Jules LEPRINCE. *Les Bayottes.* A travers le monde, N° 40, 7 octobre 1905, N° 41, 14 octobre 1905.

de portes rectangulaires et de petites fenêtres, soutenaient une forte charpente en rônier, recouverte par une toiture de paille [1].

Sur la rive droite, Thomas compte neuf groupes mais il préfère donner une classification plus simple et distingue les Blis-Karones à l'ouest et les Joola du Fooñi à l'est [2].

Depuis longtemps, les chercheurs tentent de déterminer et de préciser les origines des Joola. Ils se heurtent à de grandes difficultés imposées par la nature même de ces populations qui n'ont conservé aucun souvenir précis de leur passé lointain. Dans une enquête pratiquée en Basse Casamance, L. V. Thomas s'est intéressé à des recherches anthropologiques sur la notion de durée [3]. Il a étudié chez les Joola, le temps et l'histoire. Il a remarqué que les personnages historiques évoquaient beaucoup plus de connaissances que les personnages mythiques, ce qui semble normal à priori, mais précise-t-il : « En dehors des témoins oculaires, la vérité historique s'interprète de manière assez large... Quant aux héros mythiques, ils ne suscitent guère de curiosité de la part des Diola actuels qui se contentent d'affirmer leur existence lointaine. De fait, les ancêtres se perdent toujours dans l'anonymat collectif et c'est de manière anonyme qu'on les invoque dans le culte. On peut avancer l'hypothèse suivante : Les Diola ont, au cours du temps, perdu leurs mythes et l'habitude de représenter leurs héros culturels et leurs totems par des masques et des statuettes. Il ne reste plus, de nos jours, que des légendes, des réminiscences assez syncrétiques et quelques entités vaguement personnalisées... Le temps historique reste flou et incertain. Seul persiste le temps concret, celui de la vie et de l'action. [3] »

Le manque d'intérêt pour le passé, l'absence de griots, la surprise et la méfiance devant la curiosité du chercheur, ne facilitent guère les travaux de recherche. Pourtant dans les villages convertis à l'islam, notamment ceux de la rive nord soumis à l'influence malinké, une tradition orale s'est créée depuis l'arrivée du premier marabout et les conversations des villageois. Les détails abondent et les récits ne manquent pas de précisions, d'autant que ces traditions sont récentes et n'ont guère plus d'un siècle.

Avec l'évolution rapide du monde traditionnel, les gardiens de la tradition en milieu païen sont résolus plus que jamais à conserver leurs secrets et ils se refusent à toute confidence. Les renseignements obtenus sont communiqués par des hommes jeunes en général, qui ont souvent quitté leur village pour venir travailler à Dakar ou dans des villes éloignées. D'autres plus âgés, acceptent de parler car leurs contacts avec le monde moderne sont déjà anciens. Selon la confiance inspirée par leur auditeur, ils acceptent de révéler leur savoir mais leur discrétion est totale quand ils jugent qu'un fait ne doit pas être relaté, couvert par le secret. Le jeune chercheur joola n'est guère plus favorisé que l'étranger. Le fait d'avoir quitté le village pour fréquenter l'école et l'Université le rend suspect aux yeux des Anciens qui déplorent sa conversion à l'islam ou au

[1] LEPRINCE.
[2] THOMAS.
[3] Louis Vincent THOMAS. *Le Diola et le temps*, Extrait du bulletin de l'I.F.A.N., tome XXIX, série B, N° 1-2, janvier 1967, p. 360.

christianisme. La structure même des villages, indépendants les uns des autres et divisés en quartiers autonomes parfois hostiles, accroît davantage la difficulté.

Malgré l'ignorance de leurs origines, de nombreux Joola pensent que leurs ancêtres sont venus de l'est. L'étude de légendes a permis d'émettre des hypothèses qui se complètent parfois.

En 1911, le Dr Maclaud, administrateur supérieur de Casamance, recueillit dans le Fooñi une légende qui ferait venir les Joola du Salum, pays des Sereer. Rejetés de la Haute Casamance par les Malinké, ils se seraient réfugiés dans les régions occidentales, marécageuses et boisées. Par la suite, leurs descendants auraient traversé le fleuve pour occuper la région d'Usuy jusqu'au Rio Cacheu [1].

En 1933, Ahmadu-Mapate Diagne, instituteur en Casamance, étudia les coutumes des Joola du Fooñi oriental. Il considère comme invraisemblable la version de la légende recueillie par Maclaud. Ses recherches permirent de penser que les Joola avaient pu venir du Gaabu. Poussés vers l'ouest par des populations belliqueuses malinké ou peul, ils se seraient dirigés vers l'océan Atlantique et plus tard auraient éprouvé le besoin de se disperser d'ouest en est [2].

A la suite de L. V. Thomas, Brigaud admet aujourd'hui la parenté entre Joola et Séreer. Il se fonde sur des croyances religieuses souvent semblables et sur l'analogie de certaines coutumes comme les cérémonies d'enterrement [3].

Paul Pélissier, par contre, rejette la thèse qui consiste à prétendre que les Joola et les Sereer peuvent être issus d'un même peuple ayant son origine dans le Gaabu ou sur le Moyen Niger. Il remarque que la masse du peuple sereer est issue de la vallée du Sénégal, plus précisément du pays toucouleur. Il ne nie pas l'existence de traits communs entre les deux peuples. Il pense que l'aristocratie malinké des Guellewar chassée du Gaabu à la fin du XIVe siècle a pu entraîner dans son exode vers le pays sereer une suite composée de Joola. Ils ont pu apporter le riz au Salum, puisqu'ils venaient de pays rizicoles au sud de la Casamance. Par contre les Sereer en provenance du Fuuta-Toro ont apporté le mil, et ont occupé des terres sèches favorables à cette culture. Il considère comme certain, que c'est la région située entre la Casamance et le Rio Cacheu où l'implantation joola en Basse Casamance est la plus ancienne. Les Joola seraient passés sur la rive nord avant le XVIe siècle. Plus tard à partir du plateau des Jugut, ils se seraient dispersés vers l'ouest pour aller peupler les îles des Karones et auraient progressé vers l'est, le nord, et le nord-ouest. Leur progression aurait été arrêtée par l'amenuisement des zones inondables propices à la riziculture et au voisinage des Malinké [4].

Les Joola seraient venus du sud comme en font foi les témoignages des villages de la rive nord fondés par des Joola venus du sud. Ainsi Conk-Esil a été fondé par des Joola d'Esil. L. V. Thomas relate la légende d'un personnage mystérieux, Ambona, qui aurait vu le jour dans la région de Susana en pays jamat de Guinée-Bissau. Ce héros, grand chef religieux et courageux guerrier, aurait par ses

[1] Archives du Sénégal, 1 G 343. Monographie sur la Casamance.

[2] Ahmadu Diagne MAPATE. *Notes sur les coutumes des Diola du Fogny oriental*, Bulletin de l'Enseignement de l'A.O.F., No 83, avril-juin 1933.

[3] Félix BRIGAUD. *Etudes Sénégalaises* No 9, 1962, p. 180.

[4] Paul PÉLISSIER. *Les paysans du Sénégal*, p. 666.

conquêtes franchi le Rio Cacheu pour se diriger vers le nord. Entré en contact avec des populations qui connaissaient l'industrie du fer, il aurait remporté la victoire avec des arcs et des flèches sur ses adversaires qui possédaient des épées. C'est depuis ce temps, dit-on, que les habitants de Susana et d'Arame utilisent le kajendo, outil aratoire qui sert à cultiver les rizières [1].

Ces observations confirment une affirmation de Hecquard qui écrivait que les habitants du Fooñi sont des Flup qui ont conquis leurs terres sur des Bañun [2]. D'autre part, le groupe des Jamat à cheval sur la frontière avec la Guinée-Bissau, près des villages d'Efok et de Yutu, présente les mêmes traits physiques, parle le même dialecte que les habitants de la région de Njaan dans les Kalunayes, ancien pays bañun. Les fétiches les plus puissants de la société joola se trouvent à Karoal ou Kéruhèye en territoire guinéen et dans la région d'Usuy. Il est vraisemblable, connaissant l'attachement des Joola à leurs boekin (fétiches) et à leurs emplacements, que les Jamat ont migré du sud vers le nord et se sont installés aux bords du Soungrougrou, après des affrontements victorieux sur les Bañun.

La présence des Bañun en amont des Joola pose un autre problème. Si on admet que les Joola sont venus de l'est, comment expliquer qu'ils aient pu traverser le pays bañun pour aller s'isoler dans les pays difficiles de l'ouest sans avoir pu refouler les Bañun vers ces régions inhospitalières? Il n'est pas interdit d'imaginer que les Joola soient effectivement venus du sud, après avoir emprunté les rios guinéens. Ils ont probablement longé les côtes, ce qui expliquerait la parenté Joola-Sereer que certains ont décelée entre les coutumes des populations côtières. Avec Pélissier, nous devons reconnaître que l'origine des Joola reste encore un épais mystère.

2. *La société joola*

Depuis un siècle, la société joola a évolué mais elle a conservé les structures fondamentales du passé. L'organisation sociale, de nombreuses coutumes et mœurs sont encore vivaces de nos jours. Le monde que nous allons décrire, ignorait encore en 1850, l'islam et le christianisme. La présence de nombreux boekin lui conférait toute son originalité.

a) *La famille*

L'unité économique de base était le couple conjugal. Il pouvait posséder sa case, son jardin, ses rizières. Etroitement associés dans le travail, l'homme et la femme participaient à l'effort commun de mise en valeur. Le mari aménageait et labourait les rizières, recueillait le vin de palme; la femme repiquait et récoltait le riz. Cette autonomie se manifestait par la vie dans des cases communes comme à Enampor, sur la rive sud. Les couples cohabitaient à l'intérieur d'immenses cases de forme ovale ouvertes en leur centre sur une cour intérieure. Les femmes préparaient le repas de leur propre famille sur des foyers séparés, placés autour

[1] L. V. Thomas. *Les Diola et le temps*, Bulletin de l'I.F.A.N., tome XXIX, série B, N° 1-2 janvier-avril 1967, p. 366.

[2] H. Hecquard. *Rapport sur un voyage en Casamance en 1850.*

de la cour, sous une galerie couverte. Le couple jouissait d'une autonomie certaine, mais restait cependant lié aux parents, oncles, frères et cousins de la grande famille de type africain. Groupée autour de l'ancêtre le plus âgé, elle résidait dans une ou plusieurs cases construites sur un territoire défini et limité : le quartier. Les terres appartenaient à la communauté et ne pouvaient être séparées. Quand un nouveau couple se formait, le père du jeune homme lui donnait un certain nombre de parcelles nécessaires pour faire vivre son ménage. Elles ne pouvaient être cédées ou vendues car elles appartenaient au quartier.

Les quartiers coexistaient et formaient le village. Ils étaient en général séparés les uns des autres par plusieurs centaines de mètres et les cases étaient dissimulées dans des bosquets touffus entourés de rizières.

La monogamie était fréquente mais la femme était souvent répudiée. Elle avait la possibilité de quitter son mari pour rentrer chez ses parents mais elle ne pouvait emmener avec elle ses enfants qui restaient sous la garde du mari. Les Flup et les Jugut étaient monogames. Par contre, les Joola du Fooñi étaient polygames. Le mariage était une sorte de concubinage reconnu par la coutume et les femmes mangeaient en commun dans la case de la première concubine. Le nombre de femmes dépendait de la richesse du mari en rizières.

b) *Le cycle de la vie*

Après avoir été circoncis et participé au stage initiatique, le jeune joola, devenu adulte, pouvait penser à se marier. Le jour de sa demande en mariage, il apportait aux parents de sa fiancée des boulines de vin de palme. Quelque temps après, il renouvelait ses cadeaux et allait aider ses futurs-beaux parents à travailler leurs rizières. Il profitait de ses fiançailles pour aménager sa case et faire rentrer du riz dans le grenier. Le jour du mariage, il offrait un pagne à sa femme. La naissance du premier enfant était attendue avec joie et impatience. Si l'épouse était stérile, elle était répudiée.

En général, la naissance d'un enfant joola s'effectuait en dehors de la case familiale. Les futures mères se retiraient dans un bois et accouchaient en un lieu déterminé, interdit aux hommes, sous des arbres. On remarquait des quantités de calebasses brisées au pied des arbres. Elles avaient servi au lavage des nouveau-nés et n'étaient pas rapportées dans les cases. Si l'accouchement était difficile, la patiente pouvait être portée près d'un boekin afin d'être délivrée. Une fausse couche était attribuée à un châtiment des esprits qui avaient mangé le fruit de la mère pour la punir d'une faute secrète. Le nom donné à l'enfant était choisi quelque temps après sa naissance et dépendait souvent des premières qualités ou défauts qu'il laissait entrevoir.

La mort était signalée par des cris déchirants et des pleurs. Le défunt était appelé par son nom. Après avoir lavé et habillé le cadavre, les hommes le montaient sur une estrade qui était entourée de riz, de porcs écorchés, de bœufs immolés. Les cérémonies funèbres commençaient par des danses et des chants tristes et monotones que les femmes interprétaient en procession. Le mort était ensuite promené sur les lieux qui lui étaient familiers, rizières, lieux de pêche. Les hommes tiraient des coups de fusil et brûlaient de grandes quantités de poudre en absorbant de l'alcool. On versait du vin de palme sur les lèvres du mort et l'on sacrifiait tous les animaux qui lui avaient appartenu. La tombe creusée, le cadavre entouré d'une natte comme linceul était posé au fond de la tombe sur des branches d'arbre. Le corps était revêtu de nombreux pagnes conservés précieusement pour ce jour de rencontre du défunt avec les esprits de ses ancêtres.

Dans les régions d'Usuy et de Ziguinchor, le cadavre était souvent enseveli dans la chambre de sa case qui était fermée pour toujours. Parfois la case était abandonnée et s'écroulait avec le temps sur la tombe. Dans le Fooñi, au milieu des quartiers, se trouvait un abri pour les animaux. Les morts y étaient enterrés dans des fosses profondes d'un à deux mètres. Les Bayot creusaient un puits vertical de 1 m 50 qui communiquait avec une galerie horizontale de 2 m orientée du nord au sud. Le corps était couché sur le côté, la tête tournée vers le couchant. La tombe était surmontée d'un bâton orné de plumes auquel on attachait un poulet et des boulines de vin de palme.

La nécrophagie n'était pas rare chez les Flup et chez les Seleki. Pratiquée par des associations secrètes, elle répondait à des exigences imposées par des rites initiatiques que nous étudierons avec les croyances religieuses.

Après l'enterrement, commençait un grand festin où le riz, les bœufs, les porcs du défunt étaient consommés par les membres du quartier et les amis. Les successions étaient ouvertes après les funérailles qui duraient souvent plusieurs jours. Le chef de famille demandait à l'assistance de révéler les créances du mort. L'héritage allait au fils ou au frère. La femme n'héritait pas des biens de son mari. Dans le Fooni, les biens de la mère décédée revenaient à sa famille d'origine [1]. Après le délai d'un an, l'anniversaire du décès était célébré par un festin. Ensuite on ne nommait ni ne parlait plus du décédé.

La plupart de ces coutumes sont encore conservées, avec des nuances de forme selon les régions. L'enterrement d'un chef donne lieu à des cérémonies imposantes et spectaculaires.

c) *L'organisation politique*

Les Européens ont souvent été frappés par une impression d'anarchie dans l'organisation politique des Joola. De nombreux rapports administratifs sont particulièrement sévères sur ce point. Il est fréquent de lire l'appréciation suivante : « Habitants au tempérament impulsif avec une violente répulsion à tout principe d'autorité [2]. Le Dr Maclaud, administrateur supérieur de Casamance en 1911, se montre plus nuancé : « On a beaucoup médit des Diola à cause de leur individualisme et de leur égotisme sauvage. La mentalité des Diola est pour nous l'inconnu devenu presque incompréhensible. On est en droit de se demander si la lueur qui passe dans son regard est ironie ou enfantillage. [3] »

L'autonomie des quartiers était réelle et l'unité au niveau du village n'était jamais assurée. D'abord les querelles pour la propriété de certaines rizières provoquaient des rixes sanglantes. Elles se transmettaient de père en fils et

[1] A. M. DIAGNE. *Notes sur les coutumes des Diola du Fogny oriental*, Bulletin Enseignement de l'A.O.F., N° 83, avril-juin 1933, p. 85-106.

[2] Archives du Sénégal, 13 G 378. Rapport de l'administrateur supérieur à la fin de 1906.

[3] Archives du Sénégal, 13 G 343. Monographie sur la Casamance. Dr Maclaud.

n'étaient jamais définitivement réglées. Il suffisait d'un abus de vin de palme pour rappeler les vieux griefs. Un coup de fusil éclatait et quelque temps après deux quartiers se retrouvaient en guerre. Face au danger, les quartiers pouvaient s'unir sous l'autorité d'un chef prestigieux. Parfois plusieurs villages contractaient une alliance presque toujours éphémère, car l'ennemi une fois repoussé, chaque groupe reprenait sa liberté. Courageux et braves au combat, les Joola ont souvent perdu des batailles à cause de leur refus de cohésion et d'union devant l'adversaire. Celui-ci n'a d'ailleurs jamais manqué de profiter de l'occasion quand elle se présentait. Quand un village subissait des représailles pour avoir commis quelque méfait sur les biens ou la personne d'un traitant, il n'était pas rare que le châtiment tombât sur un ou deux quartiers. Les autres restaient neutres, soit par intérêt, soit par crainte.

En 1850, Hecquard remarquait que les Jugut n'avaient aucune forme de gouvernement. « La force et la richesse font la loi. Par contre au Fooni, les Joola forment une espèce de république fédérative. Chaque village indépendant est dirigé par un chef et ils se réunissent tous en obéissant au plus ancien quand ils veulent attaquer ou se défendre. [1] »

L'autorité était en fait partagée entre les chefs de quartiers qui se réunissaient quand la nécessité s'en faisait sentir. Aucune obligation, ni loi leur imposait de se rallier à la majorité. Leur désaccord disparaissait par la négociation ou par la loi des plus forts. Dans certains villages régnaient des rois. Personnages essentiellement religieux, ils exerçaient des fonctions de grands prêtres. Sur la rive sud, Usuy, Mlomp, Samatite, Batinières, Enampor avaient des rois. Intermédiaires entre les boekin et le groupe, ils étaient redoutés et indispensables. Leur autorité était limitée et ils devaient se plier à de nombreuses coutumes parfois très rigoureuses. Leur sort n'était guère enviable et la royauté imposée par un conseil d'Anciens à un villageois était une charge pénible que l'on cherchait à éviter [2].

L'organisation politique des Joola était donc fondée sur la juxtaposition de communautés autonomes qui acceptaient de se grouper pour un temps déterminé, jamais bien long, au gré des circonstances.

La société joola se distinguait des sociétés malinké et peul par l'absence d'esclaves. Quand des prisonniers étaient faits à la suite de guerres ou de razzias, ils étaient en général échangés contre du bétail ou intégrés à la collectivité. Ils travaillaient les rizières avec le groupe où ils avaient été incorporés. « Les Feloupes n'ont en général pas d'esclaves », note Bérenger-Féraud. « Il serait trop difficile de les garder dans un pays couvert et sillonné de marigots ; aussi tant que la traite a été en vigueur, ils se hâtaient de vendre leurs prisonniers de guerre... Aujourd'hui que les négriers sont pourchassés sur mer et que l'Amérique achète moins volontiers les esclaves, ils vendent leurs captifs aux gens de l'intérieur du pays et plus particulièrement aux Mandingues. [3] » « L'esclavage est peu pratiqué par

[1] H. Hecquard. *Rapport sur un voyage en Casamance vers 1850.* Il est probable que les villages dont parle Hecquard soient en fait des quartiers.

[2] Les caractères de ces royautés seront étudiées avec les croyances religieuses.

[3] Bérenger-Féraud. *Les peuplades de la Sénégambie*, p. 292.

les Diolas. Quand ils ne peuvent vendre leurs prisonniers de guerre par voie de rachat ou d'échange, ils les vendent en Gambie ou en Guinée Portugaise. [1] »

De même, ils ignoraient les castes et les griots. « Tous les Diolas sont égaux socialement et aucun n'a le privilège ou l'obligation de se livrer à des fonctions particulières qui lui confèrent une vocation définitive le mettant au service de la collectivité. [2] »

Malgré leur individualisme foncier, les Joola connaissaient une solidarité paysanne, bien africaine, qui se manifestait dans des associations de travail dont le but était l'entraide par les travaux agricoles, notamment dans les rizières. Chaque village avait ses sociétés, avec des structures et une organisation particulières. C'étaient d'abord les classes d'âge qui groupaient par quartiers les vieux, les adultes, les adolescents et les enfants non circoncis. Leur rôle était essentiellement religieux et consistait à travailler pour réunir le maximum de vivres, riz, porcs, bœufs afin de célébrer collectivement de grandes fêtes. Il existait aussi des sociétés de travail, masculines et féminines qui réunissaient des individus de conditions semblables, jeunes gens célibataires ou hommes mariés, jeunes filles ou femmes mariées. Elles avaient pour tâche de venir en aide aux membres du groupe qui en avaient besoin. Un père de famille, atteint par la maladie, était aidé dans son travail d'aménagement des rizières, non seulement par les membres de sa famille proche, mais par les participants de la société de travail à laquelle il appartenait. De même, au moment des récoltes, les femmes de la société féminine correspondante venaient aider sa femme à recueillir le riz. Souvent, ces associations partageaient le fruit de leur effort commun au cours de festins joyeux accompagnés de nombreuses libations de vin de palme. Elles étaient gérées démocratiquement par des chefs élus qui étaient choisis en fonction de leur personnalité et de leur dynamisme. Les classes d'âge étaient généralement présidées par le plus âgé qui appartenait de droit à la classe supérieure à la sienne. A ce titre, il participait à ses réunions et pouvait transmettre à son groupe les décisions et les problèmes de la classe plus âgée.

Les Joola avaient par conséquent une société originale qui associait la liberté et le désir farouche d'indépendance aux vertus traditionnelles de la solidarité africaine. Hostiles à toute autorité extérieure, ils opposèrent une vive résistance active ou passive aux tentatives de domination étrangère.

d) *Les croyances religieuses des Joola*

De nos jours les Joola sont attirés par l'islam et le christianisme, mais au milieu du XIXe siècle, le paganisme existait sans partage dans presque tous les villages à l'exception de Ziguinchor et de Karabane. Sous domination portugaise depuis le XVIIe siècle, Ziguinchor groupait quelques centaines de catholiques :

[1] DE LABRETOIGNE DU MAZEL. *Notice sur la Casamance* (1906), Archives du Sénégal, IG 328.

[2] PÉLISSIER. *Les paysans du Sénégal*, p. 682. Il existe cependant des spécialisations familiales dans le travail de forgeron. Pélissier pose la question : Les forgerons ne seraient-ils pas d'anciens hommes de caste, originaires du Nord, qui se seraient infiltrés chez les Joola ? Tété Diadhiou, conseiller coutumier, originaire de Njaan, village jamat, est issue d'une famille de forgerons. Il rejette cette supposition avec force, car les Jamat sont venus du sud. Tous les forgerons ne sont cependant pas Jamat.

les gourmettes encore très proches des pratiques paiennes. Karabane, escale des Français à l'embouchure de la Casamance depuis 1836, n'avait pas d'église et les chrétiens étaient représentés par des Goréens et quelques Européens à demeure. L'islam n'avait pas encore pénétré en Basse Casamance, mais sur les rives de la Gambie et du Soungrougrou, les marabouts malinké se préparaient à la guerre sainte.

En Basse Casamance, la forme la plus ancienne de paganisme était le kahat. Elle existait chez certains groupes, notamment à Usuy. Le kahat était caractérisé par une initiation masculine à caractère public, marqué essentiellement par la circoncision [1]. Les sociétés villageoises étaient divisées en lignages vivant dans des quartiers distincts. Ils dérivaient d'un même clan qui est symbolisé aujourd'hui à Usuy par un fétiche ou boekin, Elenkin, matérialisé par une pierre dressée. Les boekin se divisaient en boekin clanique, boekin lignagers du culte des ancêtres et en boekin de quartier à intérêt public.

Le boekin clanique était desservi par un grand prêtre ou roi. Cette fonction était dangereuse et apportait à son titulaire de graves inconvénients. Les Joola le rendaient responsable de tous les résultats défavorables de leurs prières auprès du boekin. Le malheureux pouvait être battu et perdre la vie si une calamité s'abattait sur le groupe. Aussi les candidats à cette fonction étaient rares et l'élu des anciens était souvent intronisé à son corps défendant.

L'une des royautés les mieux connues est celle d'Usuy. A l'origine le desservant du fétiche clanique Elenkin était choisi dans un quartier du village. A la suite d'une guerre, deux familles originaires d'un village voisin se présentèrent à Usuy pour solliciter asile et protection. Les lignages donnèrent leur accord mais imposèrent en contrepartie l'obligation héréditaire de fournir le roi pour desservir les boekin. Les nouveaux arrivants acceptèrent. Le roi fut donc choisi par les anciens du quartier où se trouvait le boekin clanique. Initié à ses nouvelles fonctions par les vieux, il fut ensuite présenté au peuple avec un nouveau nom. Considéré comme un personnage dangereux en raison de son intimité avec les boekin, le roi vécut isolé.

Ses successeurs ne purent se marier et durent s'abstenir de tout rapport sexuel. Ils ne purent ni manger, ni boire en public. Cet interdit coûta la vie à l'un d'eux, le roi Sihalebe en 1903. Arrêté par les Français, il fut emmené à Seju, alors centre administratif de la Casamance, puis à Kolda. Interné avec d'autres prisonniers, il se laissa mourir de faim devant ses gardiens stupéfaits.

Le sort des rois d'Usuy s'améliora quand apparut à la fin du XIXe siècle un nouveau boekin: Jananande. Il est difficile de dater cet événement. Huit rois se sont succédé depuis l'arrivée des familles réfugiées à Usuy [2]. Jananande est apparu vraisemblablement sous le règne de Aumusel Jabone prédécesseur de

[1] Jean-Marie GIRARD. *Genèse du pouvoir charismatique en Basse Casamance*, Initiations et Etudes Africaines, No XXVII, I.F.A.N., Dakar, 1969. L'étude des pratiques fétichistes en milieu joola nous impose de suivre leur évolution tout au long de la période 1850-1920.

[2] Liste des rois d'Usuy d'après la tradition orale citée par J. M. GIRARD, p. 36: Bujukune Jaju, Aumusel Jabone, Sihalebe, Jankebe Ebilweye, Sibiliane Jaju, Sihatuleng Jaju, Sihagebil Sambu, Sibakuyane Jabone.

Sihalebe. Il contribua à donner au roi un caractère sacré qui fit de lui, un élu de la divinité. Son origine est relatée par la légende suivante :

Un vieillard du quartier royal trouva un jour dans sa rizière un animal qui ressemblait à un hippopotame. Effrayé par le monstre, il voulut s'enfuir mais l'animal l'arrêta et lui dit : « Je suis Jananande, emmène-moi avec toi ou je te tue. — Où veux-tu aller, demanda le vieux terrorisé. — Je veux aller à Usuy. » Après de nombreuses difficultés, le vieillard arriva à traîner la bête dans un bois et il se rendit auprès du roi, chef de son lignage, pour lui conter son aventure. Le roi et les Anciens se déplacèrent auprès de Jananande et lui offrirent des sacrifices. Satisfait le monstre déclara qu'il protégerait désormais ceux qui lui rendraient un culte. Le roi décida de garder le secret sur la résidence du nouveau boekin. Ainsi Jananande devint le génie du lignage royal et en même temps le protecteur de la communauté flup d'Usuy.

Grâce à lui, le roi ne fut plus seulement le desservant du boekin clanique, mais l'intermédiaire entre la collectivité et le boekin du lignage royal. Son pouvoir s'en trouva accru et lui permit de ne plus être une éventuelle victime. « Par Jananande, la société humaine en ce qu'elle a déjà de politique rejoint Dieu. Le roi n'est plus seulement un fonctionnaire désigné en exécution d'un contrat conclu entre les hommes ; sa mission est confirmée par la divinité et il devient le symbole vivant de la communauté. [1] »

La sévérité des interdits s'atténua. Le roi put se marier et chaque quartier dut lui donner une épouse. Les rizières royales furent travaillées et leurs récoltes utilisées en période de famine et à l'occasion des grandes fêtes de la circoncision.

Aujourd'hui, le roi d'Usuy préside toujours aux sacrifices. Vêtu d'un manteau rouge, il porte sur son crâne rasé, un bonnet de même couleur. Il ne se sépare jamais de son sceptre qui est un petit balai. Il est toujours interdit de le voir manger ou boire. Il vit dans une case située dans la forêt sacrée [2]. Elle comporte les boekin royaux à usage immédiat, la salle du conseil et les appartements réservés. Les appartements royaux se divisent en trois parties : la première contient le boekin, la seconde est une salle de séjour, la dernière, la chambre royale, sert de grenier. Derrière ces constructions se trouve la forêt où se dresse le boekin clanique, Elenkin. Il est difficile de pénétrer dans cet ensemble qui est interdit aux femmes, sauf aux épouses et à la mère du roi.

Il existait près d'Usuy d'autres rois qui exerçaient à peu près les mêmes fonctions. Le plus puissant semblait être celui de Kérouhèye ou Karoal en Guinée portugaise, chez les Jamat. Desservant des boekin puissants, les Joola l'appelaient le « grand roi ». Plus près de Ziguinchor, vivait le roi d'Enampore qui, aujourd'hui, connaît un sort particulier par rapport à ses voisins.

Enampore est un village du groupe joola de Brin-Seleki. Il subit à la fin du XIXe siècle l'influence étrangère des pays malinké musulmans. La présence française au début du XXe siècle exerça sur cette société une profonde évolution qui se manifesta aussi sur la rive nord.

[1] J. M. GIRARD. *Genèse du pouvoir charismatique en Basse Casamance*, p. 44.

[2] L. V. THOMAS. *Initiation à la royauté chez les Flup*, Notes africaines N° 109, janvier 1966, I.F.A.N.

Les populations furent entraînées dans un monde nouveau créé par la présence étrangère qui introduisit l'économie d'échange. Il en résulta un déséquilibre profond qui amena les groupes à préserver leur unité et leur cohésion. Troublés, inquiets, ils s'orientèrent peu à peu vers un nouveau type de société: le bukut qui est opposé au kahat plus ancien.

Le bukut apparut au début du XXe siècle avec l'ouverture du monde joola sur l'extérieur, imposée sur la rive nord par la pénétration malinké et l'extension de l'ordre colonial. Il était caractérisé par une nouvelle forme d'initiation [1]. Dans le kahat, l'initiation restait publique pour le groupe, interdite aux étrangers. Elle devint dans le bukut secrète et ésotérique, et elle fut réservée aux hommes. Elle tendait à réaffirmer la personnalité masculine par rapport au monde féminin. Le stage initiatique était distinct de la circoncision. Il était très sévère et parfois dangereux. Jean Girard pense que le bukut est caractéristique d'une société inquiète de sa survie collective. « L'initiation enchaîne définitivement et complètement l'individu au groupe initiatique, fait de lui un homme à part entière, reflet obéissant et fidèle de la communauté. [2] »

Enampor appartenait autrefois au kahat. Avec les premières conversions à l'islam et par la suite au catholicisme, les tenants de la religion traditionnelle évoluèrent vers le bukut. Mais si les hommes adhérèrent au nouveau type d'initiation, les femmes, qui en étaient exclues, restèrent fidèles au culte traditionnel du kahat. Le roi fut rejeté par les hommes et devint le porte-parole exclusif du groupe féminin devant les boekin. Selon la tradition, la royauté appartenait à deux lignages qui l'exerçaient à tour de rôle. Unis par des liens de parenté, l'un exerçait toujours l'intérim en cas de décès du roi et avait la charge d'introniser le nouveau titulaire.

Désigné souvent par contrainte, le roi abandonnait sa famille et ses rizières pour aller s'installer sur le domaine royal. Il pouvait fonder une nouvelle famille avec des femmes imposées par le conseil des Anciens. Sa fonction lui interdisait d'avoir des contacts physiques avec ses sujets. Il vivait donc reclus dans sa case et les villageois se tenaient toujours à distance. Toute femme touchée par le balai qui lui servait de sceptre lui appartenait; ce contact étant considéré comme un adultère. Entretenu par son oncle et sa tante de l'autre lignage, il ne pouvait manger, boire, dormir en public. Les terres royales étaient cultivées par la collectivité villageoise et la chair des animaux lui revenait de droit quand ils étaient offerts en sacrifice aux boekin.

Le rôle du roi était de garder et de desservir les boekin du territoire ancestral. Il demandait à la divinité deux éléments vitaux: la paix pour le village et la pluie nécessaire au riz. Aussi était-il appelé dans la région, le roi de la pluie. Pour l'obtenir, il s'adressait au grand boekin Elenkin matérialisé par un monticule de crânes d'hippopotames et de mâchoires de bœufs. Il était alors entouré par un groupe de femmes, torses nus, coiffées d'un foulard noir et vêtues d'un pagne de même couleur. Le roi faisait une offrande qui consistait en un mélange d'eau et de miel. Il versait le liquide dans un trou, sur le monticule d'ossements et

[1] J. M. GIRARD. *Genèse du pouvoir charismatique en Basse Casamance.*

[2] J. M. GIRARD. *Genèse du pouvoir charismatique en Basse Casamance*, p. 91.

priait le boekin de bien vouloir demander à Dieu de faire tomber la pluie nécessaire [1].

Le roi d'Enampor avait donc un statut différent du roi d'Usuy. Les hommes le toléraient depuis qu'ils avaient abandonné le kahat pour le bukut car il restait le roi des femmes. Il était méprisé, redouté et indispensable. Son sort était peu enviable. Le roi d'Usuy, par contre, avait vu sa fonction évoluer dans un sens plus avantageux car il était un personnage sacré en devenant l'élu de la divinité. A ce titre, malgré les interdits, il était vénéré et respecté.

Plus tard, avec l'extension du bukut et l'évolution socio-économique, apparaîtra dans les groupes joola un nouveau type de chef religieux qui détiendra sa fonction à la suite d'une mission personnelle octroyée par Dieu. Ce sera après la guerre de 1914-18, l'époque des premières prophétesses ou reines qui seront des leaders inspirés à la suite de visions ou de rêves. Porte-parole de la divinité, elles auront de nombreux fidèles, non plus à l'échelle d'un village, mais au niveau de toute une région. Cette évolution dans les croyances religieuses dépasse le cadre de notre étude. J. M. Girard s'est particulièrement intéressé à cette question en étudiant le rôle religieux et l'influence de deux femmes célèbres en Casamance : la prophétesse Alin-Sitoué qui a été considérée, à tort semble-t-il, comme l'instigatrice de la révolte des Flup en 1942 et la fameuse « reine » Sibeth, bien connue des touristes à la suite d'une habile propagande publicitaire [2].

e) *Les stages initiatiques*

La croyance aux boekin imposait aux jeunes joola de participer à l'une des manifestations les plus importantes de leur existence : le stage initiatique. Dans la société du kahat, encore largement répandue vers 1850, l'initiation était caractérisée par son aspect public. Les jeunes initiés demeuraient dans leurs quartiers respectifs et pouvaient recevoir les visites de leurs sœurs et amies. Le kahat était essentiellement marqué par la cérémonie de la circoncision et il l'est toujours.

Dans la société du bukut, l'initiation accorde moins d'importance à la circoncision. Les futurs initiés sont rassemblés dans un bois, accueilli par les anciens. Tout a été mis en œuvre pour les terroriser. Des ombres inquiétantes se cachent derrière les arbres ou les feuillages. L'ahan-boekin fait une plaie au bas-ventre des jeunes gens et applique par la suite un médicament à base de plante [3]. Pendant le stage qui peut durer plusieurs mois. Les initiés sont nourris de riz rouge préparé avec une sauce composée d'huile de palme, de farine de mil pilée avec les feuilles d'un arbre. La nourriture est apportée chaque jour par les mères de famille qui la déposent à l'entrée du bois sacré. Les initiés mangent sans se servir

[1] J. M. GIRARD. *Genèse du pouvoir charismatique en Basse Casamance*, p. 124.

[2] Consulter J. M. GIRARD. *Genèse du pouvoir charismatique en Basse Casamance*, 3e partie : « L'option monothéiste, du fétiche au porte-parole divin : Alinsitoué et le culte de la pluie. » La reine Sibeth, qui est une ancienne disciple d'Alin-Sitoué, a obtenu une sorte de consécration « touristique » avec la visite que lui a rendue André Malraux en 1966. Voir A. MALRAUX, *Antimémoires*, Paris, Gallimard, 1967.

[3] Au début du XXe siècle, la circoncision accompagnait la marque du bukut effectuée par l'initiateur. Actuellement, le stage initiatique débute par l'épreuve du signe gravé dans la chair. Certains villages comme Seleki, Enampore, continuent à pratiquer simultanément les deux opérations.

de leurs mains, le repas qui est servi sur une feuille de palmier-rônier jamais nettoyée. Si la putréfaction qui en résulte suscite du dégoût, il est interdit de le montrer. Cette vie rude et dure a pour but de former le jeune homme à sa vie adulte. Il supporte sans mot dire les privations et les vexations imposées.

L'enseignement donné par les anciens porte sur les chants et les lois du bois sacré. Les jeunes gens apprennent le langage secret des tam-tams. Il consiste d'abord à chanter une périphrase évoquant un mot. Elle est ensuite accompagnée par des battements sur un tam-tam. Pour tout vocable connu, existe un chant qui correspond à des sons rythmés donnés par le tam-tam. Les Joola arrivent à apprendre plusieurs centaines de mots. Ils viennent à tour de rôle s'asseoir devant le maître qui chante et qui reproduit sur le tam-tam les battements d'accompagnement. Toute la promotion reprend le chant et le jeune batteur imite le maître jusqu'à lui donner entière satisfaction.

Le stage terminé, les initiés sortent du bois pour participer à une grande fête publique présidée selon les lieux par un masque qui danse.

Dans le Fooñi par exemple, le stage du bukut est animé par la présence d'un masque d'origine malinké : le Kankuran. Il incarne l'esprit du bois sacré masculin, ancien lieu d'adoration totémique. Il se présente sous la forme d'un être couvert des pieds à la tête d'un vêtement orange et coiffé d'un masque composé de longues bandes d'écorce rouge. Tout le monde peut le voir avant et après le stage. Avant, il sème la panique parmi les enfants et les femmes, car il sort entouré d'un groupe d'hommes armés de rameaux et de bâtons. Le cortège s'avance dans les rues du village en chantant au son des tam-tams. Les enfants curieux et craintifs s'approchent et fuient dans tous les sens. Le Kankuran frappe n'importe qui, même les vieux, et le spectacle d'un ancien piétiné et flagellé impressionne l'enfant qui voit que personne n'échappe à la dure loi du masque. Présent, pendant le stage initiatique, il accroît l'anxiété des futurs initiés. A la fin du stage, il devient plus humain et participe en dansant à l'allégresse générale.

Certaines régions de la rive sud comme le pays bayot connaissent un stage très dur qui peut durer un an. D'autres comme le pays de Seleki-Enampore connaissent un rituel nécrophagique [1]. Ce rituel très secret prend la forme d'une communion promotionnelle.

Une association nécrophagique masculine composée d'adhérents volontaires déterre secrètement la nuit le cadavre d'une femme morte en couches. Le cadavre, emmené dans le bois sacré, est vidé de ses entrailles et lavé. Il est ensuite confié à la garde d'un vieillard qui le conserve dans une case spéciale, en le faisant sécher par l'entretien d'un feu constant placé sous une claie.

Avant la fin du stage, une cérémonie macabre clôture l'initiation. Les initiés participent à un repas communiel nécrophagique en absorbant un breuvage composé de vin de palme et des restes de la morte.

Chez les Jamat, existe une autre forme de communion masculine [2]. Le jeune homme doit partir en brousse et ramener la tête d'un homme dans le bois sacré auprès d'un boekin. Le tam-tam annonce des funérailles et les adultes masculins

[1] et [2] Ces rites sont décrits et expliqués par J. M. GIRARD dans la *Genèse du pouvoir charismatique en Basse Casamance*, pp. 99-102.

vont participer à un banquet dans la forêt. Le nouvel initié utilise la calotte cranienne comme coupe à vin de palme.

Ces pratiques effrayantes sont aujourd'hui en voie de disparition. La vie moderne éloigne les jeunes gens de ces rites, qui sont d'ailleurs inconnus pour la plupart d'entre eux. Seuls ceux qui restent fidèles au mode de vie traditionnel peuvent encore les pratiquer dans le plus grand secret. Cependant, pendant la période qui fait l'objet de notre étude, elles étaient courantes. Mal connues des autorités coloniales, elles étaient assimilées à des coutumes barbares.

« On retrouve dans ces manifestations, la volonté bien établie d'une communion liant les participants dans la connaissance d'un secret et d'un acte terrifiant. Cette communion restructure la société identique à elle-même, mais de plus, cimente l'union de ses membres par une adhésion personnelle, ébauche d'un contrat social. [1] » Avec le kahat, la société était indépendante et en sécurité pour sa cohésion. Les hommes étaient des guerriers qui inspiraient confiance. Le bukut, au contraire, est l'émanation de sociétés qui ont perdu leur puissance avec les pénétrations étrangères. Menacées dans leur unité, elles ont cherché à survivre en créant une initiation secrète parfois caractérisée par la connaissance d'un secret terrifiant.

J.-M. Girard pense que les Joola, à l'origine, ont emprunté le bukut chez les Bañun. Dominés et acculturés au XIXe siècle par les Malinké, ils ont connu avant les Joola l'initiation secrète, forme de résistance culturelle. Elle serait chez les deux ethnies une conséquence de leur dépendance politique et sociale.

3. *Les cultures joola*

La vie paysanne des Joola était dominée par la riziculture. Le riz était l'aliment essentiel. Présent à tous les repas, il était leur raison de vivre. Tout le travail de l'existence se rapportait à lui. Par son abondance, il donnait richesse et prestige.

Paul Pélissier est catégorique. La riziculture joola est authentiquement africaine. Elle existait déjà en Casamance avant l'arrivée des Européens au XVe siècle [2]. En 1453, dans sa Chronique de Guinée, Gomès Eanes de Zurara mentionne la présence de la riziculture au sud du Cap Vert [3]. En 1507, Valentin Fernandes décrit l'embouchure de la Casamance et note que cette terre est riche en vivres, à savoir riz, mil, haricots, vaches et chèvres... aussi bien chez les Falupos (Flup) que chez les Balangas (Balant) [4]. Le Sieur de la Courbe, traversant la Basse Casamance en 1685, traverse un village aujourd'hui introuvable où il voit des lougans de riz tout le long du bord de la rivière [5]. En 1860, tous les Joola cultivaient le riz comme leurs ancêtres et l'échangeaient contre des bœufs, des armes et de la poudre [6].

[1] J. M. GIRARD. *Genèse du pouvoir charismatique en Basse Casamance*, pp. 99-102.

[2] Paul PÉLISSIER. *Les paysans du Sénégal*, p. 710.

[3] Gomes EANES de ZURARA. *Chronique de Guinée*, préface et traduction de Léon Bourdon avec la collaboration de Robert Ricard (Mémoires de l'I.F.A.N., N° 60, Dakar 1960, 301 p.).

[4] Valentim FERNANDES. *Description de la Côte occidentale d'Afrique.*

[5] P. CULTRU. *Premier voyage du Sieur de la Courbe fait à la Côte d'Afrique en 1685*, Paris, Champion-Larose, 1913.

[6] Amiral VALLON. *La Casamance, dépendance du Sénégal*, Revue maritime coloniale, t. 6, 1862.

Pélissier estime que la finesse des techniques de travail dans la rizière inondée est un argument supplémentaire pour démontrer le caractère africain de la riziculture inondée. Il donne l'exemple du kayendo, « longue bêche merveilleusement adaptée au labour des terres humides qui ne se rencontre nulle part ailleurs que sur le littoral des Rivières du Sud ». Fabriquée sur place et utilisée par les populations les plus anciennement établies, « on ne voit pas d'où les Portugais auraient pu l'importer » [1].

Les rizières occupaient des sites divers. Elles s'étendaient sur les pentes des marigots jusqu'au contact des palétuviers. Elles offraient l'aspect d'un damier avec des casiers carrés séparés par de petites levées de terre. A l'exception de quelques palmiers, la végétation arborée était pratiquement absente. Les rizières les plus élevées, au contact des bas plateaux, connaissaient le risque de la sécheresse. Sur les versants, les rizières moyennes bénéficiaient du ruissellement pendant l'hivernage et étaient les plus faciles à maintenir. Par contre, les rizières de mangrove demandaient un travail considérable d'aménagement et d'entretien. Les Joola commençaient par arracher les palétuviers qui leur servaient de bois de chauffage. Les femmes étaient chargées de la corvée du bois. Suivies de leurs enfants, elles pénétraient dans la mangrove et coupaient les branches d'arbres. Après avoir formé de lourds fagots, elles regagnaient leur quartier, droites sous les fardeaux imposants qui pesaient sur leur tête. L'arrachage des racines, travail long et pénible, était assuré par les hommes qui créaient un espace découvert, vaseux et noirâtre. C'était le poto-poto au sol riche en matières organiques, envahi par la marée qui remontait tous les marigots de la Basse Casamance. Avec l'aide du kayendo, les Joola construisaient une puissante digue en terre d'un mètre de haut sur un mètre de large. Elle isolait les nouvelles rizières du reste de la mangrove et permettait de contrôler le flot de marée. Elle était, en effet, percée de drains de bois qui permettaient l'écoulement des eaux entre les rizières et le marigot.

Pendant plusieurs années, l'eau de pluie qui tombait pendant l'hivernage dessalait le sol. Un premier et profond labour au kayendo était effectué deux à trois ans plus tard, mais le dessalement se poursuivait avec l'eau de pluie qui s'écoulait à marée basse, avec l'ouverture des drains assurée par un système ingénieux [2]. Pendant la saison sèche, à la suite de l'évaporation, les chlorures remontaient à la surface du sol et formaient des croûtes blanchâtres. Les premières eaux de pluie lavaient les rizières et emportaient au marigot les sels à nouveau dissous. Quand le sol était jugé suffisamment dessalé, les premiers essais de repiquage du riz commençaient.

En 1850, les Joola cultivaient deux qualités de riz : le riz rouge et le riz blanc [3]. Le riz rouge de la famille *Oryza glaberrima* était un riz africain. Les premiers échantillons furent recueillis dans la presqu'île du Cap Vert en 1826 et R. Portères estime que cette riziculture existait en Afrique un millénaire avant J.-C. [4]

[1] PÉLISSIER. *Les paysans du Sénégal*, p. 714.

[2] Il s'agissait d'un bouchon attaché à l'orifice extérieur du drain qui était repoussé par la pression de l'eau selon le flux de la marée.

[3] BERTRAND-BOCANDÉ. *Carabane et Sedhiou*, Moniteur du Sénégal, N° 41, 1857.

[4] R. PORTERES. « *Vieilles agricultures de l'Afrique intertropicale* », L'Agronomie tropicale, 1950, N° 9-10, pp. 489-507.

Le riz rouge se présentait sous deux variétés : le riz précoce, récolté en octobre, qui était cultivé sur les terrains les plus élevés, et le riz tardif, repiqué dans les rizières plus basses, coupé au mois de décembre. Il était appelé rouge à cause de la couleur rougeâtre de certains grains. De valeur commerciale médiocre, il fut peu à peu remplacé par le riz blanc qui donna des récoltes plus abondantes et de meilleure qualité. Le riz blanc appartenait à des variétés importées par les Portugais. De la famille *Oryza sativa*, et d'origine asiatique, il est appelé actuellement riz portugais ou riz manding par opposition au riz rouge dit vieux riz ou riz joola.

A partir du mois de février, les Joola allaient dans les rizières faire les premiers labours. C'était un travail d'homme dur et pénible. Auparavant, les bovins, les chèvres et la volaille avaient envahi les champs pour brouter les chaumes et les herbes et avaient laissé leur fumier. Dans les jardins de case, les femmes recueillaient dans des fosses tous les engrais végétaux, animaux et humains. Après les avoir brûlés, elles transportaient les cendres dans des paniers et les répandaient sur le sol des rizières qui allait être labouré.

Au mois de juin, avec les premières pluies, les femmes préparaient les pépinières pour chaque variété de riz. Au mois d'août, les pluies tombaient en abondance et le repiquage commençait. Courbées, avec de l'eau jusqu'au ventre, les femmes joola accomplissaient leur dur labeur.

La saison sèche revenue en octobre, les variétés précoces étaient récoltées. Jusqu'en décembre, les femmes coupaient les épis de riz au canif. Verdoyantes en octobre, les rizières jaunissaient sous le chaud soleil de décembre. Dans tous les villages, les champs étaient occupés par des groupes de femmes qui chantaient. Elles formaient de petites gerbes qu'elles ramenaient le soir dans leur case pour être engrangées dans le grenier à riz. « Ceux qui ne possédaient pas suffisamment de rizières cultivaient une petite graminée, le « fundo », sorte de fourrage qui croissait et mûrissait avec les premières pluies. Les habitants la coupaient en vert dès la fin du mois d'août en ayant soin de faire sécher la graine dans des vases au-dessus du feu. Pour de nombreuses personnes, le fundo remédiait souvent à la disette et c'était un mets excellent et recherché. [1] »

« La riziculture joola est remarquable par la qualité de ses techniques qui en font certainement l'une des plus perfectionnées du monde en dehors des régions de civilisation mécanicienne... Comparées à la riziculture extrême-orientale, la riziculture joola révèle une supériorité indéniable, celle de ses labours au kayendo et une faiblesse certaine dans le domaine hydraulique. [2] »

La nourriture du Joola, composée essentiellement de riz, s'accompagnait de quelques légumes. Le manioc faisait presque toujours partie des haies qui entouraient les habitations. L'igname et le chou caraïbe étaient les légumes les plus cultivés des jardins de case et plusieurs espèces de cucurbitacées domestiques grimpaient sur les toitures. Elles donnaient les calebasses, ustensiles de vaisselle très appréciés. « Le riz était consommé souvent avec le jagatu qui ressemblait à une tomate par l'aspect du fruit et à l'aubergine par le port de la plante. Elle

[1] E. Bertrand-Bocandé. *Carabane et Sedhiou*, Moniteur du Sénégal, N° 41, 1857.
[2] P. Pélissier. *Les paysans du Sénégal*, p. 758.

avait un goût d'amertume prononcé. [1] » Le coton herbacé et annuel n'était pas cultivé en Basse Casamance et les Joola l'achetaient aux Malinké et aux Peul en échange de leur riz.

4. *L'exploitation de la forêt*

Pendant la saison sèche, les hommes s'adonnaient à une de leurs occupations favorites : la récolte du bunuk ou vin de palme [1]. Pour extraire le vin de palme, le Joola montait avec agilité au sommet de l'arbre et s'attaquait, après avoir enlevé les feuilles gênantes, à la base du régime qui portait les fleurs staminées. Il faisait une incision avec son coupe-coupe et le liquide s'écoulait dans une calebasse qu'il laissait jusqu'au lendemain. La consommation de bunuk était considérable. Il n'était pas de réunions familiales ou religieuses sans d'abondantes libations. L'état d'ivresse était rapidement atteint. C'était à la suite de grandes beuveries que les rixes éclataient et que les fusils crépitaient pour des motifs souvent futiles. Le spectacle de chefs de quartier complètement ivres, incapables de soutenir une conversation, n'était pas rare et il fallait attendre la fin des festivités pour pouvoir engager un dialogue sérieux.

La forêt casamançaise était source de produits alimentaires recherchés. « Les graines et rhyzomes des nymphéacées assuraient une nourriture excellente et les fruits de diverses espèces d'anones, d'uraria, de sterculia, de parinarium étaient agréables au goût. Le fruit du parinarium exposé au soleil se conservait comme des prunes sèches. [1] » Les bananiers, papayers, orangers, citronniers étaient naturalisés dans le pays. Les indigofères croissaient spontanément et de nombreuses plantes médicamenteuses soulageaient les indigènes de certaines affections. L'huile de touloucouna et les infusions d'écorce de cailcédrat étaient utilisées contre des maladies de la peau. La dysenterie était traitée par des boissons à base de *Celastrus senegalensis* et l'écorce réduite en poudre de *Zantoxylum senegalensis* apaisait les couleurs rhumatismales.

La cire et le miel des abeilles étaient particulièrement appréciés. Dans les terres défrichées, non loin des villages et sur des grands arbres réservés à cet effet, le Joola possédait une grande quantité d'abeilles qui produisaient un miel délicieusement parfumé et de la cire qui était vendue aux comptoirs européens. Avant 1850, la cire était le principal produit d'exportation de la Basse Casamance. Les ruches avaient souvent la forme de cylindres en bois et étaient généralement détruites par leurs propriétaires au moment de la récolte. En cas de guerre, le Joola n'hésitait pas à se servir de ses abeilles pour se défendre en laissant tomber les ruches du haut des arbres sur l'ennemi.

Les bois nombreux et précieux intéressaient surtout l'Européen. Pour avoir une pirogue, le Joola creusait et évidait un tronc de bentenier ou fromager. Arbre immense et majestueux, ses contreforts puissants, souvent plus grands que la taille d'un homme, étaient taillés pour faire des portes de cases. Le bois des palmiers-rôniers, imputrescible, formait les robustes charpentes des toits des habitations. Recherché par les Français, il était expédié à Gorée ou Saint-Louis pour servir de pilotis aux wharfs et de traverses aux ponts.

[1] E. Bertrand-Bocandé. *Carabane et Sedhiou*, Moniteur du Sénégal, N° 41, 1857.

5. *L'élevage*

Les forêts humides de Basse Casamance possédaient de nombreux foyers de mouches tsé-tsé. Malgré tout, elles étaient parcourues par des troupeaux de bovins qui y trouvaient une herbe drue et suffisante. Les Joola avaient besoin de ces animaux pour leurs manifestations religieuses et sociales. Les grands sacrifices aux boekin, les cérémonies de circoncision, les funérailles exigeaient l'immolation des bœufs dont le grand nombre était signe de prestige et de richesse pour leurs propriétaires. Echangés contre du riz, les troupeaux venaient le plus souvent de Haute Casamance, vendus par des Fula ou des Malinké. Ils ne participaient à aucun travail agricole et attendaient d'être sacrifiés.

Les porcs, au poil long et de couleur noire, aimaient se vautrer en saison sèche dans la boue des mares presque taries. Ils étaient fréquemment tués et leur viande était couramment consommée. Ils vagabondaient dans la brousse et les rizières après les récoltes, mais les jardins de case étaient soigneusement protégés de leurs déprédations par des palissades élevées et serrées. Pendant l'hivernage, ils étaient enfermés avec le reste du bétail dans des enclos, pour éviter les dégâts dans les pépinières et les rizières.

Si la pêche était réduite dans les marigots, il était une cueillette originale que les Joola des Blis et Karone pratiquaient dans la mangrove : celle des huîtres. Accrochées aux racines des palétuviers, elles étaient ramassées en saison sèche par les hommes qui allaient les chercher en pirogue. Elles étaient séchées et brûlées en tas par les femmes. Les coquilles s'ouvraient et les mollusques étaient alors consommés.

Au moment où commence notre période, les Joola vivaient libres et indépendants. La présence de quelques comptoirs européens sur les rives de la Casamance ne les gênait pas. Au contraire, elle leur apportait quelques avantages commerciaux. Riziculteurs remarquables, ils savaient parfaitement s'adapter à un milieu physique difficile et ingrat. Leur individualisme farouche et la structure particulière de leur société, leur conférait une originalité par rapport aux autres ethnies casamançaises.

C. Les Balant

1. *Les origines*

Le pays des Balant ou Balantakunda est un bas plateau forestier découpé par de petits marigots orientés du sud vers le nord. Situé entre la Casamance et la frontière guinéenne, il s'étend d'ouest en est, du village de Gudomp au marigot de Binako. Les Balant vivent de part et d'autre de la frontière et se divisent en plusieurs groupes. Les Berassé, ou Brassa, les Benagas, et les Betxà vivent en Guinée-Bissau. Les Balant de Xà ou de Canja appartiennent au groupe casamançais [1]. Les Berassé sont d'habiles riziculteurs alors que les Balant casamançais pratiquent une sommaire riziculture de femmes. Pélissier affirme

[1] Texeira Da Mota. *Guiné Portuguesa*. Monografias dos territorios do Ultramar, Vol. I, Agencia General do Ultramar, 1954.

avec conviction que les Balant sont d'origine soudanienne et que le rameau Brassa de Guinée-Bissau a appris les techniques de la riziculture inondée en arrivant en bordure des estuaires de la côte et en se mettant probablement à l'école des populations antérieures établies sur les rives des « Rivières du Sud ». « Nous voyons là, écrit-il, un nouveau témoignage, d'une part, de la date très lointaine de l'éclatement du groupe Balant en rameaux distincts, d'autre part, de l'authenticité et de l'extrême ancienneté de la riziculture inondée africaine dans ce secteur de la côte occidentale. [1] »

Pourtant les traditions balant et malinké ne concordent pas avec cette interprétation. Les unes prétendent que d'anciens captifs des Peul du Fuuta-Jaloo sont venus en Guinée-Bissau pour se livrer à l'agriculture et à la cueillette des produits forestiers. Trouvant le pays agréable, ils auraient refusé de retourner dans le Fuuta. D'autres prétendent que les Balant faisaient partie des armées de Koli-Tenguela. Fatigués par les expéditions imposées par le conquérant peul, ils auraient refusé de le suivre et seraient venus s'installer près du village guinéen de Bigène. L'origine du mot Balant est controversée. Les Malinké de Casamance prétendent que les Balant doivent leur nom à un refus : Balan = « refus » ; Balanta-kunda = « chez ceux qui ont refusé ». Pour les uns, c'est le refus de suivre les armées de Koli-Tenguela, ou de quitter leur pays d'adoption ; pour les autres, c'est le refus de se convertir à l'islam. Texeira da Mota donne au mot Balant une origine créole. Alante signifie « les hommes » et ba = « le groupe ». Ba + alante = le groupe des hommes [2].

Les origines des Balant sont donc encore confuses. De nombreux Balant et Malinké de Casamance déclarent que ce sont des Gaabunke. Ce qui est certain, c'est leur présence en Guinée et en Casamance, au sud du fleuve, au XVe siècle [3]. Ils se sont opposés aux Bañun auxquels ils ont fait une guerre acharnée : « Chaque fois qu'ils s'emparaient d'un village bañun, les Balant en conservaient le nom primitif et prenaient eux-mêmes le nom patronymique de la tribu dépossédée. Ainsi le nom de Biaye porté par les Balant de Mangurugu serait celui des Bañun dépossédés de ce village. [4] » Au début du XIXe siècle, les Bañun furent refoulés vers l'ouest par les Malinké et les Balant. Ils se regroupèrent sur la rive sud à l'est de Ziguinchor et sur les rives du Soungrougrou.

Les Balant ont toujours eu, auprès de leurs voisins, une fâcheuse réputation. Détestés par les Banun, ils étaient redoutés par les Malinké qui subissaient les pillages et le vol de leurs troupeaux. Toute pirogue étrangère et chargée de biens était agressée dès qu'elle passait trop près de leurs rives. Les Français qui entrèrent en contact avec eux les trouvèrent particulièrement sauvages et inhospitaliers. Il leur faudra attendre la fin du XIXe siècle pour pénétrer sans trop de danger dans leurs villages éloignés du fleuve.

Généralement d'un beau noir, les hommes de haute taille étaient nombreux. Ils avaient la tête allongée et le nez bien fait et portaient une espèce de pantalon

[1] PÉLISSIER. *Les paysans du Sénégal*, p. 604.

[2] TEXEIRA DA MOTA, *ibid.*, p. 223, note 150.

[3] Valentin FERNANDES. *Description de la Côte occidentale d'Afrique.*

[4] A. MAPATE DIAGNE. *Contribution à l'étude des coutumes des Balantes de Sedhiou*, Revue Outre-Mer, No 1, mars 1933, p. 16-42. Etude ethnographique.

en étoffe de coton, tissée dans le pays [1]. Leur famille se composait des époux, de leurs descendants et ascendants, frères, sœurs, neveux, groupés dans une ou plusieurs concessions ou dispersés dans des villages voisins. La parenté de type patrilinéaire était prédominante.

2. *La société*

Les familles se groupaient par villages indépendants les uns des autres. Cependant, face à l'étranger, les liens de solidarité ethnique étaient puissants. Chaque village était dirigé par un chef qui exerçait des fonctions religieuses. Il dirigeait les sacrifices aux boekin, présentait les offrandes et les libations de vin de palme. Investi par un conseil des Anciens, il était dépositaire de sa confiance. Il avait le droit d'infliger des peines à ceux qui s'étaient rendus coupables de quelque forfait. Les sanctions les plus courantes étaient la flagellation et la bastonnade.

Appartenaient à la collectivité, les terres incultes ainsi que leurs produits, les marigots et les mares qui ne se trouvaient pas sur une propriété familiale, les puits qui étaient toujours creusés en dehors des propriétés privées. Par contre, chaque famille disposait de champs et des emplacements des cases. Le chef n'avait pas de domaine particulier en dehors de son groupe familial. Les terres incultes étaient interdites aux étrangers.

Le Balant était en général polygame. Cependant, l'épouse n'était pas totalement assujettie aux volontés du mari. Une tradition voulait que le jour du mariage, l'homme donnât un pagne à sa femme. Le mariage pouvait être dissous le jour où il était suffisamment usé [2]. La jeune épouse savait donc ce qu'il lui restait à faire si elle n'était pas heureuse en ménage. Le jeune Balant comme le jeune Joola qui aspirait à la main d'une jeune fille devait faire des visites à ses beaux-parents et leur apporter des cadeaux sous forme de vin de palme. Le jour de la demande officielle, toute la famille de la jeune fille était présente. Les Anciens demandaient aux âmes des ancêtres de satisfaire les vœux du soupirant. On versait une demi-gourde de bunuk sur le sol et on buvait le reste. Quelque temps plus tard, la jeune fille se rendait chez son fiancé. L'accord étant réalisé entre les deux familles, les fiançailles étaient célébrées en public au cours d'un repas copieux, arrosé de vin de palme. La fiancée rejoignait la maison de son père en attendant le mariage. Les Balant se mariaient en général dans leur village qui ignorait les divisions de castes. Le soir du mariage, à la nuit tombante, la mariée faisait semblant de vouloir rester chez elle. Elle était alors enlevée par son mari et ses amis qui l'amenaient dans une case où elle restait cloîtrée pendant un mois. Elle était gavée de mil et de beurre. Après sa claustration, des parents de son mari lui rasaient la tête et gardaient ses cheveux dans un petit canari fixé au bord de l'entrée principale de la case [3].

En cas de divorce, obtenu de part et d'autre, les enfants restaient avec le mari. Les droits des parents étaient illimités et l'éducation des enfants était assurée

[1] BÉRENGER-FÉRAUD. *Les peuplades de Sénégambie.*
[2] BÉRENGER-FÉRAUD, *ibid.*
[3] A. MAPATE DIAGNE. *Contribution à l'étude des coutumes des Balantes de Sedhiou.*

par les oncles, quand ils étaient en âge de participer aux travaux courants. Le vol et les rapines étaient en honneur chez eux et les plus adroits étaient très considérés. Les Balant passés maîtres dans l'art de voler sans se faire prendre recevaient des enfants en apprentissage. Quand ils avaient atteint un grand degré d'habileté, ils étaient sûrs de pouvoir trouver à se marier sans difficultés [1].

Quand le père mourait, la tutelle des enfants était assurée par un des membres de sa famille qui exerçait sa fonction jusqu'au mariage de ses pupilles. Si le défunt ne laissait pas de descendants, ses biens revenaient par ordre de préférence à sa mère, ses frères, neveux et père [2]. La femme n'héritait jamais des biens du mari et réciproquement. Ses biens allaient à ses fils ou à sa famille d'origine. Les héritiers prenaient possession des biens qui leur étaient dévolus et payaient les dettes du défunt.

Le Balant acceptait difficilement que la mort fût naturelle. Il soupçonnait presque toujours l'action maléfique d'un sorcier. Les biens du défunt servaient pour la célébration de ses funérailles. La femme qui perdait son époux se rasait la tête et restait dans sa case entre le décès et l'enterrement. Le cadavre était descendu dans un trou qui pouvait avoir trois mètres de profondeur. Creusé dans la case, on aménageait au fond, un couloir horizontal de quelques mètres de longueur dont une grande partie se trouvait en dehors de l'enceinte de la case. Le corps pouvait être placé dans l'attitude d'un homme assis portant dans sa main droite la calebasse qui servait à récolter le vin de palme tandis que la main gauche tenait une queue de bœuf pour chasser les mouches. Tous les bœufs et porcs du défunt étaient tués et mangés par tous les participants aux funérailles qui pouvaient durer plusieurs jours et qui se terminaient souvent par une ivresse générale provoquée par les abus de vin de palme.

Les Balant apparaissent dans les descriptions du XIXe siècle comme des éleveurs et des chasseurs. Médiocres agriculteurs, ils cultivaient un peu de mil et semblaient pratiquer la riziculture [3]. Leur nourriture ne comportait qu'un seul repas par jour et consistait le plus souvent en gibier, riz ou mil entier cuit à l'eau et assaisonné de lait aigre ou d'oseille bouillie [4].

Les Balant croyaient à l'existence de sorciers possédés par l'esprit du Mal, et qui avaient le pouvoir de donner la mort. Aussi cherchaient-ils à les découvrir et à les mettre hors d'état de nuire. Les accusations de sorcellerie étaient très fréquentes et les accusés essayaient de prouver leur innocence en subissant l'épreuve du tali.

L'épreuve du tali rappelait les ordalies du Moyen Age européen où les accusés étaient soumis au jugement de Dieu. En période de crise, provoquée par la guerre, la famine, les épidémies, les Balant attribuaient les maux qui les frappaient aux

[1] H. HECQUARD. *Rapport sur un voyage dans la Casamance en 1850.*

[2] A. MAPATE DIAGNE, *ibid.*

[3] Pélissier estime que la riziculture actuelle balant qui est pratiquée par les femmes a toujours été ignorée par les hommes balant de Casamance.

[4] A part Bérenger-Féraud qui parle du riz comme faisant partie de la nourriture des Balant, les autres auteurs du XIXe siècle passent la culture du riz sous silence dans le Balantakunda casamançais.

sorciers qui s'étaient multipliés parmi eux. Certains étaient possédés par l'esprit du Mal sans le savoir et tenaient absolument à montrer leur innocence en demandant à subir l'épreuve ordalique. Le tali est un bel arbre très répandu dans les forêts casamançaises. Connu des botanistes sous le nom d'*Erythrophleum guineense*, son écorce rougeâtre comporte un alcaloïde, l'érythrophléine, poison violent qui détermine un arrêt cardiaque en systole. L'écorce était réduite en poudre et mélangée à un breuvage où avaient été pilés des crottes de hyènes, de perdreaux, des têtes de serpent, et des débris de chair humaine. Chaque préparateur avait sa recette particulière.

L'épreuve était volontaire ou obligatoire. Dans le second cas, il s'agissait d'un individu, homme ou femme, qui avait été accusé de sorcellerie par la communauté ou par un voisin. Il devait donc se disculper. La nuit, dans une clairière, le ou les accusés se présentaient devant le préparateur qui procédait de deux manières différentes. Il pouvait avoir devant lui deux canaris (récipients) et demander à l'accusé de choisir. L'un des deux contenait le poison. Parfois, il n'y avait qu'un seul canari mais la teneur du poison était en rapport avec la concentration du liquide. Le préparateur distribuait le breuvage en puisant soit à la surface, soit au fond. Après avoir absorbé la dose présentée, l'accusé était obligé de courir une centaine de mètres ou bien ses parents et amis le forçaient à boire beaucoup d'eau, tout en surveillant qu'il ne fît usage d'un contre-poison. S'il était pris de vomissements, il était alors sauvé et reconnu innocent. Par contre, s'il présentait des symptômes de paralysie, sa culpabilité ne faisait plus de doute. Il était alors saisi par les pieds et jeté dans la brousse où on le laissait mourir. Son corps ne recevait aucune sépulture. Maclaud, administrateur supérieur de Casamance, étudia cette sinistre coutume à la suite d'un véritable suicide collectif de plusieurs villages balant se renouvelant chaque année entre 1909 et 1912 [1]. « Si la victime a un enfant à la mamelle, écrit-il dans un rapport, on le laisse périr sur le sein desséché de sa mère. [2] » En 1911, cinquante-sept habitants de Jatakunda furent tués par le tali. A Safane, petit village de cent-trente personnes, quatre-vingt-trois périrent en quelques jours. Maclaud tenta, mais en vain, d'arrêter le massacre. Les préparateurs officiaient en Guinée pour échapper aux poursuites et les Balant passèrent la frontière pour aller boire le tali. Aux représentants de l'administration qui essayaient de les raisonner, les Balant répondaient qu'il n'y avait rien à craindre pour le paiement de l'impôt, ils paieraient pour les morts. Ils allèrent même jusqu'à payer les préparateurs pour leur travail, à raison de 6 fr. 50 par personne en 1911. En 1912, le tali fit périr plus de mille personnes en Guinée portugaise entre la frontière et le rio Cacheu.

Cette coutume n'était pas propre aux Balant, elle existait chez les Joola et les Bañun. Peut-être moins répandue ou moins spectaculaire par le nombre plus restreint de victimes, encore que le secret ne permettait guère de connaître la vérité, l'épreuve du tali fut empêchée au moins une fois par l'administration coloniale en 1923. L'interprète officiel de l'administrateur-maire de Ziguinchor,

[1] et [2] Rapport du Dr MACLAUD, Archives du Sénégal. 13 G 381. Dr LASNET. *Le tali, poison d'épreuves de la Casamance*. Revue Cult. Coloniale, t. VI, No 54, 5 juin 1900, p. 340-341.

Tété Diadhiou, réussit grâce à sa ruse et à son courage à sauver la vie à trois malheureux dans les circonstances suivantes [1].

L'administrateur fut informé que le poison d'épreuves allait être donné à trois Bayot dans une forêt proche du village de Niasia en pays joola, à une trentaine de kilomètres de Ziguinchor. Il décida de faire cerner par les gardes de cercle le lieu où devait se dérouler la cérémonie. Tété Diadhiou l'en dissuada et lui fit remarquer que le mouvement des gardes aurait pour résultat l'annulation de l'épreuve qui serait reportée à une date inconnue. En Afrique, l'effet de surprise est difficile, surtout en brousse où tout se sait avec une rapidité surprenante. Les faits sont souvent déformés, mais il est certain que les décisions spectaculaires d'un administrateur sont immédiatement connues et transmises de bouche à oreille.

Tété Diadhiou proposa à son supérieur de partir seul, en pays bayot pour déterminer le lieu précis où devait se dérouler l'épreuve du tali. Il demanda que les gardes fussent envoyés pendant la nuit à Brin pour intervenir à son appel. Après quelques hésitations, l'administrateur Léon finit par accepter. Tété Diadhiou partit en vélo en compagnie d'un jeune enfant de dix ans. Non initié au bois sacré, il pouvait être un auxiliaire utile, exempt de danger en raison de son innocence. Arrivé près du village de Jibonkère, l'interprète se présenta vers dix heures du soir chez un notable qui, l'ayant reconnu, refusa de lui ouvrir la porte de sa case. Vigoureux et fort, Tété Diadhiou menaca d'enfoncer la porte. Peu soucieux de s'opposer par la force à un représentant de l'autorité, le notable ouvrit et demanda l'objet d'une telle visite à une heure aussi inattendue. Tété lui répondit : « Je sais que tu vas te rendre ce soir à l'épreuve du poison. Emmène-moi avec toi. » Le notable refusa énergiquement, mais la vue d'un poignard lui fit changer d'avis. Vers minuit, les deux hommes suivis de l'enfant s'enfoncèrent dans la forêt d'Etome.

Après deux heures de marche, ils arrivèrent dans une clairière où se trouvait déjà une centaine de personnes. Dès qu'il fut reconnu, Tété Diadhiou fut immédiatement arrêté par les Bayot en colère et insulté par quatre femmes instigatrices de l'affaire. Conservant son sang froid, Tété demanda à voir les trois accusés de sorcellerie, deux hommes et une femme. On accéda à son désir en lui faisant savoir qu'il ne rentrerait plus à Ziguinchor. Il fut alors enfermé dans une petite case avec les trois malheureux ligotés dos à dos. Terrorisés, ils attendaient la mort avec résignation. Au bout de quelque temps, les Bayot vinrent chercher l'interprète pour le mettre à mort. Tété fit alors appel à la ruse pour se sortir de ce mauvais pas. Il demanda à écrire en arabe ses dernières volontés pour qu'elles fussent transmises à sa famille. Comme il était musulman, il sollicita en outre la grâce de faire sa prière avant l'exécution. Les Joola acceptèrent. Les volontés écrites sur un bout de papier furent confiées à l'enfant qui partit en vélo. Après une longue prière, Tété déclara qu'il était prêt à mourir mais il ajouta : « Vous voulez ma mort. Je tiens à vous dire qu'elle sera suivie de beaucoup

[1] Récit de Tété Diadhiou, conseiller coutumier du gouverneur de Casamance, ancien interprète officiel de l'Administration, Archives du Sénégal, 2 G 23-54 ; 67. Rapport du premier trimestre 1923.

d'autres. J'ai en effet écrit sur le papier remis à l'enfant, plus d'une trentaine de noms de ceux qui, cette nuit, sont ici avec moi. Par conséquent, ils seront fusillés. » Une clameur d'insultes et de vociférations accueillit ces paroles. Mais la palabre qui s'ensuivit incita les participants à la prudence. Ils consentirent à libérer les accusés de sorcellerie. En contrepartie, Tété Diadhiou donna sa parole qu'il ne dévoilerait aucun nom.

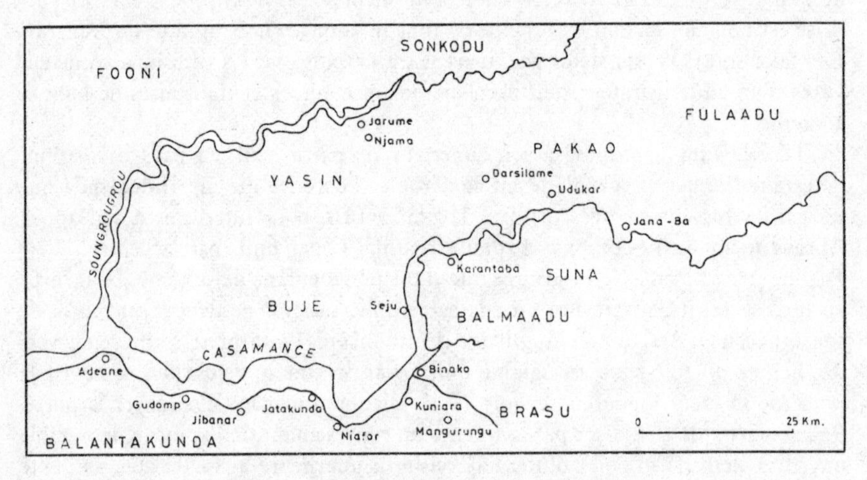

Fig. 4. Le Balantakunda et les pays Malinké.

Vers cinq heures du matin, les rescapés de cette aventure arrivèrent à Brin où les attendait la voiture de l'administrateur. Tété conseilla à ses compagnons de se coucher sur la banquette arrière. Il ne fut pas surpris de voir qu'aucun garde de cercle n'était là pour l'attendre. Il connaissait trop leur frayeur et leur crainte des sorciers. Le cou dans les épaules, accroché au volant, il démarra en direction de Ziguinchor. Comme il le pressentait, des balles sifflèrent dès que le véhicule traversa la forêt de Jibélor, mais aucune n'atteignit la voiture. A huit heures, sa mission accomplie, Tété Diadhiou remit ses protégés à l'administrateur qui furent exilés dans un lieu secret pour éviter d'être empoisonnés. Rentré chez lui, profondément ébranlé par une commotion nerveuse, il perdit l'usage de la parole pendant plusieurs jours.

Passionné par ce récit et le talent de conteur du vieil interprète, je l'ai écouté sans l'interrompre et lui ai demandé s'il avait effectivement écrit les noms sur le papier remis à l'enfant. Il répondit par la négative. Seules les quatre femmes à l'origine de l'affaire furent arrêtées quelques jours plus tard.

CHAPITRE 2

MŒURS ET COUTUMES DES POPULATIONS CASAMANÇAISES VERS 1850

II. *LES PEUPLES ISLAMISÉS*

A. LES MALINKÉ

1. *Les origines*

Les Malinké de Casamance sont groupés aujourd'hui autour de la ville de Seju, ancienne capitale administrative de la région. Les frontières politiques les séparent de leurs compatriotes de Gambie et de Guinée-Bissau. A l'ouest le Soungrougrou marque encore une limite naturelle assez nette avec les pays joola. Le Fulaadu, pays des Fula, borde à l'est le Pakao et le Suna-Balmaadu [1].

Le pays est le domaine de la forêt claire dite soudanienne. Très étendue, elle forme un espace continu peuplé de singes et infesté de mouches tsé-tsé. La population peu nombreuse vit groupée dans des villages qui se situent de préférence à la périphérie des plateaux, au bord des marigots. Cultivateurs de mil et d'arachide, les Malinké pratiquent aussi la riziculture probablement empruntée aux Bañun. Ce sont les femmes exclusivement qui sont chargées d'effectuer ces longs et pénibles travaux.

L'origine de la présence malinké en Casamance n'est pas encore déterminée de façon précise. Les traditions recueillies en Casamance et sur les rives de la Gambie évoquent souvent les conquêtes au XIIIe siècle de Tiramaxan Traore, lieutenant du célèbre Sunjata Keita. Venu de l'est, il aurait atteint l'océan sans pouvoir imposer sa domination aux guerriers sereer et wolof. Au sud, les peuples animistes, favorisés par les caractères particuliers de leur milieu naturel auraient résisté à l'invasion. Cependant, entre la Moyenne Gambie, le Rio Grande, et les monts du Fuuta-Jaloo, les successeurs de Tiramaxan [2] créèrent et organisèrent un important royaume connu sous le nom de Gaabu. Il atteignit son apogée au

[1] Voir carte de Sedhiou. I.G.N. au 1/200 000.

[2] Les traditions disent: Les fils de Tiramakhan...

XVIe siècle et entra en décadence à partir du milieu du siècle suivant. Il est possible malgré tout que la présence malinké sur les rives de la Gambie ait été antérieure au XIIIe siècle car Sekéné Mody Cissoko y a trouvé des traditions qui affirment que bien avant cette date, il existait des Malinké établis dans cette région [1].

Les Malinké sont venus du Gaabu pour pénétrer en Moyenne Casamance où ils se sont opposés aux Bañun. Le Pakao apparaît à travers les traditions comme la première zone d'implantation. Les quatre premiers villages malinké seraient Jana-Ba, Njama, Karantaba et Darsilame. Tous portent des toponymes d'origine islamique.

Les traditions orales du Pakao permettent de déterminer approximativement l'époque de leur création. Fodé Almaami Drame, iman de Karantaba, m'a déclaré : « Le village a été fondé il y a 345 ans par Fode Ba Drame. Nos parents sont venus de l'est et nous sommes à l'origine de vrais saraxolé. Ils étaient commerçants et ont trouvé ici des Bañun qui étaient païens. » A Udukar (rive droite), Waisu Silla raconte : « Nous sommes des Diaxanké. Notre ancêtre Bubakar Silla est venu du Buundu. Il était païen. Il trouva ici un vieillard, Pampi Kamara qui le convertit à l'islam. Ensemble, ils fondèrent le village de Udukar. Par la suite, le village s'est peuplé et a lutté contre les Bañun païens. Depuis cette époque, neuf générations se sont succédé et nous sommes la dixième. [2] »

L'arrivée de ces immigrants date donc du XVIIe siècle et Fay Leary estime à la lumière de ces traditions que les premiers Malinké établis en Casamance ont pu venir des bords du Niger, après la chute du Mali, au XVIe siècle [3]. Plus tard, à partir du XVIIe siècle, des Gaabunke se sont installés en Casamance, notamment au sud du fleuve, dans le Balmaadu. En fait, la vérité est encore loin d'être complète. La plupart des traditions connues sont le fait de familles musulmanes qui ont l'avantage de faire connaître des chronologies qui permettent de préciser le processus d'islamisation. Si on est d'accord pour admettre l'invasion malinké du XIIIe siècle sur les rives de la Gambie, il est vraisemblable qu'elle ait cherché à s'étendre aux dépens des Bañun de la Casamance soudanienne. Ces derniers ont résisté et sont restés leurs vassaux à partir du XVIIe siècle. Les groupes malinké qui s'installaient avec leur autorisation sur leur territoire, étaient contraints de payer un tribut. Près de Darsilame, il y avait, au XVIIIe siècle, un roi bañun, Niadumasana, qui était dur et exigeant. Excédés, les habitants du village dirigés par Ibrahima Silla se révoltèrent et le tuèrent. Devenus libres, les musulmans chassèrent les païens du territoire. La conquête malinké se réalisa d'est en ouest. Les Bañun abandonnèrent leurs villages pour se réfugier sur les rives du Soungrougrou au début du XIXe siècle.

Tous les Malinké n'étaient pas islamisés. En Gambie, comme en Casamance, les païens étaient politiquement organisés en mansaya ou monarchie. Les

[1] Sekéné Mody CISSOKO. *La royauté chez les Mandingues occidentaux, d'après leurs traditions orales*, Bulletin de l'I.F.A.N., t. XXXI, série B, No 2, 1969.

[2] Généalogie de la famille de Waisu Silla : Bubakar Silla - Mamadu Silla - Mamadu Silla - Mamadu Silla - Bubakar Silla - Abdulaye Silla - Mamadu Silla - Umar Silla - Waisu Silla.

[3] Fay LEARY. *Islam, Politic and Colonialism: A Political History of Islam in the Region of Senegal*, 1850-1914, Northwestern University (Evanston, Illinois), 1969.

Etats étaient généralement restreints et se limitaient souvent à quelques dizaines de villages. Appelés « soninké » par les musulmans, le Malinké païen considérait son roi comme un personnage sacré [1]. « Son nom propre ne se prononçait plus après l'investiture. Il avait le pouvoir d'entrer en communication avec les êtres invisibles de la nature. Ainsi, le jour de son investiture, aussitôt proclamé roi et devenu un autre Etre, « il dâli », il prédisait comme un devin les grands événements qui devaient se produire sous son règne : la prospérité ou la famine, etc. Ce terme « dâli » ne s'appliquait qu'à Dieu et montrait l'importance que l'imagerie populaire attachait à la royauté. [2] » Au Niumi, petit royaume au nord de la Basse Gambie, le roi ou mansa avait une position supérieure. Son rang lui donnait des droits sur toutes les terres de l'Etat. Une grande partie de la richesse royale était représentée par le bétail qui était la propriété de la charge et non de l'homme. Il était transmis au bénéficiaire suivant et non à la famille royale. En effet, la royauté était partagée entre trois lignages principaux selon un système de rotation bien défini. En 1850, les Bañun malinkisés du Yasin reconnaissaient pour souverain un roi qui résidait à Djaruni [3]. La noblesse s'y transmettait par les femmes et les enfants suivaient toujours la condition de leur mère. Les femmes prenaient part au gouvernement. S. Mody Cissoko révèle que les femmes ont souvent joué un rôle actif dans l'exercice du pouvoir de certains royaumes malinké de Gambie. Les traditions affirment que les premiers souverains du Niomi, du Badibu, du Kiang étaient des femmes, les mussumanso [4].

Au début du XIXe siècle, quatorze petits royaumes malinké bordaient la Basse et Moyenne Gambie. Certains comme le Jimara, le Tomani, s'étaient affranchis de la tutelle du royaume de Gaabu. En pleine décadence, le Gaabu était divisé en plusieurs provinces dirigées par des « mansaring » ou princes qui cherchaient à conquérir leur indépendance vis-à-vis du pouvoir royal de Kansala. Investis dans leur fonction par le roi, ils avaient pour mission de surveiller et de protéger les frontières. Ils vivaient retranchés dans des tata ou forteresses qui étaient les centres militaires et politiques des provinces. Vers 1830, régnait à Sumakunda [5], un monarque malinké, Silati-Kelefa, qui gouvernait un petit territoire aux limites encore mal connues. Il levait des impôts en nature sur tous ses sujets et exigeait des Jula qui commerçaient avec Bathurst des contributions en poudre et en fusils. A la suite d'un différend avec le marabout diaxanké Fodé Kaba, il fut tué au cours d'une bataille. Le marabout, pour la circonstance, s'était allié aux clans gaabunké des Mane et Sane soucieux de réduire un prince rebelle à leur cause [6].

[1] Soninké désigne ici les païens. En Casamance, il désigne aussi bien les Bañun que les Malinké.

[2] Sékéné Mody CISSOKO. *La royauté chez les Mandingues occidentaux*, p. 332.

[3] Djaruni, site non retrouvé, très probablement Jarume.

[4] Sékéné-Mody CISSOKO. *La royauté chez les Mandingues occidentaux*, p. 333.

[5] Sumakunda, village du Jimara (Gambie). Voir carte de Vélingara, 1/2000 000e.

[6] Voir 2e partie au chapitre 6. Les premières campagnes de Fodé Kaba. Le Gaabu en guerre contre les Peul du Fuuta-Jaloo cherchait à détruire les « kanta mansa » ou roi gardien des frontières qui trahissaient au profit des Peul.

En 1850, les royaumes soninké de Moyenne Casamance venaient de disparaître [1]. Chassés par les musulmans, les chefs païens avaient été remplacés par des marabouts animés par le désir de guerre sainte. Chaque village ou groupe de villages était dirigé par un « kanda ». Celui-ci n'était plus un tolo mansa, c'est-à-dire un roi investi par la coutume, mais un homme qui s'était imposé à la coutume par la force ou par sa droiture. kanda veut dire brave, audacieux [2]. La plupart des kanda étaient jaloux de leur autorité et redoutaient la puissance de leurs rivaux. Pieux musulmans, ils rêvaient de conquête aux dépens des païens comme les Bañun, les Balant et les Joola. L'un d'eux, Fodé Maja ou Kemo Maja, chef du village de Njama était considéré par tous les Malinké de Casamance comme un chef musulman redoutable. Ses ancêtres originaires du Fuuta-Toro arrivèrent dans le Pakao au début du XVIIIe siècle. Il fit la guerre aux Soninké sur les bords du Haut Soungrougrou et les chassa du Pakao. Avant l'arrivée des Français à Seju en 1836, il passait pour être le principal marabout de la région [3].

L'islam malinké en Casamance se rattachait à la confrérie khadria. Déjà au XVIe siècle, Valentin Fernandes avait remarqué en Gambie que beaucoup de « Mandingas » suivaient la religion de Mahomet enseignée par des « bisserijs » ou prédicateurs maures. De nombreux maîtres d'écoles coraniques venaient du Fuuta-Toro comme Cerno Mamadu, arrière-grand-père de Kemo Maja.

2. *La société*

La société malinké comprenait les quatre ordres hiérarchisés auxquels appartenaient les griots chanteurs, les griots musiciens, les forgerons et les cordonniers. L'endogamie était strictement respectée et personne ne songeait à y contrevenir. Les rapports entre l'homme et la femme se caractérisaient par une très nette domination de l'homme qui se réservait les tâches dites nobles : la guerre, le commerce et le prosélytisme. La femme se voyait chargée des travaux manuels qui permettaient à la communauté de subsister. « Les femmes de ce pays... cultivent et labourent et sèment et nourrissent leur mari... écrivait Valentin Fernandes [4]. Quand on pénètre dans un village, il est fréquent de voir encore aujourd'hui une partie de la population masculine groupée sous les arbres de la place publique pour palabrer. Les femmes sont dans les concessions familiales et dans les champs en train de travailler.

Chaque groupe familial appartenait à un lignage et vivait dans une concession : le korda. Le korda rassemblait sous la direction du plus âgé plusieurs frères et leur famille. Le groupe masculin ou daboda était distinct du groupe féminin ou butunda. Le chef du daboda répartissait la ration quotidienne de mil et la doyenne du korda distribuait les rations de riz prélevées sur les greniers féminins. Le riz était en effet la culture exclusive des femmes. Il existait deux types de champs : les kaniaman ou champs individuels qui assuraient la nourriture de la communauté familiale, et les marunwo ou champs collectifs dont la production était

[1] La défaite du dernier royaume soninké du Buje en 1849 est étudiée au chapitre 8 (1re partie) en raison des implications des Français de Seju dans le conflit.

[2] Sékéné Mody CISSOKO. *La royauté chez les Mandingues occidentaux*, p. 336.

[3] Le terme marabout désigne ici un chef religieux et guerrier.

[4] Valentin FERNANDES. *Description de la Côte Occidentale d'Afrique*.

consommée en période de soudure, c'est-à-dire à la fin de la saison sèche, en avril-mai. Les femmes disposaient de champs individuels et pouvaient posséder des troupeaux de chèvres et de moutons.

Les membres du korda vivaient dans des cases rondes ou carrées qui étaient divisées en chambres pour les membres d'une même famille. Les murs étaient en terre et le toit était de paille tressée. La cuisine se faisait dans une case affectée à cet effet. Les animaux étaient groupés pendant la nuit dans une case qui leur était réservée. Chaque concession était entourée par des haies élevées qui la séparaient du groupe voisin. Des ruelles étroites et nombreuses dessinaient un vrai labyrinthe dans le village qui était presque toujours groupé dans une attitude de défense. Souvent, il était entouré par des palissades de bois doublées d'un large fossé rempli d'eau pendant l'hivernage [1]. Les cases des chefs étaient toujours protégées par des clôtures épaisses de troncs d'arbres.

L'autorité du village était exercée généralement par l'homme le plus âgé de la branche la plus ancienne du lignage issu du fondateur de la communauté. C'était l'alkali. Dans les royaumes soninké, l'alkali représentait le village et le roi dans ses contacts avec les étrangers et notamment avec les Européens. Avec l'islamisation, le village eut à reconnaître l'autorité d'un autre personnage, l'almaami, chef religieux fort respecté et souvent prestigieux. Issu le plus souvent de la première famille convertie à l'islam, l'almaami exerçait essentiellement une autorité morale. Son avis prédominait fréquemment dans les palabres. L'autorité de l'alkali était limitée aussi par le conseil des notables qui donnait son accord pour toute décision importante qui intéressait la communauté. Si un travail d'intérêt public était nécessaire, l'alkali invitait les notables à se réunir sous l'arbre à palabres placé en un lieu déterminé du village. Le conseil, après discussions, décidait et autorisait le chef à recruter telles classes d'âge pour réaliser les travaux prescrits.

Les hommes et les femmes se répartissaient séparément en quatre groupes d'âge: les enfants, les adolescents, les adultes, les vieux. Chaque groupe élisait son chef qui transmettait les avis de la classe la plus âgée. Il présidait les réunions et prenait les décisions nécessaires après avoir recueilli les avis de l'assemblée. Le village était la propriété de la communauté et certains travaux comme la construction de murs d'enceinte ou le creusement de fossés étaient assurés par les classes d'âge selon une organisation mise au point par le conseil des notables et sous la direction du chef du village.

Pour accomplir les tâches quotidiennes, les Malinké se servaient des bras de leurs esclaves. Chaque guerre victorieuse permettait de ramener des prisonniers qui pouvaient être échangés contre rançon, revendus ou affectés au service d'une famille. Les pistes n'étaient pas sûres et il était fréquent de voir des rapts de femmes et d'enfants dans la mesure où ces malheureux s'étaient éloignés de leur village sans une protection suffisante. Des conflits avaient lieu parfois entre chefs alliés dans une bataille pour le partage des prisonniers. La plupart des marabouts conquérants emmenaient en captivité les Soninké vaincus. Les Bañun

[1] Description de Diannah par Hecquard. *Voyage sur la côte et dans l'intérieur de l'Afrique occidentale*, Paris, Imprimerie du Bénard et Cie, 1853, 409 pages.

et plus tard les Joola eurent à souffrir des razzias malinké. Les Joola du Fooni n'ont pas oublié les chevauchées de Fodé Kaba et le trafic incessant des pirogues chargées de captifs sur le Soungrougrou. Une distinction est cependant nécessaire entre les prisonniers, les captifs criminels ou débiteurs et les esclaves domestiques. Les esclaves domestiques portaient souvent à leur naissance un nom malinké. Issus de plusieurs générations de captifs, ils ne pouvaient plus être vendus sans un jugement public. Etroitement associés à la vie du korda, ils vivaient dans des cases particulières et travaillaient parfois des champs qui leur avaient été concédés. Selon les maîtres, ils jouissaient du fruit de leur travail.

3. *Les cultures*

Sur les terres de Moyenne Casamance, les Malinké cultivaient essentiellement le mil et le riz. En 1850, l'arachide se développait autour du comptoir français de Seju. Elle était cultivée essentiellement par des groupes de Saraxole qui étaient des migrants temporaires et qui venaient chaque année de la région de Bakel en début d'hivernage.

A l'intérieur d'une concession, la cour était pendant la saison humide transformée en jardin. Le sol était préalablement retourné et fumé avec des détritus et les déjections du bétail. Les femmes semaient du coton, du manioc, des patates douces. Les champs permanents entouraient le village qui était groupé. Ils formaient une auréole. La jachère était longue car les sols étaient vite épuisés. La culture était donc itinérante, et le paysan défrichait un coin de forêt ou de savane buissonnante avant de semer. La principale culture de plateau était le mil. Plus tard l'arachide prit de l'extension et remplaça le mil sur les champs les plus proches du village. Celui-ci fut récolté de préférence sur les défrichements forestiers à des distances de plus en plus éloignées du village. Le mil était semé au mois de juillet sous deux espèces : un mil précoce, le suna qui murissait fin septembre, et un mil tardif qui était récolté fin novembre. Un grain de mil donnait en moyenne 60 à 70 grains. « Au lieu de se contenter de faire des trous dans le sol lorsqu'il est mouillé et d'y jeter quelques grains de mil, les Mandingues le labourent profondément et y tracent des sillons d'une régularité qui me rappelait nos belles campagnes de France... » écrit Hecquard [1]. Pour ce faire, les Malinké utilisaient un instrument ingénieux, le donkoton qui était différent du kayendo joola par son manche très court. C'était une sorte de houe qui faisait avec le manche un angle très aigu [2]. Le cultivateur était obligé de se courber pour labourer le sol. Il maniait le donkoton avec une dextérité surprenante mais la position courbée au-dessus du sillon était très pénible pour les reins.

Les champs d'arachide étaient soigneusement entretenus. Ils étaient délimités par des haies de manioc et de gombo. Cultivés pendant l'hivernage, ils donnaient les premières récoltes à la fin du mois de novembre. Les bonnes terres avaient un rendement de 120 à 130 boisseaux par hectare, soit 1800 kg [3].

[1] H. Hecquard. *Voyage sur la côte et dans l'intérieur de l'Afrique occidentale.*

[2] Voir croquis.

[3] Bertrand-Bocandé. *Moniteur du Sénégal*, N° 41-42-44-45-48-54-59, 1857 ; Th. Lecard. *Moniteur du Sénégal*, N° 532-540-541-543, 1866.

Le coton était semé généralement en ligne dans les champs de mil au mois de septembre, de manière à protéger les jeunes plantes des rayons du soleil. Au moment de la récolte du mil, on coupait les chaumes placés entre les lignes de cotonniers. La récolte avait lieu au mois de janvier. Un hectare planté représentait près de 6000 plants qui avaient en moyenne 20 capsules de 4 à 5 g chacune; ce qui représentait une production de 500 kg de coton brut. En 1854, on apportait à Karabane, 20 tonnes de coton [1]. Quand il n'était pas acheté par les traitants européens, le coton servait au tissage ou il était échangé par les Malinké contre le riz des Bañun et des Joola dans la proportion de deux mesures de riz de paille contre une mesure de coton.

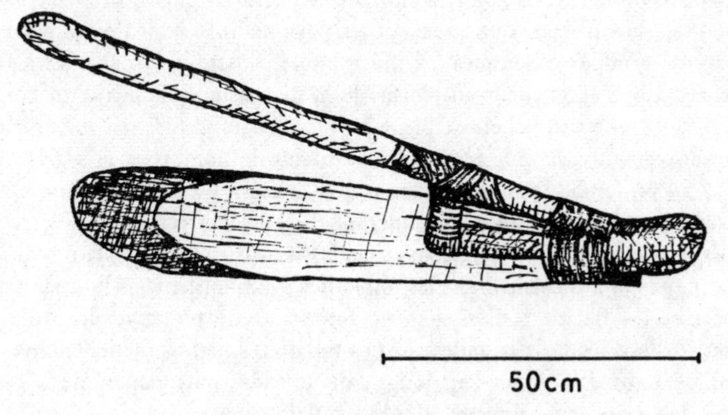

Fig. 5bis. Le donkoton malinké.

Deux autres plantes étaient cultivées par les Malinké sur les plateaux, mais en faible quantité. C'étaient le maïs qui était récolté en même temps que le mil précoce, et le tabac qui était une espèce Virginia abatardie par le manque de culture. Les Malinké le recueillaient pour leur usage personnel.

Le long de la Casamance et sur les bords des marigots s'étendaient de nombreuses rizières. Seuls, les sols convenablement drainés, lavés et suffisamment dessalés pouvaient être cultivés. Contrairement au pays joola et bañun où les hommes prenaient une part très active dans l'aménagement des rizières, le travail était ici exclusivement assuré par les femmes. L'entretien des diguettes, le labour, le repiquage et la récolte étaient effectués par la main-d'œuvre féminine. Les hommes avaient conservé les cultures traditionnelles des pays malinké comme le mil et avaient laissé aux femmes le soin d'entretenir les rizières aménagées autrefois par les populations bañun. C'était un dur labeur que les femmes subissaient avec résignation. Pour désherber, elles utilisaient une houe au manche long, le barro. Avec les premières pluies du mois de juin, elles descendaient dans les rizières qu'elles préparaient en retournant superficiellement le sol. Elles repiquaient fin juillet, début août et récoltaient à partir du mois de novembre jusqu'à la mi-janvier. Comme les femmes joola, elles coupaient les têtes d'épis avec un

[1] *Ibid.*

couteau. Les rizières malinké n'étaient pas aussi développées qu'en pays joola. Seules celles qui pouvaient être travaillées par des femmes étaient mises en valeur. La main-d'œuvre masculine, si nécessaire dans ce type de culture, répugnait à ce genre de travail.

Aimant la palabre, le Malinké préférait le commerce au travail des champs. C'était lui qui assurait le plus souvent les échanges entre les Fula de Haute Casamance et les populations joola. De même, les marchandises circulaient entre la Gambie et le Gaabu. C'étaient surtout des armes et de la poudre très recherchées en cette période de trouble. Les traitants européens de Bathurst, de Seju, de Farim (Rio Cacheu) échangeaient des munitions contre des arachides malgré les avis défavorables des autorités militaires chargées de les protéger.

En 1850, le voyageur qui traversait les pays malinké était frappé par le spectacle de ces groupes d'hommes à l'allure noble et fière, souvent assis à l'ombre des arbres, qui s'adonnaient au plaisir de la discussion. Coiffés d'un bonnet de coton, vêtus d'une vaste chemise bleue ou blanche qui retombait sur un pantalon flottant aux genoux, ils portaient autour du cou de nombreux gris-gris. Animés par une foi profonde, les Musulmans étaient prêts à prendre les armes à l'appel d'un kanda ou d'un marabout conquérant. Sous le couvert de la guerre sainte, ils avaient chassé les Soninké, leurs anciens maîtres et propriétaires des terres qu'ils occupaient à présent. Mais les difficultés s'annonçaient. A l'ouest et au sud, les Joola et les Balant résistaient avec force à toute tentative de prosélytisme guerrier. A l'est, les Fula installés sur des territoires malinké tentaient avec l'aide des alfa de Labe de secouer leur joug, dans le cadre plus général de la lutte qui opposait le Gaabu aux almaami du Fuuta-Jaloo. Unis dans la foi, mais gênés par leurs rivalités personnelles, les chefs malinké devaient aussi compter avec les étrangers européens qu'ils avaient accueillis sur leurs terres. Les Français établis à Seju depuis 1836 cherchaient à développer leur commerce avec les populations riveraines de la Casamance. Ils connaissaient encore mal le pays et ses ressources et acceptaient de négocier avec les alkali les coutumes qui leur étaient demandées. Ils n'ignoraient pas cependant les profondes divisions des Casamançais et attendaient le moment opportun pour les exploiter à leur avantage. Les premières résistances sérieuses aux tentatives impérialistes françaises auront le pays malinké pour théâtre.

B. Les Toucouleur

Origine et société

On peut être surpris par la présence de Toucouleur en Casamance. Discrets par leur petit nombre [1], ils occupent depuis le début du XVIe siècle une région située au sud de la frontière gambienne : le Kabada. Enclavé entre des pays malinké, joola, et fula, le Kabada n'est vraiment connu que depuis le début du XXe siècle, à la suite de la pénétration française en 1894 et sa soumission aux autorités coloniales en 1899.

[1] Huit mille aujourd'hui.

Les Toucouleur vivent sur un plateau peu élevé (40 mètres), dans un espace de mille kilomètres carrés. « L'absence de toute origine hydrographique pérenne interdit l'existence de forêts-galeries et l'infiltration d'espèces végétales subguinéennes. [1] » Domaine de la forêt soudanienne, les Toucouleur l'ont défriché en partie à la suite de migrations relatées par les traditions orales.

Selon une tradition, au début du XVIe siècle, un chef de famille toucouleur, Eli Muusa Sall, se vit refuser le droit de devenir iman à cause de l'infirmité d'un pied. Mécontent, il quitta le Fuuta-toro avec de nombreux fidèles pour aller dans le Salum. Il se rendit à Kahone, à la cour du roi guellewar Mbegaan Ndur. Il fut bien accueilli et autorisé à s'installer avec les siens. Des familiers du roi furent jaloux de sa popularité et Eli Muusa Sall dut quitter Kahone pour trouver un refuge, plus au sud, dans un village qu'il appela Njama Tyoyène. Il y vécut quinze ans [2].

La première migration vers le Kabada fut provoquée par une famine qui obligea les gens de Njama Tyoyene à envoyer des hommes au Fulaadu [3] pour y chercher du mil. Après avoir traversé la Gambie, ils trouvèrent un espace désert qui leur parut convenir pour cultiver. Satisfaits de leur récolte, ils rentrèrent chez eux, et l'année suivante un certain nombre de familles décidèrent de migrer. Elles furent reçues par le roi malinké Meisa du Jarra qui les autorisa à séjourner provisoirement dans les villages de Soma et de Karantaba. Il leur montra un coin de brousse où ils pourraient s'installer. Il y avait une grande mare au pied d'un arbre. La mare s'appelait « dalo » et l'arbre « kaba »; kaba et dalo ont formé kabada, nom donné par les Toucouleur à leur nouveau pays.

Le premier village créé aurait été Sénoba [4], par les familles Kaan, Sall, Li, Dame, Haan et Jallo. Plus tard, les Kaan auraient fondé Tankon, les Jallo, Misira et les Dame, Dongora.

En l'absence d'autres sources pour le moment, nous sommes réduits à admettre la version des faits qui nous a été exposée. Il paraît vraisemblable que le roi malinké qui a accueilli les premières familles toucouleur ait été celui du Jarra [5].

Pieux et stricts musulmans, les Toucouleur du Kabada ne semblent pas avoir été inquiétés par les campagnes guerrières des marabouts malinké de Gambie et de Casamance. Ils vivaient à l'écart des grandes voies de communication est-ouest et formaient une communauté autarcique divisée en cellules villageoises groupées autour de leur chef spirituel.

Chaque village était entouré par des champs répartis en auréoles concentriques. Comme en pays malinké, chaque concession entretenait son jardin de case pendant l'hivernage afin de récolter des légumes. Le mil était la principale culture semée selon des espèces précoces et tardives dans des clairières défrichées autour des villages. Comme ailleurs en zone soudanienne, la culture itinérante sur brûlis était largement pratiquée. L'arachide n'existait pas encore mais l'élevage

[1] PÉLISSIER. *Les paysans du Sénégal*, p. 584.

[2] BOULÈGUE. La Sénégambie du milieu du XVe siècle au début du XVIIe siècle. Thèse de doctorat de 3e cycle, Paris, Faculté des lettres, 1966.

[3] Le Fulaadu casamançais était alors sous tutelle malinké.

[4] Sénoba: actuel poste frontière entre la Casamance et la Gambie.

[5] Jarra: au nord du Kabada, en territoire de Gambie.

des bovins était par contre florissant. Chaque village disposait d'un troupeau qui parcourait la brousse sous la garde de jeunes bergers. La forêt plus sèche qu'en Basse Casamance, à l'écart des cours d'eau, était plus saine pour le bétail qui disposait toujours de vastes espaces pour se nourrir convenablement.

Les relations commerciales étaient mal connues. Beaucoup plus proches des royaumes gambiens et de la voie d'eau, les Toucouleur, au XIXe siècle, échangeaient des bêtes contre de la poudre et des armes. Au début du XXe siècle, l'administration coloniale aura de nombreuses difficultés à diriger sur Ziguinchor, le commerce arachidier attiré vers le nord en raison des traditions et de la distance.

L'histoire des Toucouleur de Casamance se caractérise par sa discrétion. Isolés au milieu de populations étrangères, ils furent longtemps ignorés par les voyageurs et les commerçants européens. Les documents écrits qui les concernent sont rares et les traditions orales du XIXe siècle ne révèlent aucune activité guerrière ou commerciale prédominante. Conscients de leur petit nombre et soucieux de leur tranquillité, ils vivaient à l'écart des grands mouvements politiques, tout en restant vigilants sur le maintien de leur liberté vis-à-vis des menaces de leur remuant voisin, le marabout diaxanké Fodé Kaba [1].

C. Les Fula

La Casamance orientale est le domaine des Fula. Limité au nord par la Gambie et au sud par les deux Guinées [2], le Fulaadu présente le même paysage de bas plateaux forestiers déjà rencontrés dans le pays malinké. La forêt soudanienne sèche et monotone s'étend ici presque partout à l'exception de petites zones de défrichement et des clairières isolées, dues à l'apparition en surface de cuirasses ferrugineuses.

La population peu nombreuse (8 à 10 habitants au km^2 aujourd'hui) se groupe dans de petits villages établis en bordure des plateaux et sur les versants des cours d'eau saisonniers. La grande rivière orientale, Kuluntu qui sépare la Casamance des pays Koniagui et Basari, a des rives désertes à cause de la présence de tsé-tsé et de simulies qui sont des moustiques dangereux. Ils séjournent dans les eaux claires et transmettent par leurs piqûres une maladie redoutable en pays tropical : l'onchocercose.

1. *Les origines*

Les traditions orales révèlent que les Fula auraient migré par petits groupes en Haute Casamance, peut-être à partir du XVe siècle. Partis du Masina, du Xaso, du Buundu, ils auraient franchi le Sénégal en amont de Bakel. Après avoir traversé la Gambie, ils seraient venus s'établir en Casamance. Au XVIIIe siècle, des immigrants du Xaso ont fondé leur premier village dans le Patim entre Kanja et Banenkuru. Les Gaabunké, maîtres du pays, autorisèrent les nouveaux venus à construire des villages mais exigèrent en échange leur vassalité. Peu à peu de

[1] Voir 2e partie, chapitre 6.
[2] Guinée-Bissau et Guinée Konakry.

nombreux Fula se sédentarisèrent et acceptèrent que leurs femmes épousent des Malinké. La Haute Casamance resta malgré tout un pays fula qui supporta l'autorité des Malinké jusqu'au milieu du XIXe siècle.

Les Fula se divisent en deux groupes sociaux, les Fula-foro et les Fula-dion. Les Fula-foro étaient des hommes libres formant une aristocratie d'éleveurs très attachés à leurs traditions et à leurs privilèges. Les Fula-dion étaient d'origine captive. Etrangers pour la plupart, ils étaient bambara, bañun, joola, bajaranké, basari. Ils avaient été achetés le plus souvent à des jula. Certains étaient devenus libres et continuaient à vivre auprès de leurs anciens maîtres. Avec le temps, ils avaient appris à parler la langue de leurs maîtres et s'étaient intégrés à la société qui les avait incorporés. Cultivateurs, ils travaillaient les champs de mil et de coton et assuraient ainsi la subsistance de leurs maîtres.

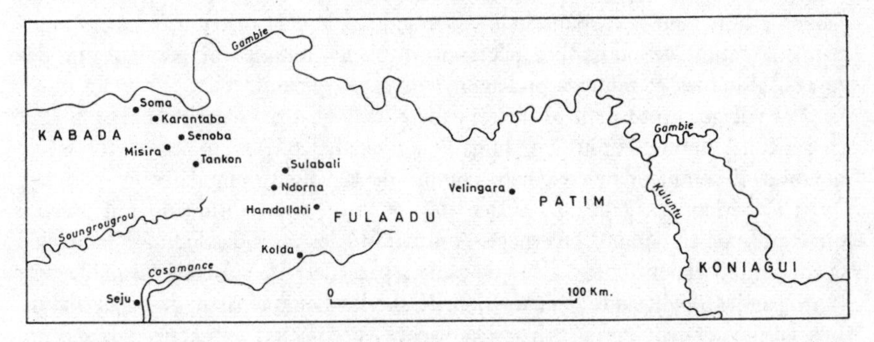

Fig. 5. Les pays peul et toucouleur.

Les Fula-foro devaient à leur origine d'être exempts de toute corvée dans un village. Ils pouvaient choisir leurs épouses et étaient certains d'être agréés. S'ils tombaient dans la misère, leurs captifs se réunissaient et les aidaient à rétablir leur fortune. Les Fula-dion se mariaient avec l'accord de leur maître. Ils disposaient de deux jours par semaine pour mettre en valeur leurs propres champs. Parfois, ils arrivaient à se créer un bien-être personnel qui leur procurait une fortune plus importante que celle de nombreux Fula-foro.

2. *La société*

L'organisation sociale de type clanique reposait sur le gallé qui était à la fois une unité de production et de consommation. Il réunissait tous les membres d'une même famille sous l'autorité du plus âgé. Les hommes s'occupaient de l'élevage et des cultures de plateaux comme le mil et le coton. Les femmes se consacraient à la riziculture. Le travail se faisait en commun sur des maru, champs collectifs et les récoltes étaient engrangées dans des greniers communs [1].

[1] M. Dupire. *Organisation sociale des Peul*, Etude d'ethnographie comparée, Paris, Librairie Plon, 1970, 625 pages.

La répartition du travail s'effectuait selon quatre groupes d'âge ou yirde. C'étaient les classes des anciens, des adultes entre 20 et 40 ans, des adolescents, et des jeunes enfants. Chaque sexe connaissait cette division. Les yirde travaillaient pendant l'hivernage à la culture du mil. Les adultes préparaient les billons dans les parcelles et les vieux creusaient les trous pour recevoir les graines. L'outillage était malinké. Il comportait le daramba (donkoton malinké) pour labourer et une petite houe, le jallo (diallo) pour désherber.

Le gallé apparaissait comme un vaste enclos entouré par une haie de piquets élevés. A l'intérieur, les habitations et les greniers étaient dispersés. C'étaient des cases rondes avec un toit conique. Elles étaient en torchis pour les chefs des ménages et le chef de la concession. Elles étaient en paille pour les femmes. Le grenier collectif qui abritait le mil se trouvait près de la case du chef. En général deux cours distinctes séparaient les hommes et les femmes. Pendant la journée, les femmes vivaient dans une grande case-dortoir commune qu'elles abandonnaient la nuit pour la case maritale. Chaque jour, le chef distribuait à la communauté la ration de nourriture nécessaire, que les femmes préparaient sur des foyers. Hommes et femmes prenaient leur repas séparément.

Les villages groupaient plusieurs gallé et étaient dirigés par un chef qui était en général l'homme le plus âgé du gallé le plus ancien. Assisté par un conseil de notables, il commandait en tenant compte de la volonté populaire.

A l'intérieur du gallé, un espace était consacré à la culture du mil précoce qui était semé en début d'hivernage. A proximité des cases des femmes, le manioc et du gombo étaient cultivés sur de petites parcelles. Le sol était préalablement fumé par les bovins qui avaient séjourné sur les lieux à partir du mois d'avril. Les villages étaient entourés par des espaces découverts consacrés à la culture du mil et du coton. Le maïs était rare et l'arachide était encore inexistante en raison de l'absence de commerce européen et des grandes difficultés pour écouler ce produit vers la Gambie et le Rio Cacheu. La Casamance n'était pas navigable en amont du Pakao. Seules quelques pirogues malinké remontaient le cours d'eau pendant la saison des pluies.

Le mil cultivé sous les trois espèces, suna, bassi et sanio, était consommé par la population. Le coton était de bonne qualité. Il était semé en lignes dans les champs de mil, vers le mois de septembre, pour être cueilli en janvier. Il était filé et tissé par les femmes ou échangé contre le sel et le riz de Basse Casamance.

Le riz était récolté par les femmes. Comme en pays malinké, cette riziculture féminine présentait les mêmes inconvénients. L'aménagement des rizières était sommaire. On les trouvait à proximité des cours d'eau saisonniers et dans des bas-fonds inondés par les pluies de l'hivernage. Le riz était semé en pépinières. Repiqué au mois d'août par des équipes de femmes d'un même gallé, il donnait un grain épais. Comme le mil, il était conservé dans des greniers communs pour être consommé.

L'élevage était bien sûr une activité fondamentale. Chaque gallé disposait au minimum de quarante bêtes à cornes et les plus riches en possédaient jusqu'à quinze cents ou deux mille. En saison sèche, les bêtes paissaient en brousse en toute liberté. Pendant l'hivernage, les troupeaux partaient dans la forêt sous la garde de bergers afin d'éviter de piétiner les champs de mil et de coton. Ils étaient groupés le soir dans des parcs clos de branchages et protégés des bêtes sauvages comme les hyènes et les panthères par des feux allumés et entretenus par leurs gardiens.

Instrument de prestige, les bovins n'étaient pas utilisés pour un travail quelconque. Leur rôle se limitait à la fourniture du lait qui était consommé souvent sous forme de caillé. Les femmes élevaient aussi de la volaille et des moutons. Ces derniers servaient à l'achat des bœufs et chaque gallé en possédait au moins une vingtaine. Ils étaient immolés pour marquer le passage d'un hôte que l'on voulait honorer et à l'occasion des réjouissances familiales. Pendant la nuit, ils étaient parqués dans une case, et le jour, ils étaient laissés en liberté dans le gallé.

Pour fabriquer leurs instruments aratoires et leurs armes, les Fula savaient faire fondre du métal dans des hauts fourneaux cylindriques de 2 mètres de haut environ [1]. Quatre ouvertures étaient ménagées dans le bas de la construction. Les forgerons disposaient en couches successives du charbon de bois et de la latérite. Le feu était attisé par des soufflets pendant huit jours et les enfants à tour de rôle étaient chargés de les faire fonctionner. Pendant la combustion, qui pouvait durer plus d'un mois, de nouvelles couches de combustible et de minerai étaient ajoutées, et à la fin de l'opération, de l'eau était jetée sur le four qui se fendait et se brisait. Dans un trou creusé au pied du four (un mètre de diamètre sur un mètre de profondeur), le forgeron recueillait le fer brut qui était divisé en morceaux et fondu à nouveau à la forge.

La plupart des Peul étaient superstitieux. Ils redoutaient l'action maléfique des sorciers et croyaient à la transformation possible des personnes en bêtes féroces comme le lion et la hyène.

3. *Les coutumes*

Pour se marier, le Fula-foro était tenu de respecter plusieurs conditions. Pendant la période des fiançailles, il devait apporter à ses beaux-parents, du bois pour leur cuisine, deux fois par semaine. Il était tenu de travailler pour assurer la nourriture de sa fiancée et de lui offrir de nombreux pagnes et boubous. La dot était presque toujours représentée par un taureau de trois ans et une génisse.

Les mariages entre Peul libres et captifs n'étaient pas faciles. Le consentement du gallé était indispensable et la dot s'élevait de trois à dix vaches. Le jour du mariage, la jeune fille était remise à son époux en présence de notables et la fête s'accompagnait de ripaille et d'une ivresse générale qui duraient plusieurs jours. La polygamie était de règle et le nombre élevé de femmes était un signe de prospérité car elles travaillaient davantage que leur mari. Elles gagnaient avec leur riz et le coton autant que les hommes avec leur mil et leurs bestiaux.

La naissance d'un enfant s'accomplissait en la présence exclusive de femmes, le plus souvent âgées. Le huitième jour, la mère sortait et présentait son enfant à ceux qui étaient venus lui rendre visite. Le père tuait un mouton et offrait un repas arrosé de vin de palme à ses amis. Vers l'âge de dix ans, les jeunes garçons entraient dans la forêt pour un stage de deux mois au cours duquel ils étaient

[1] Voir F. LAFONT. *Les Hauts fourneaux de la région de Kolda avant 1861*, Notes Africaines, N° 10, avril 1941, p. 20.

circoncis. Les jeunes filles se faisaient parfois bleuir les lèvres et les gencives par un tatouage réalisé avec des épingles.

Un décès s'accompagnait toujours de lamentations et de pleurs sur le défunt. Le corps était lavé soigneusement et vêtu d'une culotte blanche. Il était ensuite enveloppé dans un linceul et entouré de bandelettes en commençant par les pieds. Il était emporté dans sa tombe sur une civière en bambous par ses parents et amis qui hurlaient et tiraient des coups de fusil en l'air pour manifester leur douleur [1]. La fosse était généralement orientée du nord au sud. Quand un homme était enterré, il reposait la tête au sud, le corps couché sur le côté droit. On faisait le contraire pour une femme. Dans tous les cas, la tête était tournée vers l'est.

Une veuve pouvait devenir l'épouse de son beau-frère et ses enfants passaient sous la tutelle de leur oncle. Il leur transmettait leur héritage dès qu'ils étaient en âge d'exercer leurs droits et devoirs d'adultes.

Réputés pour leur esprit pacifique, les Fula casamançais étaient entraînés dans le grand conflit qui opposait vers 1850, les Peul du Fuuta Jaloo aux Gaabunké. Ils allaient répondre à l'appel d'un Fula dion, Moolo Egue appelé plus tard Alfa Moolo pour secouer le joug de leurs maîtres malinké. Entraînés par leur nouveau chef, ils essaieront de créer un Fulaadu libre et puissant. L'opposition farouche des alfa de Labe à leur indépendance sera la cause de troubles graves qui favoriseront les tentatives de pénétration française en Casamance.

Telles étaient les mœurs et coutumes des Casamançais vers 1850. Notre étude ne prétend pas être complète. Elle n'est d'ailleurs qu'un aspect de nos travaux. Elle s'appuie cependant sur des faits et des récits observés et recueillis par des témoins dignes de foi. Notre condition d'étranger au pays étudié nous ont imposé une attention et une prudence accrues quand il nous a fallu expliquer et interpréter. Il est souhaitable que des historiens originaires de Casamance viennent compléter ces recherches. Leur expérience apportera une contribution féconde à une meilleure connaissance de l'histoire de cette région du Sénégal.

[1] Archives du Sénégal, 1 G 295, *Historique du Fouladou*, par Charles de la RONCIÈRE.

Chapitre 3

LE COMPTOIR PORTUGAIS DE ZIGUINCHOR

1. La présence portugaise en Casamance

Depuis le milieu du XVIe siècle, les Portugais parcouraient la Casamance entre le Rio Cacheu et la Gambie à la recherche de la cire, de l'ivoire et des esclaves. En 1606, ils construisirent un fort pour protéger le village de Cacheu situé à huit lieues de l'embouchure. Le roi du Portugal Don Joao IV nomma, en 1641, Conçalo Gamboa Ayala comme premier capitaine de ce comptoir, qui fonda, en 1645, Farim sur le haut Cacheu et Ziguinchor sur la basse Casamance. Il voulait rassembler les commerçants portugais dispersés le long des principaux rios de Guinée. En 1648, il quitta son poste pour exercer les fonctions de gouverneur des îles du Cap Vert [1].

En 1700, quand André Brue, directeur de la compagnie du Sénégal, traversa la Casamance du nord au sud pour se rendre à Cacheu, il rencontra sur son chemin de nombreux Portugais [2]. De Jamesfort sur la Gambie, il gagna par la Bintang les villages de Vintam et de Gérèges où il trouva établis, un grand nombre de Portugais. A Vintam, ils avaient même bâti une belle église. A une demi-lieue de Gérèges, il rendit visite au roi du Kiang qui était un bañun malinkisé. Les Portugais lui versaient un tribut annuel important. Bien accueilli par ce monarque, dont nous ignorons hélas les limites du royaume et qui est appelé par Brue « empereur du Fooñi », le directeur de la compagnie du Sénégal quitta Gérèges avec des chevaux et une escorte de seize personnes fournis par le roi. Il arriva à Pasqua sur le Soungrougrou chez les Bañun et logea dans une case appartenant à un Espagnol. Il poursuivit sa route pour Jam sur le bas Soungrougrou, lieu où l'on recueillait le plus de cire. Il abandonna ses chevaux, prit des canots et traversa la Casamance deux lieues plus haut qu'un fort portugais placé sur la

[1] Gabriel Carvalho. *Contribution à l'histoire de la Casamance*, Afrique-Documents, No 91, 1967.

[2] *Voyage du Chevalier Bruc en 1700 en Casamance d'après le Père Labat.* Nouvelle relation de l'Afrique occidentale, 1728, repris par Etienne Berlioux. *André Brue ou l'origine de la colonie du Sénégal*, Librairie de Guillaume et Cie, Paris, 1874. Repris par Amédée Tardieu. *Sénégambie et Guinée*, Paris, Didot, 1878.

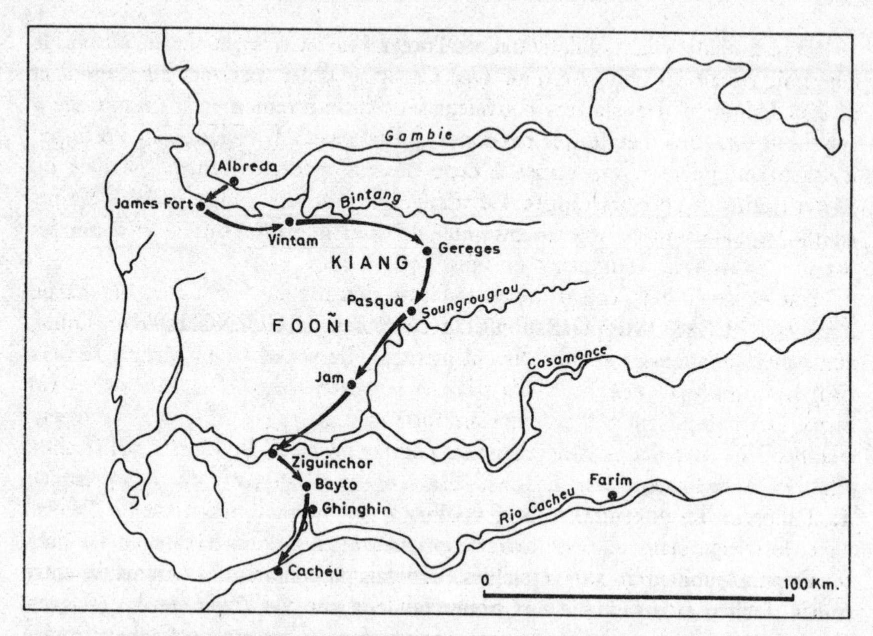

Fig. 6. Itinéraire d'André Brue (1700) d'après la carte de Berlioux.

rive gauche de la rivière. Brue aperçut donc Ziguinchor protégé par un fort en deux demi-bastions faisant face à la rivière et deux bastions du côté de la terre montés de quelques pièces d'artillerie. A une lieue plus au sud, Brue s'arrêta dans le village portugais de Bayto formé d'une redoute de quinze petits canons et abritant une garnison de quinze hommes. Le lieu était malsain et humide. Brue n'y séjourna pas longtemps et arriva sur le marigot de Sâo Domingo dans un village bañun, Ghinghin où vivaient des mulâtres portugais. Les habitants préparaient la cire pour être ensuite expédiée à Cacheu. De Ghinghin à Cacheu, le voyage se poursuivit sur un navire anglais pour traverser le rio. Telle est la description du Père Labat sur le voyage d'André Brue. A l'exception de Vintam qui semble être Bintang ou Vintang aujourd'hui, les autres lieux visités par le directeur de la compagnie du Sénégal semblent ne pas avoir laissé de traces.

2. Origine de Ziguinchor

Ziguinchor fut fondé sur un territoire qui appartenait à la tribu bañun des Izguichos. Une légende locale prétend que Ziguinchor serait la déformation d'une expression portugaise: «Cheguei, choram», je suis arrivé, ils pleurent». Il serait fait ainsi allusion aux caravelles portugaises qui arrivaient dans le port pour prendre des esclaves. L'altération de «cheguei, choram» aurait donné Chiguitior, puis Siguitior, enfin Ziguinchor. Plus vraisemblable est l'hypothèse qui fait dériver Ziguinchor du mot bañun Izguichor, le suffixe « or » signifiant la terre en bañun, dans la région. Ziguinchor serait donc une terre appartenant à des Bañun, ce qui est confirmé par les faits.

Situé à quatre-vingts kilomètres de l'océan, sur la rive gauche du fleuve, le comptoir restait en liaison étroite avec Cacheu par les marigots de Kajinol et de São Domingo. Les navires pouvaient sans crainte remonter la Casamance à condition toutefois d'éviter les bas-fonds qui jalonnent la rivière. Les Portugais n'attachaient guère d'importance à cette possession exclusivement peuplée de luso-africains et de leurs captifs. Le village qui groupait quinze cents habitants en 1842 apparaissait comme un ensemble de cases de paille, serrées et entourées par une palissade rectangulaire en bois.

Une église en bois, construite en 1848, fut détruite par le feu avec une partie du village en 1851. La population était composée de Gourmettes, nom donné aux Noirs christianisés et très souvent métissés. Ils vivaient dans deux quartiers rivaux, le quartier ouest ou « villa fria » et le quartier est ou « tabanca » [1]. Très pieux, ils pratiquaient un catholicisme fort mêlé de paganisme, et ils aimaient à se parer de scapulaires et de chapelets pour se protéger des esprits malfaisants. Illettrés, ils habitaient dans des cases d'une saleté repoussante due à la présence de nombreux porcs et chèvres qui vagabondaient partout. Au cours de l'hivernage, le village était un vaste cloaque empuanti, sans aucune aération. Le port consistait en une plage sur laquelle se déposaient des pirogues taillées dans les troncs des fromagers. Un wharf permettait aux vapeurs d'accoster.

La présence portugaise était signalée par un mât où flottait le drapeau national. Le chef du comptoir était un mulâtre qui était assisté dans sa tâche par un douanier et deux ou trois soldats noirs mal vêtus chargés de garder le pavillon. Aucun Portugais de métropole ne résidait à Ziguinchor. De temps en temps, le capitaômor de Cacheu, supérieur hiérarchique du chef de Ziguinchor, venait faire une tournée d'inspection. Il était prévenu des événements importants par des messagers qui se déplaçaient en pirogue sur les marigots. Le chef du comptoir était souvent recruté parmi les membres d'une famille luso-africaine, les Carvalho Alvarenga. En 1766, Carlos de Carvalho-Alvarenga occupait la charge de capitaine-chef de Ziguinchor et ses descendants présideront souvent aux destinées de la petite cité [2]. Le représentant de l'autorité portugaise devait compter avec le chef bañun du village qui appartenait au clan des Kabo de Jibelor, village voisin. Une redevance annuelle lui était versée et rappelait que le site de Ziguinchor était une terre bañun.

Malgré l'abolition de la traite en 1814, Ziguinchor possédait de nombreux captifs. Selon le gouverneur de Guinée portugaise, Rosa Carvalho, sœur du chef de comptoir, en possédait au moins une centaine en 1850 [3]. Mais les Gourmettes, prudents, ne s'éloignaient guère sans escorte du village car les Joola-Bayot se saisissaient d'eux pour les vendre aux Malinké.

Les rizières étaient travaillées selon les méthodes bañun. Quelques villages joola de la rive droite, sur le marigot Jagubel, étaient sous la tutelle de Ziguinchor

[1] Tabanca se dit pour une petite agglomération, située un peu en dehors du village. Il est possible qu'elle ait été occupée par des captifs. Par la suite, elle a pu être absorbée par le village.

[2] La famille Carvalho exerce toujours une certaine influence à Ziguinchor. Étienne Carvalho a été maire de la ville plusieurs années.

[3] HONORIO PEREIRA BARRETO. *Memoria sobre o estado actual de Senegambia portuguesa, 1843*, Centro de Estudos da Guiné Portuguesa, N° 5, Bissau, 1947, p. 23.

et procuraient aux Gourmettes du sel qui était vendu. De même les villages d'Adeane et de Sinedone à l'est de Ziguinchor étaient considérés par des familles luso-africaines de Ziguinchor comme relevant de l'autorité du Portugal [1].

Au XVIIIe siècle, le commerce était caractérisé par le trafic des esclaves, de la cire et de l'ivoire. Certains marchands de Ziguinchor achetaient des marchandises à crédit à la compagnie de Cacheu et allaient les échanger en pays malinké sur le haut fleuve contre deux ou trois captifs. Mais ils parvenaient à en traiter le double. Ils payaient la compagnie et vendaient le surplus aux étrangers [2]. La compagnie de Cacheu contraignait les marchands à ne rien vendre aux étrangers, mais comme elle ne recevait que deux bâtiments par an, elle manquait de marchandises de première nécessité. Aussi les Ziguinchorois en profitaient pour traiter avec les Anglais et les Français.

En 1840, le volume des transactions était médiocre et ne dépassait pas un chiffre d'affaires annuel de trois mille deux cents escudos alors que les exportations françaises mensuelles de la rivière s'élevaient à quatre mille huit cents escudos [3]. L'essentiel des revenus du comptoir était assuré par des droits de douane excessifs qui pesaient sur les marchandises qui transitaient par Ziguinchor (22 % en 1860). Bien placé, le port était apprécié par les Français. Le riz des Gourmettes était exporté par les Français qui apportaient de la poudre, des tissus, du vin et de la verroterie. Quand le riz se faisait rare, on allait le chercher chez les Flup contre des bœufs.

Négligé par Lisbonne, le comptoir était laissé à lui-même. En 1808, son chef, Manuel de Carvalho ignorait qui était son supérieur. Désemparé, il écrivit au gouverneur anglais de Bathurst pour se plaindre du capitaine de Cacheu, accusé de vouloir monopoliser tout le commerce de la région à son profit. A partir de 1830, quand les Français s'intéressèrent à la Casamance, les autorités de Cacheu qui avaient toujours considéré la rivière comme une possession portugaise s'alarmèrent et attirèrent sans succès l'attention du gouvernement de Lisbonne sur les dangers de cette présence étrangère. Le capitaô-mor de Cacheu, Honorio Pereira Barreto tenta l'impossible pour défendre les intérêts du Portugal et il s'opposa dans la limite de ses faibles moyens à la présence française en Casamance.

3. L'ACTION D'HONORIO PEREIRA BARRETO

Honorio Pereira Barreto était un mulâtre. Né à Cacheu le 24 avril 1813, il était le fils de Joâo Pereira Barreto, sergent-major de Cacheu et de Rosa Carvalho, membre de la famille Carvalho-Alvarenga de Ziguinchor et surnommée Rosa de Cacheu en raison de sa puissante personnalité. Enfant, Honorio fut envoyé à Lisbonne pour suivre des études et fréquenter si possible l'Université de Coïmbre. Il n'arriva pas jusque-là mais acquit une bonne formation humaniste et une solide culture. A la mort de son père en 1829, il rentra à Cacheu et lui

[1] Ce point sera mis en relief lors des intrigues portugaises des années 1880-86.
[2] Manuscrit de LE BRASSEUR. Fond français N° 120 080, Bibliothèque Nationale.
[3] HONORIO PEREIRA BARRETO. *Memoria sobre o estado actual de Senegambia Portuguesa*, p. 24.

succéda à la tête de la maison de commerce familiale. Il fut très déçu par l'état lamentable du comptoir et irrité par la faiblesse de l'autorité locale qui accordait des faveurs aux commerçants étrangers. En 1834, il fut nommé chef du Provedor de Cacheu et son premier souci fut de défendre ses intérêts et de libérer le pays des influences étrangères. En 1837, il fut nommé gouverneur de la Guinée portugaise. Le 16 mars, un navire de guerre français, « L'Aigle d'Or » entra dans le port de Ziguinchor. Quand le chef du comptoir, Francisco de Carvalho apprit que les Français voulaient remonter le fleuve jusqu'à Seju, il protesta énergiquement, mais en vain. Il prévint Barreto qui était alité à Cacheu. Malgré sa maladie, Barreto partit à Bissau pour trouver un navire britannique qui pourrait lui venir en aide. Selon un traité de 1661 signé entre le Portugal et la Grande-Bretagne, les autorités de Guinée pouvaient demander l'aide d'un navire de guerre anglais pour défendre leurs droits. Ses efforts échouèrent et il dut se résoudre à adresser un rapport au gouverneur général de la province du Cap Vert. Amèrement déçu et découragé par l'inutilité de ses efforts, il proposa la vente de Ziguinchor pour sauver la dignité du Portugal [1]. Il écrivit le 26 août 1857 au gouverneur général du Cap Vert : « Sans l'appui de mon gouvernement, ce qui me fait croire comme certain, ce qu'en 1849 me disait l'actuel chef de Carabane (Bertrand-Bocandé), qu'il était inutile d'écrire au gouvernement portugais sur les insultes que nous recevions en Casamance, je confesse à Votre Excellence avec franchise que mille fois j'ai été découragé dans cette lutte de ma petite personne contre les autorités françaises de Gorée et du Sénégal, soutenues par leur gouvernement... » [2].

Honorio Pereira Barreto mourut à Bissau le 26 avril 1859, victime d'un accès de paludisme. Les Portugais ne tentèrent rien de sérieux pour empêcher les Français de s'installer en Casamance. Ils gardèrent Ziguinchor pour surveiller leurs rivaux. Limités dans leurs moyens, ils défendront les droits que Ziguinchor possédait sur quelques villages environnants, et attendront le moment opportun pour céder le comptoir aux Français contre des territoires plus importants, acquis aux dépens de la future Guinée française.

[1] « No estado actual de cousas, direi francamente minha opiniâo, uma vez que nâo é possivel obrigar os Franceses a entregar-nos o nosso Rio de Casamança, melhor seria vender ou ceder o Presidio de Ziguinchor, por que so serve d'eschola para os estrangeiros nos insultarem. » Jaime WALTER. *Honorio Pereira Barreto*, Centro de Estudos da Guiné Portuguesa. N° 5, 1947, Documento N° 46, p. 151.

[2] Jaime WALTER. *Honorio Pereira Barreto*, Documento N° 51, p. 160.

CHAPITRE 4

LA PRÉSENCE FRANÇAISE EN CASAMANCE

1. LES DÉBUTS DE LA PRÉSENCE FRANÇAISE EN CASAMANCE

Il est probable qu'au XVIe siècle des navires français ont exploré les rives de la Basse Casamance car des bâtiments normands allaient relâcher sur les côtes de la Sierra-Leone avant de traverser l'Atlantique. Au siècle suivant, les compagnies à privilèges autorisées par Richelieu à trafiquer le long des côtes du Sénégal ont pu y pénétrer [1]. Il faut attendre 1686 pour avoir une première description de la Casamance par le Sieur de la Courbe, directeur d'une compagnie de commerce au Sénégal [2]. Au cours d'un voyage par voie de terre entre la Gambie et Cacheu, il apprit que les habitants de Ziguinchor faisaient le commerce de la cire, des cuirs, des captifs et de l'or pour les revendre à des Anglais et à quelques Français quand il y en avait. Mais ces derniers n'avaient point de case jusqu'alors et ils venaient seulement négocier dans des barques [3]. Au mois de juin 1778, M. Le Brasseur, commissaire-ordonnateur, ancien commandant pour le roi et administrateur général des possessions françaises à la Côte d'Afrique, présenta au duc de Penthièvre, Amiral de France, un rapport fort intéressant intitulé « Détails historiques et politiques sur la Religion, les Mœurs, et le Commerce des peuples qui habitent la Côte occidentale d'Afrique depuis l'Empire du Maroc jusqu'aux rivières de Casamance et de Gambie » [4]. L'auteur voulait attirer l'attention du gouvernement sur les ressources de la côte occidentale de l'Afrique et les possibilités d'expansion commerciale de la France. Probablement déçu par le

[1] Le 31 octobre 1635, un bourgeois de Paris, Pierre de la Haye, obtenait pour sa compagnie l'autorisation royale de trafiquer et de faire du commerce pendant 30 ans sur les côtes d'Afrique, du Cap Blanc à la rivière du Sénégal et de la Gambie à la Sierra-Leone, y compris rades, rivières, îles adjacentes à la réserve des rivières du Sénégal et de la Gambie. P. CULTRU. *Histoire du Sénégal du XVe siècle à 1870*. Paris, Larose, 1910, p. 39.

[2] P. CULTRU. *Premier voyage du Sieur de la Courbe fait à la coste d'Afrique en 1685*, Paris, Larose, 1913, in 8°, 321, p. 32.

[3] P. CULTRU. *Premier voyage du Sieur de la Courbe*.

[4] Bibliothèque Nationale. Manuscrits. Fonds français, N° 120 080, mis en valeur par Jean BOULÈGUE.

règne et le gouvernement du feu roi Louis XV, il plaçait ses espoirs dans les ministres du nouveau souverain pour voir reprendre la politique de Colbert [1].

Les lignes consacrées à la Casamance révèlent que si la France se désintéressait de cette rivière, ses marins la connaissaient bien. Ils abordaient dans une île nommée Casamança, située sur la rive nord et légèrement en amont de l'embouchure. Elle appartenait au roi Queniouma, « grand amy des français et qui en avait fait faire la proposition plusieurs fois à M. le Brasseur avec promesse de luy céder la plus grande partie de l'Isle, si elle pouvait luy être nécessaire » [2]. Quoique très fertile, elle n'était point habitée. Des indigènes venaient y planter du riz et du mil pendant l'hivernage pour n'y plus reparaître le reste de l'année [3]. A deux

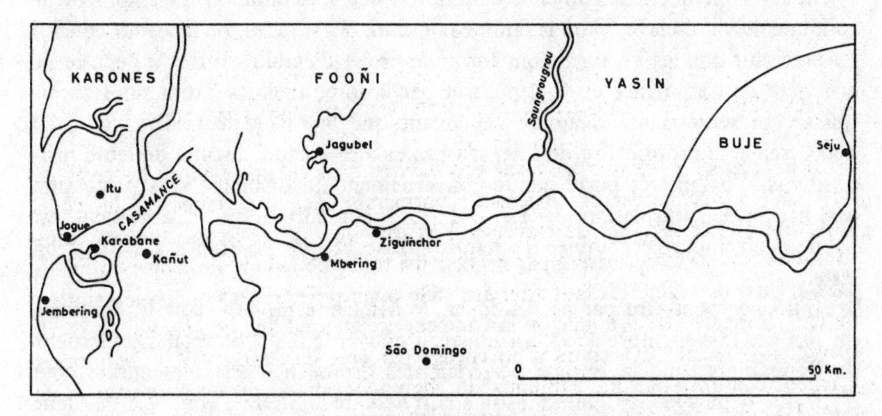

Fig. 7. Les débuts de la présence française en Casamance.

lieues plus haut et du même côté, les Français avaient adopté « un mouillage à l'exclusion de toutes les autres nations » près du village d'Ytoux (Itu). La traite du riz y était très abondante et celle des captifs, du morphil (ivoire) et de la cire pourrait y devenir très avantageuse « si nous y avions une possession plus solidement établie » [4].

Le Brasseur regrette que de telles possibilités ne soient pas exploitées. Certes, des nègres portugais occupent la rive gauche de cette rivière, mais « naturellement paresseux et sans aucune espèce de ressource, ils en font languir le Commerce » [5].

[1] « Quoi que cet essay ne fasse qu'indiquer les ressources dont une partie de l'Afrique septentrionale est susceptible, on ose espérer que la France y reconnaîtra encore quelques tiges renaissantes de sa grandeur, que l'activité qui accompagne toujours les nouveaux règnes, la sagesse qui veille maintenant sur notre destinée agiront de concert pour remettre le Commerce de l'Afrique dans cette position florissante dont le Ministre de Louis Quatorze avait jeté les premiers fondements. » LE BRASSEUR. Détails historiques et politiques, p. 27.

[2] Manuscrit de Le Brasseur, p. 24, 25, 26.

[3] Il est intéressant d'apprendre que des joola du groupe Karones, îliens et essentiellement riziculteurs cultivaient du mil, céréale des pays soudaniens et plus septentrionaux.

[4] Manuscrit de Le Brasseur, p. 24, 25, 26.

[5] *Ibid.*

Après avoir constaté que Ziguinchor ne reçoit tout au plus que deux bâtiments par année, l'ancien gouverneur de Gorée estime que si la France prenait possession de l'île de Casamance et y établissait un comptoir, les marchands portugais de Ziguinchor ne manqueraient pas d'y apporter, dans l'espoir de faire de grands bénéfices, les captifs, la cire et le morphil qu'ils traiteraient en haut de la rivière. Afin d'écarter de possibles objections concernant les droits du Portugal, Le Brasseur poursuit son argumentation. « Qui peut empêcher la France de remonter une rivière dont le commerce n'a été cédé par aucun traité, et où elle a toujours navigué communément avec eux depuis l'instant de sa découverte ? Cette nation y connaît si bien l'ancienneté de nos droits qu'elle ne s'est jamais avisée de saisir un bâtiment français lorsqu'il a été mouillé hors de la portée de son fort. [1] »

Après avoir décrit Ziguinchor comme un lieu misérable où les employés ne sont que de vils esclaves et où la famine fait sentir ses ravages, Le Brasseur conclut en précisant que les Portugais ont formé le projet d'établir un fort à l'entrée de la rivière de Casamance et de repousser par la force tous les bâtiments français qui s'y présenteraient. Il ajoute cependant que le « Roy de Casamance », en l'occurrence le propriétaire de l'île, n'a pas encore accepté aucune de leurs propositions. Vu l'intérêt porté par le gouvernement de Lisbonne à sa possession casamançaise, l'affirmation de Le Brasseur peut surprendre. L'argument est habile pour montrer combien le temps presse et que la France n'a que trop tardé.

Influencé peut-être par ce plaidoyer, le Ministère rappela dans le Mémoire du Roi du 18 novembre 1783, au nouveau gouverneur du Sénégal Le Gardeur de Repentigny, que la France possédait des droits incontestables sur la côte d'Afrique depuis le Cap Pointe jusqu'à la rivière de la Sierra-Leone. Le Gardeur devait obtenir des renseignements sur les territoires au sud de la Gambie « sans cependant y former jusqu'à nouvel ordre aucun établissement qui puisse donner lieu à des réclamations » de la part des Anglais et des Portugais [2].

C'est au XIXe siècle, sous la Restauration, que des possibilités d'expansion en Casamance furent sérieusement envisagées. A la demande du commerce de Saint-Louis et de Gorée, le Baron Roger, gouverneur du Sénégal, résolut d'aller visiter la rivière au mois de mai 1826 afin d'évaluer l'importance du trafic commercial et les chances de son développement [3]. Son rapport à Paris fut prudent. Il rendit compte que la navigation n'était pas dangereuse et que la concurrence des Portugais de Ziguinchor était sans grands risques. Il proposa la création d'un simple entrepôt à Mbering (Brin), village situé à 15 kilomètres en aval de Ziguinchor. Par la suite, dans la mesure où les intérêts français viendraient à progresser dans la rivière, il serait temps d'envisager un établissement plus important. Approuvée par le Ministère, la proposition du gouverneur fut très mal accueillie à Saint-Louis et à Gorée par les milieux d'affaires.

[1] *Ibid.*

[2] SCHEFER. *Instructions générales données aux gouverneurs et ordonnateurs français en Afrique occidentale*, tome 1, 1769 B, 1831, Paris, 1921, p. 112. Cité par J. FOULQUIER. *Les Français en Casamance de 1826 à 1854*, D. E. S. Dakar, juin 1966.

[3] Archives du Sénégal, 2 B 10, gouverneur au ministre, 31 mai 1826.

En 1828, le gouverneur Jubelin décida l'envoi d'une seconde mission en Casamance sous la direction de Jean Clément Victor Dangles, nommé Résident à la Côte d'Afrique. Né à Mende en 1783, Dangles était avocat. Nommé Avocat Général à Pondichéry, il avait été relevé de ses fonctions en 1826 à la suite d'une vie fort déréglée. Il fut alors envoyé au Sénégal en 1827 pour être utilisé par le gouverneur au mieux des intérêts de la colonie avec le titre de Résident mais sans affectation précise [1].

Le gouverneur en profita pour l'envoyer en Casamance avec des instructions bien définies. Il devait choisir l'emplacement d'un futur comptoir et négocier avec les Joola la cession du terrain choisi. Un agent serait affecté à la garde du pavillon. Dangles se rendit à Mbering et signa le 29 mars 1828 un traité avec le chef Kayunu (Cayounou) qui cédait en toute propriété et pour toujours, sans redevances, un terrain pour établir un comptoir et ses dépendances. Pour éviter au premier comptoir français de Casamance les inconvénients provoqués par la situation d'Albréda en Gambie où les bateaux français devaient subir les contrôles des Britanniques de Sainte-Marie de Bathurst, Dangles se rendit à Itu (Ytou) sur la rive nord pour négocier un second traité avec le chef Kulubus (Couloubousse). Depuis le siècle précédent, les Français avaient établi des contacts avec les habitants de ce village qui acceptèrent de céder du terrain pour la création d'un second comptoir. Le chef joola s'engagea à ne permettre à aucune nation étrangère de s'y établir. Dangles laissa à Mbering et à Itu deux de ses compagnons pour garder les pavillons et se rendit dans les Bissagos avant de rentrer à Saint-Louis à la fin du mois de mai. Le gouverneur satisfait, voulut renforcer la position du résident de Mbering en lui envoyant une embarcation armée et cinq hommes.

Au mois d'août, une fâcheuse nouvelle parvint à Saint-Louis. Les deux Européens laissés à Mbering et Itu étaient morts. Dangles repartit pour enquêter sur ces étranges disparitions. Il apprit que les deux hommes avaient été reçus plusieurs fois à Ziguinchor, invités par les notables, malgré les conseils de prudence de Kayunu. L'installation des comptoirs avait vivement mécontenté les Noirs portugais qui furent soupçonnés d'avoir empoisonné les deux Français [2].

Dangles laissa sur place deux Noirs pour remplacer les Européens. Au retour, il s'arrêta à Itu et choisit la pointe de Jogue pour établir l'emplacement du futur comptoir. Placé à l'entrée de l'embouchure, le site de Jogue convenait parfaitement pour assurer le contrôle de la navigation dans la Casamance. Afin d'éviter toute surprise désagréable, il négocia en même temps la cession de la pointe de Jembering sur la rive sud. Ainsi, l'entrée du fleuve se signalait à l'attention des navires étrangers par deux mâts aux sommets desquels flottait le pavillon français. Dangles rentra à Gorée. Mais en mer, une épidémie apparut sur le bateau qui décima une partie de l'équipage. Atteint, Dangles mourut le lendemain de son arrivée à Gorée. Sa disparition subite, consécutive à celle des deux premiers résidents en Basse Casamance, créa un malaise certain parmi les membres de l'administration coloniale. Le gouverneur Brou, successeur de Jubelin, décida

[1] E. SAULNIER. *Les Français en Casamance et dans l'archipel des Bissagots*, Paris, Larose, 1914.
[2] E. SAULNIER, *ibid.*

malgré tout d'envoyer un nouveau résident en la personne du vicomte de Rességuier arrivé au Sénégal le 20 juin 1829. Le vicomte, peu soucieux d'exposer sa santé, refusa de partir et obtint son rappel en France. Le gouverneur dut se résigner et maintint de sa propre initiative un résident noir en Casamance afin de ne pas perdre les avantages acquis. Le Ministère troublé par les événements de juillet 1830 et le changement de régime politique, n'alla pas plus loin dans son désir d'expansion.

« Le commerce de la Colonie n'avait rien gagné à cette première tentative mais les droits de la France se trouvaient officiellement établis... L'effort de 1828 n'avait pas été inutile puisqu'il avait préparé la voie, mais il fallut encore attendre plusieurs années pour que les circonstances permissent une installation définitive.[1] »

2. Les premiers comptoirs français de Casamance

Malgré le maintien d'un résident noir, la présence française en Casamance ne gênait guère les mulâtres de Ziguinchor et les quelques traitants britanniques de Bathurst qui venaient de temps en temps échanger quelques produits contre du riz, des cuirs, et de la cire. Les commerçants de Saint-Louis et de Gorée conservaient tous leurs espoirs de voir l'administration coloniale reprendre activement une politique expansionniste dans la rivière. Gorée aspirait à de nouveaux débouchés après la crise éprouvée à la suite de la suppression de la traite des Noirs. Les Saint-Louisiens, plus proches du gouvernement de la colonie, faisaient pression sur lui pour l'amener à prendre pied en Casamance afin d'y être protégés efficacement contre les éventuelles réactions des nations étrangères, mais aussi contre la concurrence redoutable des négociants de Gorée.

Le Ministère était conscient de ces problèmes. Il était préoccupé par la perspective d'un échange avec les Britanniques, d'Albréda contre l'abandon de leurs droits à Portendick. Un comptoir français sur la Casamance susceptible d'absorber le commerce de cette partie de la côte pouvait faciliter l'abandon d'Albréda mal placé sur la Gambie. En 1836, le commandant particulier de Gorée, le lieutenant de vaisseau Malavois fut autorisé à partir pour la Casamance afin d'étudier à nouveau les possibilités de commerce et les conditions nécessaires à la mise en place d'un comptoir. Malavois s'embarqua à Gorée le 9 janvier 1836. Il visita la pointe de Jogue que Dangles avait choisie comme site du futur comptoir. Mais le chef de Itu manifesta son désaccord et les Joola de Jogue refusèrent de vendre un emplacement pour bâtir. Pour éviter toute contestation, Malavois rendit visite au village de Kañut, sur la rive sud et négocia avec le chef, l'achat de l'île de Karabane située à l'entrée et au sud de l'embouchure[2]. Par un traité signé le 22 janvier 1836, l'île devenait française en échange d'une rente annuelle de 39 barres, soit 196 francs[3].

[1] J. Foulquier. *Les Français en Casamance de 1826 à 1854*. D. E. S. Mémoire dactylographié, Faculté des Lettres de Dakar, juin 1966, p. 36.

[2] Par chef de village, il faut entendre le porte-parole des principaux chefs des quartiers.

[3] Bulletin administratif des Actes du gouvernement du Sénégal. Arrêté N° 8. 24 juin 1837.

Le choix de Karabane s'expliquait par sa situation mais aussi par le fait qu'elle était habitée et exploitée en partie par un mulâtre établi depuis quelques années, Pierre Baudin. Baudin possédait des fours à chaux décrits par Perrotet lors de sa visite en 1829 [1]. Le riz qui était cultivé sur une grande partie de l'île était vendu aux mulâtres de Ziguinchor et à des Anglais de Gambie. Après la mort de Dangles en 1828, les autorités de Saint-Louis avaient cherché en vain un résident capable d'exercer ses fonctions. Le Ministère ayant refusé en 1831 d'entretenir les agents extérieurs à la Côte d'Afrique, le gouverneur Brou trouva une solution ingénieuse en demandant à Baudin qui vivait sur place, et qui avait des moyens d'existence, de bien vouloir être résident avec un appointement annuel de 1000 francs. En fait, Baudin était davantage un représentant de la présence française qu'un authentique résident. Il était le gardien de propriétés en attendant le retour des propriétaires.

L'achat de Karabane ne suscita guère d'enthousiasme et provoqua au contraire des critiques car l'île passait pour être particulièrement insalubre. « L'île n'est qu'un banc de sable qui s'est couvert de végétation... » écrivait le lieutenant de vaisseau Vallon en 1862. « Derrière la pointe où est construit le village..., un vaste marais exhale ses miasmes fiévreux pendant toute l'année. A la saison des pluies, l'île entière devient une sorte de lac où il faut barboter pour se rendre d'un point à l'autre. [2] » Baudin lui-même pensait que la pointe de Jembering était mieux indiquée pour la construction d'un fort à cause de sa position plus élevée, donc plus saine. Placé au bord de mer, la surveillance de l'embouchure et de la côte serait ainsi plus aisée. [3]

Malavois avait cherché surtout un site bien placé à l'entrée de la Casamance pour avoir un point de relâche abrité, qui permettait en même temps une surveillance active de l'embouchure. Il fallait par la suite inciter le commerce à participer à la mise en valeur. On songea alors à la Société commerciale et agricole de Galam créée en 1824, et qui exploitait les richesses du fleuve Sénégal. L'administration coloniale lui fit comprendre que le privilège dont elle jouissait, justifiait de sa part, un effort pour investir en Casamance. Pour apaiser les craintes des Goréens, il fut décidé que la Société porterait son capital de 250 000 à 450 000 fr. et que le nombre de titres passerait de 1250 à 4000, dont 400 seraient réservés aux Goréens. Un sous-directeur choisi parmi les actionnaires de Gorée surveillerait l'exploitation du commerce [4]. Le gouvernement se chargerait des frais de l'établissement du comptoir et la compagnie verserait 20 000 fr. pour financer la construction des magasins et des bâtiments d'habitation. Les statuts de la nouvelle association furent approuvés par le Ministère par dépêche, le 22 avril 1836.

[1] PERROTTET. *Voyage de St-Louis du Sénégal à .a presqu'île du Cap Vert, à Albréda sur la Gambie et à la rivière de Casamance dans le pays des Feloups-Yola*, Nouvelles Annales des Voyages, t. III, p. 137-185, t. IV, p. 6-63 (1833).

[2] VALLON. *La Casamance, dépendance du Sénégal.* Revue maritime et coloniale, t. VI, octobre-décembre 1862, p. 456-474.

[3] A. Nationales. Mi. 185. Rapport sur l'île de Carabane, Notes de M. Baudin, 1836.

[4] SAULNIER. *Une Compagnie à privilège au XIXe siècle. La Compagnie de Galam*, Paris, Larose, 1921, in 8°, 200 pages.

Comme le choix de Karabane était discuté, une nouvelle commission d'exploration fut formée sous la présidence de Dagorne, commandant particulier de Gorée. Le gouverneur Guillet la chargea de reconnaître les conditions géographiques et l'intérêt économique du futur comptoir. La Commission quitta Gorée le 14 mars 1837 sur l'Aigle d'Or. En remontant la Casamance, elle s'arrêta à Ziguinchor avant de poursuivre sa route plus en amont. Les protestations des mulâtres portugais n'empêchèrent pas le lieutenant de frégate Cabaret, commandant le navire, de partir pour Seju.

Seju était un village sur la rive droite du fleuve. Bien placé sur un plateau qui dominait le cours d'eau, son site plut aux visiteurs. Il appartenait à un roi bañun malinkisé, Bojan Dofa, qui était souverain d'un petit royaume de la rive droite, le Buje (Boudhié) [1]. Depuis le XVIIe siècle, les Portugais venaient y traiter des captifs et la cire du Fooni qui était envoyée à Cacheu [2]. Si Karabane déçut le lieutenant de vaisseau Vallon, Seju, au contraire, l'enthousiasma : « Les ressources de Seju, pour la vie, ne sauraient être comparées à celles de Karabane. Elles sont considérables... Des jardins produisent des légumes et des fruits, il y a partout des fontaines d'eau vive ; le gibier abonde sur les collines du voisinage ; le fleuve est poissonneux... enfin le climat y est très supportable pour un Européen. [3] » Les membres de la Commission Dagorne furent moins éloquents mais estimèrent que le lieu convenait pour y implanter un comptoir. Les habitants avaient l'habitude de traiter avec les Européens et le village était suffisamment situé dans le haut de la Casamance pour pouvoir assurer une prospection des richesses du pays. Il suffirait de persuader les populations environnantes de venir à Seju apporter leurs produits. Dagorne négocia un traité avec le mansa, un bañun malinkisé, le 24 mars 1837 par lequel il cédait aux Français un terrain de deux cent cinquante mètres de long sur cent mètres de large, le long du fleuve, pour l'établissement d'un comptoir commercial, moyennant une coutume annuelle de trente-neuf barres, soit la valeur de cent quatre-vingt-seize francs.

La Compagnie de Galam ne manifesta aucun empressement pour remplir ses obligations. Au cours de la séance du 22 mai 1837, le directeur Monteillet fit valoir qu'on ne pouvait obliger la Compagnie à créer un comptoir dans un lieu où elle était assurée de faire de mauvaises affaires [4]. Il réclama de nouveaux avantages tels que le privilège exclusif et absolu sur tout le fleuve de l'embouchure à la source. Cette exigence mécontenta le Conseil qui refusa et le gouverneur, excédé, décida que le comptoir serait construit à Seju et que la pointe de Jembering serait fortifiée [5]. Le 24 juin, il prit un arrêté qui délimitait le privilège de la Compagnie à Jogue, Jembering, Karabane et le cours du fleuve en amont de Ziguinchor. Les premiers travaux devaient commencer au mois d'octobre.

[1] Selon Dagorne, Bodian Daufa était le nom donné à tous les mansa du Buje. Archives du Sénégal, 1 G 14, Mission Dagorne en Casamance, 1838.

[2] Voyage du Chevalier Brue en 1701, cité par Vallon.

[3] VALLON. *La Casamance, dépendance du Sénégal*, Revue maritime et coloniale, t. VI, octobre-décembre 1862, pp. 456-474.

[4] Archives du Sénégal, 3 E 11, N° 19, Conseil privé, séance du 22 mai 1837.

[5] Archives du Sénégal, 3 E 11, N° 22, Conseil privé, séance du 10 juin 1837, cité par Jacques Foulquier.

Les directeurs de la Compagnie cherchèrent à gagner du temps et sollicitèrent l'avis du Ministère qui approuva les décisions du gouverneur le 22 janvier 1838. Avec une mauvaise volonté évidente, la Compagnie se résigna à armer un bateau pour porter à Seju les premiers matériaux de construction. Le 25 mars 1838, Dagorne partit pour la Casamance sur l'Aigle d'Or. Il emmenait avec lui le lieutenant Dalen, premier commandant des établissements français en Casamance et le garde du génie Campine, chargé de diriger les premiers travaux. Arrivés à Seju, ils eurent la mauvaise surprise d'apprendre que le mansa du Buje, avec lequel le traité de 1837 avait été signé, venait de mourir. Son successeur et l'alkali de Seju, Suleiman, refusèrent le débarquement des matériaux. L'alkali était favorable à des commerçants britanniques de Gambie. Influencé par eux, il se montra exigeant avec les Français et sollicita l'élaboration d'un nouveau traité. Dagorne réussit à faire admettre à son interlocuteur un traité à peu près semblable au premier qui fut signé le 3 avril 1838. Les Français conservaient le terrain acquis l'année précédente mais s'engageaient à payer annuellement une coutume de trente neuf barres, soit trente pour le mansa, cinq pour l'alkali, trois pour l'envoyé du roi, une pour l'envoyé de l'alkali ; le tout en marchandises suivant leurs besoins et au prix courant du pays, payable au mois d'avril de chaque année [1]. Dagorne avait bien compris qu'il lui faudrait compter davantage avec l'alkali qui était le chef véritable. « Les gens de Sedhiou sont eux-mêmes en grand nombre pour nous. Le roi l'est lui-même mais il n'ose pas déplaire à l'alkali... Si le roi mourait, le chef de Patiabor (village voisin) qui est son successeur légal, et aussi inepte pour le moins, serait à notre disposition. Son amitié est entretenue par sa soif d'eau-de-vie que l'on satisfait à chaque visite... Encore une fois, notre querelle n'est qu'entre l'alkali et ses amis d'un côté et nous de l'autre. Sa famille, comme la plus nombreuse le maintient en place ; mais si nous étions forts et menaçants, ses propres parents l'abandonneraient pour lui substituer un autre parent. [2] »

Après avoir conclu la nouvelle convention, les Français débarquèrent leurs matériaux et les travaux commencèrent sous la direction du lieutenant Dalen. Un puits fut creusé et le terrain défriché. Une clôture fut dressée et les soldats fabriquèrent des briques pour construire le premier bâtiment en dur qui abriterait la garnison. Le premier représentant de la Compagnie de Galam arriva quelques jours plus tard sur « Le Vaillant » et sans tarder, il commença des achats de peaux et de cire. Dagorne rentra à Gorée le 11 avril 1838 et laissa Dalen avec des instructions précises. Il devait protéger le commerce français et favoriser son extension. Dans cette perspective, il reconnaîtrait le haut du fleuve, prendrait contact avec les populations en observant une stricte neutralité politique [3]. Le commandant de Gorée pouvait s'estimer satisfait d'avoir accompli la mission qui lui avait été prescrite. Les vœux exprimés en 1778 par M. le Brasseur dans son rapport au duc de Penthièvre étaient exaucés [4]. Pour la première fois, les Français s'étaient réellement installés en Casamance en dépit des protestations

[1] Archives du Sénégal, 13 G 4, Traités de paix en Casamance ; 1 G 14, Mission Dagorne en Casamance.

[2] Archives du Sénégal, 4 B 9 (1840), p. 102.

[3] Archives du Sénégal, 1 G 14, Mission Dagorne en Casamance (1838).

[4] Bibliothèque Nationale, manuscrit, Fonds français N° 1200 80.

des Portugais de Guinée. Accueillis favorablement par les Casamançais satisfaits de trouver des partenaires commerciaux, les chances de réussite étaient raisonnables malgré une situation encore fragile. Si Seju avait eu la préférence sur Karabane, tout espoir n'était pas abandonné de faire de l'île un point de relâche important avec des entrepôts. La Basse Casamance était encore mal connue. Il était permis de croire que les Joola apprécieraient rapidement l'escale de Karabane.

3. L'ORGANISATION DES COMPTOIRS

a) *Seju*

Dès que le projet de créer un comptoir à Seju fut retenu, le directeur du génie militaire au Sénégal, le capitaine Parent d'Augsbourg établit les premiers plans d'un fort. L'administration de la colonie estima qu'il n'était pas nécessaire pour l'instant de bâtir un fort trop important et elle proposa un projet qui prévoyait une fortification entourée d'une enceinte de terre. Elle abriterait une caserne de seize hommes de troupe et un magasin. Les bâtiments devaient être construits en bois et recouverts de paille. Aucun emplacement n'était prévu pour des services comme les cuisines et le corps de garde.

Ce projet fut repoussé à Paris où l'on estima que la création d'un comptoir en Casamance méritait une construction militaire plus imposante et surtout plus résistante aux intempéries dévastatrices du climat tropical. D'autre part une question de prestige entrait en jeu vis-à-vis d'abord des Britanniques qui avaient de beaux établissements en Gambie et en Sierra-Leone, et des Malinké qui ne manqueraient pas de faire des comparaisons [1]. Un second plan fut alors présenté par le colonel Teissier, directeur du Dépôt des fortifications. Le poste se présentait comme un carré de cinquante mètres de côté avec un bastion à chaque angle. Quatre pièces de 6 ou de 8 étaient prévues pour être installées sur les bastions. A l'intérieur, le pavillon des officiers destiné au commandant de poste et au chirurgien et une infirmerie devaient encadrer la caserne réservée aux hommes de troupe. Trois emplacements étaient réservés aux magasins et aux logements de la compagnie [2].

Le plan du colonel Teissier plus coûteux que le précédent, fut adopté avec des simplifications, à cause de l'insuffisance des crédits. L'idée de construire une fortification à la pointe de Jembering fut abandonnée et tous les crédits disponibles furent reportés pour la construction du fort de Seju. Les travaux commencèrent au mois de mars 1838 mais ils furent ralentis par les hivernages qui obligeaient les ouvriers à rentrer à Saint-Louis pour revenir au mois de décembre. A leur retour, ils devaient réparer les dégâts causés pendant l'hivernage. Leurs efforts se heurtaient souvent à la maladie qui faisait des ravages. Le paludisme et les troubles intestinaux affaiblissaient considérablement les effectifs qui

[1] Archives nationales. Section Outre-Mer. Direction des Fortifications des Colonies, Gorée, N° 200 à 205. Carton N° 3.

[2] J. FOULQUIER. *Les Français en Casamance de 1826 à 1854*, p. 49.

ne pouvaient fournir un travail long et continu. En 1842, les murs d'enceinte étaient achevés. Le bâtiment principal avait encore le premier étage qui n'était pas terminé. Le gouverneur du Sénégal, Montagniés de la Roque, s'alarma devant la lenteur des travaux et les dépenses qui avaient doublé par rapport au devis primitif porté à 60 000 francs. Les travaux furent terminés vers 1844. Quand le lieutenant Hecquart visita la Casamance en 1850, il visita Seju et décrivit le poste. « Il est formé par un carré bastionné à chaque angle dans lequel faisant face au fleuve, s'élèvent un bâtiment à étage où est le logement du commandant et sur chaque côté un corps de logis composé d'un rez-de-chaussée où se trouvent les casernes et les magasins. Le poste est situé dans un bas-fond tout à fait sur le bord du fleuve. Il y règne de tout temps une humidité telle qu'on n'y peut rien conserver et qui contribue certainement aux fièvres qui y sont assez fréquentes. La garnison est composée de 33 hommes et elle est commandée par un capitaine. Attenant au poste, est un village habité par des Wolof mariés à des femmes Balant où sont établis quelques traitants et une maison de commerce. [1] » Nous aurons par la suite l'occasion de mieux connaître le village et ses habitants. L'état sanitaire de la garnison n'était donc guère brillant et elle connut vingt-deux commandants différents entre 1838 et 1854 [2]. Au bout d'une année, épuisés par les fièvres, les officiers et les hommes demandaient leur rappel. Après un stage à l'hôpital de Gorée pour la plupart, ils étaient rapatriés, ou affectés à des postes plus sains. L'administration finit par limiter le séjour des commandants de poste à une durée de six mois en principe. Les effectifs européens furent réduits au strict nécessaire. Au 1er avril 1854, le personnel de la garnison se composait d'un capitaine, exerçant les fonctions de commandant de poste, un sergent d'infanterie de marine, un soldat d'infanterie de marine, deux artilleurs de marine; soit cinq Européens. Deux caporaux indigènes, vingt-sept soldats indigènes, un maître de langues, quatre laptots, un gourmette, et quatre pileuses formaient le reste et la majorité de la garnison qui atteignait quarante-quatre personnes [3]. Les soldats africains se mariaient avec des femmes du pays et quand leur présence au poste n'était pas requise, ils allaient défricher quelques lopins de terre pour les cultiver.

En 1845, un traité franco-anglais fut signé, organisant la surveillance des côtes par les navires des deux pays. Le Ministère de la Marine créa alors la Division Navale des Côtes occidentales d'Afrique avec résidence à Gorée pour le commandant. Karabane et les postes qui étaient installés sur le golfe de Guinée prirent une importance accrue au détriment de certains postes de l'intérieur. Seju fut alors un peu délaissé à l'avantage de Karabane.

b) *Karabane*

Avec le traité de 1838 qui faisait de Seju le principal comptoir de Casamance, l'île de Karabane fut négligée et continua à être exploitée par la famille Baudin. Le travail des rizières par des esclaves et la production de chaux à partir du

[1] HECQUART. *Rapport sur un voyage dans la Casamance.*
[2] J. FOULQUIER. *Les Français en Casamance de 1826 à 1854*, p. 53.
[3] Archives du Sénégal, 13 G 363.

broyage et de la cuisson des coquilles d'huîtres de palétuviers donnaient à Pierre Baudin une certaine aisance. Son frère Jean lui succéda en 1837. Peu intéressé par les affaires politiques, il s'appliqua davantage à faire prospérer les siennes, jusqu'au jour où il commit un acte de piraterie contre le cotre anglais « Le Bec » en enlevant par la force un de ses esclaves qui avait déserté. Ce grave incident qui eut lieu en décembre 1847, provoqua des protestations énergiques des autorités britanniques de Gambie auprès du gouverneur du Sénégal qui ordonna une enquête. Reconnu coupable, Jean Baudin fut relevé de ses fonctions de résident le 1er mars 1848.

Il fut remplacé par un nommé Dufour, Européen établi à Gorée qui travaillait pour la maison Cabueil. Mal accueilli par la puissante famille Baudin qui acceptait mal sa disgrâce, le nouveau résident ne put se faire obéir. Il démissionna de ses fonctions en septembre 1849 pour être remplacé par Bertrand-Bocandé.

Energique, habile homme d'affaires, et très entreprenant, Emmanuel Bertrand-Bocandé sut donner à Karabane l'impulsion et l'essor qu'il lui fallait. Né à Nantes le 3 juillet 1812, il était le fils de René Bertrand et d'Olive Bocandé [1]. Après avoir fait ses études au petit séminaire de Nantes, il fut condamné à l'âge de vingt ans à une peine de déportation par contumace pour avoir comploté contre la sûreté de l'Etat. Exilé par nécessité, il se retrouva en Afrique occidentale et parcourut la Basse Casamance vers 1837, Passionné par les insectes, il explora les marigots afin d'en faire la collection. Il fit la connaissance à Cacheu d'Honorio Barreto et apprit le créole portugais et le malinké. Au cours de l'été 1848, il rentra en France et offrit au Museum d'histoire naturelle de sa ville natale une collection remarquable de 40 000 insectes. A la fin de l'hivernage de 1849, Bertrand-Bocandé retourna en Casamance et s'installa à Ziguinchor pour y faire du commerce. Informé des déboires de Dufour à Karabane, il sollicita son poste après sa démission. Un mois plus tard, en octobre, il exerçait les fonctions de résident de Karabane.

Connu des autorités du Sénégal pour son expérience du pays et de ses habitants [2], il était apprécié pour son habileté et son ambition. Il voulait, en effet, faire de Karabane un comptoir dynamique au détriment de Ziguinchor et de Cacheu. Il n'avait guère confiance en l'avenir de Seju à cause du faible tirant d'eau qui existait en amont de Ziguinchor et qui gênait les navires. Comme son prédécesseur, il dut subir l'hostilité de la famille Baudin. Mais fort de l'appui du gouverneur et peu disposé par nature à se laisser intimider, il demanda des fonds à Saint-Louis par l'intermédiaire du commandant de Gorée pour construire une résidence qui appartiendrait à l'Etat. Pour mettre l'île en valeur, il demanda que l'administration accordât des concessions, notamment aux Goréens qui le souhaiteraient. Le commandant particulier de Gorée, Aumont, donna l'autorisation en précisant malgré tout que les concessions seraient provisoires. Elles ne deviendraient définitives que plus tard, quand les concessionnaires

[1] Debien et Saint-Martin. *Emmanuel Bertrand-Bocandé (1812-1881). Un nantais en Casamance.* Bulletin de l'I.F.A.N., t. XXXI, série B, N° 1, janvier 1969.

[2] Bertrand-Bocandé. *Notes sur la Guinée Portugaise ou Sénégambie méridionale*, Bulletin de la Société de Géographie, mai-juin-juillet-août 1849.

auraient commencé sur une échelle raisonnable les cultures ou achevé leurs établissements s'ils se destinaient au commerce [1].

Pour mettre fin aux réclamations de la famille Baudin qui estimait être spoliée alors qu'elle s'était octroyée la majeure partie de l'île, le gouverneur envoya, en 1852, un conducteur de travaux pour tracer le cadastre. Un plan en damier fut établi avec des lots de trente mètres de côté donnant sur le rivage. Ils étaient réservés aux négociants et traitants qui devaient y élever des maisons. A l'intérieur, d'autres lots de quinze mètres de côté étaient prévus pour les habitations. Le 21 juin 1852, le gouverneur Protêt signa un arrêté stipulant que des concessions seraient accordées à titre provisoire à des habitants de Saint-Louis et de Gorée. Elles ne deviendraient définitives qu'après un délai de quatre ans dans la mesure où les concessionnaires auraient construit une case sur les terrains d'habitation dans le village et mis en valeur les terres qui leur avaient été concédées.

Nous connaissons l'impression médiocre de Vallon sur Karabane. Hecquart y était passé en 1850 avant son aménagement décidé par Protêt. Il avait vu un village d'une cinquantaine de cases dont cinq ou six plus vastes et mieux construites que les autres, habitées par des traitants de Gorée. La population était surtout composée de Flup qui s'adonnaient à la culture du riz [2]. De 200 en 1817, elle était passée à plus de 1000 en 1852. Devant l'importance de cette communauté en majorité païenne, les missionnaires sollicitèrent une demande de concession. Bocandé donna un appui chaleureux à cette initiative, la considérant avantageuse au point de vue politique. Leur présence, estimait-il, attirerait autour d'eux de nouveaux habitants et le village de Karabane prendrait peu à peu un aspect européen. Plus prudent, le commandant particulier de Gorée manifesta sa réticence, car il tenait avant tout à ne point créer de troubles parmi les habitants. Le prosélytisme des missionnaires pouvait susciter des problèmes exigeant la sécurité des ecclésiastiques. Or, la garnison de Seju était trop éloignée pour l'assurer. En conséquence, le Chef de la Mission catholique au Sénégal fut invité à ne pas insister [3].

Bocandé réussit à faire de Karabane le comptoir qu'il souhaitait. Pour permettre aux gros navires de s'y arrêter, il fit aménager un quai le long du fleuve et un embarcadère avec un rail pour amener les marchandises vers les bateaux qui ne pouvaient accoster. Content de lui, le résident de Karabane écrivait le 21 mai 1853 au commandant particulier de Gorée Ropert : « Cette année, les navires de France ont été expédiés directement pour notre île et sont chargés directement pour la France. Je vais faire partir dans deux jours le trois-mât la « Lydie » pour Marseille avec son complet chargement. J'attends encore un autre navire que je dois charger d'arachides. [4] » A lire ce rapport, on pouvait croire en haut lieu que les espérances placées dans les possibilités commerciales de la Casamance n'étaient

[1] Archives du Sénégal, 4 B 33, 31 janvier 1850.

[2] HECQUART. *Rapport sur un voyage dans la Casamance en 1850.*

[3] Archives du Sénégal, 3 B 58. Gouverneur du Sénégal au commandant de Gorée, 21 août 1851 ; Archives des Pères du St-Esprit. Gouverneur au Père Boulanger, Grand Vicaire de Gorée, 2 septembre 1850. Arch. Sénégambie, boîte 154.

[4] Archives du Sénégal, 13 G 455. Résident de Karabane au commandant particulier de Gorée, 21 mai 1853.

pas déçues. Il est vrai que Bocandé se donnait beaucoup de mal pour rassurer et convaincre ses supérieurs. Diplomate à l'égard des africains, il se débrouillait pour résoudre les petits conflits et évitait l'éclatement de troubles graves. La coexistence à Karabane des Flup et des habitants originaires de Saint-Louis et de Gorée n'était pas toujours facile. Les Joola des villages environnants toléraient la présence de Karabane dans la mesure où leur indépendance et leur totale liberté d'action n'étaient pas menacées.

Jusqu'en 1850, les ambitions françaises en Casamance étaient restées modestes car le commerce tentait ses premières expériences. Examinons à présent leurs caractères et leurs résultats.

4. Le commerce de traite en Casamance avant 1850

Toute l'année, des pirogues circulaient sur le fleuve et les marigots pour apporter aux lieux de traite les divers produits locaux. Ils étaient vendus ou échangés contre des marchandises européennes. Des goélettes de faible tonnage entre 50 et 100 tonneaux remontaient la Casamance jusqu'à Seju et, une fois chargées, rentraient à Gorée ou Saint-Louis. La monnaie de compte utilisée était la barre ou la gourde qui correspondait à une quantité donnée de marchandises [1]. Elle avait l'aspect d'une petite barre de fer. Le prix de la gourde était estimé généralement à 5 francs en marchandises rendues sur place. Les Français payaient à l'alkali de Seju la coutume annuelle de 39 barres × 5 = 195 francs. Or, les évaluations avaient prévu 196 francs. Donc, la barre valait un peu plus de 5 francs. Les marchandises de France subissaient une augmentation de 30 % à Gorée et de 60 % en Casamance. Le boisseau d'arachides pesait en principe 13,5 kg. En fait, il était constamment truqué et dépassait souvent 20 kg, soit une augmentation frauduleuse de 70 %. Aussi les bénéfices déclarés par les commerçants étaient loin de correspondre à la réalité. Le premier commandant de poste installé à Seju par Dagorne en 1838, le capitaine Dalen fut vite édifié par l'attitude du gérant de la Compagnie de Galam qui n'hésitait pas à frauder sur les mesures. Indigné, et irrité par son impuissance à réprimer de tels abus, il sollicita son rappel, ce qui fit dire à Dagorne qu'il n'était guère instruit de la manière dont se font les affaires. » Cet usage de tromper sur les poids est tellement reconnue que l'on m'assure que le règlement des escales prescrit aux traitants d'avoir des romaines qui les avantagent de 10 % [2].

Favorisée par ces pratiques frauduleuses, la Compagnie de Galam établie à Seju en 1838 bénéficiait, en plus, du privilège de l'exclusif. Malgré tout, elle fit apparaître dans ses comptes des résultats médiocres et elle se plaignit amèrement

[1] Le 1er avril 1837, Dagorne signa avec Boffen, principal chef de Jembering, un acte qui cédait à la France la pointe de Jembering. 183 gourdes furent versées. Parmi les objets donnés en paiement on relève : une filière de corail N° 15 = 100 gourdes ; un fusil fin = 6 gourdes ; trois mètres écarlate commune = 10 gourdes ; dix kilogs de poudre en 4 boîtes = 8 gourdes ; trois paires de peignes brochés = 24 gourdes ; dix-sept kilogs de cauris = 15 gourdes.

[2] Archives du Sénégal, 4 B 8. Commandant de Gorée au gouverneur, 11 novembre 1838.

de la charge qui lui avait été confiée. Elle fit d'abord valoir que le privilège ne s'étendait pas à la partie de la rivière située en aval de Ziguinchor. Cette limitation, d'après elle, était préjudiciable à ses intérêts peu favorisés par les lourdes dépenses engagées dans l'installation du comptoir. Le 31 janvier 1841, après 34 mois d'exercice, elle publia un bilan qui indiquait que pour 224 482 francs de marchandises vendues, elle réalisait un chiffre d'affaires de 331 293 francs, soit un bénéfice brut de 106 811 francs, gain jugé médiocre par rapport aux dépenses. La Compagnie entretenait, il est vrai, deux gérants, un garde-magasin et un traitant. L'inexpérience du commerce dans la région et la concurrence des Britanniques au-delà de Seju étaient les raisons invoquées pour expliquer cet état de fait. Entre 1838 et 1841, les opérations de Seju donnèrent une perte de 48 fr. 85 par action de 200 francs. Cependant, entre 1836 et 1840, la traite en Galam avait procuré à chaque actionnaire un bénéfice reconnu de 58 % [1].

Les commerçants de Gorée ne ménageaient pas leurs critiques à l'égard du privilège de la Compagnie. Certes, des actions leur avaient été offertes et le sous-directeur de la Compagnie était de Gorée. Convaincus d'avoir fait un marché de dupes, les Goréens, avec à leur tête le sous-directeur Cabueil protestèrent contre les avantages jugés exorbitants, conférés aux actionnaires saint-louisiens beaucoup plus nombreux [2]. Ceux qui n'étaient pas actionnaires enrageaient de ne pouvoir venir à Seju alors qu'il était loisible aux traitants britanniques de commercer en pays malinké. Gorée, moins favorisée que Saint-Louis, avait fait campagne pour la création d'un comptoir en Casamance et il était interdit à la plupart de ses commerçants de venir y traiter des affaires. En 1842, le privilège devait être renouvelé après le premier délai de quatre ans. Les Goréens s'opposèrent avec véhémence au renouvellement du privilège. Le Conseil d'administration de la colonie leur donna gain de cause car il redoutait que la concurrence anglaise et portugaise fût pour Gorée un handicap trop lourd à supporter. La liberté de commerce fut donc rétablie sur toute la Casamance à partir du 1er août 1842. La Compagnie pensa être déchargée des frais d'exploitation du comptoir pour compenser la perte du privilège, mais elle eut la désagréable surprise de se voir ordonner de le conserver et d'y consacrer 200 000 francs de son capital. Avec la liberté commerciale et la concurrence des autres commerçants, les opérations de la Compagnie ne connurent guère de progrès. Les résultats toujours aussi médiocres des années 1843 à 1846 amenèrent les dirigeants de la Compagnie à solliciter du Ministère l'abandon de Seju, quitte à accepter au besoin d'autres charges sur e haut Sénégal [3]. Le Ministère accepta, mais exigea une participation de 70 000 francs pour la création de nouveaux comptoirs projetés sur le haut fleuve. Les Goréens bénéficièrent sans tarder de la suppression du privilège et

[1] J. Foulquier. *Les Français en Casamance de 1826 à 1854*, p. 95.

[2] Archives du Sénégal, 3 E 13, Conseil Privé, séance du 23 avril 1840. Discussion des articles d'un mémoire par M. Cabueil.

[3]

Années	*Galam*	*Casamance*
1843-44	76,5 % de bénéfice	31 % de perte
1844-45	98,88 % de bénéfice	29 % de perte
1845-46	98,68 % de bénéfice	23 % de perte

J. Foulquier, *Les Français en Casamance de 1826 à 1854*, p. 102.

Cabueil installa un comptoir à Seju, dirigé par un Européen qui devint vite le plus important. Le volume des affaires ne fut jamais très élevé.

Casamance		*Sénégal*	
1844	343 591,95 francs	1844	14 319 646 francs
1845	475 595 »	1845	23 020 798 »
1846	395 082 »	1846	23 880 139 »

Le mouvement des affaires n'excéda pas 500 000 francs jusqu'en 1850. Les possibilités réelles de la rivière avaient-elles été exagérées ? Il semble que l'éventail des produits casamançais ne fut pas très large avant 1850. La concurrence étrangère, l'absence d'une réelle organisation commerciale, les guerres intestines ont été des facteurs non négligeables dans les débuts difficiles du comptoir de Seju.

Selon le commandant particulier de Gorée, Dagorne, les populations casamançaises appréciaient particulièrement la poudre en boîte et les fusils anglais plus réputés que les français, le fer en barres plates, les pagnes dits de « Sor », le tabac, l'eau-de-vie, l'ambre et les verroteries [1]. En échange, ils vendaient leurs produits comme le riz et le mil. Si les traitants n'avaient guère de scrupules pour frauder sur les mesures et les prix, leurs partenaires ne se laissaient pas faire facilement. Les Malinké, rompus au négoce, discutaient âprement les prix et ne se gênaient pas pour augmenter ceux de leurs produits chaque fois qu'ils le pouvaient. Parfois, courroucés par les offres dérisoires des traitants, ils refusaient de vendre et essayaient de rester fermes le plus longtemps possible pour faire pression sur eux. Mais l'étalement des marchandises importées excitait les convoitises et la crainte de voir partir l'éventuel acheteur auprès de concurrents plus complaisants amenait souvent les Malinké à céder et à accepter les conditions d'un marché.

Le riz rouge et le riz blanc étaient achetés à Karabane et à Seju. La production casamançaise suffisait à ravitailler les populations de Gorée et de Saint-Louis. Le mil cultivé en Moyenne et Haute Casamance sur des terres plus sèches commença à se faire rare à partir de 1840 quand les paysans le remplacèrent peu à peu par l'arachide. Ils conservèrent seulement quelques lougans pour assurer leur propre subsistance si bien qu'en 1842, le commandant particulier de Gorée s'informa auprès du résident de Karabane pour savoir si la récolte de riz serait abondante car le mil était devenu rare et cher. Le riz devenait donc nécessaire à la nourriture de Gorée. Seul, le riz continua à être exporté, mais en faible quantité.

Le coton, récolté essentiellement par les Malinké et les Fula servait avant tout à la consommation locale. Il était vendu aux traitants, souvent en échange du sel. Il ne semble pas que la production ait été très importante. En 1854, 20 tonnes furent exportées de Casamance à partir de Karabane, mais Vallon écrivait en 1862, qu'il était de qualité médiocre. La graine était grosse, très adhérente et suivait la soie de couleur rougeâtre sous les rouleaux de la machine qui broyait au lieu d'égrener [2].

[1] Archives du Sénégal, 4 B 8. Commandant particulier de Gorée au gouverneur du Sénégal, 9 février 1838.

[2] VALLON. *La Casamance, dépendance du Sénégal*, p. 465.

La cire, produit recherché déjà au XVIe siècle par les Portugais en Casamance, était toujours appréciée. Elle était achetée brute et clarifiée par la compagnie de Galam qui avait installé une presse à Seju. Elle était revendue en France au prix de 3 francs le kilog. Nous ignorons le prix d'achat au producteur ou la valeur de la marchandise échangée. D'ailleurs cette lacune fort regrettable se renouvelle pour la plupart des produits achetés. Il est évident que les renseignements sur ce point sont discrets et que les commerçants ne se souciaient point de divulguer leurs comptes.

Il ne semble pas que l'ivoire et l'or aient été vendus en grande quantité sur le marché de Seju. Bocandé n'y fait pas allusion dans son énumération détaillée des productions casamançaises [1]. Les caravanes qui les apportaient de l'intérieur ont peut-être été détournées de leur escale traditionnelle en Moyenne Casamance en raison de l'insécurité croissante et quasi permanente qui existait dans la région entre 1840 et 1850.

Par contre, Karabane exportait des amandes de palme et de touloucouna. En 1857, 75 tonnes d'amandes de palme et 50 tonnes d'amandes de touloucouna quittèrent le comptoir.

Telles étaient les principales productions de Casamance avant 1850. L'arachide apparut sur les marchés casamançais en quantité non négligeable après cette date. Vendue d'abord exclusivement à Seju, la production de 1852 s'éleva à 50 000 boisseaux, soit 390 tonnes sur un total évalué au 31 juillet au niveau du Sénégal à 1683,9 tonnes, ce qui représente un peu plus du quart. Pour un début, des espoirs de développement étaient permis. En se basant sur le prix d'achat de 20 francs les 100 kilogs en Gambie, équivalent ou voisin du prix d'achat en Casamance, Jacques Foulquier a évalué approximativement le rapport de la production arachidière pour cette même année à 78 000 francs. Si on songe que la valeur totale des exportations de la rivière ne dépassait pas 200 000 francs en 1849 et 1850, on constate que l'arachide devint rapidement le principal produit d'exportation de la Casamance [2].

5. La concurrence portugaise et britannique avant 1850

Nous savons comment les autorités portugaises de Guinée Bissau réagirent devant la décision des Français de s'installer à Seju. Honorio Pereira Barreto tenta l'impossible pour s'opposer aux entreprises françaises. La faiblesse de ses moyens d'action et surtout la passivité du gouvernement de Lisbonne donnèrent un effet inopérant à ses énergiques protestations auprès des autorités du Sénégal. En 1842 parut un ouvrage d'un auteur portugais, le Vicomte de Santarem, sur la priorité de la découverte des pays situés sur la côte occidentale au-delà du Cap Bojador [3]. Les droits portugais sur la Casamance y étaient vivement rappelés.

[1] BERTRAND-BOCANDÉ. *Carabane et Sedhiou*, Moniteur du Sénégal, N° 41, 1857.

[2] J. FOULQUIER. *Les Français en Casamance de 1826 à 1854*, p. 111.

[3] Vicomte de SANTAREM. *Recherche sur la priorité de la découverte des pays situés sur la Côte occidentale d'Afrique au-delà du Cap Bojador*, Paris, 1842.

L'auteur insistait sur l'ancienneté de la présence portugaise en Casamance et considérait « qu'aussi longtemps que la priorité d'une découverte effectuée par une nation quelconque pourrait se prouver par des documents authentiques, par des témoignages contemporains, et par la prise de possession primitive, seuls titres dignes d'être admis dans les discussions politiques et dans les négociations politiques parmi les nations civilisées [1] », les droits de cette nation ne devraient pas être contestés. Les Portugais n'avaient dans ce domaine aucune peine à prouver l'ancienneté de leur présence en Casamance vis-à-vis des Français, mais ces derniers ne se montrèrent pas sensibles à ce genre d'argumentation. Ils avaient évalué à sa juste valeur l'influence portugaise dans la rivière et l'extrême faiblesse de ses moyens. Convaincus qu'ils ne se heurteraient qu'à une opposition essentiellement verbale et à une éventuelle résistance sans envergure, ils s'étaient installés à Seju sans se soucier des doléances d'Honorio Barreto et des mulâtres de Ziguinchor.

Quelques incidents mineurs eurent lieu, comme l'arraisonnement, en octobre 1840, d'une péniche de la Compagnie de Galam et l'arrestation de son commandant par le Provedor de Ziguinchor, mais le commandant de poste de Seju eut vite fait de rétablir une situation normale. En fait, les Négro-portugais de Ziguinchor qui ne disposaient pas de navire important devinrent rapidement les traitants des Français. Ils apportèrent du sel à Seju pour l'échanger contre du coton en grains ou des pagnes. Pour obtenir quelques subsides, le Provedor imposa les marchandises étrangères d'une taxe de 24 % à leur entrée à Ziguinchor en avril 1844. Il entra en conflit en 1849 avec le résident de Karabane à cause de la présence des habitants de l'île dans le marigot de Jagubel considéré comme possession portugaise.

En dehors des manifestations de mauvaise humeur et de petits incidents, la concurrence portugaise était négligeable et ne préoccupait guère les autorités françaises. La rivalité des Britanniques était plus sérieuse et donnait beaucoup plus de soucis.

Les Britanniques de Gambie, dotés de moyens comparables à ceux des Français, envoyaient en Moyenne Casamance et en amont de Seju des traitants pour faire du commerce sous les yeux des Français, montrant par là que la rivière appartenait à tout le monde. L'établissement d'un comptoir à Seju inquiétait les commerçants de Bathurst qui redoutaient la concurrence. Les autorités françaises ne pouvaient pas empêcher les Britanniques et le gouverneur Charmasson écrivait en août 1839 au Directeur des Colonies : « La Casamance ne nous appartient pas et force nous sera d'y souffrir les traitants qui viennent s'y établir... il faudrait pouvoir les éloigner à une certaine distance de nos établissements... Les lois se taisent et l'usage n'a rien consacré. [2] »

Les traitants français étaient irrités de voir leurs rivaux faire du négoce à proximité de Seju et des incidents sérieux ne tardèrent pas à se produire. En septembre 1839, le commandant de poste de Seju, le capitaine Mion, fit saisir le cotre « Highlander » qui avait refusé de cesser la traite devant Seju. L'équipage

[1] Vicomte de SANTAREM, p. 262.
[2] Archives du Sénégal, 2 B 18. Gouverneur du Sénégal au Ministre, 12 août 1839.

abandonna le navire et rentra à Bathurst. Très vite, l'incident prit de l'ampleur et l'ambassadeur de Grande-Bretagne protesta officiellement auprès du Ministre de la Marine [1]. Les armateurs du cotre ayant prétendu que les Français avaient menacé de faire feu sur les embarcations anglaises, le gouverneur du Sénégal, après s'être informé auprès du commandant de poste de Seju, réfuta cette accusation. Une enquête fut cependant ouverte par Dagorne, commandant particulier de Gorée, qui apprit qu'un traitant anglais de Bathurst, Forster, s'était établi à Seju sous la protection de l'alkali. L'alkali favorable aux Britanniques fit savoir qu'il ferait tirer sur les embarcations françaises si les Britanniques étaient chassés. La garnison du poste était trop faible pour soutenir un conflit avec les Malinké du Buje et Dagorne dut avec regret accepter les exigences de l'alkali. Dans l'impossibilité d'imposer par la force leur point de vue aux chefs du Buje, le gouverneur recommanda au commandant du poste de Seju de laisser les Britanniques commercer librement [2].

Si les navires de Gambie continuèrent à fréquenter la Casamance, les Britanniques se heurtèrent malgré tout à une très vive concurrence des commerçants français. Isolés, les traitants anglais abandonnèrent peu à peu la lutte à cause des fortes pertes d'argent qu'ils subissaient. L'agent de la maison Forster dut quitter Seju en 1843 et ne laissa personne pour le remplacer. Découragés, les commerçants de Gambie renonçèrent à s'installer en force en Casamance. Quelques traitants isolés tentèrent de poursuivre leur négoce. Chaque fois, dans la mesure du possible, les Français s'efforçèrent de contrarier leurs projets. En 1848, un nommé Desemba s'établit à Karabane avec l'accord des chefs de Kañut. Le résident lui donna l'ordre de s'en aller [3].

La rivalité franco-britannique qui pesait sur les relations entre les deux pays entre 1840 et 1850 se fit sentir en Casamance quand un brick anglais de Bathurst, « Le Sarrazin », arraisonna une goélette sénégalaise, « La Sénégambie », qui transportait des captifs rachetés par la Compagnie de Galam pour être envoyés après un séjour à Saint-Louis comme engagés « volontaires » en Guyane [4]. Les Britanniques estimèrent que ce trafic était de l'esclavage déguisé. Le navire fut condamné et vendu par la cour de l'Amirauté anglaise de Sierra-Leone. Cette affaire suscita une vive émotion à Saint-Louis et le gouverneur protesta contre l'accusation et la sentence rendue par le tribunal britannique. L'amiral Roussier, ministre de la Marine et des Colonies, saisit son collègue des Affaires étrangères pour qu'il protestât auprès de l'ambassadeur de Grande-Bretagne. Mais ce dernier transmit au ministre l'interprétation du gouvernement de Sa Majesté assimilant ce genre de convoi à un trafic d'esclaves.

En 1842, les négociations avec le Foreign Office aboutirent à un accord. Les Britanniques reconnurent l'irrégularité commise à l'égard de la « Sénégambie » mais refusèrent de verser une indemnité. Les Français, satisfaits de voir leurs droits reconnus, n'insistèrent pas davantage. Cependant le gouverneur du Sénégal

[1] J. FOULQUIER. *Les Français en Casamance de 1826 à 1854*, p. 71.
[2] J. FOULQUIER. *Les Français en Casamance de 1826 à 1854*, p. 71.
[3] J. FOULQUIER, *op. cit.*, p. 72.
[4] J. FOULQUIER, *op. cit.*, p. 74.

donna des instructions pour sévir avec fermeté contre tous ceux qui seraient pris à faire le trafic des esclaves. Au début de 1843, un ancien gérant de la Compagnie de Galam, Touranjou, fut accusé d'avoir acheté et revendu des captifs. En 1844, un capitaine au long cours, Bellet, fut accusé pour le même motif et embarqué pour Nantes pour être mis à la disposition du procureur du roi [1].

Le traité de Londres du 24 mai 1845 pour l'abolition de la traite supprima les droits de visites réciproques et les incidents provoqués par les visites des navires britanniques.

Peu à peu les Britanniques comme les Portugais, sans renoncer à leurs droits de fréquenter la Casamance, finirent par accepter la présence et la prédominance française dans cette rivière.

[1] Archives du Sénégal, 3 B. Gouverneur à commandant particulier, 10 octobre 1844.

CHAPITRE 5

LES GUERRES INTESTINES (1840-1850)

La Moyenne et la Haute Casamance furent entre 1840 et 1850 les lieux de combats violents et souvent acharnés entre les Peul du Fuuta-Jaloo alliés à des marabouts malinké, d'une part, et les populations bañun malinkisées, vassales du Gaabu, d'autre part. Ces guerres continuelles, qui ne s'interrompaient guère que pendant les mois de mauvais temps, étaient les manifestations d'un double et important conflit dépassant les frontières actuelles de la Casamance. Des rives de la Gambie aux pays gaabunke de Guinée portugaise, les derniers clans païens de l'empire malinké et décadent du Gaabu subissaient les assauts conjugués des Peul du Fuuta-Jaloo et des marabouts malinké. C'était donc à la fois une guerre de conquête et de religion.

Depuis la fin du XVIIe siècle, lès Gaabunke avaient autorisé des Peul païens à s'établir sur leur territoire. Comme ils étaient propriétaires de nombreux troupeaux de bœufs, ils apportaient avec eux une excellente source de richesse. En échange de l'hospitalité accordée, ils payaient aux Gaabunke de lourds tributs. Au début du XIXe siècle, le nombre des Peul venus du nord et du sud-est avait considérablement augmenté et la suzeraineté des Gaabunke leur parut insupportable. Plus nombreux et plus forts, les Peul songèrent à se révolter. Convertis à l'islam par des marabouts venus du Fuuta, certains groupes recherchèrent l'alliance et la protection des almaami de Timbo pour se soulever contre leurs maîtres. Les Peul du Fuuta-Jaloo, animés par une foi profonde et un ardent désir de prosélytisme, entreprirent de nombreuses expéditions contre le Gaabu, notamment en direction de la Gambie où des kanta-mansa (rois-gardiens) défendaient les provinces frontières de l'empire. La Haute Casamance peuplée essentiellement de Peul était la voie tout indiquée pour atteindre la Gambie. C'est ainsi que vers 1848, les Fula du Sankolla sollicitèrent l'aide et la protection de l'almaami Umaru de Timbo (1837-1872). Venu par le Firdu (Casamance), il entra dans le Sankolla vers 1849 et se dirigea vers Berekolon où il affronta victorieusement les troupes du chef gaabunke Kabu Sonko [1].

[1] Antonio CARREIRA. *Mandingas da Guiné Portuguesa*, Centro des estudos da Guiné Portuguesa, No 4, Bissau, 1947.

Vers 1854, les traditions orales des Fula du Gaabu recueillies par Moreira [1] relatent que l'alfa du diwal de Labe, province du Fuuta-Jaloo, Alfa Ibrahima Maudo entreprit une grande expédition à travers le Gaabu pour se diriger vers la Gambie. Il arriva à Nabina sur les rives du fleuve où il obtint une grande victoire sur les Gaabunke [2]. Mais au retour, son armée fut décimée par une sévère épidémie de variole. Lui-même mourut, victime de la maladie. Pendant qu'il se trouvait en Gambie, l'almaami Umaru dirigeait une expédition contre les Kinsi pour les obliger à embrasser la religion musulmane.

1. La guerre en Moyenne Casamance

Les Malinké islamisés de Gambie et de Casamance profitèrent de ces circonstances pour se soulever à leur tour contre les populations malinké païennes. Des troubles violents éclatèrent en 1843 en Moyenne Casamance et les nouvelles alarmantes qui arrivèrent à Seju plongèrent le commandant de poste, le capitaine Pelletier, dans le plus grand embarras.

Son rôle était de protéger et de favoriser le commerce français. Bien trop faible pour mener une politique belliqueuse, il maintenait la garnison retranchée derrière les murs du fort. Sa force, d'après Dagorne, était plutôt morale qu'effective. En cas de danger, les commerçants pouvaient s'abriter au fort car ses canons inspiraient malgré tout une certaine crainte. Cependant, seule une colonne de renfort venue de Gorée ou de Saint-Louis était susceptible de s'opposer à une éventuelle attaque contre Seju ou de participer à des conflits locaux. Ce n'était ni le but, ni le souhait des autorités de Saint-Louis. Le commandant de poste devait agir avec prudence et diplomatie pour permettre au commerce le maximum de facilités. Il lui était expressément interdit de s'immiscer dans les querelles des populations et il devait faire preuve d'une patience sans limites pour apaiser les différends entre traitants et les populations. C'était parfois beaucoup demander à cet officier responsable du comptoir, car les commerçants et les autochtones ne lui laissaient guère le temps de vivre en paix. Certains traitants de Gorée s'imaginaient vivre en pays conquis. Leur maladresse et parfois leur malhonnêteté provoquaient des conflits qui se terminaient par des pillages de marchandises. C'était l'occasion pour le commandant d'entreprendre de longues palabres pour obtenir des indigènes le remboursement des marchandises volées.

En février 1843, un grave incident se produisit avec l'arrestation d'un soldat du poste par les gens du village de Patiabor, voisin de Seju. Une rixe violente éclata entre les villageois et les soldats. Le poste fut mis en état de siège et le capitaine Pelletier, fort ennuyé, dut réclamer l'aide de Gorée. Dagorne débarqua à la tête d'une colonne de cinquante hommes d'infanterie et d'un petit détachement d'artillerie qui impressionna les populations. Il n'eut pas à intervenir car les passions s'étant calmées, un accord avait été réalisé. Dagorne en profita pour

[1] José Mendes-Moreira. *Fulas do Gabu*, Centro de Estudos da Guiné Portuguesa, N° 6, Bissau, 1948.

[2] Il ne nous a pas été possible de vérifier cette affirmation.

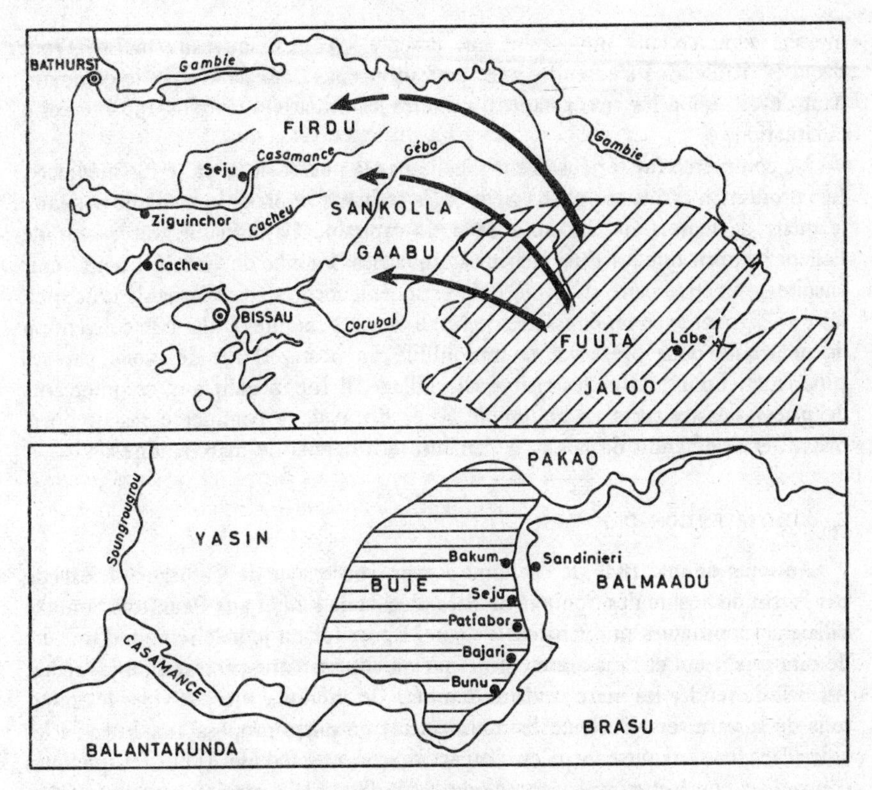

Fig. 8. I. Les guerres des Fula et des Gaabunke.
II. Les guerres en Moyenne Casamance.

réunir les chefs du Buje, des villages de Sandiniéri et de Jengabar. Un nouveau traité fut signé le 13 mars 1843, qui remettait en vigueur les conventions acceptées le 3 avril 1838 au moment de la fondation du poste [1]. Dagorne n'était pas rentré à Gorée que les marabouts du Pakao se soulevèrent contre les chefs soninké avec l appui des Fula du Fuuta-Jaloo. La guerre faisait rage, et le 9 avril 1843, le capitaine Pelletier écrivit : « Les Soninké ne sont plus rien aujourd'hui, les marabouts en ont massacré une grande partie et le peu qui reste a accepté leur domination... Le roi du Boudhié n'est plus rien ainsi que le Sounaba de Sandiniéry. Ce dernier s'est fait marabout. [2] »

Au mois de juillet, les combats cessèrent et les vainqueurs occupèrent les terres des Soninké qui durent se soumettre ou s'exiler. Certains vinrent se réfugier à Seju et sollicitèrent la protection du poste, plaçant le commandant dans une position délicate. Il lui était difficile de refuser aux Soninké avec lesquels des traités avaient été signés, le droit d'asile garanti par les canons du fort. Mais les

[1] Archives du Sénégal, 13 G 4.
[2] Archives du Sénégal. 13 G 459. Commandant de Seju au commandant particulier de Gorée, 2 mars 1843.

intérêts commerciaux imposaient une entente avec les nouveaux maîtres, tout disposés d'ailleurs à s'entendre avec les Européens. Loin de Gorée, le commandant devait, selon les circonstances, prendre les initiatives les plus appropriées à la situation.

Le commerce fut sérieusement touché par la guerre et la traite fut médiocre. Les produits n'arrivaient plus à Seju et les traitants se plaignirent de ne pas faire le quart de leurs frais. En août 1844, le capitaine Cathernault, successeur de Pelletier, apprit que les Fula allaient attaquer les Soninké de Gambie, pour venir ensuite soumettre ceux du Buje qui résistaient encore [1]. Cathernault crut bien faire en signant avec un émissaire de Modi-Seydu, chef des Fula, une convention de neutralité pour préserver la tranquillité du poste. Il fut désavoué par ses supérieurs. Pour limiter les risques de pillage, il fut interdit aux commerçants de placer des traitants en amont de Seju. En aval, le commerce restait libre, mais il était défendu de laisser à demeure des dépôts de marchandises.

2. L'intervention des Français

Au mois de mai 1849, le capitaine Roger, successeur de Cathernault, excédé par l'attitude hostile des Soninké de Seju, décida de s'allier aux Peul. Les Soninké pillaient les pirogues qui venaient au port. Roger fut un jour le témoin d'un acte de piraterie. Seul et sans armes, il ne put qu'adresser une protestation à l'alkali. Au lieu de rendre les marchandises dérobées, les Soninké vinrent voler les moutons de la garnison. Furieux, le commandant de poste proposa aux Fula de les aider dans leur attaque contre les villages de Seju et de Bakum. Il fit tirer quelques coups de canon bien ajustés sur les cases et les Soninké terrorisés prirent la fuite. Roger autorisa les marabouts à occuper les terres du Buje. Il désigna un nouvel alkali qui reçut l'autorisation de reconstruire le village.

Ndura Kamara, le nouvel alkali, était originaire du Haut Pakao. Musulman et parent du roi soninké du Buje, Simbe Jende tué par les Fula alliés aux Musulmans du Pakao, il était venu s'établir à Seju comme maître d'école coranique. Intelligent, intrigant, il devint rapidement un arbitre dans les conflits entre Soninké et les traitants. Apprécié par les commandants de poste pour son habileté et sa modération, il vint se réfugier au fort au moment de l'attaque contre les Soninké. Il accepta sans hésiter l'offre du commandant de succéder à l'alkali soninké qui avait fui et signa un nouveau traité avec lui le 25 mai 1849.

3. Le nouveau traité avec Ndura [2]

L'article premier reconnaissait Ndura comme le chef du village et l'article second précisait que l'alkali reconnaissait être « sur le territoire de la France, le Boudhié étant devenu sa propriété depuis le 6 mai ». Il s'engageait à ne recevoir aucun Soninké dans son village, ni dans ceux qui pourraient se former dans la

[1] Archives du Sénégal, 4 B 13. Commandant particulier de Gorée au gouverneur du Sénégal, 28 août 1844.

[2] Archives du Sénégal, 13 G 4. Traité avec Ndura, 25 mai 1849.

suite et dont il demeurerait le chef. Il devait en outre répondre personnellement de la conduite de tous les marabouts qu'il aurait admis avec l'autorisation française à résider sur le nouveau territoire français.

Ainsi Ndura et le commandant de poste n'avaient pas perdu leur temps. Le premier se voyait reconnu comme chef de Seju sans avoir participé à la guerre et le second annexait de sa propre autorité un pays soninké. Le capitaine pouvait s'estimer satisfait. Sa conduite, cependant, fut vivement critiquée à Saint-Louis et à Gorée. Le capitaine de frégate Aumont, commandant particulier de Gorée, écrivit à Roger, le 1er juin 1849: « Je souhaite que vous ayez bien mûrement pesé toutes les conséquences que pouvaient entraîner la décision que vous venez de prendre et les actes qui l'ont suivie. [1] » Roger fut rappelé et remplacé par le capitaine Teissier.

4. Le traité avec les chefs soninké [2]

Le gouverneur Baudin refusa de ratifier le traité du 25 mai 1849, car Roger avait considéré le Buje comme territoire français. Une telle annexion pouvait entraîner des protestations de la part des commerçants étrangers et de leurs gouvernements.

Le 4 février 1850, après de longues négociations, un nouveau traité fut signé par la République française et la République du Boudhié. Tessier signa pour la France, et les chefs soninké de Seju, Patiabor, Bajari et Bunu pour le Buje. Ndura dut céder la place à un nouvel alkali, Alaï-Sanu. Le gouvernement français accordait l'oubli du passé aux naturels du Buje et leur permettait de rentrer dans leur pays. Tous les villages qui avaient été détruits devaient être reconstruits sur leurs anciens terrains, à l'exception de Bakum qui serait transféré à un kilomètre au sud. Les habitants du Buje mettaient leurs propriétés ainsi que leurs personnes sous la protection et l'autorité du gouvernement français. Les Français pouvaient disposer de tous les terrains du Buje qu'ils jugeraient propices aux établissements qu'ils souhaiteraient établir. Ils pouvaient couper les bois qui leur étaient nécessaires et faire paître leur bétail dans la forêt.

L'article cinq du traité donnait à la seule nation française le droit de commercer sur le territoire du Buje. Ainsi, ce nouveau traité était fort avantageux pour les intérêts français. A l'annexion, on substituait le protectorat. Le gouverneur refusa de ratifier l'article cinq pour les mêmes raisons invoquées pour le traité avec Ndura. On n'osa pas exclure les nations étrangères dans cette partie de la rivière. Malgré le désaveu de sa politique, Roger pouvait estimer qu'elle avait quand même servi les intérêts français. Les Soninké étaient très faibles et le retour dans leurs villages dépendait exclusivement de la bonne volonté de la France. Teissier sut leur faire comprendre que l'oubli du passé exigeait en

[1] Archives du Sénégal, 4 B 33. Commandant particulier de Gorée au commandant de poste de Sedhiou, 1er juin 1849.

[2] Archives du Sénégal, 13 G 4. Traité de paix conclu entre la République française et la République du Boudhié, 4 février 1850.

retour des concessions. La guerre du Buje s'achevait en fait par la victoire des Français, habiles à exploiter les querelles des Malinké. Les autorités de Saint-Louis se laissèrent placer devant le fait accompli par leurs surbordonnés, attitude qui se renouvellera souvent et en maints endroits en Afrique.

Malgré la nouvelle « paix », les Soninké, méfiants, préférèrent pour la plupart renoncer à leurs droits et ne rentrèrent pas chez eux. Ndura profita de l'indifférence du capitaine Guéneau, successeur de Teissier, pour reprendre à son profit tous les anciens droits des mansa du Buje. Les Malinké musulmans déjà installés sur les terres des Soninké, tirèrent parti de la situation pour les conserver. Les craintes des Soninké étaient fondées. Ils redoutaient des représailles et ils savaient pertinemment que la garnison du fort était trop faible pour les protéger.

En 1850, le calme était loin d'être rétabli. Les Peul et leurs alliés continuaient leurs guerres de conquête. Les Balant païens ripostaient devant la menace musulmane par le pillage de toutes les pirogues malinké passant au large de leurs rives. A l'exception de Seju, protégé par les canons du fort, les bords de la Casamance étaient dangereux pour les commerçants. Depuis 1847, le volume et le chiffre d'affaires ne cessaient de diminuer [1]. Le commandant de poste réclamait des renforts pour sa garnison et une expédition militaire pour rétablir la paix dans cette région si agitée. Protêt, gouverneur du Sénégal, écrivit le 1er février 1851 au ministre: « Nos comptoirs de Casamance réclament une protection que je ne puis, sans vives inquiétudes, leur donner. Le commandant de Sedhiou m'informe que les populations voisines de son comptoir deviennent de jour en jour plus voleuses et insolentes et m'assure qu'une expédition de deux cents soldats suffirait à la tranquillité de plusieurs années. [2] »

Si la Moyenne Casamance connut des troubles entre 1840 et 1850, la Basse Casamance resta calme et le commerce ne souffrit pas. L'arrivée d'Emmanuel Bertrand-Bocandé à Karabane en 1849 provoqua une nouvelle activité commerciale et politique. Bocandé se refusait à rester dans son île pour exercer les seules fonctions de résident. Homme d'affaires avant tout, il voulait tirer de la Basse Casamance, qu'il connaissait bien, tous les avantages possibles en faveur du commerce français. Partisan d'une politique d'intervention dans les affaires des Casamançais chaque fois que les intérêts commerciaux étaient en jeu, la quiétude relative existant dans cette partie de la rivière n'allait pas tarder à disparaître.

[1] Chiffres d'affaires: 1847: 537 266 fr., 1848: 493 858 fr., 1849: 268 946 fr., cités par FOULQUIER, p. 104.

[2] Archives du Sénégal, 2 B 3. Gouverneur du Sénégal au ministre, 1er février 1851.

DEUXIÈME PARTIE

Les premières résistances casamançaises

Chapitre Premier

LES PREMIÈRES TENTATIVES D'EXPANSION FRANÇAISE (1850-1859)

1. L'action de Bertrand-Bocandé, résident de Karabane

Nommé résident de Karabane en 1849, Emmanuel Bertrand-Bocandé avait de grandes ambitions: servir les intérêts de la France sans oublier les siens. Dès son installation, il eut pour premier objectif l'extension de l'influence française dans toute la zone de l'embouchure afin d'écarter une fois pour toutes les influences portugaises et britanniques. Dès son arrivée, il exerça un rôle de médiateur dans les conflits qui opposaient les villages joola proches de Karabane. Il se heurta cependant à l'hostilité des habitants de Kañut, anciens propriétaires de Karabane, qui terrorisaient les habitants de l'île par leurs pillages. Au mois de décembre 1850, à la suite d'un vol de bestiaux, le gouverneur Protêt envoya un navire armé, « Le Rubis », pour intimider les populations. Les chefs de Kañut dénoncèrent le voleur sans le livrer et s'engagèrent à restituer les bœufs dérobés. Mais quand Bocandé vint en février 1851 réclamer l'exécution de la promesse, il essuya un refus et fut menacé d'une attaque contre Karabane. Sans hésiter, il demanda à Gorée l'intervention d'une force militaire pour réprimer l'attitude belliqueuse de Kañut. Le 20 mars 1851, le capitaine de vaisseau Penand, commandant la station extérieure, quitta Gorée avec quatre navires et 135 hommes de troupe auxquels vint se joindre la garnison de Seju. Kañut fut pris et ses chefs durent accepter, le 25 mars, le traité qui reconnaissait aux Français « la propriété tout entière, sans réserve aucune, de l'île de Karabane et leur suzeraineté sur tout le territoire de Kañut et de Samatite » [1]. Ce déploiement de force fit une forte impression sur les populations riveraines joola et Bocandé en profita avec l'accord de l'administration supérieure pour signer des traités avec plusieurs villages. Le 1er juin 1851, les chefs de Itu et de l'île de Jogue renoncèrent à toutes les redevances et coutumes que la France s'était engagée à payer pour l'acquisition de l'île et reconnurent qu'elle lui appartenait en toute propriété [2].

[1] Archives du Sénégal, 13 G 4. Traité avec les chefs de Kanut, 25 mars 1851.

[2] Archives du Sénégal, 13 G 4. Traité avec les chefs de Itu et l'île de Diogué, 1er juin 1851.

En juillet 1852, Protêt ratifia les traités passés avec les chefs du Cap Roxo, le 27 juin à Karabane. Ils cédaient pour toujours et sans redevances toutes les îles cultivables et non cultivables qui dépendaient de leur territoire et qui sont formées par les marigots qui joignent la Casamance au rio Cacheu, autrement dit entre Karabane et le Cap Roxo.

Dans une lettre écrite au commandant particulier de Gorée Aumont, Bocandé précisa les avantages du traité qu'il venait de conclure. « Ces îles situées à l'entrée et sur toute la rive droite du marigot qui de la Casamance va à la mer vers le Cap Roxo à l'embouchure du Cacheu, sont autant d'avant-postes à ne pas laisser aux étrangers et qui arrêteraient les produits devant arriver à Karabane. Le gouvernement français pourrait, en vertu du même traité, faire planter le pavillon national sur tous les points du littoral... [1] » Il estimait que les traités rendaient possible la domination de la barre de l'embouchure du Cacheu. Opposé à la concurrence des traitants britanniques qui s'installaient en Casamance sous la protection française, il rappela l'expulsion d'un traitant anglais en 1848 qui s'était établi dans l'est de l'île de Karabane et qui avait amené des gens de Kañut pour se faire donner des terres déjà cultivées par des Goréens.

Aumont fut placé devant le fait accompli car Bocandé n'avait pas jugé nécessaire de l'informer pour les raisons suivantes : « Une correspondance avec Gorée aurait donné lieu à des indiscrétions qui n'auraient pas manqué de soulever certaine influence occulte à me susciter des entraves... D'un côté, il faut tenir compte des moyens qui auraient pu être mis en usage par des sujets étrangers (britanniques notamment) pour détourner les populations de notre alliance, d'un autre côté j'aurais sans doute eu encore à lutter contre certaines rivalités mesquines de la part d'individus qui, bien qu'appartenant au drapeau français, n'en sont pas moins prêts tous les jours à déserter sa cause, pour peu que dans leur cerveau étroit, il leur semble qu'une concurrence nouvelle soit un vol fait à un commerce qu'ils regardent comme leur appartenant exclusivement. [2] »

L'activité de Bocandé suscitait de nombreuses jalousies, car les succès de sa politique allaient de pair avec le développement de ses propres affaires. En 1850, il avait demandé une concession de 2500 m² au Ministère de la Marine qui avait été chaleureusement appuyée par Aumont. Le 6 juin 1851, le Ministère lui avait décerné une médaille d'or pour ses bons et loyaux services [3]. Sa popularité auprès des autorités coloniales n'était pas appréciée de tous et ses rivaux ne dissimulaient point leur irritation.

Il poursuivit son action jusqu'en 1857 où il obtint un congé officiel en France avec le titre de résident. Il épousa Anne-Félicie Bié, fille du Secrétaire général de la Compagnie d'assurance contre l'incendie « Le Soleil ». Marié sous le régime de la communauté, ses biens furent évalués à 150 000 francs. En 1858, il fut nommé chevalier de la Légion d'Honneur sur proposition de Faidherbe. A partir de 1860, il abandonna son poste de résident de Karabane pour se consacrer

[1] Archives du Sénégal, 13 G 11. Lettre du résident de Carabane au commandant particulier de Gorée.

[2] Archives du Sénégal, 13 G 11. Lettre du résident de Karabane au commandant particulier de Gorée.

[3] Archives du Sénégal, 4 B 34.

exclusivement à ses affaires. Il s'établit à Paris tout en faisant de longs séjours au Sénégal. Il profita de la guerre de Sécession américaine pour importer du coton casamançais égrené à Karabane dans sa factorerie où était installé un groupe de machines à vapeur. En 1864, il acheta 60 tonnes de coton. Sûr de lui, il sollicita la même année une concession de 10 000 hectares sur les bords du Soungrougrou qui reçut l'avis favorable du Conseil d'administration de la Colonie. Mais à la suite d'un ralentissement de ses affaires à partir de 1865, Bocandé connut une situation difficile qui l'incita à se défaire de ses biens sénégalais. Il les vendit le 5 septembre 1867 aux Frères Pastré de Marseille [1]. Sa carrière en Afrique prit fin et il se retira à Paris où il mourut le 28 novembre 1881, après avoir consacré les dernières années de sa vie à partir de 1878 à l'ethnographie et l'histoire naturelle.

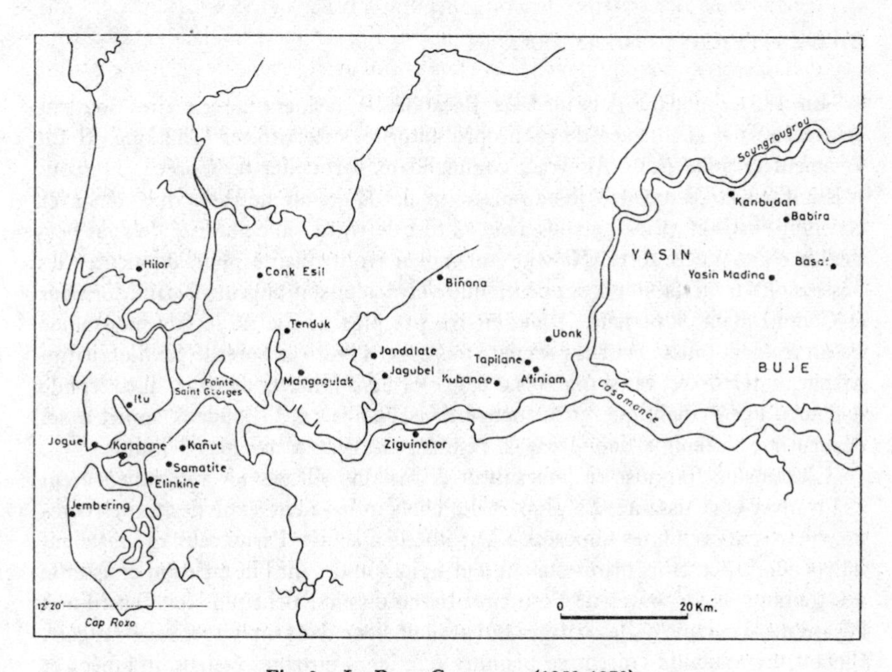

Fig. 9. La Basse Casamance (1850-1870).

[1] DEBIEN. *Emmanuel Bertrand-Bocandé (1812-1881). Un Nantais en Casamance*, Bulletin de l'I.F.A.N., t. XXXI, Série B, N° 1, 1970.

Inventaire des biens de Bocandé d'après l'acte de vente du 5 septembre 1867:
— la factorerie de Carabane; 1 brick, 8 goélettes, 5 cotres, 3 chaloupes;
— la factorerie de Sedhiou; 3 chaloupes en fer, 2 chalands dont un en bois, un canot, 29 pirogues;
— factoreries du haut fleuve dont une à Sandinièri;
— une factorerie à l'embouchure du rio Géba (île de Picis), divers établissements sur le rio Grande, rio Nunez, rio Cacheu, deux terrains à Dakar.

Les acquéreurs acceptaient l'actif et le passif. Le déficit était évalué le 30 septembre 1866 à 543 000 francs.

L'action de Bocandé à partir de 1850 eut pour conséquence une extension pacifique de l'influence française, si l'on compare aux événements troubles que connut la Moyenne Casamance à pareille époque. Pendant que des conflits éclataient entre les villages de Moyenne Casamance et les traitants à propos des coutumes annuelles que ces derniers refusaient de payer, la Basse Casamance restait relativement calme après avoir renoncé à les exiger. Les habitants de Gorée rendirent hommage à Bocandé dans un mémoire adressé en 1860 au commandant supérieur de Gorée. « Ce résident fut le créateur des établissements français qui ne purent s'édifier qu'à la faveur des relations d'amitié que cet officier avait nouées avec les peuplades du littoral, non sans dangers de toutes sortes et de nombreuses fatigues. A ce résident revient l'honneur d'avoir colonisé cette partie de la Sénégambie et d'y avoir établi sans contexte la prépondérance de notre pavillon. [1] »

2. Les premières attaques joola

En 1857, pendant l'absence de Bocandé, le résident intérimaire Boudens crut bien faire d'annexer de sa propre autorité le territoire d'Elinkine. Il fut vivement critiqué par d'Alteyrac, commandant particulier de Gorée. « Ne connaissant pas la Casamance, je ne puis apprécier la gravité de l'acte que vous avez accompli, mais en principe vous avez eu tort de votre seule autorité de vous permettre d'agir de la sorte. Ni vous, ni moi n'avons qualité pour augmenter les possessions françaises et à supposer que votre acte soit approuvé par Monsieur le Commandant Supérieur, il n'admettra pas plus que je ne le fais moi-même qu'un résident puisse pour la première fois et sans ordre, arborer le pavillon national sur un territoire, car si une fois il peut agir dans l'intérêt du pays, une seconde il pourra lier sa politique et la mettre dans l'embarras [2]. Boudens apprit à ses dépens que l'exemple donné par le résident titulaire n'était pas à imiter.

L'extension française se poursuivait et certains villages joola commencèrent à la trouver envahissante. La plupart des chefs qui avaient signé des traités comprenaient mal les limites imposées à leur liberté d'action. Parmi ceux qui restaient indépendants, certains manifestaient leur irritation devant l'installation croissante des traitants sur les rives de l'estuaire. Ils ne dissimulaient plus leur hostilité à l'égard de Karabane et des villages qui avaient signé des traités avec les étrangers. Bientôt, les traitants vinrent se plaindre que leurs pirogues étaient attaquées et pillées par des Joola de la rive nord appartenant au groupe des Karones et au village de Conk-Esil.

Les Karones étaient des insulaires qui habitaient au nord de l'embouchure dans une région entourée de marigots et d'accès fort difficile. Alliés aux habitants de Conk, ils enlevèrent 30 riziculteurs de Karabane en 1858, à la pointe Saint-Georges. Pour punir les auteurs de ce rapt, Protêt, chef de la Division navale et commandant supérieur de Gorée, entreprit une expédition en janvier 1859 qui n'aboutit à aucun résultat. Les avisos et les chaloupes ne réussirent pas à atteindre

[1] Archives Nationales, Mi 185. Papiers du gouverneur V. Ballot. Foulquier, *op. cit.*, p. 90.
[2] Archives du Sénégal, 4 B 34. Lettre du commandant de Gorée au résident de Karabane.

les villages perdus dans un lacis inextricable de marigots étroits et peu profonds. Karabane fut protégée par une garnison de 50 hommes d'infanterie de marine commandés par un officier. Assurés de l'impunité, les Karones et leurs alliés, peu impressionnés par ce déploiement de force, ne firent aucune démarche pour obtenir la paix. Au contraire, ils annoncèrent leur intention d'attaquer Karabane [1].

L'arrivée à Gorée le 3 mai 1859 de Pinet-Laprade comme commandant supérieur modifia rapidement la situation. Depuis le 1er novembre 1854, Gorée et ses dépendances étaient séparées administrativement de la colonie du Sénégal. Sous l'influence du gouverneur Faidherbe, l'île et les établissements français situés au nord de la Sierra-Leone furent rattachés au gouvernement du Sénégal et placés sous les ordres d'un commandant supérieur en résidence à Gorée.

3. Les réactions françaises aux guerres intestines de Moyenne Casamance

Les marabouts du Buje vainqueurs des Soninké en 1849 poursuivaient leurs actions de harcèlement contre les Balant païens. Mais leurs succès n'étaient pas toujours assurés. Guerriers valeureux, les Balant infligeaient parfois à leurs adversaires des revers sévères. Les Malinké ne se décourageaient pas pour autant et persévéraient dans leur mission guerrière de prosélytisme [2]. Les commandants de poste modéraient les alkali de Seju et de Patiabor, car ils ne tenaient pas à être entraînés dans une action militaire pour venir au secours de leurs protégés. Les Balant pillaient et rançonnaient toutes les pirogues qui circulaient sur le fleuve et Gorée informa les commerçants que les autorités de Saint-Louis n'étaient pas disposées à racheter des captifs aux Balant. Par conséquent, les traitants et leurs domestiques devaient prendre leurs précautions.

En avril 1851, 500 Balant attaquèrent le village malinké de Patiabor. Après l'avoir incendié, ils emmenèrent 12 prisonniers. En représailles, les habitants de Patiabor, Bakum et Seju, incendièrent à leur tour un village balant de la rive sud [3]. Les Balant continuèrent leurs exactions et pillèrent le 14 mars 1854 un bateau français, « La Petite Clémentine ». Deux matelots furent tués. Cet acte amena les autorités de Gorée à réagir.

Les Français avaient jusqu'ici adopté une politique de neutralité dans les conflits entre Casamançais. En 1849, ils étaient intervenus dans la guerre entre les marabouts et les Soninké, mais le gouverneur avait déploré cette intervention et ordonné à ses subordonnés de se maintenir en dehors des querelles. Le 28 octobre 1852, Aumont commandant particulier de Gorée avait défini la politique à suivre en Moyenne Casamance. « Notre établissement à Sedhiou ayant pour seul but la protection du commerce, nous devons évidemment employer tous les moyens possibles pour le rendre facile et en favoriser l'extension. De tous les moyens, le meilleur et le plus nécessaire, c'est d'être en paix avec les

[1] Nous ignorons les raisons de l'alliance des Karones avec Conk-Esil. Il est probable que le coup de main organisé à la Pointe Saint-Georges contre les riziculteurs de Karabane ait été motivé par des problèmes de rizières.

[2] Consulter Fay Leary. *Islam Politics and Colonialism.*

[3] Archives du Sénégal, 13 G 362. Lettre du commandant de poste de Sedhiou à Gorée.

habitants du pays où nous trafiquons. C'est donc à conserver la paix que doivent tendre tous vos efforts, chaque fois que des difficultés survenues entre les différentes tribus Foulas, Balantes, Floups ou Mandingues et les Soninquets ou les marabouts avec lesquels nous avons passé des traités, rendront votre intervention nécessaire. Restez autant que possible dans la neutralité dont vous ne devez sortir que lorsque les villages auxquels nous devons aide et protection d'après les traités que nous avons passés, viendront vous les réclamer. Dans ces circonstances, agissez toujours dans des vues de conciliation et éloignez avec soin, par la patience et la modération dont vous ferez preuve dans les entretiens que vous pourrez avoir, tout sujet de discorde ou de collision... [1] »

La paix était donc indispensable pour favoriser le commerce. Les Malinké et les Balant avaient d'autres préoccupations. Les commandants de poste dépourvus de moyens militaires suffisants, assistaient impuissants à la dégradation de la situation. En 1855, Ropert, commandant particulier de Gorée, sensible aux plaintes du commerce, autorisa le capitaine Coulon, commandant de poste à Seju, à intervenir en faveur des habitants du Buje. « Vous savez trop bien, Monsieur, que notre gouvernement ne supporte des frais de comptoir que pour faciliter le commerce général de la France et porter en même temps la civilisation dans ce pays. Ecouter les réclamations, plaintes de Messieurs les traitants et aplanir leurs difficultés doit être votre règle de conduite à leur égard. Recevoir poliment les chefs indigènes, leur inspirer une haute idée de la France, leur démontrer l'avantage de la culture pour se procurer toutes choses indispensables, les engager même à se créer des besoins sera aussi une ligne de conduite; ainsi votre rôle est tout de pacification. Néanmoins, si les Balant se permettaient quelques méfaits envers nos traitants ou sur le pays qui couvre notre pavillon, vous auriez à agir de représailles et toujours à l'improviste. [2] »

Avec 44 hommes, le commandant de poste ne pouvait agir militairement que par surprise. Le commandant supérieur de Gorée Mauléon, chef de la Division navale des Côtes occidentales d'Afrique, fit au mois de mai une visite à Seju. La présence des avisos rétablit le calme pendant quelque temps [3].

Des traitants vinrent se plaindre à Seju d'avoir été sérieusement malmenés par des habitants de Bambajon et Karantaba, villages malinké du Suna. Ils évitèrent d'expliquer au commandant que les Malinké étaient très irrités par les prix du sel excessivement élevés et par le refus des traitants de payer les coutumes traditionnelles. Le sel, en effet, était porté à Seju par des pirogues de Ziguinchor. Les commerçants achetaient tout leur chargement et le revendaient dans le haut du fleuve avec de gros bénéfices. Les villageois déclarèrent que le haut de la rivière était leur propriété et que toute embarcation qui voudrait dépasser leurs villages paierait un droit. Le commerce voulut retirer ses marchandises et ses

[1] Archives du Sénégal, 3 B 65. Lettre du commandant particulier de Gorée à Sedhiou (28 octobre 1852).

[2] Archives du Sénégal, 4 B 34. Lettre du commandant particulier de Gorée à Sedhiou (28 janvier 1855).

[3] Un décret du 1er novembre 1854 avait séparé administrativement Gorée et les dépendances de la colonie du Sénégal. Gorée était placée sous les ordres d'un commandant supérieur mais un commandant particulier restait chargé de l'administration civile et militaire.

traitants mais les autres villages du Suna et du Pakao protestèrent. Les commerçants acceptèrent sans se faire prier de revenir sur leur décision, mais le commandant de poste les informa que leurs marchandises seraient livrées à leurs risques et périls. Les affaires reprirent et le capitaine Coulon déclara qu'entre Bambajon et Sandiniéri, 22 points de traite donnaient l'impression d'une foire de province [1].

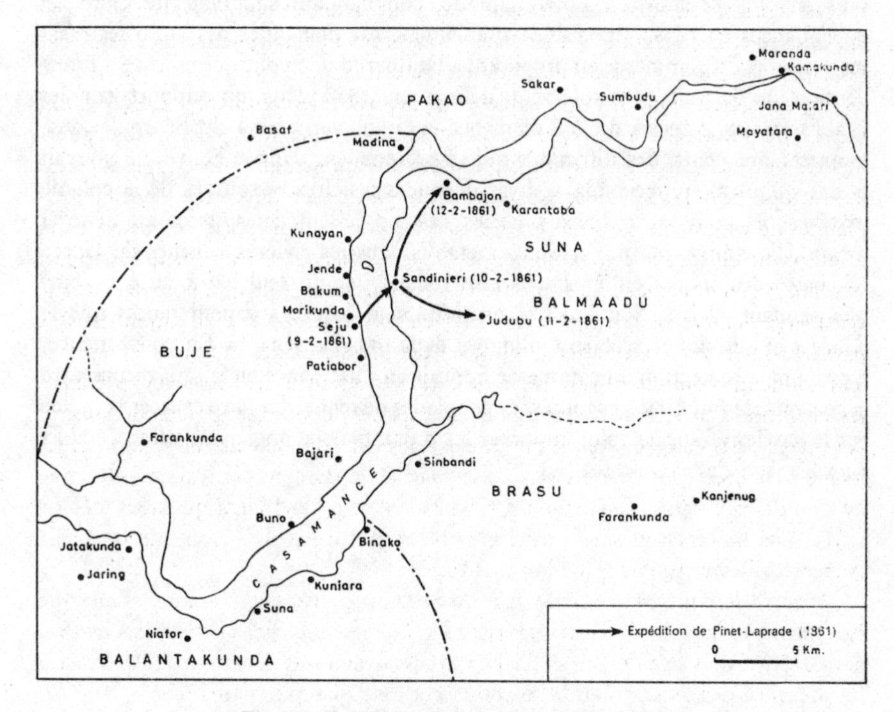

Fig. 10. La Moyenne Casamance (1850-1870).

Devant la multiplication des incidents, le capitaine Lix, commandant de poste, prit, le 3 février 1857, un arrêté qui interdisait à tout traitant, sous-traitant ou employé de dépasser avec n'importe quelle embarcation une ligne qui, partant de Seju, coupait le fleuve pour rejoindre Sandiñiéri. Le commerce accepta le blocus sans le respecter. Il utilisa un subterfuge afin de pouvoir éventuellement réclamer justice auprès de l'autorité militaire. La plupart des commerçants employaient des Malinké qui continuèrent la traite soi-disant pour leur compte. Bénéficiaires dans ce genre d'opérations, ces intermédiaires clandestins présentaient l'avantage d'éviter des risques inutiles à leurs patrons. Informé, le commandant de poste déplora cette façon d'agir qui faisait perdre au blocus une partie de son efficacité. Les Malinké étaient malgré tout gênés et certains por-

[1] Archives du Sénégal, 1 G 193. Historique de Sedhiou par l'administrateur Adam.

tèrent leurs produits au comptoir portugais de Farim, à une journée de marche de Seju.

En 1858, les habitants de Seju attaquèrent les Balant de Binako. Ils furent repoussés et subirent de lourdes pertes. En représailles, ils pillèrent une pirogue et assassinèrent son propriétaire, un Noir qui travaillait pour une maison française. De leur côté, les Balant de Jaring n'hésitèrent pas à tirer sur le commandant de poste qui effectuait une tournée. Les rapports reçus à Gorée devinrent de plus en plus pessimistes. Pinet-Laprade, commandant supérieur de Gorée et dépendances en 1859, répondit favorablement aux demandes des autorités casamançaises et du commerce en proposant à Faidherbe une politique efficace d'intervention qu'il avait préalablement définie en 1855 dans un rapport sur les Etablissements français de la Casamance. « Le gouvernement du Sénégal, constamment préoccupé des difficultés qui se présentaient dans le fleuve, ne pouvait porter qu'un intérêt secondaire à ses dépendances. Les ressources de la colonie insuffisantes pour faire face à tous les besoins étaient concentrées au Sénégal même. C'est ainsi que nos nationaux établis dans les rivières voisines de Gorée ont passé des années entières sans être visitées par un seul bâtiment à vapeur, que pendant 12 ans, Sedhiou n'a vu qu'un seul bateau à vapeur tandis que le Sénégal et ses affluents étaient sillonnés dans tous les sens. [1] » En conséquence, il proposa la protection du commerce français en Casamance en faisant reconnaître la suzeraineté française par toutes les peuplades de manière à faire exercer la police par le pavillon français pour empêcher les traitants noirs anglais de venir s'établir au voisinage des comptoirs.

[1] Archives du Sénégal, 13 G 299. Recueil de différents papiers de Pinet-Laprade.

Chapitre 2

LA POLITIQUE DE PINET-LAPRADE (1859-1865)

1. Objectifs de Pinet-Laprade

Partisan d'une politique d'intervention, Pinet-Laprade écrivait à Faidherbe: « Manifester notre puissance, ce serait couper court à un état de choses qu'il faut forcément changer dans l'intérêt de la prospérité commerciale de ce pays. [1] » Approuvé par le gouverneur, il partit en tournée au mois de juillet 1859 et convoqua à Karabane tous les chefs de village joola qui avaient déjà signé des traités avec la France. Il leur demanda de confirmer leur accord sur les traités reconnaissant la souveraineté française à la pointe de Jembering, Jogue, Itu et Karabane et les droits de suzeraineté sur Samatite et Kañut [2]. Les chefs reconnurent le fait accompli. Les Joola du groupe Jugut, ennemis de Conk, offrirent leurs services pour guider les avisos et les chaloupes dans les marigots. Pinet-Laprade les remercia et promit de les avertir quand le moment serait venu. Ne pouvant aller à Seju à cause du fort tirant d'eau de son navire, « Le Rubis », il quitta Karabane le 26 juillet, pour se rendre dans le Salum.

Le 12 octobre, les Karones et Conk attaquèrent à nouveau cinq habitants de la pointe St-Georges et firent la chasse à un chaland de Bocandé qui revenait de Seju. Pinet-Laprade séjourna une seconde fois en Casamance pour visiter Seju. Il profita de son passage à Karabane pour reconnaître les différents moyens d'accès à Conk et dans le pays des Karones. Ndura, l'alkali de Seju fut convoqué. Il apprit que les coutumes annuelles dont le paiement avait été suspendu en 1857 étaient définitivement supprimées. On lui fit comprendre que sa fonction dépendait de la bienveillance des Français, seuls maîtres du Buje depuis le traité de

[1] Archives du Sénégal, 13 G 300. Rapport du commandant de Gorée au gouverneur. — B. Schnapper. *La fin du règne de l'exclusif: le commerce étranger dans les possessions françaises d'Afrique tropicale (1817-1870)*, Annales Africaines, 1959, p. 149 à 191.

[2] Le sens des termes souveraineté, suzeraineté échappait souvent aux chefs joola et à Paris on s'interrogeait parfois sur la valeur réelle de certains traités. En 1870, l'amiral Bourgois déplorait que « dans la plupart des traités passés sur le côte d'Afrique, les mots de souveraineté aient été écrits lorsqu'il ne s'agissait en réalité que d'un protectorat restreint. » Amiral Bourgois au Ministre de la Marine. 29 juin 1870, cité par B. Schnapper.

1850. Le chef malinké protesta de son dévouement au service de la France. Intelligent et habile, il ne manquait pas d'ambition. Chef de Seju depuis le départ des Soninké, il rêvait de diriger le Buje. Les commandants de poste n'étaient pas dupes et l'un d'entre eux écrivait en 1858 : « Les Mandingues n'ont qu'un but qui consiste, tout en étant sous notre protection, à s'emparer peu à peu des terres que nous avons conquises et payées aux Soninkés, de nous resserrer dans notre poste, et par ce moyen faire la loi à nos traitants. Tel est l'esprit de Ndura, chef de Sedhiou qui, en affectant un grand dévouement aux Français, exploite avantageusement notre commerce. [1] »

Pinet-Laprade reçut les chefs de Judubu et de Sandiñièri. Les derniers déclarèrent qu'ils ne recevraient plus dans leur pays les traitants qui ne paieraient pas leurs coutumes. « De tels principes sont inacceptables surtout dans le voisinage de Sedhiou », écrivit le commandant supérieur de Gorée dans son rapport au gouverneur [2]. Dans sa conclusion, il exposa les grandes lignes de son plan : « Dans toutes les circonstances, nous avons toujours menacé, jamais puni.

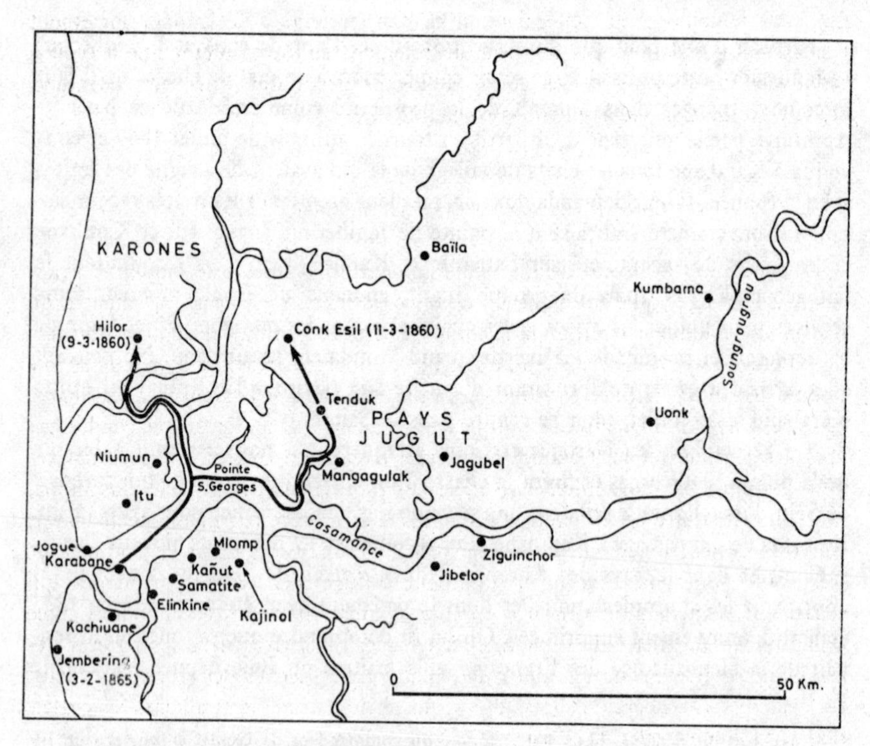

Fig. 11. Expéditions contre Hilor, Conk, Jembering (1860) (1865).

[1] Archives du Sénégal, 13 G 363. Correspondance du commandant de poste au commandant particulier de Gorée.

[2] Archives du Sénégal, 13 G 300. Correspondance du commandant supérieur de Gorée au gouverneur, 10 novembre 1859.

Aujourd'hui, notre influence est nulle en Haute Casamance... Paraître en Casamance en décembre prochain avec une colonne bien organisée pour détruire Thionk et les Karones, remonter la rivière et détruire Diaring chez les Balantes auteurs de l'agression contre un commandant de poste. Châtier Sandiniéri et marcher au besoin sur Bambadion. Les opérations terminées, conclure la paix avec les chefs du Haut pays et parcourir pacifiquement les deux rives du fleuve jusqu'à Diannah. Un nouveau poste pourrait y être créé qui drainerait le commerce et qui attirerait les caravanes du Fouta-Djalon. [1] » Les Portugais perdraient ainsi le monopole du commerce dans le Haut Cacheu et le Haut Géba. « Ouvrir à notre commerce le chemin de l'Afrique centrale, doit être le but de nos efforts. [1] »

On ne saurait être plus clair. Faidherbe partageait les vues de son subordonné et sollicita le 15 novembre 1859 l'autorisation du Ministère d'envoyer une expédition en Haute et Basse Casamance afin de montrer la puissance française « à des gens qui n'y croient pas » [1]. Le Ministre Chasseloup-Laubat donna son accord mais rappela qu'il était essentiel de ne pas perdre de vue « qu'il ne s'agissait pas d'inaugurer dans la Casamance une politique d'expansion analogue à celle qui était poursuivie au Sénégal et qu'il était préférable de frapper fortement l'esprit des populations par un vaste déploiement de forces plutôt que d'avoir à renouveler incessamment des coups de mains isolés qui, sans rien terminer, coûtait toujours la vie à quelques soldats » [2].

2. L'expédition contre les Karones et Cunk (mars 1860)

L'expédition avait été décidée pour janvier 1860 mais une épidémie ayant éclaté à Karabane, elle fut ajournée au mois de mars. Le 6 mars, à 9 heures du matin, une colonne expéditionnaire composée de 800 hommes et de deux obusiers de montagne quitta Gorée sur une flottille comportant 5 avisos à vapeur et une citerne flottante [3]. Dirigée par Pinet-Laprade, elle arriva le lendemain à Karabane. Le 8, à 4 heures du matin, la flottille pénétra dans les marigots qui conduisent chez les Karones et le 9 à midi après une navigation très difficile, les navires vinrent s'embosser devant le débarcadère de Hilor, le village karone le plus important. Il était situé à un kilomètre du mouillage et protégé par une ligne de marais couverts de palétuviers au bord de la plage sur une profondeur de 300 mètres. Les Joola pouvaient tirer parti pour leur défense des rizières profondes qui séparaient les marais du village. Le débarquement eut lieu sans difficultés grâce à l'appui de l'artillerie de la marine, mais une fois arrivés dans les rizières, les assaillants essuyèrent un feu nourri des Joola cachés derrière les arbres. Le village fut malgré tout encerclé et incendié et un détachement de tirailleurs sénégalais délogea les défenseurs qui s'étaient réfugiés à l'arrière, dans un bois. Les pertes furent nombreuses parmi les Karones et le fils du roi fut mortellement blessé.

[1] Archives du Sénégal, 2 B 32. Correspondance du gouverneur au ministre.

[2] Archives du Sénégal, 6 B 2. Le ministre au gouverneur et au commandant supérieur de Gorée.

[3] Archives du Sénégal, 1 D 16. Expédition contre les Karones.

Les Français déplorèrent deux morts dont un officier et 23 blessés. La population s'étant enfuie, la colonne razzia une centaine de bœufs et une trentaine de chèvres.

Le 10 au matin, la flottille appareilla pour se rendre dans le marigot des Jugut afin d'attaquer le village de Conk. Alliés aux Français, les Jugut prêtèrent de nombreuses pirogues pour faciliter le débarquement des troupes. Le soir, la troupe bivouaqua près du village jugut de Tenduk et le 11 à l'aube, elle se dirigea vers Conk qui fut pris et livré aux flammes. Comme à Hilor, 200 bœufs, 150 chèvres et de nombreux approvisionnements en riz furent emmenés.

Quelques jours plus tard, les habitants de Tenduk vinrent porter des nouvelles à Karabane. La désolation régnait à Conk où les villageois étaient désespérés par la ruine de leurs cases et la perte de leur riz. De nombreuses femmes qui s'étaient mêlées aux combattants avaient été tuées et la colère était grande contre Tenduk, accusé d'avoir trahi. Le 26 mars, des Karones conduits par des gens de Niumun arrivèrent pour demander la paix. Ils confirmèrent le décès du fils du roi [1].

Bocandé les accueillit et leur déclara que le sort qui les attendait serait différent de celui qu'ils avaient accordé au village de Itu. En effet, après une attaque, les Karones avaient capturé plusieurs habitants. Au lieu de les restituer, ils les avaient vendus à des Malinké de Gambie. Pinet-Laprade exigea cependant que des fils de chefs fussent envoyés à l'école de Gorée. Otages, ils serviraient de garantie au respect du futur traité. Les envoyés demandèrent un délai de réflexion de huit jours et repartirent pour leur village.

Les traités de paix furent signés par Bocandé le 5 mai avec Conk et le 17 juin avec Guibénor, chef des Karones résidant au village de Hilor. Les populations faisaient leur soumission et acceptaient la suzeraineté de la France. Profitant de l'émotion soulevée par le passage de la colonne, Bocandé réussit à passer de nombreux traités avec d'autres villages, affirmant par un droit de suzeraineté, la présence française en Basse Casamance [2]. « L'extension de l'influence française devrait peu à peu mettre un terme au système de pillage organisé et entretenu par quelques esclavagistes notoires, notamment des noirs oulofs et mandingues qui viennent acheter des esclaves en Casamance en échange de pagnes, de bœufs et même de gris-gris, pour les revendre en Gambie. [3] »

Le 17 avril, Faidherbe partit en tournée d'inspection dans les rivières du sud en compagnie de Pinet-Laprade et de Bocandé. De passage à Seju le 4 mai, les représentants des maisons de commerce lui adressèrent une lettre dans laquelle ils demandèrent qu'une expédition analogue à celle de mars en Basse Casamance eût lieu pour châtier les villages malinké hostiles. Ils exprimèrent le souhait qu'un nouveau fort fût construit en amont de Seju, entre Marandan et Jana, en un lieu traversé ordinairement par les caravanes du Fuuta-Jaloo et du Gaabu pour se rendre en Gambie.

[1] Par roi, il faut entendre ici, le principal chef religieux.

[2] Archives du Sénégal, 13 G 11. Traités en Basse Casamance : traité avec Mlomp ; 6 avril 1860 ; traité avec Tionk, 5 mai 1860 ; traité avec Wangaran, 6 mai 1860 ; traité avec Kajinol, 19 mai 1860 ; traité avec Blis, 19 juin 1860 ; traité avec Karones, 17 juin 1860 ; traité avec les Banjars, 22 juillet 1860.

[3] Archives du Sénégal, 1 D 16. Point de vue de Bocandé.

3. Conclusions de Faidherbe

Rentré à Saint-Louis, Faidherbe fit part au Ministre de son voyage et des conclusions qu'il en avait tirées [1] :

« Le commerce français est tout à fait prédominant dans cette partie de l'Afrique ; même dans les établissements portugais et dans les établissements anglais de la Gambie. Le pavillon français se montre presque uniquement... Pour qu'une nation européenne puisse prétendre à un droit sur un point de cette côte, soit par achat du terrain, soit par conquête, elle doit pouvoir réellement exercer d'une façon effective son autorité sur les territoires qu'elle prétend posséder. » Faidherbe fait ainsi allusion au Portugal qu'il ne ménage pas. « L'autorité du Portugal sur la Guinée portugaise est une fiction. » Il la considère comme « prétendue portugaise » ; les populations étant indépendantes en dehors de quelques comptoirs soumis aux autorités portugaises. En conséquence, le gouverneur du Sénégal pensait qu'il ne suffisait pas de créer un poste à l'embouchure d'une rivière pour se déclarer possesseur de la rivière, « eût-on même d'autres postes dans le haut de la rivière ». Il fallait acheter ou conquérir toutes les rives afin d'être « réellement et effectivement maître des populations ».

Il se montra favorable aux requêtes des commerçants de Seju car « l'importance du commerce de la Casamance montrait que la France avait eu raison de s'y établir sérieusement » [2]. Il fallait d'abord régler les affaires du Kayoor [3]. En attendant, l'aviso « Le Griffon » fut affecté à Seju avec mission de circuler sur le fleuve pour imposer par la crainte du canon « une saine influence » afin d'éviter une expédition. Les Balant de Jaring acceptèrent de se soumettre mais Sandiñiéri et Bambajon refusèrent de céder.

4. L'expédition en Haute Casamance (1861) [4]

Le 29 janvier 1861, Pinet-Laprade annonça à Seju son intention prochaine de diriger une colonne contre les deux villages. Le 5 février en effet, une importante flottille commandée par le Lieutenant de vaisseau Vallon embarqua 700 hommes à Gorée. Ils étaient répartis sur le « Dialmath » qui réunissait l'Etat-Major et 300 hommes d'infanterie dirigés par le capitaine Millet. « L'Africain » avait à son bord 300 tirailleurs algériens sous le commandement du capitaine Béchade et le « Grand Bassam » groupait le Génie, l'ambulance et 60 hommes d'artillerie dirigés par le capitaine Prieur. A ces trois navires s'ajoutaient « Le Griffon », la goélette « La Fourmi » et le cotre « L'Ecureuil » chargé de charbon et de vivres. L'expédition arriva le 9 février à Seju.

[1] Archives du Sénégal, 1 G 26. Rapport du gouverneur Faidherbe au ministre, sur son voyage dans les Rivières du sud, juin 1860.

[2] Archives du Sénégal, 1 G 26. Rapport du gouverneur au ministre, juin 1860.

[3] En 1860, Makadu damel du Kayoor se révolta contre les Français.

[4] Archives du Sénégal, 13 G 300. Rapport de Pinet-Laprade au gouverneur, 20 février 1861. Carte p. 105.

Le lendemain à l'aube, Pinet-Laprade ordonna l'attaque contre Sandiñiéri, qui fut incendié. Les Français eurent 4 blessés et les Malinké 20 morts, 30 prisonniers dont le premier chef du village. Vers 11 heures du matin, des renforts malinké provoquèrent un vif accrochage qui fit 3 morts parmi les soldats. A 16 heures, Pinet-Laprade apprit que le Yasin et une partie du Pakao s'apprêtait à attaquer Seju le lendemain. Le village fut protégé et renforcé par 50 hommes supplémentaires et il fut décidé que la colonne marcherait sur Bambajon et Karantaba. Mais pendant la nuit, des émissaires de ces villages vinrent solliciter la paix.

Le 11 février, le commandant supérieur de Gorée modifia son plan. Il ordonna au capitaine Fulcrand d'aller détruire Judubu avec le bataillon de tirailleurs algériens, 100 hommes de l'infanterie de Marine, et l'artillerie. Le « Griffon » fut chargé de canonner le village de Niagabar. Judubu fut détruit malgré une vive résistance et la colonne revint à Sandiñiéri en début d'après-midi. Une seconde attaque malinké eut lieu pendant l'enterrement d'un tirailleur algérien tué le matin. Les tirailleurs réagirent vivement et exercèrent des représailles.

Pinet-Laprade rentra à Seju pour recevoir les chefs de Bambajon et Karantaba. Malgré leurs propositions de paix, il décida de châtier Bambajon pour des massacres effectués sur des traitants en 1855. Le 12 au matin, la colonne quitta Sandiñiéri pour Bambajon qui avait été évacué par ses habitants. Les cases furent incendiées à l'exception des greniers extérieurs où était entassée la récolte de l'année. Le 13, les chefs de Karantaba, Guidenki, Sandiñiéri et Bambajon sollicitèrent à nouveau la paix. Des messagers du Pakao et du Yasin demandèrent grâce pour le Suna et le village de Buñadu qui avait déjà restitué les 9/10 des objets dérobés le 5 février à des traitants. La paix fut accordée au Suna le 14 février aux conditions suivantes. Il devait accepter la souveraineté française et rembourser immédiatement la valeur des pillages commis depuis 1856. Il payait une amende de 5000 francs et laissait à Seju quatre otages en la personne des fils des principaux chefs pour garantir l'exécution du traité.

Les chefs du Pakao et du Yasin voulurent négocier un accord avec les Français pour mettre un terme aux innombrables conflits qui les opposaient aux traitants. Pinet-Laprade délégua les pouvoirs nécessaires au commandant de poste de Seju pour mener à bien cette négociation. Les traités devaient par la suite être soumis à l'approbation du gouverneur. Rentré à Gorée le 19, Pinet-Laprade conclut son rapport en écrivant : « Nos troupes ont eu affaire, dans un pays très difficile et par une chaleur accablante, à un ennemi intelligent, courageux, opiniâtre. [1] »

Les chefs du Suna eurent dix mois pour s'acquitter de leur dette de guerre. Leurs voisins du Pakao hésitèrent à signer les traités qui leur étaient proposés. Ils n'appréciaient guère la suppression des coutumes annuelles payées par les traitants et redoutaient l'installation d'un poste français sur leur territoire, à Kamakunda. Les traitants louaient le terrain sur lequel ils s'établissaient. Le propriétaire appelé logeur du traitant était tenu de le protéger et percevait une somme modique de 10 à 50 francs. Le traitant payait en outre au chef la coutume

[1] Archives du Sénégal, 13 G 300. Rapport du commandant supérieur de Gorée au gouverneur.

de 15 à 30 gourdes (1 gourde = 5 francs) pour droit de commerce dans le village. Elle était partagée à la fin de la traite entre les habitants [1].

Après réflexion, les chefs du Pakao renoncèrent à signer les traités. Ils exprimèrent la crainte de voir leur refus entraîner une nouvelle expédition. Pinet-Laprade fit savoir au commandant de poste que les traités devaient assurer la souveraineté ou la suzeraineté de la France sur les populations de la Moyenne Casamance. Il accepta de renoncer au projet de poste à Kamakunda pour ne pas effrayer les chefs du Pakao mais refusa de prendre tout engagement pour l'avenir car, écrivit-il, « si cela était nécessaire, nous le ferions » [2].

Quelques jours plus tard, Pinet-Laprade partit en congé et fut remplacé par un intérimaire.

La politique énergique du commandant supérieur de Gorée eut pour premier résultat une main-mise effective de la France sur la rivière. Elle écartait définitivement tout risque grave de concurrence étrangère. Le désir de protéger le commerce français fut durement ressenti par les populations qui perdirent leur indépendance. A des accords librement consentis succédaient des traités imposés par la force. Face à un adversaire plus puissant qu'ils ne l'avaient supposé, les Casamançais divisés par leurs querelles internes n'étaient pas en mesure d'opposer une résistance efficace.

5. Expédition en Basse Casamance - février 1865

Après le départ définitif de Bertrand-Bocandé, l'administration de Gorée choisit des officiers avec le grade de lieutenant pour exercer les fonctions de résident à Karabane. De nouveaux traités furent passés avec des villages jugut comme Mangagulak et Tenduk qui acceptèrent la suzeraineté française [3].

Pinet-Laprade rappela au lieutenant Perrot, résident à Karabane que les traités passés à la suite de la dernière expédition avaient eu pour résultat la suzeraineté de la France sur toutes les populations riveraines jusqu'à Ziguinchor. En conséquence, toutes les contestations qui pouvaient s'élever entre elles dépendaient de sa juridiction [4].

En 1864, des incidents opposèrent Jembering aux Français. Le 14 mars, les habitants de Jembering pillèrent le trois-mâts « La Valentine » du port de Marseille qui s'était échoué sur la barre de la Casamance. Malgré l'interdiction du résident de s'approcher du navire, ils dérobèrent pendant la nuit toutes les marchandises et en revendirent une partie à un traitant anglais établi à Elinkine. Celui-ci refusa de les rendre et fut incarcéré à Karabane. Le gouverneur de Bathurst, informé que le pavillon britannique avait été arraché, envoya un bateau

[1] Archives du Sénégal, 13 G 366. Rapport du commandant de poste, 6 mai 1861.

[2] Archives du Sénégal, 4 B 35. Correspondance du commandant supérieur de Gorée à Seju, juillet 1861.

[3] Archives du Sénégal, 1 D 16. Traités avec Mangagulak, 7 octobre 1860; traité avec Tenduk, 10 octobre 1860. Carte p. 108.

[4] Archives du Sénégal, 4 B 35. Correspondance de Gorée à Karabane, 31 juillet 1860.

à vapeur pour obtenir des explications. La nouvelle était fausse. Les marchandises récupérées furent rendues aux affréteurs et le traitant fut libéré. Il fut averti qu'une récidive entraînerait son expulsion immédiate. Jembering fut condamné à une forte amende qu'il paya en partie. Il demanda l'exonération du reliquat qui lui fut refusée. Mécontents, les chefs s'estimèrent libérés de leur dette et quelque temps plus tard, les villageois pillèrent à nouveau l'épave du brick « L'Avocat » qui avait subi le même sort que « La Valentine ». Devant l'hostilité évidente des habitants, Pinet-Laprade décida d'intervenir personnellement pour les soumettre et faire un exemple.

Une colonne composée de 500 hommes partit de Gorée le 1er février 1865 sur les avisos à vapeur « Espadon », « Grand Bassam » et le cotre « L'Ecureuil ». Ces bâtiments étaient placés sous les ordres du capitaine de frégate Vallon, commandant supérieur de la Marine. Le 2 février à midi, « Le Griffon » rallia la flottille à quelques milles au large de l'embouchure pour la guider dans la passe nord de Jogue. A 17 heures, elle mouilla à Kachiuane au sud de l'île de Karabane et le débarquement eut lieu. Le lendemain à 4 heures du matin, la colonne partit, composée de 150 hommes d'infanterie, 50 disciplinaires, 50 artilleurs et 2 obusiers de montagne, 50 laptots, 200 tirailleurs sénégalais.

Après une marche de 8 kilomètres, la colonne arriva en vue de Jembering. Un chef de quartier, William, se rallia avec tout son lignage. Il informa les Français que tout le reste de la population attendait en armes. Les Joola s'étaient installés en dehors du village au nord, sur une ligne de monticules parallèle au bord de mer et à une distance d'un kilomètre environ. Leur droite était protégée par des dunes élevées qui bordaient le village et la gauche était occupée par des marais masqués par un petit bois. Pinet-Laprade prit les dispositions suivantes : à 400 mètres des Joola, il plaça l'infanterie de marine et les disciplinaires, sur la droite, à gauche, le bataillon des tirailleurs et au centre, les deux obusiers en arrière desquels furent placés la section du génie, les laptots et une section d'artillerie.

L'artillerie ouvrit le feu. Les tirailleurs s'élancèrent à l'assaut des hauteurs et trois pelotons de l'infanterie de marine profitèrent du bois pour s'approcher. Quand les deux mouvements furent assez prononcés, l'artillerie cessa le feu et les laptots aidés par la section du Génie attaquèrent au centre. « Ces diverses attaques faites avec ensemble et au pas de course décidèrent la fuite de l'ennemi. [1] » A 8 heures, le village fut investi. Les habitants furent condamnés à une forte amende de 30 tonneaux de riz ou 2000 boisseaux représentant une valeur de 10 000 francs. Cette fois, les villageois s'empressèrent de payer l'amende imposée et en avril, ils avaient porté à Karabane 826 boisseaux de riz, 23 porcs, 9 cabris et 5 bœufs équivalant à 223 boisseaux de riz [2]. Pinet-Laprade ordonna le renvoi des prisonniers dans leur village. Ils servaient de garantie au paiement de la contribution de guerre. Les Joola en échange durent s'engager à payer un droit

[1] Archives du Sénégal, 13 G 367. Rapport de Pinet-Laprade sur l'expédition de Guimbéring, 15 février 1865.

[2] Archives du Sénégal, 13 G 367. Correspondance du résident de Karabane à Gorée, avril 1865.

annuel de capitation de 1 fr. 50. Le traité de paix fut conclu le 30 avril 1865 [1]. Contraints à subir la loi du plus puissant, les Joola manifestèrent une mauvaise volonté évidente pour payer la seconde partie de leur dette et ils furent rappelés à l'ordre au début de 1866.

6. Les réactions portugaises

L'expédition contre Jembering suscita une vive inquiétude dans quelques villages. Le 10 mars, les chefs de Kumbama, village du Soungrougrou, envoyèrent un notable à Ziguinchor pour demander protection aux Portugais. Le chef de Ziguinchor, le mulâtre Franciéro, lui remit un pavillon et le rassura en lui disant que ses compatriotes n'avaient rien à craindre des Français car le Fôoni appartenait au Portugal [2].

Les habitants de Ziguinchor étaient très inquiets de la politique de Pinet-Laprade. En 1863, un traitant avait demandé à Seju l'autorisation de s'établir sur les bords du marigot de Jagubel fréquenté par les Ziguinchorois. Gorée avait donné son accord et des traités avaient été élaborés avec des villages du marigot. Pinet-Laprade justifia son attitude dans sa correspondance au commandant de Seju. « Le traité que les Portugais viennent de passer à Kanbemba (Kumbama) nous prouve qu'il n'y a pas un instant à perdre pour mettre une barrière à leurs projets d'extension dans la Casamance en passant nous-mêmes des traités avec tous les villages riverains et de tous les marigots qui dépendent de cette rivière. [3] »

Plusieurs traités furent signés avec des habitants du Soungrougrou [4]. Ziguinchor protesta, et des incidents eurent lieu entre des villages protégés par les deux nations européennes. Le 8 juin, Jibelor, sous influence portugaise, captura deux pirogues montées par des gens de Uonk qui venait de signer un traité avec les Français. Les prisonniers furent emmenés à Ziguinchor. Seju mit en demeure Franciéro de les relâcher immédiatement. Le chef de Ziguinchor obtempéra en faisant savoir qu'il ignorait tout [5]. Le 22 août, il fit remettre un pavillon portugais à un village du Jagubel et interdit l'entrée de Ziguinchor à tous les traitants et commerçants qui ne se déclaraient pas portugais. Interrogé par le commandant de Seju, Franciéro démentit les faits [6].

Le gouverneur de Guinée portugaise à Bissau écrivit à Pinet-Laprade, devenu gouverneur du Sénégal après le départ définitif de Faidherbe en juillet 1865.

[1] Un arrêté du gouverneur du Sénégal du 9 août 1861 avait établi un impôt personnel dans tous les villages placés sous l'autorité française. Archives du Sénégal, 13 G 6. Traité de paix avec Guimbéring, 30 avril 1865.

[2] Archives du Sénégal, 13 G 366. Correspondance de Seju avec Gorée, mars 1865.

[3] Archives du Sénégal, 4 B 35. Correspondance de Gorée avec Seju, 29 mars 1865.

[4] Archives du Sénégal, 13 G 6. Traités avec les Yolas, 16, 17, 21 avril 1865, qui établissent la suzeraineté française.

[5] Archives du Sénégal, 1 G 193. Historique de Sedhiou par l'administrateur Adam.

[6] Archives du Sénégal, 13 G 361, novembre 1865; 2 B 33 bis. Correspondance de Pinet-Laprade au ministre, 18 décembre 1865.

Il fit valoir que les droits portugais sur certains villages reposaient sur des traités passés antérieurement à la présence française en Casamance. Pinet-Laprade lui répondit et lui fit remarquer que l'autorité du Portugal sur la Casamance, à l'exception de Ziguinchor était nulle, vu l'absence de caboteurs et de commerce portugais. « Les navires portugais au long cours ne fréquentent jamais le fleuve. Si les Portugais ont signé des traités autrefois avec certains villages, les Français l'ont toujours ignoré. Les chefs et principaux habitants du Soungrougrou et Diagobel qui ont signé des traités avec la France l'ont fait de leur plein gré sans y être contraints d'aucune façon. Les protestations portugaises sont donc non fondées. [1] »

Chapitre 3

LE COMMERCE DE TRAITE EN CASAMANCE (1850-1870)

1. La vie a Seju

En 1857, la population de Seju évaluée à 770 habitants faisait apparaître une majorité de 426 hommes. Les groupes ethniques étaient divers comme en témoigne le tableau suivant [1].

Malinké :	145	Wolof :	50
Saraxolé :	114	Ziguinchorois :	10
Mandjaks :	94	Joola :	11
		Balant :	5

Numériquement le plus élevé, le groupe malinké était malgré tout minoritaire par rapport à l'ensemble de la population. Les Mandjaks étaient originaires de Guinée portugaise et les Portugais venaient de Ziguinchor. Depuis le départ forcé des Soninké, les Malinké musulmans s'efforçaient d'occuper les terres vacantes du Buje mais les Français favorisaient les migrations temporaires de nombreux cultivateurs étrangers. Les Saraxolé venaient régulièrement chaque année de la région de Bakel planter quelques lougans d'arachide. Avant de partir, ils échangeaient leurs graines contre des marchandises européennes. Les terres du Buje présentaient l'aspect d'une vaste plaine cultivée et peu à peu le bois de Patiabor laissait apparaître de grandes clairières transformées en champs de cultures.

En 1840, un village appelé Dagorne avait été créé à l'ouest du poste sur le versant du plateau dominant le fleuve. Il était destiné à recevoir les soldats noirs libérés du service et à devenir un centre de contacts avec la population locale. Mais la plupart des soldats libérés quittaient le village et laissaient la place aux migrants temporaires, sur lesquels le commandant de poste pouvait difficilement compter. L'exode des soldats s'expliquait par le fait que le village restait soumis à l'autorité du commandant. Libérés des exigences du service militaire, ils préféraient s'installer ailleurs pour vivre en paix dans leur cadre de vie traditionnel.

[1] **Archives du Sénégal, 13 G 361. Recensement de la population sous la protection du fort de Sedhiou, 1857.**

A 200 mètres du poste, au sud existait un autre village entouré d'une enceinte et connu sous le nom de Sunukunda. Il avait été fondé par un commerçant, Jules Rapet, qui représentait la Maison Griffon. C'était un vaste rectangle de 300 mètres de long sur 200 mètres de large. Il était clos par une palissade de bois et n'avait qu'une seule porte d'entrée ouverte ou fermée selon le bon plaisir de la Maison Griffon. Il était peuplé essentiellement de Mandjaks et de Saraxolé. Quand un Saraxolé arrivait à Seju, il était attiré par le représentant de la Maison Griffon qui lui offrait un terrain pour bâtir sa case dans le village. Heureux de retrouver des compatriotes, le nouvel arrivant acceptait l'offre. Il s'engageait en échange à vendre sa récolte à la Maison Griffon. Les autres commerçants protestaient contre cette concurrence jugée déloyale, mais en vain. En fait, ces deux villages formaient des quartiers distincts de Seju.

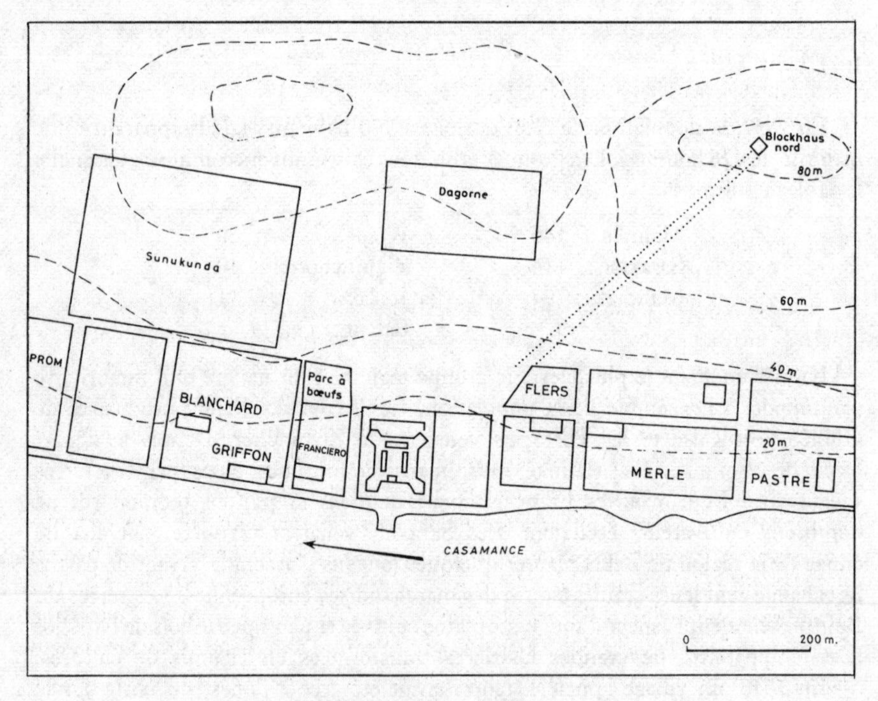

Fig. 12. Seju (1872).

Le poste placé au bord du fleuve avait une garnison de 50 hommes en 1857, composée de 25 Européens et de 25 Africains dont 17 Wolof et 8 Saraxolé. Les hivernages causaient de grands dégâts et le débarcadère était à peu près hors d'usage. Il devenait nécessaire d'apporter au moins 150 m³ de pierres pour édifier une nouvelle jetée. Pour éviter de salir la cour intérieure du poste, on envisagea de construire à proximité un parc à bœufs abritant une trentaine de bêtes de 70 à 80 kilos.

Le matériel était en fort mauvais état à cause de l'humidité. Les pièces d'artillerie composées de deux canons en fer de calibre 4 sur affûts de siège et de deux obusiers de 12 étaient dans un état lamentable. Les embarcations, un canot et une vieille chaloupe à peu près pourrie ne valaient guère mieux. Les soldats minés par les fièvres vivaient dans des logements malsains et humides. La plupart des draps étaient déchirés et les moustiquaires abîmées et insuffisantes. Le commandant, mieux loti que les autres, disposait d'un vieux lit, de six chaises et de trois armoires en mauvais état.

En 1862, le service administratif de Seju comprenait le service de la Poste, l'Inscription maritime, le service des douanes et le service de comptabilité du poste. Le courrier avec Gorée était en général porté par des bateaux de commerce. La présence du « Griffon » en Casamance pour une durée indéterminée était utilisée pour cet usage à la fin de chaque mois. L'aviso quittait Seju le 29 ou le 30 à midi pour Karabane où il arrivait avant le 1er. La vie à Seju n'était guère réjouissante pour les membres de la garnison qui souffraient du climat et supportaient mal l'isolement. Les soldats africains avaient la possibilité d'aller retrouver leur famille au village Dagorne et de partager leur repas avec femmes et enfants. Les Européens, fatigués physiquement et moralement, étaient souvent renvoyés à Gorée.

2. Les traitants

En 1862, onze commerçants étaient établis à Seju. Quatre maisons de commerce (Griffon, Maurel, Malfilâtre, Bocandé) avaient des représentants. Les autres travaillaient pour leur compte. La puissante famille Baudin était représentée par trois de ses membres ainsi que la famille Franciéro qui avait en même temps des intérêts à Ziguinchor. Tous ces messieurs employaient des traitants saraxolé ou wolof qui allaient prospecter dans les villages. La plupart des commerçants étaient des hommes jeunes et entreprenants. Zélés pour réaliser de bonnes affaires, ils ne s'embarrassaient pas de scrupules pour faire des bénéfices importants. « Ce sont des jeunes gens actifs, probes à leur manière qui ne pensent qu'à profiter de l'ignorance des habitants pour réaliser des bénéfices le plus promptement possible », écrivait le commandant de poste Lafont de Fontgaufier qui estimait que les gens qui s'opposaient le plus à l'influence française étaient les agents employés par les maisons de commerce de Seju [1]. Un traitant, Guenuf Juuf étant décédé, Lafont de Fontgaufier eut l'occasion d'examiner son livre de compte. Représentant de la Maison Griffon dans le Pakao, il avait vendu des pièces de guinée avec un bénéfice de 100 %. Un autre traitant, Gabu Ciré, employé de Bocandé, avait cherché à intimider les habitants de Seleki en Basse Casamance en leur faisant croire qu'ils s'exposaient à des représailles de la part des militaires français s'ils n'augmentaient pas la quantité de leurs produits à des prix fixés par ses soins. Quant à M. Prom, représentant de la Maison Maurel, il ne dissimulait pas son hostilité à l'égard de l'Administration. Une décision du

[1] Archives du Sénégal, 13 G 366. Commandant de Sedhiou à Gorée, 14 décembre 1862.

gouverneur Jauréguiberry du 22 avril 1862 lui avait retiré le droit de couper les rôniers des bois de Jaring devenus forêt domaniale. Auparavant, les traitants faisaient faire des coupes pour les revendre à l'Etat. Prom manifesta sa déconvenue en cherchant à ridiculiser le commandant. Il fit tirer treize coups de canon au retour de l'un de ses bateaux et hisser un tissu blanc au mât du pavillon de la Maison Maurel et Prom. Pinet-Laprade répondit au commandant qui se plaignait, que la conduite de M. Prom était légère mais n'avait pas un caractère d'oppositiou assez marqué à l'autorité pour constituer un délit susceptible d'être poursuivi [1]. Par contre, le gouverneur déclarait: « Les renseignements que vous me donnez sur la conduite des agents de commerce établis en Casamance m'inquiètent beaucoup. Il est réellement déplorable de voir l'avenir d'un pays intéressant... livré jusqu'à un certain point aux mains d'individus déloyaux. [2] »

3. Le commerce

En dehors de la Basse Casamance, où des essais furent faits pour la première fois en 1865, l'arachide était devenue la principale culture commerciale. Elle se développait en amont du marigot de Sinbandi. Cultivée essentiellement par les Saraxolé dans le Buje, la récolte globale était passée de 250 000 boisseaux (3375 t) en 1855 à 600 000 boisseaux (6616 t) en 1867 [3]. Au moment de la traite, les Saraxolé vendaient leurs produits à ceux qui leur avaient fait des avances. Celles-ci n'étaient pas retenues. Mais s'ils vendaient à d'autres, ils devaient donner le double des semences prêtées. S'ils avaient été nourris, ils remettaient 10 % de leur récolte à celui qui leur avait fourni les vivres. Parfois quelques-uns disparaissaient et allaient vendre en Gambie. Chaque individu assurait par son travail une production moyenne de 190 boisseaux (1,650 t). La production du Buje était évaluée à 150 000 boisseaux (1650 t) auxquels il fallait ajouter 400 à 450 000 boisseaux provenant des autres villages.

En 1862, un hectare d'arachides donnait une moyenne de 190 boisseaux. La production étant évaluée en mars à 454 545 boisseaux, on peut estimer que 2390 hectares étaient consacrés à cette culture dans cette partie de la Casamance. Le boisseau acheté à Seju 2,50 francs était revendu 5,60 francs à Marseille. Le produit de la traite était exporté au Havre, Bordeaux et Marseille par 25 bâtiments de 200 à 250 tonneaux en moyenne. En complément de chargement, ils recevaient des peaux, de la cire, des amandes de palme et de touloucouna [4].

Le coton de Haute Casamance et du Haut Pakao arrivait toujours à Seju. Bocandé en exporta 60 tonnes en 1865. Des essais de plantation furent réalisés dans le Buje. Les paysans méfiants demandèrent l'assurance d'un écoulement total de leur récolte avant d'ensemencer. Interrogée, l'Administration tarda à répondre. Ce fut un échec. En 1862, un hectare de coton donnait 22 kilogs.

[1] Archives du Sénégal, 3 B 83, 22 juin 1863.

[2] Archives du Sénégal, 3 B 83, 30 décembre 1862.

[3] Le boisseau impérial mesurait 11 kg en 1867. En 1862, Vallon l'évaluait à 13,5 kg.

[4] Vallon. *La Casamance, dépendance du Sénégal (mars-avril 1862)*, Revue maritime coloniale, tome VI (octobre-décembre 1862).

Les commerçants souhaitaient obtenir un entrepôt à la pointe Saint-Georges pour décharger les maisons de Seju. Placée entre Karabane et Ziguinchor, sur la rive sud, elle avait séduit Vallon. « La fertilité... est admirable ; les grands arbres et les nombreux palmiers y entretiennent une agréable fraîcheur. La terre ferme y est relativement élevée au-dessus du niveau de l'eau... Ce point semble fait pour devenir le centre commercial du fleuve. [1] » Déjà des habitants de Karabane venaient y cultiver du riz et leur présence avait provoqué les vives réactions des habitants de Conk-Esil. Le 13 mai 1862, en réponse aux demandes faites pour obtenir des concessions à la pointe Saint-Georges, Jauréguiberry décida que ces terres seraient affermées aux conditions suivantes : Bail de 9 ans résiliable tous les trois ans, paiement d'une rente annuelle de 10 francs l'hectare pendant les trois premières années, 15 francs pendant la seconde période et 20 francs pendant la troisième. Il était interdit de sous-louer. Ces conditions ne furent guère appréciées du commerce qui renonça à ses projets.

Les produits importés en Casamance étaient fort divers. Au cours du premier trimestre 1859, 16 bateaux armés à Gorée débarquèrent [2] :

Aliments : 12 tonnes de riz, 4 caisses de sucre, 6 barils de farine, 20 paniers de bière, 12 barriques de vin, et 151 caisses de liqueur ;
Tissus : 1820 pagnes d'Europe, 2238 mouchoirs, 2752 pièces de tissu, 12 000 pièces de guinée, 92 caisses de coton cardé ;
Armes à feu : 7 tonnes de poudre de traite, 50 caisses contenant en tout 1080 armes, 7 caisses de sabres.

Une telle importation d'armes et de poudre permet de mieux comprendre la frénésie guerrière de certains villages. Les traitants qui se plaignaient souvent d'être accueillis à coups de fusil, connaissaient mieux que personne l'origine de ces armes. Les marchandises expédiées par les maisons de Gorée étaient en général majorées de 30 % à leur arrivée à Seju. A leur tour, les traitants faisaient subir une hausse de 30 % aux produits qui partaient dans les villages. Leurs boisseaux étaient truqués et il n'était pas rare que le boisseau de onze kilogs en mesurât vingt. La suggestion du commandant de poste Faliu d'une mesure régulière et contrôlée pour faire disparaître ces abus, fut vivement combattue [3].

4. Le problème de l'impot personnel (1861-1865)

Le 9 août 1861, Faidherbe signa un arrêté établissant l'impôt personnel dans tous les villages placés sous l'autorité française. Cette mesure fort impopulaire eut pour conséquence de ralentir le flux annuel des cultivateurs migrants. Le commandant de poste Lafont de Fontgaufier proposa alors un droit de sortie de trois francs par tonne d'arachide. Minime, cette somme plus facilement acceptée que l'impôt aurait produit un revenu de 20 000 francs, mais Jauréguiberry,

[1] Vallon, *op. cit.*, p. 472.
[2] Archives du Sénégal, 13 G 363. 1er trimestre 1859.
[3] Archives du Sénégal, 13 G 366. Rapport du commandant de Seju à Gorée, mars 1862.

successeur de Faidherbe, lui répondit: « Soyez très prudent pour l'affaire de l'impôt. L'établissement de cette taxe est un acte aussi impolitique que prématuré. Nous ne pouvons sous peine d'être taxés de faiblesse revenir sur la mesure, mais il faut l'appliquer avec une grande circonspection. Les chefs auront pour eux le 1/20 de la perception. [1] » Pour apaiser le mécontentement des populations, il fut décidé que le commandant de poste réclamerait l'impôt seulement aux habitants de Saint-Louis et de Gorée établis à Seju et aux étrangers employés dans les maisons de commerce. Quant aux habitants et cultivateurs étrangers, on attendrait pour l'instant leur contribution volontaire apportée par les chefs. En 1864, Pinet-Laprade rappela au commandant qu'il fallait arriver à obtenir l'impôt de tous les habitants du Buje. « Faites comprendre aux populations que ce n'est qu'à cette condition qu'elles seront protégées ou non. [2] »

5. L'ÉPREUVE DE FORCE ENTRE LE COMMERCE ET LES MALINKÉ (1867-1868)

En 1867, la récolte s'annonça particulièrement bonne mais les traitants eurent quelque peine à faire leurs achats car les Malinké refusèrent de vendre tant que le boisseau imposé par le commerce ne serait pas diminué. L'année précédente, le riz s'était fait rare et il avait été vendu à des prix exorbitants. Les populations s'étaient endettées plus que d'habitude. Cette année, elles prenaient leur revanche et posaient à leur tour leurs conditions. Certains traitants durent diminuer leur boisseau préalablement forcé de 30 à 40 %. Les maisons de Gorée prirent alors la décision commune de défendre formellement à leurs agents de Seju d'acheter pendant la prochaine traite n'importe quel produit en espèces. Cette initiative arrivant après l'établissement de l'impôt personnel inquiéta vivement les autorités qui redoutèrent de nouvelles et graves difficultés. Pinet-Laprade, devenu gouverneur du Sénégal en 1865, attira l'attention des commerçants sur les conséquences fâcheuses de cette mesure, mais sa mise en garde n'eut aucun effet.

Dès janvier 1868, l'engagement de ne pas acheter en espèces fut scrupuleusement observé. Furieux, les Malinké et les Saraxolé refusèrent de céder leurs graines et de payer les dettes contractées avec les traitants pendant l'hivernage précédent. Au mois de mai cependant, las d'attendre, les cultivateurs durent se résoudre à échanger leurs arachides. Comme il fallait s'y attendre, les Saraxolé venant de Bakel préférèrent aller travailler en Gambie pour y trouver des espèces. La traite de 1869 fut désastreuse. Les causes étaient évidentes. Le refus du commerce de payer en espèces, l'élévation du prix des marchandises, l'augmentation de 50 % du boisseau, le maintien de l'impôt, mécontentaient chaque jour davantage une population excédée par l'impudence des commerçants. Le commandant de poste, Dorval-Alvarès, attendait avec inquiétude les premiers incidents. Il était déjà intervenu dans le Buje pour empêcher le pillage de deux ou trois malheureux qui avaient voulu vendre pour pouvoir se nourrir. En février, les magasins

[1] Archives du Sénégal, 3 B 83. Jauréguiberry au commandant de poste de Seju, 30 déc. 1862.
[2] Archives du Sénégal, 4 B 35. Pinet-Laprade au commandant de poste de Seju, 15 mars 1864.

étaient vides et les goélettes attendaient. « Alors a commencé, du propre mouvement des traitants en rivière, affirmaient les uns, avec l'assentiment des patrons, affirmaient les autres, une série de moyens niés, avoués, repoussés, acceptés, lesquels finissant par s'étendre, ont été imités par tout le monde et même dépassés par certaines personnes [1]. Nous ignorons les moyens utilisés mais ils eurent pour résultat de faire sortir du haut de la rivière un total de 250 000 boisseaux au lieu des 600 000 des années précédentes.

6. La révolte des Saraxole (1869)

Tous les Saraxolé ne repartaient pas après la traite. Un groupe assez important avait obtenu l'autorisation de rester dans le Buje. Le commandant de poste tolérait leur présence car ils étaient travailleurs et pacifiques. La plupart s'étaient regroupés à Buno, petit village au sud du Buje. Proche du Balantakunda il subissait fréquemment les attaques nocturnes des Balant qui traversaient le fleuve pour voler du bétail et des vivres. Au début de 1869, un chef de Jatakunda, Guekoro était venu avec son frère à Buno chercher un jeune enfant balant pour l'amener à Seju comme otage. Mais la nuit, les deux hommes furent assaillis par des Saraxolé qui les assommèrent. Le commandant Dorval-Alvarès apprit alors que Mur-Drame, le chef du village, complotait secrètement avec des Balant de Kuniara. Il avait offert à plusieurs villages balant le libre accès dans le Buje. En échange, les Balant s'étaient engagés à renoncer à tout accord avec Seju. Les gens de Jatakunda ayant refusé, le guet-apens contre le chef s'expliquait aisément. Depuis quelque temps, le commandant s'était rendu compte que tout n'allait pas pour le mieux à Buno. Le caporal du poste et l'interprète attendaient depuis une quinzaine de jours au village pour recueillir les arachides de l'impôt personnel. Or, le tiers n'avait pas été versé. Le commandant se rendit à Buno avec huit soldats et un sergent. Il demanda à Mur-Drame de se préparer à le suivre. Le village se vit infliger une amende de cinquante boisseaux d'arachide. Au moment du départ, Mur-Drame, accompagné de fidèles, apostropha avec véhémence le commandant et lui déclara que les Saraxolé étaient libres d'agir à leur guise. Puis il s'en alla suivi de son cortège. Pour éviter un incident plus grave, Dorval-Alvarès préféra rentrer à Seju et fit son rapport à Gorée [2].

Dans la soirée, les traitants placés à Buno vinrent prévenir leurs employeurs que les Saraxolé, très excités, menaçaient de recevoir à coups de fusil les embarcations qui tenteraient d'enlever les marchandises. Des commerçants, M. Louis Guillabert, métis de St-Louis, et deux Noirs de Seju partirent pour Buno afin d'amener la population à plus de calme. Les habitants exigèrent que le commandant levât toutes les sanctions qu'il avait imposées. Celui-ci refusa et la rébellion continua. Quelques jours plus tard, les traitants réussirent à retirer leurs marchandises sans incidents. Le commandant fit prévenir Mur-Drame que les transactions reprendraient à Buno aux conditions suivantes :

[1] Archives du Sénégal, 13 G 369. Commandant de Seju à Gorée, 15 avril 1869.
[2] Archives du Sénégal, 13 G 369. Rapport du commandant de poste à Gorée, 10 mars 1869.

Se présenter à Seju au poste à la tête de trente Saraxolé les plus marquants pour faire acte de soumission.

Acquitter l'amende portée à 300 boisseaux et compléter le paiement de l'impôt personnel en livrant les 300 boisseaux d'arachide restant dus.

Quelques jours plus tard, les Saraxolé vinrent à Seju faire leur soumission et Dorval-Alvarès réduisit l'amende à 100 boisseaux.

La rébellion des Saraxolé fut la première manifestation du ressentiment des Africains à l'égard des Européens. Elle laissait prévoir des difficultés plus sérieuses avec les Malinké.

Chapitre 4

LES ORIGINES ET L'ACTION POLITIQUE D'ALFA MOOLO EN HAUTE CASAMANCE

1. Les origines d'Alfa Moolo

En 1870, la Haute Casamance était encore mal connue. Les commandants de Seju dans leurs déplacements sur le fleuve, dépassaient rarement Jana-Malari, et il n'était pas question d'étendre la zone d'influence française déjà difficile à préserver. Le Fulaadu casamançais faisait partie de l'ancien empire du Gaabu qui défendait contre le Fuuta-Jaloo les dernières apparences de sa puissance déchue. Les nouvelles qui arrivaient à Seju, colportées en général par les Saraxolé, faisaient état de violents combats entre les Gaabunke et les Peul. La tradition orale prolixe du Fulaadu révèle un ensemble de faits inextricables où il est malaisé de se retrouver. Elle est insuffisante pour comprendre l'état des relations avec le Fuuta-Jaloo et les raisons de la chute du Gaabu. L'étude des traditions des provinces gaabunké en Guinée-Bissau, des provinces gambiennes, du Fuuta-Jaloo et du Buundu devrait permettre de réaliser une synthèse satisfaisante sur cette période encore obscure. A la lumière de faits datés, et vérifiés par des rapports officiels, essayons de déterminer la trame générale des principaux événements car les circonstances ne nous ont pas permis d'aller au-delà [1].

A écouter les traditions orales des Peul de Casamance, on pourrait imaginer que l'histoire de leur région débute avec les premiers exploits guerriers d'Alfa Moolo. Il n'y a rien de surprenant quand on sait que l'action politique de ce personnage a marqué les débuts d'une lutte de longue haleine des Fula pour leur émancipation. Dirigée successivement contre les Malinké du Gaabu, maîtres du pays depuis plusieurs siècles, et les Peul du Fuuta-Jaloo, protecteurs envahissants, elle s'achèvera au début du XXe siècle avec la domination française.

Le Fulaadu était divisé en petites provinces dirigées par des chefs malinké, vassaux plus ou moins soumis du mansa du Gaabu qui résidait à Kansala, chef-lieu de la province du même nom, en Guinée sous domination portugaise [2].

[1] Au moment de notre prospection des traditions orales, la Guinée-Bissau était en guerre et les traditions du Labe n'étaient pas abordables.

[2] Firdu, Pata, Kamako, Jimara, Patim Kibo, Patim Kanjaye, Kantora, Pakane Mambua, Kudura, Niampaïo, Patiana.

Depuis le XVIe siècle, les Peul étaient venus par petits groupes, du Masina, du Xaso (Khasso), du Buundu, et avaient créé des villages avec l'agrément des farin des provinces auxquels ils payaient un tribut. La formation de la confédération islamique du Fuuta-Jaloo à la fin du XVIIIe siècle allait mettre fin à l'hégémonie malinké et animiste du Gaabu.

A partir de 1845, sous les règnes des almaami Umaru (Soriya) et Ibrahima (Alfaya), les Fuutanké entreprirent de nombreuses expéditions contre les Gaabunké pour les soumettre et les convertir à l'islam.

Alfa Moolo naquit au début du XIXe siècle à Sulabali, village de la province du Firdu. Nous ignorons la date de sa naissance. Sa famille paternelle était d'origine bambara et captive. Son grand-père Fali aurait été acheté par un Peul noble, Samba Egue. Son père Malal fut affranchi et épousa une femme de la famille de son ancien maître. De cette union naquirent plusieurs enfants dont deux fils, Moolo Egue qui prit plus tard le nom d'Alfa Moolo, et Bakari Demba. La jeunesse de Moolo Egue est encore mal connue, peut-être parce qu'elle ne présente aucun caractère particulier. Initié par son père au goût de la chasse, il acquit une réputation de chasseur d'éléphant. Il perdit son père à l'âge de 15 ans et se serait rendu à Timbo auprès de l'almaami Bubakar (Alfaya) pour y suivre des études coraniques. Converti à l'islam, il rentra dans son village. La plupart des traditions casamançaises sont d'accord pour affirmer que Moolo Egue est allé au Fuuta et qu'il en est revenu musulman.

Il épousa une jeune Peul, Kumba Ude, qui lui donna plusieurs enfants dont deux fils : Muusa Moolo et Dikori Kumba. Un jour qu'il était à la chasse, sa femme reçut une étrange visite relatée en détail par les traditions. Ayant aperçu des étrangers qui se reposaient sous les arbres, des fatigues d'un long voyage, elle invita leur chef à pénétrer chez elle pour prendre quelque repos. Celui-ci refusa mais accepta volontiers la nourriture et la boisson qui lui étaient offertes et qui furent partagées avec ses compagnons. C'était le marabout El Haji Omar Tal. Quand Moolo Egue rentra de la chasse avec du gibier, il complimenta sa femme d'avoir accueilli le marabout. Il le pria de résider dans sa case autant de jours qu'il le souhaitait. El Haji Omar accepta et un bélier fut immolé en son honneur. Au moment du départ, le marabout remercia chaleureusement son hôte qui l'accompagna une partie du chemin. Les deux hommes partirent en direction du sud, en Guinée portugaise et se séparèrent à Dandu. El Haji Omar exprima à nouveau sa gratitude et annonça à Moolo Egue qu'il était destiné à devenir le chef des Fula. Il dirigerait leur lutte contre les Malinké mais devait cependant attendre le signe suivant. Un jour, les Malinké viendraient lui dérober un bélier destiné au sacrifice. Moolo Egue rentra chez lui profondément troublé par cette prédiction.

C'est avec les réserves d'usage que nous accueillons ce récit retrouvé à quelques détails près dans toutes les traditions du Fuuladu casamançais. Une invraisemblance apparaît quand elles font suivre le soulèvement des Peul quelques mois après la visite du marabout. En effet, si nous nous référons au passage d'El Haji Omar dans la région en 1846 ou 1847, il faut estimer un délai d'une vingtaine d'années avec les premières actions guerrières d'Alfa Moolo. D'autre part, lors du passage du marabout toucouleur à Sulabali, Kumba Ude était enceinte de son fils Muusa. Ainsi, nous avons la date approximative de la naissance du successeur d'Alfa Moolo.

2. La guerre du Fuuta-Jaloo contre le Gaabu

Selon des traditions recueillies en Guinée-Bissau, l'almaami Umaru (Soriya) chargea vers 1854 l'alfa Ibrahima mo Labe de sonder les possibilités de résistance des Gaabunké [1]. Il pénétra dans le Niampaïo où il tua le farin et poursuivit sa randonnée jusqu'en Gambie en direction du Niamina, mais une épidémie de variole décima la majeure partie de ses troupes et il fut obligé de rentrer à Labe. En février 1862, une armée de 2000 Gaabunké, composée de fantassins et de cavaliers divisés en six corps et commandés par des princes, pénétra au Firdu pour châtier les Peul d'avoir assassiné un farin en 1852. Elle occupa ensuite une partie du Pakao et l'évacua le 27 février. Les Peul du Pakao terrorisés, se réfugièrent en toute hâte sur les rives de la Gambie et du Soungrougrou. Leurs villages furent incendiés et les prisonniers décapités [2].

En septembre 1865, parvint à Seju la nouvelle d'une défaite des armées du Gaabu face à celles du Fuuta. Les Peul avaient laissé une partie de leurs troupes soutenir un prince gaabunké, Famara Mane en rébellion contre son roi Janke Wali. Mais le prince rebelle fit volte-face et se retourna contre ses nouveaux alliés. Le 13 mai 1867, Janke Wali fut assiégé dans sa capitale de Kansala. Moolo Egue participait au siège dans les rangs de l'alfa mo Labe. A la fin de la journée, sur le point d'être vaincu, le roi du Gaabu, refusant de se rendre et de se convertir à l'islam, préféra mourir en faisant sauter la poudrière dans laquelle il s'était réfugié, avec quelques fidèles. La tradition précise que Janke Wali aurait dit que si les Fula étaient vainqueurs, la race malinké n'avait plus qu'à disparaître. L'année suivante, les Peul tentèrent de venger la trahison de Famara Mane et le poursuivirent dans le Suna sans l'atteindre. Le 10 octobre 1868, ils campèrent près de Jana.

3. La révolte des Peul de Casamance contre leurs suzerains gaabunke (1869 à 1880)

Les Malinké du Firdu regroupèrent leurs forces autour de Karabunting Sane, chef du village de Kasuko baptisé plus tard par Moolo Egue, Hamdallahi. Retranché dans un vaste et puissant tata, Karabunting Sane était redouté et haï par les Fula. Suzerain du village de Sulabali, il passait régulièrement pour percevoir les tributs de vassalité. Au cours d'une de ses visites, il aperçut un bélier attaché devant la demeure de Moolo Egue. Il le fit saisir et Moolo Egue vit dans cet acte le signe annoncé par El Haji Omar. Avec quelques amis, il organisa une attaque nocturne contre le tata du chef. Après quelques coups de feu, les assaillants s'enfuirent à la faveur de la nuit mais les Malinké réveillés, comprirent que les auteurs de la fusillade étaient des Peul. Le premier acte de la révolte

[1] Traditions recueillies par Antonio Carreira. *Mandingoes da Guiné Portuguesa*, Centro de estudos da Guiné Portuguésa, N° 4, 1947, et par José Mendes-Moreira. *Fulas do Gabu*, Centro de estudos da Guiné Portuguesa, N° 6, 1948.

[2] Archives du Sénégal, 13 G 366. Rapport du commandant de Seju, 10 mars 1862.

des Fula venait d'avoir lieu. Furieux, les Malinké menacèrent les villages peul des pires représailles. Inquiets, les conjurés suivirent les conseils d'El Haji Omar et sollicitèrent l'aide des Toucouleur du Kabada mais les Fula, terrorisés par les menaces, hésitèrent à s'engager dans une aventure trop dangereuse à leur gré.

Au mois d'août 1869, Moolo Egue proposa un nouvel assaut contre Kasuko mais son ami Samba Egue refusa de le suivre, jugeant le projet trop téméraire. Par mesure de prudence, il quitta Sulabali avec sa famille pour aller s'établir à Boguel, à l'ouest de Kolda. Moolo Egue obtint cinq taureaux offerts par ses partisans. Il alla les vendre en Gambie à des traitants et acheta en échange des armes à feu et de la poudre. Après de longues palabres pour persuader les hésitants, une nouvelle attaque eut lieu contre le tata de Kasuko qui fut incendié. Moolo Egue tua Karabunting Sane. Cette action entraîna la riposte des Malinké et Moolo Egue se réfugia au village de Ndorna où il fit construire un imposant tata. Ndorna fut attaqué et les combats se généralisèrent entre les Fula et les Malinké, parfois entre quartiers d'un même village. Les vassaux se soulevèrent contre leurs maîtres. Sur les conseils de son marabout, Cerno Jallo de Sobulde, Moolo Egue envoya des messagers à Labe auprès d'Alfa Ibrahima pour tenter d'obtenir une aide militaire urgente. L'alfa mo Labe accueillit la demande avec faveur. Il envoya à Moolo Egue un turban blanc, insigne du commandement et un message qui annonçait l'arrivée des secours demandés. Celui-ci se terminait par la phrase: « Dirige ton pays et sois en ma garde. »

En décembre 1869, une armée du Labe dirigée par Mamadu Salif, un des neuf fils de l'alfa, envahit le Fuuladu casamançais pour porter secours aux bandes de Moolo Egue qui prit désormais le nom d'Alfa Moolo [1]. En échange de l'aide apportée, il se serait engagé à payer annuellement un tribut aux alfa de Labe. Les Malinké du Pakao, effrayés par l'ampleur de la révolte fula, se déplacèrent vers le Firdu pour aider leurs frères. En février 1870, les troupes de Famara Mane furent battues par celles de Mamadu Salif. Au mois de mai, les Malinké du Pakao se querellèrent avec les Peul qui habitaient dans leur région. Ces derniers demandèrent asile et protection au capitaine Rajaut, commandant de Seju qui leur accorda l'autorisation de s'installer dans le Buje, car c'était « un moyen de peupler le pays de gens tranquilles et laborieux » [2] et le commerce ne pouvait qu'y trouver son compte.

Alfa Moolo sollicita aussi l'aide de Bubakar Saada, almaami du Buundu, allié aux Peul du Fuuta-Jaloo et ennemi des marabouts malinké de Gambie. Ses troupes pénétrèrent dans les provinces gambiennes du Tomani, Jimara, Eropina, Kamako et Pata. En 1870, un marabout, Simotto Moro vint du Buundu s'installer sur les rives de la Gambie à Yarbatenda dans le Uli. Sa prédication attira de nombreux réfugiés malinké musulmans. Alfa Moolo le poursuivit, l'obligeant à se réfugier dans un village fortifié à Tubakuta. Bubakar Saada et Alfa Moolo attaquèrent ce marabout gênant qui résista à tous les assauts. Il mourut en 1885 et fut remplacé par son fils Dimbo [3].

[1] Alfa: dignité religieuse et politique.

[2] Archives du Sénégal. Fonds non inventorié, 2 D 5/5. Rapport du commandant de Seju, 8 mai 1870.

[3] GRAY. *History of the Gambia. The Soninke-Marabout war, 1866-1887.*

Le 23 mai 1870 Rajaut signala que la guerre touchait à sa fin car Famara Mane était aux abois. Mamadu Salif tenta de persuader Alfa Moolo de placer ses guerriers et le Firdu sous l'autorité d'un Peul noble. L'alfa de Labe tenait à avoir un vassal soumis et fidèle sur lequel il pût compter. Alfa Moolo fut désagréablement surpris. Il n'avait pas entrepris une telle lutte pour tomber sous le joug de protecteurs inquiétants. Il se tint sur ses gardes et remit à Mamadu Salif la part du butin qui lui revenait. Celui-ci rentra à Labe et rendit compte à l'alfa des résultats de sa mission.

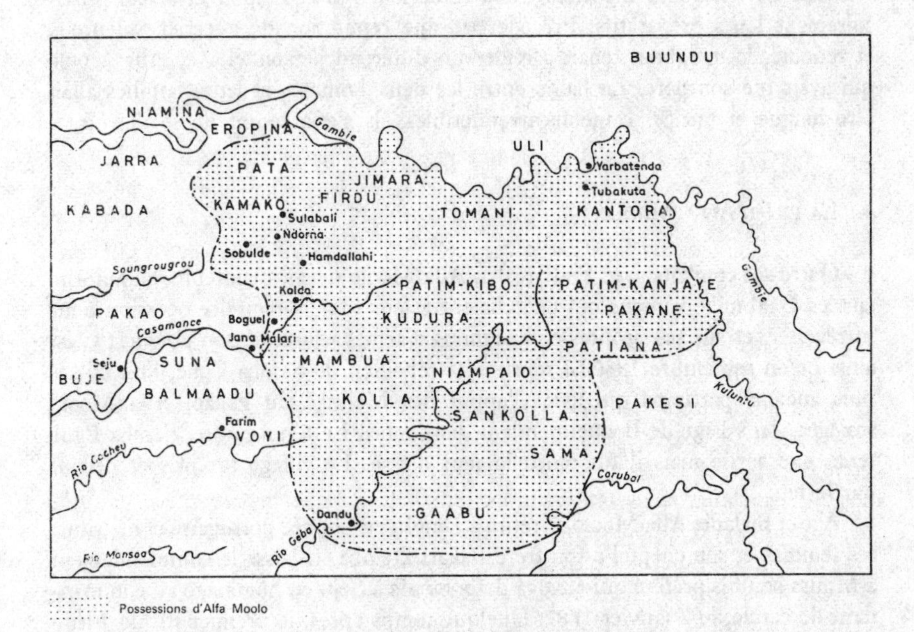

Fig. 13. Le royaume d'Alfa Moolo.

Avec des partisans de plus en plus nombreux, Alfa Moolo se trouvait le 14 juin 1871 à la limite du Firdu et du Pakao où il rançonnait les voyageurs, particulièrement les Saraxole. Les Malinké le laissèrent pénétrer en 1872 dans les Suna et le Balmaadu. Lors de l'attaque de Seju par les Malinké en novembre 1872, Alfa Moolo promit son aide au commandant de poste de Seju, pour remercier les Français d'avoir hébergé dans le Buje, les Peul du Pakao [1].

En mai 1873, le chef peul réprima le premier complot ourdi contre lui par des Fula d'origine noble. Trahi par un de ses lieutenants, Dikori, il le fit décapiter. Il est vraisemblable, comme le montrera plus tard un autre complot, que les mutins avaient l'appui discret des Peul de Labe, fort mécontents des vélléités d'indépendance de leur protégé.

[1] Voir au chapitre 7.

Le commandant de Seju, Paimparey, apprit avec satisfaction la conclusion d'un traité de paix le 3 novembre 1873 à Jana entre les Malinké de Casamance représentés par Fode Maja et Alfa Moolo. Sans tarder, le chef peul partit à la poursuite de Famara Mane qui incitait les Malinké du Pakao à la lutte. Il le rejoignit dans le Jarra en Gambie, mais contre toute attente, il fut battu et rentra au Firdu, à Ndorna, le 1er décembre 1873, pour prendre un peu de repos. En 1874, trois chefs malinké, Sibrim Mane du Kamako, Janke Wali du Patiana Janke Male du Firdu, chassés par les troupes de Mamadu Salif, regroupèrent leurs forces pour repartir en guerre contre Alfa Moolo. Mais l'intervention au Fulaadu du marabout diaxanké Fodé Kaba leur rendit l'espoir et arrêta provisoirement leurs préparatifs. Précédé par une réputation de guerrier valeureux et redouté, le marabout tenait à règler un différend personnel avec Alfa Moolo qui avait tué son père. La haine entre les deux hommes et leurs familles allait être longue et tenace. Ennemis irréductibles, ils s'efforceront de se détruire [1].

4. La fin d'Alfa Moolo

Outre ses combats avec Fodé Kaba, Alfa Moolo devait maintenir son autorité sur les Gaabunké vaincus qui cherchaient à leur tour la moindre occasion pour se révolter, et sur ses propres compagnons d'armes jaloux de son pouvoir. C'est ainsi qu'en septembre 1880, il réprima la rébellion de Samba Egue, l'un de ses plus anciens partisans qui avait l'appui des Malinké du Pakao. Alfa Moolo assiégea son village de Boguel pendant deux mois. Le 6 novembre, Samba Egue tenta une sortie mais il fut mortellement blessé. Le village fut pris et détruit par le feu.

Agé et malade, Alfa Moolo se retira à Dandu en Guinée portugaise et distribua ses femmes et son cheptel à son frère Bakari Demba. Il laissa le commandement à Muusa son fils préféré qui envoya deux bœufs à Seju en hommage au commandant de cercle, le 2 janvier 1882. Quelque temps après, le premier roi du Firdu mourut d'une maladie connue dans le pays sous le nom de kalia [3]. Il laissait trois fils, Dikori Kumba l'aîné, et deux cadets, Muusa Moolo et Sambel Kumba, une fille Kumba Silla. Averti de la mort de son père, Muusa assista aux funérailles et rentra à Ndorna avec les vêtements du défunt.

Les possessions d'Alfa Moolo s'étendaient, en 1881, au-delà du Firdu et des frontières traditionnelles de la Haute Casamance [2]. Les provinces conquises au cours de son règne étaient dirigées par des chefs peul plus ou moins soumis. Jalousé par les Fula d'origine noble et par certains membres de sa famille comme son frère aîné Dikori Kumba, Muusa se tint sur ses gardes, prêt à intervenir au moindre mouvement d'opposition.

Alfa Moolo semble avoir été un vassal fidèle de l'alfa de Labe. Les traditions du diwal de Labe encore mal connues insistent sur la vassalité des rois du Firdu.

[1] Voir au chapitre 5.
[2] Kalia : éléphantiasis.
[3] Voir croquis.

Au contraire, les traditions casamançaises sont très discrètes sur ce sujet. Elles parlent plus volontiers d'alliance avec le Fuuta-Jaloo. Alfa Moolo a bien sollicité l'aide des alfa de Labe dans sa guerre contre les Malinké, mais depuis le règne de son fils Muusa, les Peul de Casamance veulent ignorer tout lien de vassalité. A l'avènement de Muusa Moolo, la collaboration avec les Peul du Fuuta-Jaloo va se transformer en véritable hostilité. Les alfa y verront avec raison une trahison. Chef d'un vaste territoire légué par son père, Muusa voulut s'affranchir de la tutelle du Fuuta-Jaloo. Ambitieux et très intelligent, il comprit à l'exemple de son père qu'il fallait trouver un allié plus puissant pour l'aider à se dégager d'une vassalité pesante et accroître si possible ses territoires. Les relations amicales des Moolo avec les Français s'expliquent par leur hostilité commune aux Malinké. Muusa inaugura son règne par une politique d'amitié avec les Français. A-t-elle été inspirée par Alfa Moolo comme certaines traditions le prétendent? Elle favorisa indéniablement la pénétration française en Haute Casamance.

Chapitre 5

LES ORIGINES DU DIAXANKÉ FODÉ KABA ET SES PREMIÈRES CAMPAGNES (1818-1880)

1. Les origines

Fodé Kaba naquit vers 1818 à Gumbel, petit village du sud du Buundu, dans le département actuel de Bakel-Kidira, arrondissement de Bala. Son père, Fodé Bakari Dumbuya lui donna le prénom d'Ibrahima. Le futur Fodé prit le surnom de Kaba porté par les ancêtres de sa famille. Kaba évoquerait selon certains, la Kaaba de la Mecque. D'autres pensent que c'est sous un arbre à lianes appelé Kaba que le titre de Fodé fut décerné au jeune talibé. Fils de marabout, Fodé Kaba était destiné à succéder à son père après sa disparition. Jeune homme, il partit en voyage dans le Uli en compagnie du fils du marabout Fodé Bakari Drame, maître spirituel de son père. Ils furent capturés par les hommes du farin gaabunké du Uli. Le fils du marabout Drame étant enchaîné, Fodé Kaba supplia le prince de le libérer de ses chaînes pour les porter à sa place. Quand Fodé Bakari Drame apprit la nouvelle, il écrivit au père de Fodé Kaba pour lui dire de ne pas s'inquiéter car son fils était destiné à un avenir glorieux. Le farin du Uli demanda une rançon et le retour de deux sujets qui avaient trouvé asile au Buundu. Les deux marabouts proposèrent de verser une double rançon, mais de garder les réfugiés. Après pas mal d'hésitation inspirée par la crainte du prince soninké, des volontaires portèrent la rançon au farin qui les fit attendre trois jours avant de les recevoir. Il accepta la double rançon et libéra les deux captifs.

Plus tard, Fodé Kaba suivit sa famille non pas dans le Gaabu comme le prétendent quelques griots mais dans ses dépendances. Ils traversèrent le Uli, le Niani, franchirent la Gambie pour s'installer en Casamance dans le petit village de Kerewane sur l'actuelle frontière de la Gambie [1]. Le village appartenait à un prince gaabunké Silati-Kéléfa qui résidait à Sumakunda. Fodé Bakari Dumbuya reçut l'autorisation de s'installer à Kerewane sous la surveillance du chef

[1] Consulter: Fay Leary. *Islam. Politics and Colonialism.*

Kerewane: voir carte de Vélingara. Ne pas confondre avec Kerevane, carte de Sedhiou, où plus tard, Alfa et Muusa Moolo seront assiégés par Fodé Kaba.

soninké du village voisin de Cakunda. Les traditions présentent Silati-Kelefa comme le chef du Jimara. Bientôt, la famille Dumbuya étendit son autorité et son influence à tout le village et les Jula (dioula) qui se rendaient à Bathurst furent contraints de lui payer des taxes en poudre et en munitions. Un jula important, Masajo Konate protesta auprès de Silati-Kelefa qui interdit à Fodé Bakari Dumbuya de percevoir des impôts. Déjà puissants et bien armés, les Dumbuya se préparèrent à la guerre. Homme de prière avant tout, Fodé Bakari confia la direction de ses partisans à son fils. Silati-Kelefa, probablement rebelle

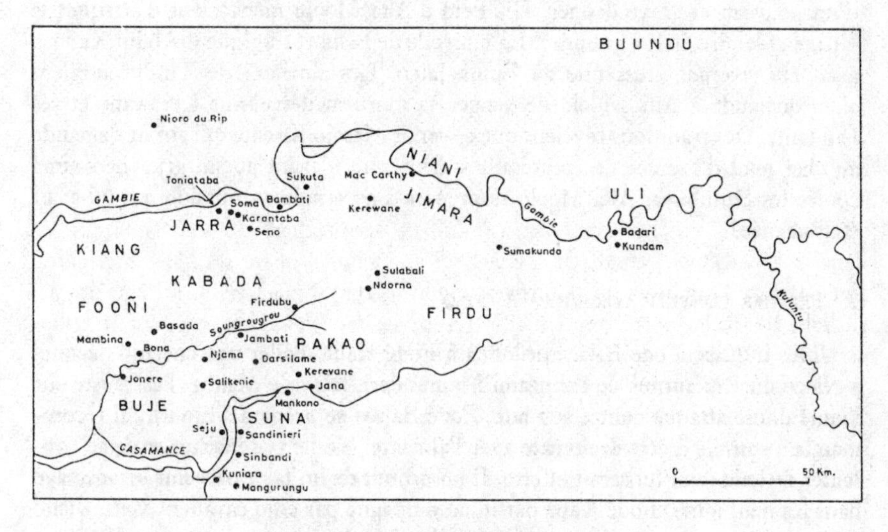

Fig. 14. Les origines de Fodé Kaba.

à son souverain qui résidait à Kansala, était allié aux Peul du Fuuta-Jaloo qui s'efforçaient de détruire l'empire du Gaabu. Ils avaient envoyé à Sumakunda un marabout peul puissant, Abdul Xudoso qui était devenu le conseiller du prince. Les ennemis gaabunké de Silati-Kelefa, des clans Sane et Mane, recherchèrent l'alliance de Fodé Bakari qui accepta. Il n'avait pourtant pas confiance en eux car ils étaient païens et avaient la réputation de ne pas être fidèles à leur parole. Les chefs gaabunké protestèrent de leur bonne foi et s'engagèrent à renoncer à leur part du butin. Fodé Bakari leur répondit que seuls les livres sacrés de son rival peul l'intéressaient vraiment. Il pria pour demander la victoire au Dieu des armées et fit venir Fodé Kaba pour lui dire que le combat serait rude, mais victorieux. La bataille s'engagea à Sumakunda qui prit plus tard le nom de Sumakunda-Bakari. Elle fut courte mais violente. Abdul Xudoso, isolé au milieu de jeunes talibés, fut tué. Silati-Kelefa fut capturé et exécuté après avoir refusé par trois fois de se convertir à l'islam. Les Gaabunké donnèrent les livres sacrés d'Abdul Xudoso, qui ne les intéressaient pas, à Fodé Kaba qui les remit à son père.

La victoire de Fodé Kaba acquit à la famille Dumbuya une grande renommée dans toute la région. Le jeune chef fier et sûr de sa puissance proposa à son père de faire la guerre au roi du Uli. Il n'avait pas oublié sa captivité et se sentait assez fort pour exercer sa vengeance avec l'aide des Gaabunké des clans Sane et Mane. Fodé Bakari hésita car le prince du Uli, Mansa Wali, était difficile à vaincre. Il finit par donner son accord et Fodé Kaba envahit le Uli. Il incendia les villages de Badari et de Kundam et Mansa Wali fut tué. Cette nouvelle victoire impressionna les populations et la réputation flatteuse du chef diaxanké commença à se répandre en Casamance. De retour à Kerewane, Fodé Bakari avertit son fils d'un nouveau et grave danger. Les Peul d'Alfa Moolo menaçaient d'attaquer le village et le pire était à craindre. La nouvelle de la mort tragique d'Abdul Xudoso avait été vivement ressentie au Fuuta-Jaloo. Les almaami de Timbo auraient alors demandé à Alfa Moolo de venger sa mort en détruisant Kerewane et ses habitants. Des traditions révèlent que ce serait Masajo Konate qui aurait demandé au chef peul d'exercer des représailles. Bien que n'ayant aucun grief personnel contre les Dumbuya, Alfa Moolo se prépara à accomplir la mission qui lui avait été assignée.

2. Premier conflit avec Alfa Moolo

Très inquiet, Fode Bakari ordonna à Fodé Kaba d'aller chercher du secours à Nioro du Rip auprès de l'almaami Mamundari, frère de Maaba. Pessimiste sur l'issue d'une attaque contre son tata, Fodé Bakari se prépara à mourir. Il recommanda à son fils d'être diplomate avec l'almaami, de ne pas insister et de se contenter de l'aide qui lui serait offerte. Il lui promit de lui faire parvenir un message dans les neuf jours. Fodé Kaba partit, accompagné par cinq cavaliers. Cette visite à Mamundari nous permet pour la première fois de donner une date approximative. Maaba était mort en 1867 et les premiers coups de main d'Alfa Moolo ont débuté vers 1869. Aussi, avançons-nous l'année 1870 ou 1871 pour dater cet événement.

Comme Fodé Bakari le pressentait, Alfa Moolo profita de l'absence de Fodé Kaba pour attaquer le village qui fut pris, incendié et pillé. Fodé Bakari, vieillard de 80 ans, périt ainsi que son fils cadet Maya Dumbuya. Les membres de la famille et leurs biens partirent en captivité au Firdu. Un jeune frère de Fodé Kaba, Bunamara Dumbuya, eut la possibilité d'écrire un message qui fut porté à Nioro du Rip par un talibé, Bunamara Mane.

Quand il arriva à Nioro, il retrouva Fodé Kaba qui assistait à une grande palabre présidée par Mamundari. Il vint s'asseoir auprès de son maître. Après avoir lu le message, Fodé Kaba le glissa sous la peau de mouton sur laquelle il était assis. Son visage ne trahit aucune émotion mais son griot Fodé Turuma Kamara remarqua un mince sourire crispé sur les lèvres de son marabout. Intrigué, il se déplaça pour apprendre la mauvaise nouvelle. Mamundari ayant remarqué les déplacements et l'agitation du griot, envoya un griot wolof pour se renseigner auprès de Fodé Turuma Kamara. L'almaami annonça le désastre de Kerewane à l'assemblée réunie autour de lui. Impressionné par l'impassibilité et la maîtrise du marabout qui dominait sa peine et sa colère, il invita les chefs de guerre à choisir leurs meilleurs guerriers pour partir avec Fodé Kaba. Soixante-douze cavaliers auxquels vinrent se joindre onze volontaires partirent sans retard en direction de la Gambie. La petite troupe franchit le fleuve à Bambali et reçut au village de Sukuta, douze émissaires d'Alfa Moolo conduits par un de ses frères. Ils venaient proposer la paix, et la restitution des captifs. Pour toute réponse, Fodé Kaba les fit exécuter à l'exception d'un seul qui fut renvoyé auprès d'Alfa Moolo pour lui annoncer que désormais aucune paix n'était plus possible. De violents combats eurent lieu sur la rive sud de la Gambie, dans le Jarra, à Toñataba, puis à Joñere sur la rive gauche du Soungrougrou. Fodé Kaba tenta de marcher sur Ndorna, mais il fut battu et un fils de Mamundari trouva la mort. Le 7 décembre 1875, il pénétra dans le Yasin où il fut mal accueilli par Kemo Maja ou Fodé Maja, marabout et chef du village de Njama. Jaloux, Fodé Maja qui exerçait une influence spirituelle certaine dans les pays malinké, reprocha au chef diaxanké de semer le trouble, et il lui conseilla de porter la guerre ailleurs. Très vite la rivalité se transforma en hostilité. Fodé Kaba exigea de Fodé Maja, la livraison de Joola du Fooñi qui avaient trouvé refuge chez lui. Devant son refus, il captura Mamadu Sadibu, son deuxième fils qui était encore un enfant. Les notables de Njama effectuèrent une démarche auprès de Fodé Kajali, chef de Darsilame qui obtint la libération de l'enfant. Quelque temps après, Fodé Kaba vint s'installer chez un marabout, Fodé Burama Saña, du village de Mankono.

Le 1er février 1876, tout le Pakao se joignit à lui pour assiéger le village de Kerevane, près de Jana [1], où Alfa Moolo et son fils Muusa s'étaient laissés enfermer. Le siège fut pénible pour les Peul. Muusa, plus jeune, réussit à déjouer la surveillance des assiégeants et revint avec des renforts libérer son père.

Ce jour-là, Fodé Kaba laissa passer l'occasion de capturer ses ennemis. Il ne la retrouva jamais plus.

De tout le Pakao, seul Jana était resté allié aux Moolo. Après leur fuite, les Malinké voulurent châtier le village pour sa trahison. Fodé Kaba proposa l'extermination de tous les habitants, mais Fodé Jombo, qui avait participé au siège de Kerevane, intervint en leur faveur. Il fit valoir qu'ils étaient de bons musulmans et que l'alliance avec les Peul leur avait été imposée par crainte des représailles d'Alfa Moolo. Fodé Kaba céda. Il maudit cependant le village en souhaitant la désunion de ses habitants. Fodé Maja, chef de Njama qui s'était rendu à Jana, reçut la visite de son rival. Il mourut le soir même, tragiquement étouffé par un morceau de manioc cru qu'il avait croqué. Ses proches virent dans ce signe du destin, un acte maléfique provoqué par Fodé Kaba.

3. La guerre contre les Balant

Fodé Maja fut remplacé à Njama par le marabout Fode Lende Dafe qui devint par la suite chef du Yasin. Plus souple que son prédécesseur, il accepta de collaborer avec Fodé Kaba dans ses campagnes d'islamisation des villages bañun et joola. La mort de Fodé Maja faisait de Fodé Kaba le chef souhaité par les Malinké pour combattre les Peul. Son attitude plaisait à Sunkari-Yiri, fils de

[1] *Kerevane*: à ne pas confondre avec Kerewane cité plus haut.

Ndura ancien chef du Buje. Ambitieux, il rêvait d'unir les habitants du Buje pour les entraîner dans une guerre sainte contre les Balant. Avec Fodé Kaba, il pensa avoir trouvé l'homme qui servirait ses desseins. Il lui rendit visite le 8 avril 1876 à Mankono pour lui demander de participer à une campagne contre des villages du Balantakunda. Fodé Kaba accepta. Kuniara et Mangarungu furent détruits. Le capitaine Martin, commandant du poste de Seju, ordonna l'arrêt immédiat des combats, et le marabout s'inclina. Il fut cependant très surpris, car Sunkari lui avait déclaré que les Français étaient favorables à cette entreprise.

Le 10 juillet 1876, les Balant furent sommés de cesser leurs brigandages sur la rive droite. Le 1er novembre, Fodé Kaba était à Sandiñiéri où il attendait le moment d'opérer sa jonction avec Lamine Maram, lieutenant de Mamundari pour attaquer le Kabada allié aux Moolo. Les Toucouleur étaient divisés et leurs sympathies se partageaient entre les deux rivaux. Des rumeurs couraient à Seju que les partisans des Peul avaient feint une réconciliation avec leurs adversaires pour attirer Fodé Kaba et permettre ainsi à Alfa Moolo de lui couper toute retraite vers le Pakao.

Fodé Kaba sollicita l'autorisation de traverser le Buje pour se diriger vers le nord. Le commandant ayant refusé, il parcourut le Suna et arriva à Mankono où Lamine Maram et ses guerriers étaient arrivés. Les deux alliés partirent pour le Kabada mais ils furent battus par Muusa Moolo près du village de Firdubu. Ils se replièrent sur Jambati, rive gauche du Soungrougrou où ils firent appel à de nouveaux renforts. Cependant Mamundari en lutte contre Saer-Mati, fils de Maaba, ne put leur accorder satisfaction. En juin 1877, Fodé Kaba longeait les bords de la Gambie. Il pilla le village toucouleur de Seno et s'installa quelque temps à Karantaba dans le Jarra. Il fit construire un tata qui fut assiégé le 3 août par Muusa Moolo. Cerné et pris au piège, Fodé Kaba dut son salut à la fuite. Il s'échappa le 5 septembre pour se réfugier dans le Kiang. Muusa Moolo eut alors une entrevue le 18 octobre avec le Travelling-Commissioner de MacCarthy pour mettre au point une action concertée dans le but de capturer le chef diaxanké, lors d'un éventuel retour en Gambie. Méfiant, Fodé Kaba préféra envahir le Fooñi peuplé de Joola et de Bañun.

4. L'invasion du Fooni par Fodé Kaba (1878-1880)

Au début du mois de septembre 1878, Fodé Kaba, à la tête de plus de quatre cents cavaliers recrutés parmi les Malinké du Pakao et du Buje, envahit le Fooñi. Au lieu d'attaquer les villages bañun sur leurs gardes, il se dirigea vers l'ouest et pilla les villages joola de Basada, Bona et Mambina sur la rive droite du Soungrougrou. La population terrorisée par les chevaux lancés au galop, prit la fuite. Le butin fut rassemblé à Mambina où Fodé Kaba s'installa. Il tenta de rassurer les traitants et leur dit qu'ils pouvaient rester pour lui fournir des marchandises contre des bœufs. Il écrivit le 6 septembre un message en arabe aux maisons de commerce de Seju pour leur demander d'envoyer des étoffes, des armes et de la poudre. Les traitants, peu rassurés, évacuèrent leurs marchandises sur des pirogues.

Le 9 septembre, profitant du départ des bandes de Sunkari et du prince gaabunke Famara Mane, alliées à Fodé Kaba, les Joola attaquèrent Mambina. De nombreux défenseurs furent tués ainsi que trente chevaux. Les Joola se retirèrent dès le retour des guerriers alertés par le bruit de la fusillade [1]. La nouvelle de l'invasion du Fooñi attira de nombreuses et nouvelles recrues à Mambina. Des Malinké du Pakao, de Mankono, surtout du Buje, des Gaabunke réfugiés allèrent rejoindre Fodé Kaba avec des bâtons et des sabres. Les Joola réussirent à les tenir en échec. Le marabout souhaitait traverser le Soungrougrou avec tout son butin; mais il manquait d'embarcations. Un traitant appelé Mala vint au poste avertir que les Malinké du Buje cherchaient à persuader Fodé Kaba de marcher sur Seju. Le moment était favorable, car les maisons de commerce avaient vendu tous leurs fusils. Seul, le poste était en mesure de se défendre. Excité par les perspectives d'une nouvelle attaque contre Seju, Sunkari proféra des menaces contre tous les villages du Buje qui refusaient encore de reconnaître son autorité, et qui ne lui payaient pas d'impôt. Prétextant que Bakum, tout proche de Seju, était peuplé en partie de Saraxolé, il chercha à entraîner Fodé Kaba contre le village, mais en vain. Prudent, le marabout ne tint pas à s'engager dans cette aventure.

Inquiet, Prévot avertit Canard qui lui répondit le 21 septembre: « Il est fâcheux que Fodé Kaba ait repris la guerre encore une fois mais il est regrettable que les indigènes de la Casamance, Yolas et autres, ne veulent pas se décider à se défendre, car malgré tout notre bon vouloir, il n'est pas possible que nous protégions efficacement toutes les peuplades qui habitent les rives de la Casamance. [2] » Les Joola n'étaient pas préparés à la guerre imposée par Fodé Kaba et ses cavaliers qui, du haut de leurs chevaux, faisaient voler les têtes avec leurs sabres. Quant aux renforts demandés par Seju, il ne fallait pas y songer avec l'épidémie de variole qui sévissait dans tout le Sénégal depuis le mois de mai. L'aviso tant attendu n'arriverait pas avant décembre. D'ailleurs, Canard doutait que Fodé Kaba eût l'intention d'attaquer Seju. Son attitude en 1876, alors qu'il était dans le Balantakunda, était un signe encourageant. A l'époque, s'il l'avait voulu, il aurait pu sans grande difficulté faire le siège du village. Il avait préféré s'en abstenir, car il savait pertinemment que tôt ou tard, les Français auraient usé de représailles avec des moyens matériels nettement supérieurs aux siens.

Au mois de novembre 1878, Fodé Kaba et ses alliés partirent chercher fortune en direction de la Gambie. Avant de quitter Mambina, il acheta cent vingt barils de poudre aux traitants, et l'un d'eux, Mbanik Jallo, lui loua une embarcation pour faire passer ses captifs dans le Yasin. Il rencontra des difficultés à Soma, en Gambie où Muusa Moolo l'attaqua à nouveau. Manquant de vivres, il perdit des partisans.

En 1879, il séjourna en Gambie à combattre les Peul. La Casamance retrouva la quiétude à laquelle elle aspirait et le commerce ouvrit ses lieux de traite dans le Soungrougrou. Seju fut atteint par la variole au début du mois de mars. L'épi-

[1] Archives du Sénégal. 13 G 370. Correspondance du commandant de Sedhiou, septembre 1878.

[2] Archives du Sénégal, 4 B 62. Correspondance du commandant de Gorée.

démie fit vingt-quatre victimes en quelques jours. Beaucoup de familles refusèrent de laisser vacciner leurs enfants. En mai, le fléau disparut pour réapparaître l'année suivante à la même époque. Fodé Kaba rentra dans le Fooñi en septembre 1880 et s'approcha des rives du Soungrougrou. Les traitants évacuèrent leurs marchandises et se replièrent en hâte sur Seju. Le marabout s'allia à Fodé Lende, chef du Yasin et successeur de Fodé Maja à Njama. Les deux hommes sommèrent Sunkari de leur rendre les Joola résidant dans le Yasin, et qui étaient venus se réfugier dans le Buje. Ce dernier refusa. D'une part, il ne voulait pas livrer ses captifs, d'autre part, la plupart des Joola réfugiés étaient sous la protection du poste. Fodé Lende sollicita le concours des chefs du Pakao pour faire la guerre à Sunkari, mais ils refusèrent, alléguant que le Pakao et le Buje étaient alliés de la France. Les autorités de Bathurst, excédées par les incursions de Fodé Kaba sur leur territoire, annoncèrent que sa tête était mise à prix. Il préféra rester en Casamance et continua ses razzias aux dépens des Joola du Fooñi. Le commandant Bour demanda à Gorée le retour urgent de la chaloupe à vapeur « La Casamance » qui avait été affectée à la rivière en juillet 1879.

Bour écrivit une lettre à Fodé Lende le 6 février 1881 pour l'exhorter à abandonner toute idée de guerre avec Sunkari. Le mécontentement des Malinké s'accrut car les commerçants fidèles à leur attitude de 1869 continuaient toujours de payer les arachides contre des marchandises. Ils ne perdaient aucune occasion de réaliser quelques bonnes affaires et avaient fait de Fodé Kaba leur meilleur client en armes et munitions. En même temps, ils se plaignaient de ses exactions. Le commandant de poste déplorait cette mentalité mais la supportait avec résignation.

CHAPITRE 6

LA LUTTE FRANCO-BRITANNIQUE CONTRE FODÉ KABA (1880-1901)

1. L'INSTALLATION DE FODÉ KABA DANS LE FOONI (1880)

L'activité guerrière du marabout diaxanké se partageait entre des campagnes de prosélytisme chez les Joola du Fooñi et des combats avec les Peul de Muusa Moolo. Vers 1880, alors qu'il était dans le Jarra, un chef joola musulman, Tombonj Baaji, vint solliciter son aide contre des Bañun. Chef du village de Bapikum, il attira le marabout et ses talibés qui trouvèrent le lieu plaisant et s'y installèrent. Après quoi, le malheureux Baaji regretta sa démarche, car il fut arrêté et jeté vif dans un puits, sur l'ordre de Fodé Kaba [1]. Bapikum prit le nom de Médina-Fodé Kaba et devint la résidence préférée du marabout. C'est aujourd'hui un petit village de quelques cases, où apparaissent à travers les herbes longues et touffues, quelques pans de murs en banco, derniers vestiges du dernier tata, détruit en mars 1901 par l'artillerie française.

Fodé Kaba fit construire deux tata imposants, celui de Médina et l'autre à Dator, dans le Kiang, près de la frontière actuelle avec la Gambie. Le premier était une forteresse impressionnante qui se trouvait au milieu de la forêt. Les arbres et les broussailles avaient été défrichées autour, dans un rayon de 600 à 800 mètres [2]. Il était entouré par deux puissantes enceintes en banco, de 5 mètres de haut. La première, carrée, de 150 mètres de côté, était flanquée de quatre bastions à chaque angle. Au milieu de chaque face, une porte servait d'entrée. Au sommet, deux lignes de créneaux permettaient de tirer à genoux et debout. A l'intérieur, à une vingtaine de mètres environ, la seconde enceinte, de même hauteur, avait la forme d'un hexagone protégé par 6 tours rondes. Les sommets étaient couverts, avec des postes d'observation. L'une d'elles servait de porte d'entrée principale dans le réduit. Aucun étranger n'était admis à y pénétrer. Il était divisé en deux parties, l'une réservée à Fodé Kaba, ses femmes et sa

[1] Récit rapporté par le chef de Médina en 1968, et confirmé par d'autres traditions orales joola.

[2] Archives du Sénégal, 13 G 372. Reconnaissance dans le Fogny, mars 1894, par le capitaine Têtart. Voir croquis.

proche famille, l'autre abritait ses guerriers les plus fidèles. Quand le marabout recevait un visiteur, il l'accueillait dans une petite case de réception, placée entre la première et deuxième enceinte. Elle faisait partie d'un ensemble de 120 cases rondes pouvant loger trois à cinq personnes, et elles étaient réservées aux guerriers et aux captifs. En dehors du tata, il n'y avait aucune autre défense, seulement quelques trous assez profonds et de forme irrégulière, où l'on avait pris la terre pour construire les murs.

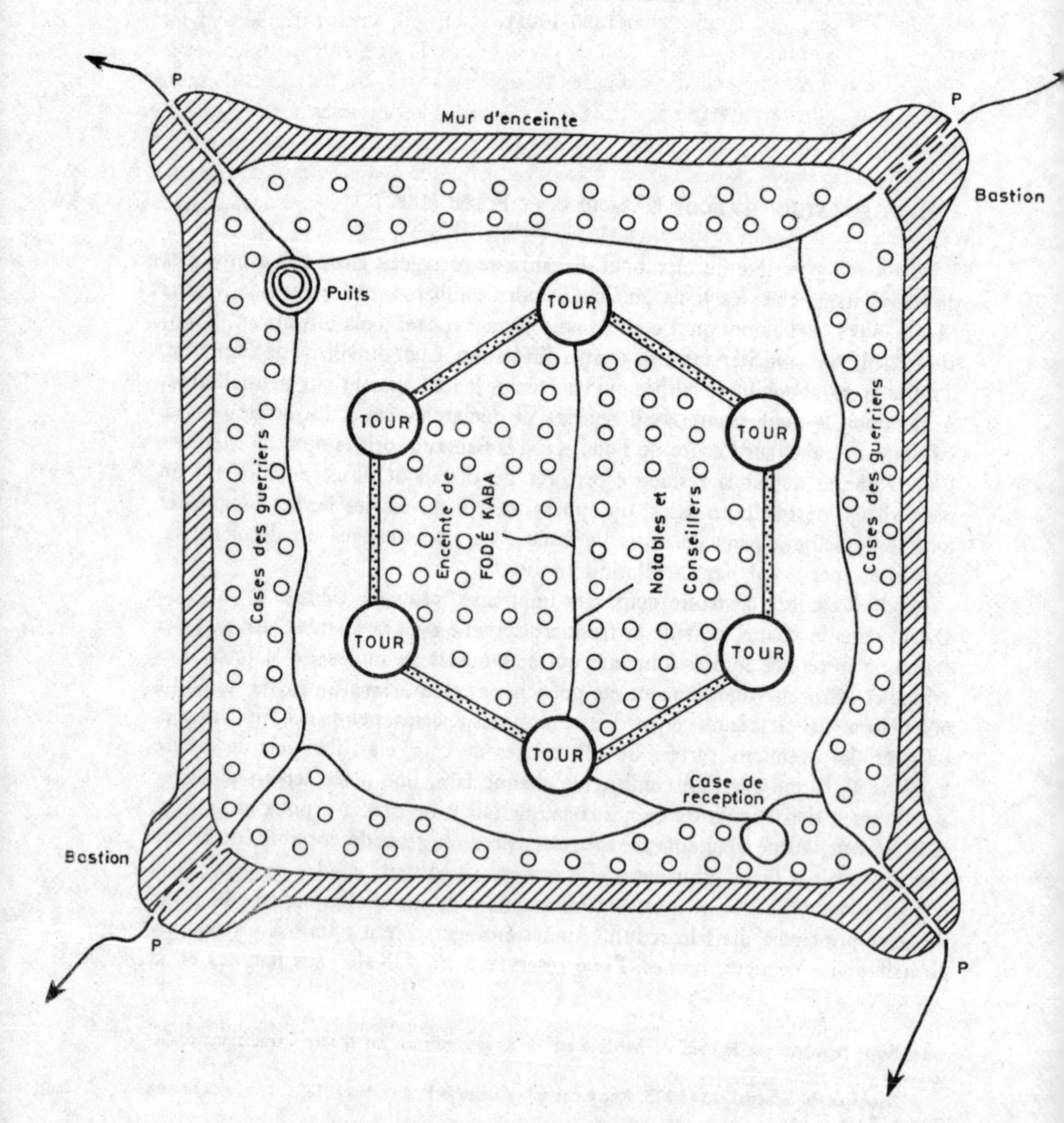

Fig. 15. Le tata de Fodé Kaba à Médina.

Au moment de la traite, les bandes de Fodé Kaba partaient en campagne et les Joola prévenus organisaient leur défense, comme pour lutter contre un fléau dangereux, sévissant à des périodes régulières. Les Peul de Muusa Moolo repoussaient de temps en temps les attaques du marabout. Au mois de mai 1885, un mouvement de panique agita les populations du Pakao, Suna et Balmaadu, qui évacuèrent des femmes et des enfants vers le Buje, à l'annonce d'une confrontation entre les deux chefs ennemis [1]. En mars 1887, Fodé Kaba subit un échec dans le Firdu, à Jali (Diali) et perdit 120 hommes selon Muusa Moolo.

Les Britanniques supportaient mal les exactions du chef malinké sur les rives de la Gambie. L'Annual Report de 1888 révèle que son existence était considérée comme une malédiction par le voisinage, car il vivait de vols et d'esclavage [2]. Son autorité s'exerçait sur trois régions isolées les unes des autres : au sud de la Bintang ; entre le Kiang oriental et le Jarra occidental ; le Jarra oriental. Fidèle à sa ligne de conduite, Fodé Kaba avait expliqué aux Britanniques que sa politique n'était pas dirigée contre eux. Il leur écrivit en 1887 : « Je déclare que je n'ai rien à faire avec les planteurs, que je suis seulement étranger. Depuis que je suis un homme, mon occupation a été de faire la guerre, et mon devoir est de combattre les Soninké qui ne professent pas de religion... Je serais heureux si les traitants et les planteurs pouvaient s'entendre avec moi, parce que j'en tirerais quelque profit dans la mesure où nos armes sont achetées chez eux. [3] »

Malgré leur rivalité, les Britanniques et les Français avaient le même objectif ; la neutralisation du marabout devenait pour leurs intérêts, d'une impérieuse nécessité. Ils s'opposèrent malgré tout sur les moyens à utiliser.

2. Les tentatives anglaises

Au mois de juin 1890, le sous-secrétaire d'Etat français aux colonies, Etienne, fit part au gouverneur Clément-Thomas d'une demande des autorités britanniques, pour intervenir en territoire casamançais, seuls ou conjointement avec les Français, dans le but de capturer Fodé Kaba. Le gouverneur réagit vivement par un avis défavorable, cablé par message codé, le 5 juin 1890, et par un rapport détaillé, le 6 juin [4].

Dans ce rapport, le Gouverneur rappela au Ministre qu'à plusieurs reprises, il avait proposé d'en finir avec le marabout diaxanké. Mais les propositions britanniques étaient inacceptables pour les raisons suivantes.

En 1887, les Britanniques avaient protégé Saer-Mati, comme autrefois son père Maaba (1861-1867), alors traqué par les Français [5]. En 1888, Birahim Njaay et son frère Papa Omar wolof, qui pillaient le pays joola, recevaient des

[1] Archives du Sénégal, 13 G 371. Correspondance du commandant de Seju au lieutenant-gouverneur Bayol, 15 mai 1885.

[2] Gray. *History of the Gambia*, p. 453.

[3] Correspondence respecting the Affairs of the Gambia.

[4] Archives du Sénégal, 2 B 77. Message codé N° 926,5 et 6 juin 1890.

[5] Saer Mati s'est enfui de Nioro en mai 1887 pour se réfugier en Gambie.

marabouts des armes et des munitions des traitants de Bathurst, et il n'était pas question alors de répression. Le gouverneur posa alors la question : D'où vient ce changement subit ?

« Avant la Convention du 10 août 1889, l'Angleterre ne possédait à peu près rien en Gambie. Elle y était resserrée dans des pays soumis à l'influence française. Peu lui importait que des terrains riverains fussent ou non dévastés et ruinés puisqu'elle ne pouvait avoir d'autre espérance que de faire un échange avec nous... Aujourd'hui, tout est changé. A l'Angleterre qui n'avait rien, nous avons créé un véritable domaine, en sacrifiant les parties les plus peuplées du Niani, du Niumi et du Rip, la partie commercialement active du Firdu, en consacrant enfin ses prétentions plus ou moins fondées sur le Kiang et le Kombo. Aujourd'hui, elle a une colonie et ne peut plus songer à une vente ou à un échange. Dans le compromis offert, action isolée des Anglais en territoire français contre Fodé Kaba ou action commune, nous n'avons rien à gagner et tout à perdre.

» Rien à gagner, car la question Fodé Kaba ne peut se résoudre dans une brève campagne d'hivernage. Fodé Kaba n'a pas une grosse armée qu'une colonne peut briser en un combat. Dans chaque village, il a quelques adhérents qui suffisent à terroriser les Diolas. De temps à autre, les adhérents se groupent pour une razzia, puis ils rentrent chacun de leur côté, dans leur maison, pour recommencer quelques jours après. L'éventualité d'une campagne au début de l'hivernage est à rejeter.

» Tout à perdre... Il faut à l'Angleterre une expédition militaire pour avoir du prestige... Elle a trouvé un moyen fort ingénieux : elle désire poursuivre un chef indigène du territoire français, qui par hasard, a fait quelques pillages dans le Kian, et elle propose à la France d'agir. [1] »

Dans sa passion, Clément-Thomas semblait oublier que le même personnage lui causait les mêmes soucis. En conclusion, il avoua le vrai motif de son avis défavorable à l'expédition envisagée par les Anglais. « La France n'a aucune complaisance dangereuse à avoir vis-à-vis de l'Angleterre. Par quel acte l'a-t-elle mérité à la Côte occidentale d'Afrique ? [2] »

Le sous-secrétaire d'Etat se rangea à l'avis du gouverneur, convaincu davantage par les arguments techniques déconseillant une entreprise de la sorte, à une période climatique difficile, que par ses sentiments violemment antibritanniques.

Le 28 septembre 1890, le successeur de Clément-Thomas, le gouverneur de Lamothe, entré en fonction quelques jours auparavant, fit parvenir au Ministère, le télégramme suivant :

« Après consultation du commandement des Troupes et devant intérêt supérieur [3] – maintenir bonne harmonie avec gouvernement anglais – crois pas devoir maintenir objection prédécesseur relative action commune contre Fodé Kaba – Cependant Fogny étant incontestablement dans notre sphère d'influence – semble indispensable que direction nous appartienne si opérons conjointement. –

[1] Archives du Sénégal, 2 B 77. Rapport de Clément-Thomas au ministre, 6 juin 1890.
[2] *Ibid.*
[3] Intérêt supérieur : facilité que les Anglais avaient donnée et pouvaient encore concéder de faire passer les troupes françaises par Lagos, dans leur campagne au Dahomey.

Dans cas contraire, opérerons seuls dans le Fogny et Anglais dans voisinage immédiat de la frontière. [1] »

Mais les rigueurs d'un hivernage exceptionnel, l'absence de troupes aguerries, occupées au Dahomey, la disposition d'une centaine de tirailleurs insuffisamment instruits pour entrer en campagne, obligèrent le gouverneur à surseoir à l'expédition [2]. L'aviso « Brandon » partit en Casamance pour recueillir tous les renseignements susceptibles de favoriser la capture de Fodé Kaba, et son commandant reçut l'ordre de s'emparer de sa personne, si les circonstances le permettaient, sans toutefois risquer de mettre prématurément le feu aux poudres.

3. Les tentatives françaises

L'inondation des terres suspendit pour un temps toute action militaire en Casamance. Les habitants du Buje préparèrent cependant des défenses autour de leurs villages, peu rassurés par la perspective d'une guerre entre les Français et les partisans de Fodé Kaba. Devant l'impossibilité d'agir, de Lamothe envisagea une solution politique plus habile. Il donna l'ordre au capitaine Forichon, administrateur de Seju, d'entrer en contact avec le marabout pour le sonder, à titre personnel, sur l'éventualité d'un traité qui assurerait pendant un certain temps un peu de tranquillité dans le Fooñi, et détournerait ainsi tout le commerce de cette région vers la Casamance.

Forichon rencontra à Médina, le 26 mars 1891, Fodé Kaba qui lui fit bon accueil. Il s'attendait à rencontrer un pillard, avide de conquêtes. Il trouva, au contraire, un vieillard à l'allure noble et majestueuse qui exprima le souhait de vivre en paix avec les Français. Il accepta de conclure une convention le plaçant sous la protection de la France qui lui reconnaissait la possession du Kiang et du Fooñi. Les Français consentaient à le protéger contre les agressions joola dans la mesure où elles n'étaient pas provoquées [3].

Agé, le marabout accorda ces concessions pour se protéger d'abord des Anglais dont il connaissait l'hostilité. Il souhaitait terminer sa vie paisiblement à Médina, à l'abri des attaques de ses ennemis peul et joola. Il n'avait plus les forces suffisantes pour continuer, comme par le passé, une vie errante, pleine de dangers. Dans la mesure où les Français ne cherchaient pas à l'humilier et à lui faire la guerre, il avait négocié avec eux pour préserver les derniers vestiges de sa puissance.

Impressionné, Forichon estima que Fodé Kaba avait été mal jugé par ses prédécesseurs qui l'avaient souvent décrit comme un ennemi des Français. Dans son rapport au gouverneur de Lamothe, il se permit de critiquer les officiers qui recherchaient des colonnes expéditionnaires pour acquérir des galons. Conscient que son audace avait déplu en haut lieu, il écrivit une lettre personnelle au domicile parisien du député Etienne, alors sous-secrétaire d'Etat aux Colonies,

[1] Archives du Sénégal, 2 B 77, 28 septembre 1890.
[2] Archives du Sénégal, 2 B 77. Rapport du gouverneur du 8 octobre 1890.
[3] Archives du Sénégal, 2 B 78. Affaire Fodé Kaba, mars 1891.

pour lui demander de lui éviter une disgrâce [1]. Le gouverneur approuva cependant la convention passée avec Fodé Kaba. Elle avait l'avantage immédiat d'éviter une action commune avec les Anglais. « Je crois que ce traité est de nature à nous satisfaire, du moins temporairement, et à satisfaire en même temps toutes les exigences du gouvernement anglais. Je ne vous donne point évidemment cet acte comme résolvant pour toujours les difficultés du Fogny, mais je crois qu'il présente l'avantage de nous assurer un certain temps de paix pendant lequel nous pourrons resserrer nos relations commerciales, développer notre influence politique, apprendre à connaître le pays; enfin et surtout, si l'arrangement est boiteux, nous aurons seuls, et au moment que nous voudrons, à le redresser et à lui donner de la solidité par une action militaire, sans être forcés de recourir à une coopération qui ne saurait que nous être préjudiciable à tous les points de vue. [2] »

Le 21 mai, le capitaine Forichon fut tué à Seju par quatre hommes qu'il était sur le point d'arrêter. La veille, il avait été prévenu que quatre individus surexcités menaçaient les habitants et tenaient des propos hostiles aux Blancs. Le lendemain matin, une patrouille avait été envoyée sur les lieux pour s'emparer d'eux, mais elle était revenue, car les hommes s'étaient enfermés dans une case et refusaient d'ouvrir. Forichon partit lui-même avec quelques tirailleurs. Après avoir fait les sommations d'usage, brusquement la porte s'ouvrit et les assiégés firent feu sur l'escorte qui, surprise, se replia sur le poste pour se mettre à l'abri. Forichon, blessé, allait arriver à l'entrée du fort, quand il reçut par derrière plusieurs coups de sabre sur la tête qui l'étendirent à terre. Il réussit à tuer avec son revolver un de ses agresseurs et deux autres furent tués dans la bagarre par les tirailleurs. Le dernier, en fuite et chef du groupe, fut ramené au poste par le chef de Farakunda qui l'avait arrêté. Ils appartenaient tous à la caste des griots et deux d'entre eux, Alasane et Papa Latir, avaient été traitants et paraissaient être originaires de Gorée. Leur chef, Biram Njaay dit le « Madhiou » et seul survivant, complètement drogué, fut déféré devant la Cour d'Assises de Saint-Louis [3].

Forichon fut remplacé provisoirement par le capitaine Laborie et la garnison passa de 25 à 50 hommes. Les cercles de Seju et de Karabane passèrent à nouveau sous l'autorité de l'administrateur de Seju, afin d'avoir une politique unique vis-à-vis de Fodé Kaba, dont le domaine se trouvait à cheval sur les deux cercles, et aussi vis-à-vis des divers chefs, que les travaux de la Commission de délimitation de la frontière plaçaient dans la situation de relever pour une partie de leur territoire, de la Grande-Bretagne et de la France.

Laborie céda son poste en juillet à l'administrateur Martin, qui fut remplacé en novembre par le capitaine Laumonnier, la présence d'un militaire à Seju étant encore indispensable. Martin eut le temps de parcourir la Casamance et

[1] Archives Nationales. Lettre personnelle du capitaine Forichon à Monsieur Etienne, 21, rue de Douai, Paris, 1er mai 1891. Sénégal et Dépendances IV, dossier 108-b.

[2] Archives du Sénégal, 2 B 78. Au sujet de Fodé Kaba. Rapport du gouverneur au ministre, 6 avril 1891.

[3] Journal officiel du Sénégal et Dépendances, 1891, p. 265.

rédigea un rapport politique détaillé où il remarquait qu'en voulant éliminer Fodé Kaba du Fooñi, les Français auraient beaucoup de difficultés pour organiser le pays joola. « Il serait à désirer que le contraire ait lieu car je crois qu'avec Fodé, il y a pour nous plus de ressources qu'avec les Diolas. [1] »

4. Les attaques anglaises

Le 2 janvier 1892, des contingents britanniques, appuyés par un certain nombre d'Européens, attaquèrent des villages du Kiang et tentèrent de s'emparer de Fodé Kaba dans son tata de Marige. Il réussit à leur échapper et vint se réfugier à Médina. Le gouverneur informa le ministre et montra combien il était ennuyeux que les Anglais n'aient pas respecté le statu quo sur les territoires indigènes, à cheval sur la frontière artificielle tracée par la Commission [2]. Le Ministère répondit que les Anglais avaient demandé à nouveau le droit de poursuivre Fodé Kaba en territoire français, ce qui avait été refusé. Par contre, le gouverneur était autorisé à entrer en contact avec son homologue gambien pour régler ce genre d'incident [3]. Au mois de mars, à la demande du Ministère des Affaires étrangères, le ministre donna l'ordre d'interner provisoirement le marabout à une certaine distance de la frontière ou de le mettre dans l'impossibilité de se livrer à des pillages en territoire anglais. Par télégramme, le gouverneur répondit : « Rentré seulement jeudi à Saint-Louis de ma tournée en Casamance et Saloum. Ai vu Moussa Molo et Fodé Kaba. Griefs formulés contre ces derniers par Anglais semblent grandement exagérés et aucun notamment ne peut être sérieusement démontré depuis signature traité Forichon. Telle est opinion unanime, fonctionnaires, militaires, et commerçants français dans Casamance. Fodé Kaba accepte établir postes provisoires tirailleurs sur frontière et rappel de tous ses gens restés sur position de ses anciens états, devenue anglaise, suite arrangement diplomatique. [4] »

Mais le 3 mai, l'administrateur de Gambie, Llwelyn, écrivit à Saint-Louis pour dire que, malgré l'existence des postes de contrôle de Bayakunda sur la Bintang, et de Makuda, les incursions des guerriers de Fodé Kaba continuaient en territoire gambien. La plupart se réfugiaient à Dator, en Casamance. L'éloignement de Fodé Kaba était d'une nécessité absolue et le gouverneur français fut invité à prendre les mesures appropriées [5]. Llvelyn invita tous les chefs du Jarra occidental et du Kiang oriental à rejeter la tutelle du marabout. A l'exception de Suleiman Santu, chef de Toniataba (Jarra), tous acceptèrent de reconnaître l'autorité britannique [6].

[1] Archives du Sénégal. 13 G 466 (2), 1891. Etude du rapport d'ensemble par l'administrateur Martin, sur sa mission en Casamance.

[2] Archives du Sénégal. Fonds non inventorié, 2 D 5/7. Rapport du gouverneur de Lamothe au Ministre, 25 janvier 1892.

[3] Archives du Sénégal, 2 D 5/7,. Télégramme officiel de Paris, 29 janvier 1892.

[4] Archives du Sénégal, 2 D 5/7. Télégramme officiel, 7 mars 1892.

[5] Archives du Sénégal. Fonds non inventorié, 2 D 5/7, 3 mai 1892.

[6] Gray. *History of the Gambia. The Colony and Protectorate. 1888-1914.*

5. La collaboration française

Au mois de mars 1893, deux détachements à l'effectif de 27 tirailleurs, un sergent et un officier chacun, se dirigèrent vers le Fooñi pour surveiller la frontière anglaise et aider Fodé Kaba à soumettre les villages placés sous son autorité, et qui refusaient de lui obéir. Du 3 mars au 15 avril, les tirailleurs participèrent avec les guerriers du marabout à des raids contre plusieurs villages joola rebelles. Jamaye (Diamaye) fut détruit le 29 mars, Guiro le 2 avril. Sinjan, important village, subit un siège du 4 au 14 avril. Malgré plusieurs assauts, il dut être levé en raison de la très vive résistance des défenseurs qui tuèrent 14 Malinké et en blessèrent 43. Les tirailleurs eurent 3 blessés. Le capitaine Grand, administrateur de Seju, conclut dans son rapport adressé à Saint-Louis : « Les Diolas ne se soumettront jamais à Fodé Kaba. Ses guerriers ne sont que des pillards très forts et très courageux en plaine et dans la brousse lorsqu'ils ont affaire aux femmes et aux enfants qu'ils recherchent avant tout. [1] »

Le 7 avril 1893, de Lamothe en tournée en Casamance, et à bord du « Brandon » devant Sindone, envoya le billet suivant au capitaine Grand : « Veillez bien, je vous prie, à ce que Fodé et ses hommes ne tirent pas occasion du concours que les circonstances nous obligent à leur prêter en ce moment, pour se livrer à leurs procédés habituels de dépeuplement dont nos voisins de Gambie ne manqueraient pas d'exploiter et d'exagérer les nouvelles. [2] » Le gouverneur rencontra Fodé Kaba le 7 mai, à Bona, sur le Soungrougrou et conclut avec lui un traité officiel qui liait définitivement le marabout aux Français.

Traité avec Fodé Kaba (7 mai 1893) [3]

Article 1: Fodé Kaba remet entre les mains du gouverneur, la province du Fogny pour en assurer la tranquillité.

Article 2: En remplacement des revenus qui lui avaient été reconnus dans le Fogny, Fodé Kaba recevra du gouvernement français une rente de 5000 francs par an, qui seront pris sur la totalité des ressources du Fogny.

Article 3: Fodé s'engage à s'abstenir d'une manière absolue de toute incursion sur le territoire diola ; le paiement du revenu de 5000 francs étant subordonné à l'exécution de cette clause.

Article 4: Le gouvernement français s'engage en raison de l'hostilité qui existe entre le Fogny et Fodé, à le protéger contre toute agression des Diolas, à moins qu'il ne soit prouvé que l'agression provienne du fait de Fodé ou de ses sujets.

Article 5: La frontière entre le pays de Fodé et le Fogny sera déterminée ultérieurement par un arrangement entre Fodé et le commandant de district de la Casamance.

Fait à Bona, le 7 mai 1893. Ont signé : Fodé Kaba et Henri de Lamothe.

[1] Archives Nationales. Rapport du capitaine Grand. Sénégal et Dépendances IV, dossier 108b. Depuis 1880, Sinjan dirigé par le chef joola Haoun Sane résistait victorieusement aux attaques successives des guerriers de Fodé Kaba.

[2] Archives du Sénégal. 13 G 471 (2).

[3] Archives du Sénégal, 13 G 11.

Les Français surent exploiter l'échec des Britanniques, dans leur tentative de capturer Fodé Kaba. Très irrité, il les tint pour des ennemis irréconciliables. A Saint-Louis, on n'était pas mécontent de cette situation, la souveraineté du marabout était réduite au Kiang casamançais et à quelques villages dispersés, médiocrement peuplés. Son domaine et sa puissance s'étaient amenuisés comme une peau de chagrin. Malgré ses qualités de conquérant, il n'était point parvenu à fonder un empire puissant. A la fin d'une longue vie, pleine de dangers, seul le prestige attaché à sa réputation et à ses faits d'armes le rendait encore redoutable aux Casamançais qui, partisans ou ennemis, ne pouvaient manquer d'être impressionnés par son imposante personnalité. Mais déjà ses partenaires envisageaient de vider le traité de 1893 de ses clauses essentielles. Considérant que le Fooñi était loin de pouvoir fournir les 5000 francs de rente annuelle, promise à Fodé Kaba, l'administrateur Adam proposa en 1896 de la supprimer. Après tout, le marabout ne payait pas d'impôts comme les autres chefs « protégés », et ce privilège était à ses yeux largement suffisant. Cette suggestion fut rejetée, mais il fut entendu que la rente avait un caractère personnel, et qu'elle disparaîtrait à la mort de l'intéressé. Elle était payée en nature dans sa quasi-totalité. 4200 francs de mil, 300 francs en espèces, et 500 francs donnés comme frêt à la compagnie qui opérait le transport des graines [1].

6. L'Affaire Sitwell-Silva (1900) [2]

Le statu quo fut brutalement levé en 1900, par un incident dramatique qui servit de prélude et de justification à une expédition contre Fodé Kaba, pour mettre un terme à sa carrière politique, à la grande satisfaction de tous ses ennemis, européens et africains.

Depuis longtemps, une querelle opposait dans le Kiang britannique les Soninké de Jataba aux musulmans de Sankandi, talibés de Fodé Kaba, pour la propriété de rizières. En 1899, le Travelling Commissioner Sitwell avait rendu un arbitrage en faveur des gens de Jataba, à la grande colère de ceux de Sankandi, qui avaient refusé de le reconnaître.

Le 12 juin 1900, les deux Commissioners Sitwell et Silva arrivèrent à Batelling, avec deux domestiques, deux interprètes et une escorte de 10 hommes, pour examiner à nouveau le problème avec le chef du village Mansa Koto, dont l'autorité était fortement contestée par les habitants de Sankandi. Ces derniers ne reconnaissaient pas sa tutelle, dans la mesure où elle leur avait été imposée par les Britanniques. Le chef de Sankandi convoqué ne vint pas et Sitwell décida d'aller à Sankandi, malgré les conseils de prudence de Mansa Koto. La petite troupe arriva au village le jeudi 14 juin. Sitwell envoya ses interprètes pour prier le chef Dari Bana Dabo de venir lui parler. Celui-ci refusa de discuter en dehors de l'enceinte du village et demanda que l'entrevue eût lieu sous l'arbre à palabres.

[1] Archives du Sénégal. 13 G 488 (5). Rapport de l'administrateur Adam, août 1897.

[2] Ukpabi. *The Gambia Expedition of 1901*, tome XXXIII, avril 1971, N° 2, Bull. I.F.A.N., série B.

Sitwell accepta. Mais il attendit vainement Dari Bana Dabo, peu pressé de donner des explications sur son attitude hostile à l'égard du vieux chef de Batelling. Excédé, Sitwell partit à sa recherche et le trouva dans une ruelle, conduisant ses chèvres en dehors du village. Indigné par son attitude irrespectueuse, il le mit en état d'arrestation et le fit saisir par le sergent Cox et l'interprète Kamara. Dari Bana Dabo ameuta le village par ses cris, et bientôt, les Anglais furent entourés par un groupe de Malinké surexcités qui firent feu sur eux. Huit hommes furent tués, dont les capitaines Sitwell et Silva, le sergent Cox, et Mansa Koto. Conscients de la gravité de leur geste, les 135 villageois abandonnèrent leurs cases et se réfugièrent à Nema, en Casamance, sur le territoire de Fodé Kaba [1].

Le jour suivant, le Commissioner H. L. Price envoya des hommes de Jalaba qui enterrèrent les corps des Malinké, incendièrent le village désert, et ramenèrent les corps des Européens à Tendaba, où par bateau, ils furent transportés à Bathurst et enterrés le 16 juin.

Fodé Kaba accorda le droit d'asile à ses talibés mais s'inquiéta des répercussions de cette affaire. Les Européens allaient l'exploiter contre lui, et un affrontement était probable, d'autant que ses relations avec les Français s'étaient détériorées.

Le 23 janvier, en effet, le capitaine Seguin, administrateur de Seju, avait fait procéder à Bona, village du Fooñi, appartenant à Fodé Kaba, à l'enterrement d'un colon européen, M. Arcens qui avait été laissé sans sépulture pendant trois jours. Poursuivant son voyage jusqu'à Médina, en compagnie d'Ibrahima, fils aîné et héritier de Fodé Kaba, il était irrité contre les habitants de Bona qui avaient refusé d'enterrer le disparu. Il arriva à Médina le 24, en fin de matinée, et fut prévenu que le marabout le recevrait vers 15 heures. A l'heure dite, il se présenta à la porte du tata qui était fermée. Pourtant, des gens armés pénétraient à l'intérieur, à chaque instant, sans s'occuper de sa présence. Vexé, l'administrateur décida de partir avec son escorte sans attendre l'entrevue avec Fodé Kaba. Au moment du départ, vers 16 heures, le marabout vint à sa rencontre, entouré de ses sofas qui poussaient des cris et tentaient de l'empêcher de partir. Quelques instants plus tard, Seguin fit à Fodé Kaba qui l'avait invité à rentrer dans une case, de violents reproches sur l'attitude humiliante adoptée à son égard. Fodé Kaba lui répondit que si le gouverneur commandait à Saint-Louis, il était le maître à Médina. Indigné, l'administrateur rentra à Bona en fin de soirée [2].

L'affaire de Sankandi émut vivement les autorités de Bathurst qui réagirent avec célérité. Ils envoyèrent un agent à Médina pour exiger la livraison des principaux meurtriers. Fodé Kaba refusa, invoquant les lois sacrées du droit d'asile [3]. L'administrateur de Gambie demanda à Saint-Louis l'extradition officielle de Dari Bana Dabo, de son fils Lansana Dabo, et de Bakari Job, considérés comme les responsables de la mort des soldats britanniques. Le gouverneur pria Fodé d'expulser la population de Sankandi réfugiée au village de Nema et de

[1] Archives du Sénégal, 13 G 374. Affaire Sitwell-Silva. Colonial Office. WEST-AFRICAN. 87/163. Report of the Gambia Expedition by Lt-Colonel BRAKE.

[2] Archives du Sénégal, 13 G 374. Rapport du capitaine Seguin au gouverneur, mars 1900.

[3] La démarche d'un agent britannique est révélée par la tradition orale.

livrer les trois hommes réclamés par les Anglais. Fodé Kaba répondit qu'il ne pouvait violer les principes de l'hospitalité. Il lui était en fait bien difficile de livrer des serviteurs dévoués, qui lui avaient toujours payé tribut. Par contre, il autorisa l'administrateur Forestier, successeur de Seguin, à se rendre à Nema, pour tenter de persuader les fugitifs de rentrer chez eux. Forestier, accompagné d'un sergent européen, de vingt tirailleurs et de trois gardes régionaux, arriva à Nema le 10 août 1900. Bâti au milieu d'une clairière plantée de mil, le village était entouré de palanques. Chaque case pouvait abriter un fusil à silex, des sabres et des lances. Le 11, Mamadu Siise, neveu de Fodé Kaba, arriva pour faire connaître à la population l'objet de la mission de l'administrateur. L'almaami du village répondit au nom de tous, qu'il ne ferait pas partir leurs hôtes sans un ordre de Fodé Kaba. Dari Bana Dabo déclara qu'il était prêt à suivre l'administrateur, si son marabout le lui demandait, puis il se retira, très agité, en gesticulant. Prévenu qu'une centaine d'hommes en armes circulaient dans le village, Forestier jugea plus prudent de ne pas insister [1]. Rentré à Seju, il suggéra au gouverneur général Chaudié de réitérer l'ordre d'obéir à Fodé Kaba, de supprimer son tata de Dator, près de Nema, occupé par une centaine de sofas, commandés par son beau-frère Kaniuma [2].

7. L'INTERVENTION ANGLAISE (JANVIER 1901)

A la suite de l'incident de Sankandi, les villages fidèles à Fodé Kaba se révoltèrent ouvertement contre l'autorité de Bathurst. Une expédition fut alors organisée, et confiée au lieutenant-colonel Brake du 2nd Central African Regiment, venu de Gibraltar. Les troupes étaient composées d'un demi-bataillon du 2nd Central African Regiment et d'un bataillon du 3rd West India Regiment de Sierra Leone. Le corps principal arriva par bateau à Tendaba, pour se diriger sur Sankandi le 11 janvier 1901. En même temps, deux compagnies du 3rd West India Regiment remontèrent la Bintang sur le « Dwarf » et le vapeur « Mansa-kila-Ba ». Muusa Moolo qui ne manquait jamais une occasion de porter des coups à son vieil ennemi, apporta son concours, en pénétrant dans le Jarra, avec des centaines de cavaliers. La colonne détruisit Dumbutu et Sankandi, avant d'aller dans le Badibu, rétablir l'autorité britannique sur quelques villages rebelles [3].

Le gouverneur général Ballay reçut du 5 au 7 février des émissaires britanniques : le consul Arthur, le capitaine Spark, commandant le croiseur « Forte » et son lieutenant d'ordonnance Hunt, venus conférer avec lui, au sujet d'opérations militaires à entreprendre contre Fodé Kaba. Les Français étaient donc décidés à mettre un terme au traité de 1893. Le sursis accordé par le gouverneur de Lamothe ne présentait plus d'intérêt. Ils refusèrent cependant aux troupes anglaises de pénétrer en territoire français, et il fut décidé que chaque partie

[1] Archives du Sénégal, 13 G 374. Rapport de Forestier, 25 août 1900.
[2] Depuis 1895, le gouverneur général de l'A.O.F. était chargé de l'administration du Sénégal.
[3] GRAY, *History of the Gambia. The colony and Protectorate, 1888-1914.*

opérerait sur son propre territoire, selon ses moyens, et d'après les plans jugés les plus convenables. Les deux parties se tiendraient mutuellement au courant des mouvements de leurs troupes, pour empêcher les guerriers malinké de passer d'un territoire à l'autre et d'échapper aux poursuites.

Pressentant le danger, Fodé Kaba mit ses partisans en état d'alerte. Il tenta une dernière démarche à Seju, pour éviter le conflit. Par lettre, il assura l'administrateur de son dévouement et demanda qu'on lui indiquât un lieu où les habitants de Sankandi pourraient s'installer. Comme il ne proposait pas de rendre les hommes réclamés par les Anglais, il n'obtint pas de réponse.

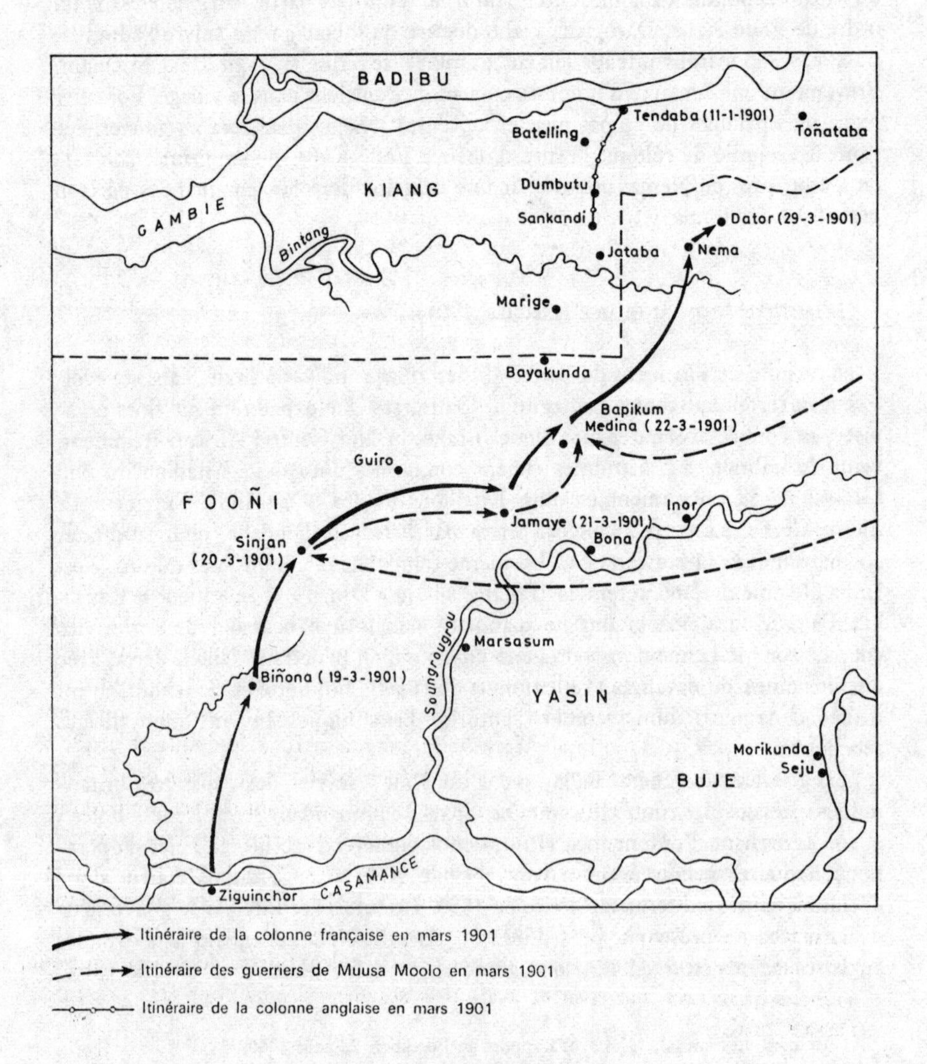

Fig. 16. Le dernier combat de Fodé Kaba.

8. L'intervention française (mars 1901)

Le 3 février 1901, le gouverneur général, ayant reçu l'accord de Paris, ordonna au général Combes, commandant supérieur des troupes de l'A.O.F., de prendre des dispositions pour organiser une expédition en Casamance. Il confia la direction de l'entreprise au colonel Rouvel. La colonne comprenait 366 tirailleurs, 44 spahis, et trois pièces de canon. Muusa Moolo, à la tête de 600 cavaliers, devait empêcher toute fuite vers l'est.

Le 19 mars, les garnisons de Seju, Jatakunda, Ziguinchor et Biñona, se joignirent aux troupes du colonel Rouvel à Biñona. Elles avaient pour mission de capturer Fodé Kaba mort ou vif, et de détruire les tata de Médina et de Dator. Tout pillage leur était interdit. Le 20, par une chaleur accablante, elles partirent pour Sinjan où les attendaient les guerriers de Muusa Moolo. Le 21, elles se dirigèrent sur Jamaye avec 233 porteurs. Arrivés à l'étape, les guides terrorisés refusèrent d'aller plus loin, et le chef de village requis de force, dut promettre d'accompagner la colonne. Pendant la nuit, les soldats entendirent résonner les tam-tams de guerre de Médina, distant de 12 kilomètres.

Retranchés derrière leurs épaisses murailles, les Malinké préparaient leur défense, tout en étant confiants dans l'issue des combats et la puissance de leur marabout. Fodé Kaba ne se faisait aucune illusion. Il connaissait trop bien la guerre pour savoir que son tata ne résisterait pas longtemps au feu de l'artillerie française. Il pouvait encore éviter de se laisser enfermer dans ce piège. Plus jeune, il l'aurait certainement fait, mais le vieil homme avait choisi de mourir en combattant, seule fin digne et tragique d'un grand guerrier aux ambitions déçues. Après avoir longuement prié et médité, il réunit ses proches les plus fidèles, et dit à Ibrahima, son fils aîné et héritier : « Je ne serai pas prisonnier des Blancs. Si je meurs, vous m'enterrerez dans le tata pour que mon corps ne tombe pas entre leurs mains, et vous garderez secret le lieu de ma sépulture. Après quoi, vous pourrez hisser le pagne blanc, afin d'éviter des morts inutiles. [1] »

Le 22 mars, à l'aube, la colonne s'ébranla en direction de Médina, guidée par le chef de Jamaye qui choisit le chemin le plus long et le plus pénible. Une crainte superstitieuse animait beaucoup d'Africains qui croyaient à l'invulnérabilité du marabout. Les tirailleurs arrivèrent en vue du tata vers 11 heures. Le colonel ordonna immédiatement les préparatifs de l'assaut, sans que personne n'eût bu ou pris quelque repos, après cette longue marche épuisante. L'artillerie ouvrit le feu sur les enceintes pour allumer des incendies et ouvrir des brèches. Les spahis et une compagnie contournèrent la position, pour couper toute retraite aux défenseurs. A 16 heures, les premières brèches ouvertes laissèrent apparaître des foyers d'incendie. Les poudrières sautèrent, et l'assaut fut donné. Les Malinké, commandés par Mamadu Siise, neveu de Fodé Kaba, opposèrent une résistance acharnée et désespérée. La défaite devenue inévitable, ils tentèrent de s'enfuir par toutes les issues, poursuivis par les cavaliers de Muusa Moolo. Le roi peul souhaitait capturer son rival et avait pris ses dispositions pour être présent à l'assaut final.

[1] Récit rapporté par Maya Dumbuya, fils de Fodé Kaba, en 1970.

Le lendemain, dans les ruines fumantes du tata, le colonel chercha vainement le corps de Fodé Kaba parmi les 150 cadavres qui jonchaient le sol. Muusa Moolo ramena Ibrahima Dumbuya, que ses guerriers avaient capturé. Interrogé, il avoua que son père avait été « la proie des boulets », mais refusa de révéler le lieu où il avait été enterré. Plusieurs versions existent aujourd'hui sur sa disparition. Nous exclurons comme invraisemblable, celle qui est chantée par quelques griots hardis, et qui prétend que le marabout est encore de ce monde. Son éventuelle fuite en Guinée portugaise ou en Gambie est peu crédible. Agé de 83 ans, Fodé Kaba n'avait plus la force et l'ardeur nécessaires pour entreprendre de nouvelles randonnées. Pourtant, on crut à sa présence en Guinée portugaise, à cause d'un chef joola jamat de Karoal, qui usurpa son nom et attaqua plusieurs fois en 1902 et 1904, le détachement français installé à Usuy [1]. La fuite en Gambie est une hypothèse qui est difficilement admissible. Fodé Kaba savait que les Britanniques avaient massé des troupes à la frontière, pour le capturer. Il n'avait aucune raison de chercher un refuge en Gambie. D'ailleurs, aucune tradition sérieuse ne signale le fait. Nous retenons comme le plus satisfaisant, le récit donné par la famille Dumbuya, et corroboré par plusieurs traditions. Selon Seydu Kane, vieux notable de Ziguinchor, interrogé en 1968, Fodé fut blessé à la face par une balle. Il se cacha le visage avec une main pour ne pas montrer le sang qui coulait. Un pan de mur se serait alors écroulé et l'aurait enseveli. Le chef de Médina, rencontré la même année, m'a montré une racine d'arbre qui indiquerait le lieu présumé de la sépulture du marabout. Par conséquent, pour les proches de Fodé Kaba, comme pour les habitants actuels de Médina, il n'y a aucun doute. Le vieux guerrier est mort dans son tata, le 22 mars 1901.

Rouvel libéra 60 captifs qui furent confiés à l'administrateur de Seju. Il récupéra 6 chevaux, 40 bœufs, 150 chèvres, et une grande quantité de moutons qui furent distribués. Les tirailleurs déplorèrent deux morts et sept blessés.

Le principal objectif atteint, la colonne prit quelque repos et se dirigea vers Dator et Nema. Les sofas de Fodé Kaba avaient évacué le tata pour se réfugier dans la forêt, et il avait été occupé par les Toucouleur du Kabada. Il fut cependant détruit le 29 mars par une colonne volante, commandée par le capitaine Forestier. Nema subit le même sort et Dari Bana Dabo, son fils Lansana Dabo, et Bakari Job furent livrés aux Anglais, à la frontière gambienne, au village de Samakunda. Muusa Moolo emmena de nombreux talibés au Firdu. Il en fit exécuter seize, pris les armes à la main et considérés comme des chefs particulièrement dangereux. Ibrahima, héritier de Fodé Kaba, resta quelque temps à Hamdallahi, sous la surveillance du roi du Firdu qui prit plaisir à lui faire aménager les pistes. En 1903, après la fuite de Muusa Moolo en Gambie, il fut transféré à Podor, sur le fleuve Sénégal. Il obtint l'autorisation de rentrer en Casamance, en 1912, où il s'installa avec sa famille à Morikunda, tout près de

[1] Consulter : Christian Roche. *Les Trois Fodé Kaba*, Notes Africaines, octobre 1970. Dans cet article, l'auteur met en évidence une confusion faite par Gray, auteur de *History of Gambia* (Londres, Frank Cass et C° ltd, 1966), sur le personnage de Fodé Kaba qui a eu des homonymes en Gambie et en Basse Casamance.

Seju. Plus tard, il devint chef du canton d'Inor, sur le Soungrougrou, où vivent encore de nombreux membres de la grande famille Dumbuya.

Fodé Kaba mourut en guerrier et semble l'avoir souhaité. De nos jours, sa légende est chantée dans les villages malinké. Des troupes de théâtre exaltent sur scène ses mérites et ses vertus, notamment sa profonde piété, son sens du devoir, son respect du droit d'asile. Les Joola et les Peul donnent évidemment des récits moins élogieux et insistent davantage sur ses pratiques esclavagistes, sa cruauté et ses pillages. Chef intelligent et valeureux, il s'est cru, comme son père, investi d'une mission religieuse et a pensé pouvoir créer un royaume où les sujets seraient tous de fidèles adeptes de l'islam. Il a toujours redouté le contact avec les Européens, non par lâcheté, mais parce qu'il les considérait comme un obstacle sérieux à la mission guerrière et religieuse qu'il s'était assignée. Chaque fois que les circonstances les placèrent sur son chemin, il prit toujours soin de les éviter, conscient de leur force militaire et de la faiblesse de ses moyens. Au crépuscule de sa vie, las d'une existence pleine de dangers et d'épreuves, il fut contraint de négocier avec eux. A-t-il mesuré l'échec de ses ambitions? Pourtant après sa fin tragique, le Fooñi qui lui avait toujours opposé une résistance farouche et irréductible, s'islamisa rapidement, grâce au zèle de nombreux marabouts pacifiques, introduits dans les villages par des chefs de canton musulmans, très souvent malinké, et mis en place par l'administration française [1]. Fidèles à eux-mêmes, les Joola restèrent vivement hostiles à ces auxiliaires imposés, mais ils accueillirent l'islam comme une nécessité provoquée par le profond bouleversement psychologique et économique dû à l'intrusion malinké et à la pénétration française. N'était-ce pas un des buts du marabout diaxanké?

[1] Consulter: Fay LEARY. *Islam, Politics and Colonialism. A Political history of Islam in the Casamance (1850-1914)*, 1969.

Chapitre 7

LES REVERS DES BANUN MALINKISÉS ET L'AGITATION DES MALINKÉ DE MOYENNE CASAMANCE (1863-1873)

1. Les revers des Banun (1863-1867)

Les Bañun qui avaient occupé aux siècles précédents les rives de la Casamance centrale et orientale vivaient à présent dans le Yasin et sur les rives du Bas et Moyen Soungrougrou. Fortement malinkisés, dans le Buje, ils avaient été chassés récemment par les marabouts du Pakao à la suite de la guerre de 1849.

Au mois de juin 1863, des bandes joola franchirent le Soungrougrou pour attaquer les villages bañun du Yasin. Après l'incendie du village de Kanbudan en juillet, les chefs vinrent à Seju solliciter la protection française auprès du commandant de poste Mailhetard. Ils proposèrent de céder leur territoire à la France en échange d'une aide efficace pour repousser les Joola [1]. Leur situation était critique. Les Joola s'installaient sur la rive gauche du Soungrougrou et occupaient les terres évacuées par les Bañun. Leur avance vers l'est était rapide et quatre villages importants restaient encore indépendants; Babira, Yasin-Madina, Taku et Basaf. Les Joola hésitèrent à les attaquer à cause des Malinké du Pakao tout proches. Quelques groupes de Peul qui avaient migré dans le Yasin repartirent vers des lieux plus tranquilles.

La guerre faisait rage à peu près partout en Casamance et en Gambie. Des rumeurs annonçèrent la venue imminente de Maaba, le marabout du Rip et les Soninké ne cachèrent pas leur appréhension.

Maaba était né dans le Rip vers 1809. Issu d'une famille peul ou toucouleur originaire du Fleuve, il était fils et petit-fils de marabout. De son vrai nom, Amadi Ba, il avait suivi ses études coraniques dans le Kayoor pour devenir marabout comme son père dans un village du Rip. En 1847, il avait rencontré El Hadj Omar qui l'avait investi de son autorité tidjaniya pour la région. Il s'établit à Paos-Dimbal appelé par la suite Nioro du Rip.

Très vite, il voulut faire la guerre sainte aux Soninké de la région et des royaumes de la rive droite de la Gambie. De 1860 à 1862, il entra en conflit avec Jeriba, le roi du Rip qui fut tué. Maître du Rip, Maaba prit le titre d'almaami

[1] Archives du Sénégal, 13 G 367. Rapport du commandant de Sedhiou à Gorée.

au début de 1862. Fort de son succès, il continua la lutte contre les païens. Il aida Makodu ex-damel du Kayoor à conquérir le trône du Salum donné par les Français à son fils Samba Laobe Fall. Ce fut un échec. Une seconde tentative força Samba-Laobe Fall à quitter Kahone pour se réfugier au poste français de Kaolack. Mais l'attaque fut repoussée le 6 octobre 1862. Les deux alliés se séparèrent et Makodu converti à l'islam se réfugia dans le Siin où il mourut en juin 1863.

Maaba se dirigea alors vers le sud et avec l'aide des marabouts de Gambie, notamment celle du chef Fodé Kaba Ture du Kombo, entra en guerre contre les royaumes soninké gambiens. Une armée de réfugiés traversa le fleuve et Maaba les poursuivit dans le Kiang en 1863. Ses exploits guerriers furent vite connus en Casamance et de nombreux jeunes gens du Pakao partirent le rejoindre. En juillet, il vint se reposer à Dator, dans le Kiang, en attendant la nouvelle récolte pour se remettre en campagne. Victimes de ses razzias, de nombreux réfugiés affluèrent dans le Buje.

Avant de reprendre les combats, le marabout du Rip envoya plusieurs émissaires en pays malinké pour recruter des guerriers, de la poudre et des munitions. Le 29 novembre, des marabouts toucouleur venus sonder les chefs malinké furent arrêtés à Seju comme agitateurs. Les marabouts casamançais accueillirent avec faveur les demandes de l'almaami et la famille de Ndura ne fut pas la dernière à faire acte d'allégeance et à lui promettre son soutien. Maaba fut battu à Kwinella, près des rives de la Gambie et il repassa le fleuve pour rentrer dans le Rip.

Son influence et sa présence momentanée au sud de la Gambie eut en Casamance des conséquences immédiates. Les chefs malinké, exhortés par les émissaires de l'almaami, entrèrent en lutte contre les Bañun pour les convertir à l'islam.

En 1864, les Malinké du Pakao dirigés par Kemo Maja, chef du village de Njama, attaquèrent avec leurs coreligionnaires du Yasin, les derniers villages bañun indépendants. L'année suivante une trêve eut lieu entre Njama et Babira. En 1866, Maaba revint sur les bords de la Gambie après la perte de Nioro prise difficilement par les troupes de Pinet-Laprade le 30 novembre 1865. Des rumeurs à nouveau se répandirent annonçant l'arrivée de l'almaami en Casamance. On lui prêta l'intention de passer par la Haute Casamance pour venir convertir les Soninké du Brasu. Bakari, fils et successeur de Ndura, mort à Seju en octobre 1864, partit auprès de Maaba pour l'assurer de l'appui des Malinké. Mais l'almaami préféra reprendre l'offensive au Sénégal et dans ce but, ordonna la construction d'un nouveau et puissant tata à Nioro.

Au Yasin, les Joola vainqueurs des Bañun finirent par s'opposer aux Malinké qui poursuivaient leur guerre sainte. Des combats violents sur les bords du Soungrougrou gênèrent le commerce qui progressait dans cette rivière. Le commandant de poste Dorval-Alvarès reçut l'ordre de Pinet-Laprade, devenu gouverneur du Sénégal, d'agir auprès des deux adversaires pour rétablir la paix. Après plusieurs démarches, une trêve fut conclue. Les chefs joola s'engagèrent à ne plus envahir à main armée les villages du Yasin sous peine d'encourir le mécontentement du gouverneur [1]. En contrepartie, les chefs du Yasin acceptèrent de

[1] Archives du Sénégal, 13 G 368. Correspondance du commandant de Sedhiou à Gorée, 28 mai 1866.

recevoir les Joola qui viendraient pacifiquement habiter leur pays à condition de se soumettre à l'autorité des chefs de village. L'arbitrage du commandant de Seju fut reconnu en cas de nécessité. Malgré leur réticence, les Malinké cessèrent leurs attaques, et à part quelques coups de fusil tirés çà et là, le Yasin retrouva peu à peu son calme.

Au mois de septembre 1866, des habitants de Kuniara dérobèrent, la nuit, deux vaches dans le parc du poste. Dorval-Alvarès imposa une amende de quatre bœufs que les chefs du village refusèrent de payer. Le Buje, à l'exception de Seju, fut interdit aux Balant qui furent menacés de mort. En mars 1867, Kuniara accepta de payer l'amende, augmentée à 10 bœufs, et 60 paniers de riz ou de mil.

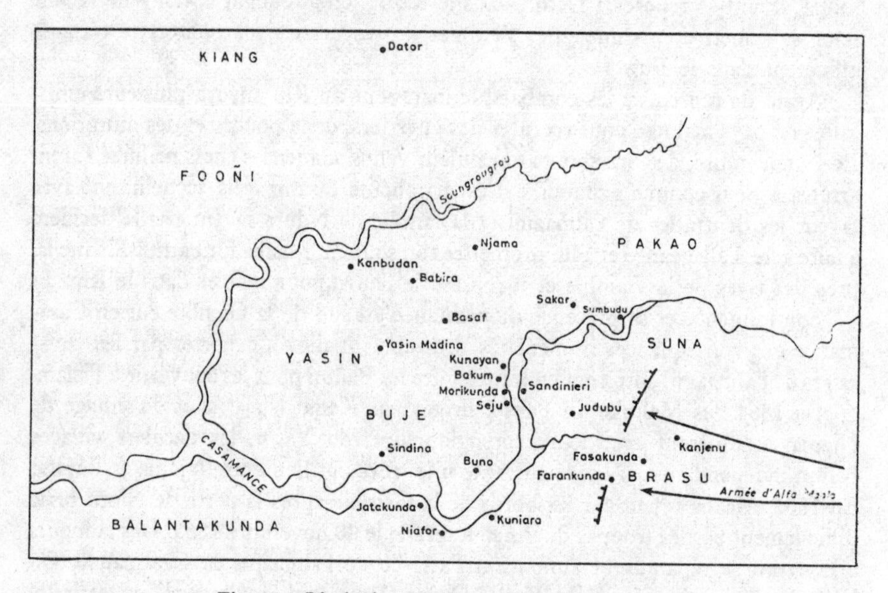

Fig. 17. L'agitation en pays malinké (1863-1873).

La Moyenne Casamance connut ainsi des périodes de troubles qui alternèrent avec de brefs moments de répit. « Il est difficile de définir la situation politique des populations », écrivait le commandant de poste de Pardailhan, « car pas une ne subit l'impulsion d'un chef naturel. Chaque chef de village est maître chez lui et encore ne l'est-il que jusqu'à un certain point car il est souvent obligé d'en passer par ce que font ou veulent les jeunes ou quelque habitant influent ; ce qui fait que ce qui paraît être la vérité aujourd'hui peut être l'erreur demain. De là les vols, les arrestations des traitants, la séquestration des voyageurs qui sont presque toujours faits contre la volonté des chefs ; de là aussi l'impossibilité des mêmes chefs à réparer ou de faire réparer le mal que leurs gens ont fait. [1] »

[1] Archives du Sénégal, 13 G 368. Correspondance du commandant de Seju au commandant supérieur de Gorée, 24 octobre 1867.

2. L'agitation et la révolte des Malinke

a) *L'agitation*

L'influence de Maaba se faisait sentir chaque jour davantage et à nouveau, les Malinké annoncèrent sa prochaine venue dans le Fooñi. Deux messagers du marabout arrivèrent le 25 mars 1867 à Morikunda pour rendre visite à Sunkari, fils cadet de Ndura, l'ancien chef de Seju. Ils étaient porteurs d'une lettre et de deux gris-gris. La lettre recommandait d'avoir confiance dans la cause sainte défendue par tous les bons musulmans. Sunkari plaça le premier gri-gri sous son turban et le second fut enterré en face du poste. Cette mission préoccupa le commandant, d'autant que Sunkari se montra particulièrement discret, même vis-à-vis de ses proches [1].

Sunkari, surnommé Sunkari-yiri (yiri = arbre), était âgé vraisemblablement de 45 à 50 ans. Il convoitait la fonction de son père et de son frère Bakari récemment décédé. Son rêve était de devenir le chef incontesté du Buje et de suivre les traces de Maaba. Mais il n'avait pas la patience et la souplesse de Ndura qui avait su attendre et intriguer avec habileté pour acquérir la confiance des Français. Cassant et peu favorable à leur égard, il était l'objet de leur méfiance et de leur antipathie. Le commandant le surveillait étroitement et il avait prévenu Gorée qu'il était homme à créer de grands embarras [2]. Il ne croyait pas si bien dire, car fort de l'exemple de Maaba, Sunkari attendait son heure pour l'imiter.

Pour le moment, le Buje restait calme. Quelques incidents éclataient ici et là. Un traitant, Abdu Kaña, étant venu porter plainte contre le village de Sumbudu, de Pardailhan, successeur de Dorval-Alvarès, crut bien faire de retenir au poste les habitants qui étaient de passage à Seju. Flize, commandant supérieur de Gorée, le blâma d'avoir accueilli une plainte avec autant de légèreté et le gouverneur par intérim, Tiédos, lui reprocha son attitude à l'égard des villageois. Il n'en fallait pas plus pour mettre le feu aux poudres. Après enquête, il s'avéra que les marchandises du traitant avaient bien été pillées, mais par une population en colère qui protestait contre la majoration du boisseau impérial de 50 %. Malgré tout, les chefs de Sumbudu se déclarèrent prêts à payer les dommages causés.

La nouvelle de la mort de Maaba le 18 juillet 1867, à Somb dans le Siin, jeta la consternation parmi ses fidèles, qui arrêtèrent des voyageurs Wolof dans le Yasin pour en faire des captifs. Dès la fin de l'hivernage, des bandes de jeunes gens pénétrèrent dans le Kiang pour s'attaquer aux Joola du Haut Soungrougrou. Ils furent repoussés et perdirent 54 hommes. Les Malinké du Suna attaquèrent les Peul de Kanjenu et de Fasakunda, villages du Brasu qui refusaient de leur payer un impôt. Les Peul furent victorieux. Au début de 1868, devant l'issue peu favorable des combats, les Malinké abandonnèrent la lutte et préférèrent aider leurs compatriotes du Yasin dans leur lutte contre les Joola. Au mois de mai, ils furent une fois de plus chassés des rives du Haut Soungrougrou.

[1] Consulter : Fay Leary, *Islam, Politics and Colonialism.*

[2] Archives du Sénégal, 13 G 368. Correspondance du commandant de poste Dorval-Alvarès avec Gorée, février 1867.

Ces échecs successifs ne calmèrent pas leur hostilité croissante à l'égard de tous leurs adversaires, Il semblait que tout se liguait contre eux. La traite médiocre de 1869 consécutive aux exigences du commerce de ne payer les arachides qu'en nature, fut suivie d'une terrible épidémie de choléra qui décima le Sénégal du nord au sud. Le mal fit des ravages en Gambie et Bathurst perdit 1250 personnes sur 5000. Seju fut atteint en juin et le Dr Lelièvre, médecin du poste, fit incendier les quartiers africains de Seju ainsi que le village voisin de Morikunda. Sunkari dut se réfugier à Sandiñieri avec sa famille. La reconstruction fut prévue sur des emplacements plus sains et déjà, on envisagea d'ouvrir le futur Seju aux seuls contribuables.

En octobre, un vol important de 4000 francs de marchandises eut lieu une nuit, dans les magasins de la Maison Merle. Deux voleurs furent pris et internés au poste. C'étaient deux Malinké de Sandiñiéri. L'enquête révéla que presque tout le village y avait participé et que le partage des marchandises dérobées avait été fait sur la plage, au retour des pirogues. Malgré plusieurs demandes, les chefs du village refusèrent de les rendre. L'agent de la Maison Merle décida alors de rendre la justice à sa manière.

b) *La révolte des Malinké contre les Français*

Pour récupérer la valeur des marchandises dérobées, il fit capturer deux femmes de Sandiñieri. Au commandant surpris, qui lui demandait une explication, il prétendit avoir appliqué une coutume malinké qui consistait à se faire livrer quelqu'un quand on voulait recouvrer une dette d'un débiteur de mauvaise foi. Le résultat ne se fit pas attendre. Les villageois usèrent de représailles en retenant une embarcation et trois hommes de la Maison Ytier et Blanchard qui étaient venus leur rendre visite. Les deux femmes furent libérées et les otages relâchés. L'affaire n'eut pas de suite mais le commandant nota dans son rapport : « Si lorsque ces populations se portent à quelque extrémité fâcheuse, l'on pouvait aller au fond des choses, si les circonstances permettaient toujours de s'en rendre compte exactement, on verrait bien que les catastrophes n'arrivent souvent que parce qu'on a tout fait pour les amener. [1] »

En 1871, la nouvelle de la défaite française en Europe fut connue de tous les Malinké et les rumeurs les plus fantaisistes circulèrent à ce sujet. Les chefs de Sandiñiéri appelèrent les Malinké à la révolte. Le capitaine Reygasse arrivé à Seju au mois d'octobre hérita d'une situation de plus en plus troublée par de multiples incidents. Des laptots furent frappés et dépouillés à Sandiñiéri, des menaces de mort à l'égard des Français furent rapportées par les traitants. Au mois de juin 1872, Fodé Jombo, chef influent de Basaf dans le Yasin, au nord-ouest de Seju, arrêta deux traitants, s'empara de leurs marchandises et d'une dizaine de bœufs qu'ils conduisaient à Seju. Reygasse invita le vieux chef à le rencontrer pour régler cette affaire à l'amiable. L'entrevue fut orageuse. Irascible, Fodé Jombo reprocha aux Français d'avoir acheté l'année précédente un bœuf qui lui avait été volé par un traitant wolof appelé Mandan. Le commandant

[1] Archives du Sénégal, 13 G 369. Correspondance du commandant de poste Rajaut à Gorée, 26 juin 1870.

proposa une indemnité qui fut repoussée. Excédé par son agressivité, il finit par le congédier. Fodé Jombo invita alors tous les villages malinké à s'unir à lui pour attaquer Seju et il se porta sans attendre avec 100 hommes à Morikunda qui venait d'être reconstruit. Isolé, il préféra patienter pour se concerter avec les autres chefs.

Canard, le commandant supérieur de Gorée, apprit la nouvelle avec irritation. Il répondit à Reygasse : « Si Monsieur Daniel (son précécesseur) n'avait pas acheté un bœuf volé et si le jour où on le lui a réclamé, il en avait fait rembourser la valeur par le traitant, on n'aurait pas d'histoire avec Fodé Diombo. Dites aux habitants de se défendre eux-mêmes, ils sont plus nombreux que les guerriers de Fodé Diombo. Quoi qu'il arrive, la garnison ne doit sortir de Seju sous aucun prétexte. [1] » Reygasse proposa de rendre une vache mais Fodé Jombo en exigea deux, le voleur et l'expulsion de tous les Peul du pays [2]. Ses conditions furent rejetées.

Le 6 octobre, une femme de Morikunda fut surprise à voler des arachides dans un magasin de Seju. Sunkari, chef du village depuis une quinzaine de jours, fut invité à se présenter au poste avec les parents de la femme. Le mari et deux vieillards se rendirent à la convocation mais Sunkari ne vint pas. Après une réprimande, la femme fut libérée sans amende. Son mari fut chargé de renouveler à Sunkari l'invitation qui lui avait été faite. Comme il ne venait toujours pas, le commandant envoya le 12, au matin, Demba-Ali, son agent de police, lui donner l'ordre de se déplacer sans délai. Sunkari s'excusa, invoqua quelques raisons et promit de venir sur-le-champ. Peine perdue pour l'agent de police qui dut revenir sur ses pas pour reprocher au chef de manquer à sa parole. Sunkari hésita, puis se mit subitement en colère, saisit son fusil en vociférant qu'il ne viendrait pas, car il ne connaissait pas de commandant. Demba-Ali tenta de l'apaiser mais le village, ameuté par ses cris, se retrouva devant sa case. Quelques jeunes gens prirent leurs fusils et proposèrent de marcher sur Seju. Des anciens effrayés par tout ce tapage, demandèrent l'autorisation d'aller au poste pour discuter avec le commandant. Sunkari s'y opposa et menaça de couper le cou au premier qui tenterait une démarche à Seju.

c) *L'attaque de Seju*

Depuis le début de la semaine, Seju était en fête et les tam-tams ne cessaient de résonner toutes les fins d'après-midi jusqu'à une heure avancée de la nuit. Comme des jeunes gens de Morikunda devaient venir, le commandant jugea prudent d'envoyer le caporal Guibi avec six tirailleurs occuper le blockhaus nord, placé sur une hauteur à l'entrée du village et sur la piste de Morikunda. Leur mission était d'arrêter tout malinké en armes qui voudrait entrer dans le village. Vers 14 heures, deux hommes dont un armé d'un fusil, se présentèrent. Au moment où les soldats s'avancèrent, il les mit en joue mais il fut désarmé à temps. Un peu plus tard, un jeune garçon fut arrêté. Le caporal cependant, désobéit

[1] Archives du Sénégal, 13 G 460. Correspondance du commandant supérieur de Gorée à Seju, juin 1872.

[2] Voir chapitre 4 : Les origines et l'action politique d'Alfa Moolo en Haute Casamance.

à la consigne et sortit du blockhaus avec trois tirailleurs pour s'engager dans les champs.

Du poste, le commandant entendit, vers 17 heures, des coups de feu qui arrêtèrent net le bruit des tam-tams. Aussitôt après, des clameurs s'élevèrent. Inquiet, Reygasse sortit et apprit qu'un tirailleur avait été tué par des gens de Morikunda. Le caporal Guibi avait disparu et le tirailleur Ali Bouri était grièvement blessé. On le ramena atteint de trois coups de feu, la gorge à moitié emportée. Avec le reste de la garnison, le commandant se rendit au blockhaus où il trouva la population de Seju sur pied de guerre. Une partie était déjà à Morikunda.

Toute la nuit, Seju fut en état de siège. Comme Guibi n'était pas rentré, on partit à sa recherche le lendemain. Des gens de Seju ramenèrent son cadavre après un vif accrochage avec des tireurs de Morikunda qui tuèrent l'un d'entre eux. L'attaque de Morikunda fut alors décidée.

Prévenant les démarches de Sunkari auprès de ses éventuels alliés, Reygasse envoya, le dimanche 13 octobre, des messagers à Njama, chez Kemo Maja, principal chef du Yasin, dont l'autorité était respectée par tous les Malinké de la région. Ils revinrent le 14 au soir, porteurs d'une bonne nouvelle. Kemo Maja ne tenait pas à s'engager dans cette querelle et envoyait ses représentants pour discuter avec le commandant.

Dans la matinée du mardi 15, Seju fut encerclé par de nombreux Malinké. La défense du village fut organisée. Les hommes furent chargés de veiller au dehors et les femmes invitées à se mettre à l'abri avec les enfants et des provisions. C'est le 16 à 9 heures, alors que le commandant conversait avec les envoyés de Kemo Maja que le premier assaut contre Seju fut donné. Une vive fusillade éclata et quelques cases brûlèrent. La première attaque fut repoussée. L'après-midi, une seconde offensive permit aux assaillants de pénétrer dans le quartier Dagorne et de l'incendier en partie. Repoussés à nouveau, ils se réfugièrent dans le blockhaus nord et autour, mais quelques coups de canon les délogèrent et les rejetèrent dans la campagne. Regroupés à Bakum, les Malinké tentèrent un nouvel assaut qui obligea les gens du village à se replier sur le poste et les maisons de commerce. De nombreuses cases brûlèrent et les maisons Franciéro, Pastré, Ytier et Blanchard furent menacées. Un obusier placé à la Maison Pastré obligea les Malinké à reculer. Les établissements des traitants W. Bara et G. Stephens, composés de petites maisons basses couvertes de paille, furent les seules à être la proie des flammes. Stephens, affolé, avait négligé la défense de ses biens et avait fui le premier jour de la révolte à Ziguinchor, répandant les nouvelles les plus alarmantes [1].

Dans la nuit du 16 au 17, une nouvelle attaque fut dirigée contre le poste et la maison Ytier et Blanchard, mais quelques boîtes à balles lancées par une pièce de 4 hissée l'après-midi sur l'argamasse et une fusillade nourrie repoussèrent les assaillants. Le reste de la nuit et la matinée du jeudi 17 furent troublés seulement par quelques coups de feu tirés de loin en loin. A 14 heures, par une chaleur torride, une nouvelle bataille eut lieu. Elle dura une heure et le canon

[1] Voir plan de Seju, 2e partie, chapitre 3.

de l'argamasse fit de nombreuses victimes. Nullement découragés, les Malinké attaquèrent, vers 21 heures, le parc à bœufs, mais en vain. Le 18, les deux camps s'accordèrent un peu de répit. La nuit, les tam-tams bruyants annoncèrent un nouvel assaut mais Reygasse retrouva un certain optimisme. Il avait vu pendant la journée, du haut des bastions, les pirogues ramener des guerriers en armes, sur l'autre rive.

Le 19, des messagers de Kemo Maja arrivèrent au poste pour annoncer que leur chef était allé à Bakum. Il avait persuadé Sunkari et Fodé Jombo de se retirer avec lui à Basaf. Il demandait des instructions. Le commandant fit répondre qu'il était prêt à oublier cette guerre à condition que ses deux auteurs lui fussent livrés. Cette exigence étant inacceptable, Kemo Maja rentra dans son village de Njama. Le 30, des Saraxolé de Sakar ramenèrent les fusils du caporal Guibi et du tirailleur Ali Bouri. Ils évitèrent de donner le moindre renseignement sur la situation, les pertes, les impressions des Malinké. Etrangers au conflit, ils tinrent à rester neutres. Les Malinké, manquant de sel, de tabac, et de munitions les avaient envoyés pour tenter d'obtenir quelques marchandises. Reygasse interdit aux maisons de commerce de vendre avant le règlement de l'affaire, sans se faire trop d'illusions sur leur résistance à la passion du gain.

L'attaque contre Seju échoua. Elle avait été dirigée par Sunkari qui n'avait pas ménagé sa peine dans les combats. Avec une vingtaine de bons tireurs, il tenta plusieurs fois de s'emparer du poste. Les défenseurs de Seju déploraient quatre tués et six blessés. Les Malinké qui s'étaient lancés à l'assaut avec bravoure, mais sans souci de prudence, laissèrent sur le terrain des dizaines de cadavres et de nombreux blessés. Les premiers jours de novembre, les Malinké s'étant séparés, les habitants de Seju allèrent aux champs. Le commandant reçut des émissaires des Balant et des Peul de Haute Casamance qui lui proposèrent une alliance éventuelle dans une action de représailles contre les Malinké. Les Peul du Fulaadu casamançais étaient en rébellion depuis quelque temps contre leurs anciens maîtres malinké. Dirigés par l'un d'entre eux, Moolo Egue du village de Sulabali, près de Kolda, ils avaient l'appui de l'alfa de Labe [1]. Après quelques difficultés pour inciter ses compatriotes à prendre les armes, Moolo Egue, qui avait pris le titre d'Alfa Moolo, était sur le point d'envahir le Suna.

A Gorée, le commandant supérieur Canard fut surpris par l'ampleur de la révolte. Il félicita Reygasse pour son sang-froid et son énergie dans la défense du village mais il le blâma pour avoir laissé sortir une partie de la garnison. De leur côté, les agents des maisons de commerce n'avaient pas perdu leur temps pour adresser des rapports qui rejetaient la responsabilité des événements sur le commandant taxé de sévérité extrême. Bouc émissaire, l'officier fit l'objet de demandes de rappel.

Si les attaques avaient cessé, la tension persistait, entretenue par les tam-tams de guerre qui battaient nuit et jour à Sandiñiéri, Bakum et Morikunda. Fodé Jombo voulait continuer la guerre. Reygasse entra en contact avec Alfa Moolo qui était arrivé à Farankunda dans le Brasu. Le chef peul promit son aide pour attaquer Sandiñieri. Profitant du calme relatif, le commandant laissa le poste

[1] Voir chapitre 4 : Les origines et l'action politique d'Alfa Moolo en Haute Casamance.

aux soins du lieutenant Eymond et partit, le 19 décembre, avec l'interprète, et un balant sûr de Seju, à Kuniara, puis le 20 à Jatakunda et Niafor. Kuniara accorda son appui mais les deux autres villages firent savoir que Sunkari les avait déjà sollicités, et qu'ils avaient décidé de garder la plus stricte neutralité. Fort de l'alliance des Peul, des Balant de Kuniara et des Saraxolé de Buno, une attaque contre Sandiñiéri fut décidée avec les embarcations prêtées avec empressement par les commerçants.

d) *La contre-attaque des Français et de leurs alliés*

Le 25 novembre, vers 15 heures, une première tentative d'intimidation eut lieu devant Sandiñieri. Trois cents Balant, Saraxolé, Peul du Buje, tirèrent sur le village, mais à une distance raisonnable des rives pour ne pas être touchés. Le but de cette démonstration était de prévenir Alfa Moolo, qui n'avait pu être averti par un messager. Mais à 17 heures, le cessez-le-feu fut ordonné avec l'arrivée impromptue du vapeur « Espadon » commandé par le lieutenant de vaisseau Durand. La bataille décisive fut reportée au lendemain.

Après avoir longé la rive gauche, « L'Espadon » trouva le 26 au matin, un chenal et vint s'installer à 500 mètres environ de Sandiñiéri. Une tentative pour parlementer n'ayant rien donné, les volontaires furent embarqués et poussés vers Sandiñiéri, sous la protection des canons du vapeur. Reygasse dans un canot se porta à l'avant des pirogues mais il ne réussit pas à les faire débarquer. Après avoir essuyé une balle qui perça le canot et blessa un laptot, il regagna le large. La canonnade fut par contre très meurtrière, mais elle ne mit pas le feu aux cases car les toitures de paille avaient été enlevées. Quelques coups bien ajustés causèrent de lourdes pertes parmi les Malinké qui s'étaient retranchés derrière les murs en ruine des cases des traitants.

Le 29, Seyni, chef de Judubu, vint à Seju proposer des négociations de paix. Une entrevue générale eut lieu au poste, réunissant l'almaami de Sandiñiéri, le fils de l'alkali de Kunayan, le chef de Bakum, un notable de Morikunda et un représentant de Fodé Maja. Reygasse exigea une amende de 300 bœufs payée par tous les pays malinké et la présence à Seju de fils de chefs comme otages. Les chefs se retirèrent pour faire connaître les conditions imposées. Pour eux, la paix devenait une urgente nécessité car les guerriers d'Alfa Moolo incendiaient chaque jour des villages. Seuls, les Français pouvaient arrêter leur avance. Il fallait donc passer par leurs conditions.

Dans une lettre, Canard rappela au commandant : « Nous devons faire respecter notre pavillon et protéger efficacement le commerce, mais éviter les coups de fusil et ne jamais être l'agresseur. Nous devons rechercher la paix. C'est l'amie de tous les pays, mais une paix franche et acceptée sans restrictions par les intéressés. Pas de nouvelle conquête de territoire dont nous ne saurions que faire ; mais nous devons conserver intact ce que nous possédons. [1] » Le gouverneur Valières pria le commandant supérieur de se rendre à Seju. Reygasse fut relevé de son commandement et rentra à Gorée après avoir laissé l'intérim au médecin

[1] Archives Nationales. Sénégal et Dépendances IV, dossier 51 D. Lettre du commandant supérieur de Gorée au commandant de Sedhiou, 23 novembre 1872.

du poste. Dénoncé par le commerce, il se vit reprocher un excès d'autoritarisme. « Capable, énergique, mais trop guerrier pour la politique qu'il veut suivre », telle fut l'appréciation de ses supérieurs [1].

e) *L'échec des Malinké*

Le commandant Canard arriva à Seju le 13 janvier 1873. Il eut de longues discussions avec les chefs malinké et le 19, un traité de paix fut signé. Il consacrait la suzeraineté de la France sur tout le territoire du Suna, du Pakao, du Buje et du Yasin. Les villages qui avaient pris part à l'attaque de Seju s'engageaient à payer une indemnité commune de 2000 francs. Sunkari apposa sa signature au bas du manuscrit à côté de celles de Fodé Maja et des principaux chefs des pays malinké. Amer, il ne cacha pas sa déconvenue. Il se promettait d'attendre un moment plus favorable pour reprendre la lutte. Déterminé à effacer un échec humiliant, il reprendra les armes contre Seju, dix ans plus tard.

Avant de rentrer à Gorée, Canard laissa au lieutenant Arnault, successeur du capitaine Reygasse, les instructions suivantes :

A l'avenir, l'impôt personnel ne serait exigé que des habitants dont les cases ou maisons seraient situées dans le rayon de la portée des canons du poste de Seju. Il était interdit au commandant de Seju d'infliger de son chef, ni peine de prison, ni amende. Tous les délits seraient jugés par un tribunal créé par le décret du 8 juillet 1865.

Deux fois par mois, et en cas de nécessité, une commission réunissant les huit principaux commerçants de Seju devait être convoquée au poste par le commandant pour exprimer son avis sur les questions politiques intéressant le commerce. Le commandant de Seju devait faire tout son possible pour entretenir de bonnes relations avec toutes les populations et observer une stricte neutralité dans leurs querelles.

Les cadeaux traditionnels requis dans toute négociation avec les chefs malinké seraient pris en charge par le commerce. La commission consultative des huit principaux commerçants se chargerait de fixer la valeur des cadeaux et de répartir la dépense entre les maisons de commerce. Les traitants étaient astreints à payer un droit annuel en marchandises d'une valeur de 75 francs.

Le produit des amendes infligées par le capitaine Reygasse aux villages de Judubu et Tambana, soit 1865 francs, fut employé à indemniser les gens qui avaient subi des pertes pendant les journées du 16, 17 et 18 octobre 1872. La somme de 2000 francs prévue par l'article 5 du traité du 19 janvier 1873 devait servir à cet usage et être répartie par une commission de quatre commerçants présidée par le commandant de poste [2].

Le commandant fut ainsi placé sous la surveillance étroite du commerce. Par leurs rapports à Gorée, les commerçants pouvaient influencer efficacement les autorités supérieures. La position d'un commandant était donc délicate. Le maintien de la paix dépendait de son sang-froid et de sa diplomatie. Sa patience

[1] Archives du Sénégal, 2 B 40. Le commandant supérieur de Gorée au commandant de Seju, 14 novembre 1872.

[2] Voir annexe N° 2

était mise souvent à rude épreuve par les abus des traitants et l'humeur belliqueuse des Malinké.

A l'heure du bilan, les Malinké étaient déçus. L'aventure dans laquelle Sunkari les avait entraînés avaient eu pour résultat un nouveau renforcement de la présence étrangère. Alors qu'en 1865, une colonne expéditionnaire avait été nécessaire pour les vaincre, ils avaient été incapables de prendre Seju, et un canon d'aviso avait suffi pour les réduire. Il est vrai que leurs ennemis peul et balant avaient prêté main forte aux Français. La proximité inquiétante des guerriers d'Alfa Moolo avait déterminé l'arrêt des combats. L'influence modératrice de Fodé Maja en faveur de la paix était due au fait que le marabout vivant loin de Seju jugeait hasardeuse l'issue d'un conflit avec les Français mieux organisés et équipés. La lutte contre les Bañun et les Joola païens présentait certes moins de risques. Pour l'heure, il était urgent de faire face au danger peul. C'est alors que l'attention se porta sur les exploits guerriers de Fodé Kaba, encore mal connu en Casamance, et qui s'opposait à Alfa et Muusa Moolo.

Chapitre 8

LE DERNIER SOULÈVEMENT DES MALINKÉ DE MOYENNE CASAMANCE CONTRE LES FRANÇAIS

1. Les prémisses d'une nouvelle crise (1873-1878)

L'expédition répressive de 1872 et les traités de 1873 avaient rétabli un calme relatif dans la région de Seju. A la fin de l'année, Canard, commandant du 2e arrondissement de Gorée, ordonna au capitaine Boilève, chef de bureau à Gorée, de partir en tournée d'inspection en Casamance, dans le Salum et visiter les postes de la petite côte. Il arriva à Seju le 24 décembre 1873 à 17 heures. Le poste dirigé par le lieutenant Thiron était très bien tenu. Le village était propre grâce à la corvée générale du vendredi matin qui nettoyait les places et les rues. Les devants de portes étaient débarrassés des ordures trois fois par semaine. Boilève convoqua les traitants pour leur rappeler les conseils de prudence déjà prodigués, de ne pas s'aventurer dans des villages trop éloignés de Seju. Malgré les assurances affirmatives de son auditoire, il fut convaincu d'avoir parlé pour rien. Comme par le passé, ces messieurs agiraient à leur guise [1]. Le cas de Sunkari fut examiné. Fallait-il le reconnaître comme chef du Buje? Depuis les derniers événements, aucune plainte contre lui n'avait été formulée. Il fut malgré tout jugé trop vindicatif pour accéder à la responsabilité qu'il convoitait. On le laissa donc vivre d'espoir, excellent moyen pour le faire tenir tranquille.

Le 25 au soir, Boilève rencontra Sunkari. Le représentant de Gorée offrit au chef malinké un fusil et un petit baril de poudre de traite qui le comblèrent de satisfaction. Fodé Maja arriva au poste le 26 à minuit et demie. Malgré l'heure tardive, il fut immédiatement reçu. Il assura Boilève de sa détermination à maintenir la paix dans la région relevant de son autorité. En gage de reconnaissance pour son attitude bienveillante, le capitaine lui offrit un cheval. Ainsi la paix semblait assurée. Les Balant harcelaient les villages de Buno et de Bajari qui demandaient à payer l'impôt en échange d'une protection efficace. « Aujourd'hui qu'il ne reste qu'un seul aviso pour toute la colonie, nous ne pouvons y songer »,

[1] Archives du Sénégal. 13 G 462 (2). Rapport du capitaine Boiléve au commandant du 2e arrondissement de Gorée, janvier 1874.

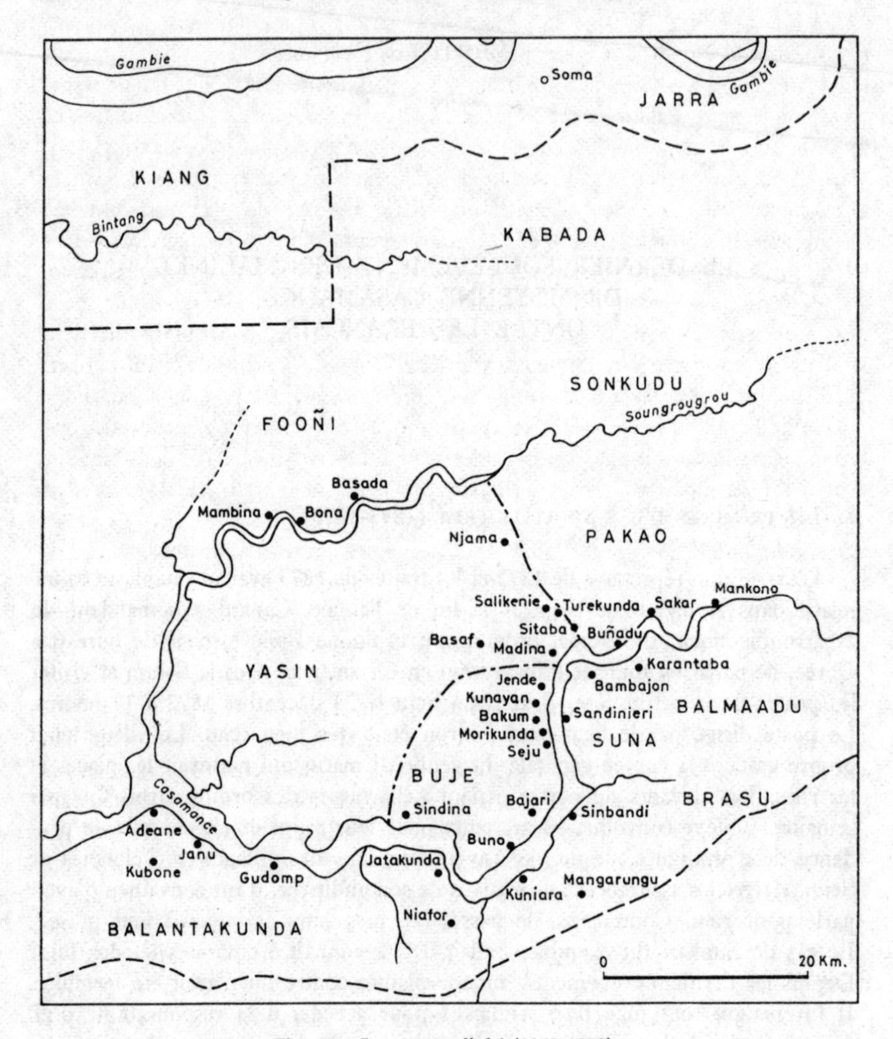

Fig. 18. Le pays malinké (1872-1883).

répondit Canard. « Tout ce que nous pouvons faire, c'est de protéger ce qui se trouve sous la portée de nos canons. [1] »

Le commerce ne tint aucun compte des événements de 1872. L'ordre était rétabli. Cela seul importait. La récolte de 1874 s'annonçait abondante et les traitants reprirent les habitudes qui avaient engendré en partie le conflit. Les prix proposés mécontentèrent les paysans qui durent se résigner à vendre leurs produits au mois d'avril aux conditions imposées. Appelé par Sunkari, Fodé Kaba inquiétait les populations du Balmaadu et désorganisa la traite. En 1876, il obéit à l'ordre de Seju, de cesser ses brigandages dans le Balantakunda. Son attitude

[1] Archives du Sénégal, 4 B 50. Correspondance du gouverneur à Seju, 2 novembre 1874.

rassura tout le monde, car la garnison était bien incapable de le chasser. Il aurait fallu faire appel à Gorée et Saint-Louis. Le manque de moyens se faisait sentir et le gouverneur Valières ne dissimula pas son inquiétude au Ministre devant les difficultés à maintenir l'influence française dans les pays des rivières du sud [1].

Le nouveau gouverneur, Brière de l'Isle, accueillit avec sérénité les doléances des commerçants mécontents de la traite. « C'est une habitude, car ceux-là même qui prétendent subir sans cesse des pertes d'argent, font bâtir des châteaux dans le Bordelais et vont souvent mener joyeuse vie en France. [2] » Il envisagea l'envoi d'une chaloupe à vapeur, « La Casamance » qui se trouvait à Saint-Louis, pour remonter en amont de Seju. Les déplacements des bandes de Fodé Kaba inquiétaient et il fallait les surveiller. Le départ du marabout pour le Kabada irrita Sunkari qui fut surpris et déçu par la hâte de son allié à obéir aux injonctions françaises.

En juillet 1876, Brière de l'Isle apprit que les gouvernements français et britannique avaient rompu leurs négociations sur un éventuel échange de la Gambie avec des possessions françaises de la côte du golfe de Guinée. Commencées en 1866, suspendues plusieurs fois, notamment par la guerre de 1870-71, elles avaient échoué d'une part à cause des énergiques protestations des colons britanniques appuyés en Grande-Bretagne par la Chambre de Commerce de Manchester, des membres du Parlement, et de la Société missionnaire wesleyenne, d'autre part, en raison du retrait de l'offre française de céder tout le contrôle de la côte à l'ouest de la Gold Coast. En conséquence, le gouverneur du Sénégal voulut renforcer en Casamance l'influence française qui avait diminué. Une propagande insinua que la puissance des Français s'était affaiblie depuis leur défaite devant les Allemands. Propagée par les Anglais, elle trouva un terrain très favorable en pays malinké. Les rapports du capitaine Martin, commandant du poste de Seju, confirmèrent les appréhensions du gouverneur. « L'esprit des Mandingues nous est hostile. Ils n'ont aucun projet d'attaque, mais ils sont devenus inhospitaliers et insolents vis-à-vis des gens de Sedhiou. [3] » Brière de l'Isle réussit à envoyer l'aviso « L'Archimède » à Seju pour « rassurer les traitants et prouver aux Mandingues qu'il existait encore des bateaux à vapeur » [4].

En mars 1877, le gouverneur visita la rivière. La Basse Casamance était tranquille mais l'état sanitaire de la garnison de Karabane était déplorable [5]. La Haute Casamance était toujours troublée par la guerre entre les Peul d'Alfa Moolo et les guerriers de Fodé Kaba. Le commerce émit les mêmes doléances, à savoir que les traitants ne pouvaient se rendre sur leurs lieux habituels de traite et le gouverneur répéta une fois de plus les conseils élémentaires de prudence, étant donné les difficultés pour assurer leur protection.

En 1878, le nouveau commandant, le médecin de 2e classe Prévot, entretenait de bonnes relations avec Alfa Moolo qui se montrait toujours bien disposé à l'égard des Européens.

[1] Archives du Sénégal, 2 B 73. Registres des Situations politiques, 20 avril 1876.
[2] Archives du Sénégal, 2 B 73. Registres des Situations politiques, 20 juillet 1876.
[3] Archives du Sénégal, 13 G 370. Rapport du capitaine Martin, 1er novembre 1876.
[4] Archives du Sénégal, 4 B 50. Le commandant du 2e arrondissement de Gorée à Seju, 15 décembre 1876.
[5] Voir chapitre 9.

2. L'attaque de Sunkari contre les Balant

Au mois de mai 1881, Sunkari annonça son intention de partir en guerre contre les Balant. Comme en 1876, il s'installa avec ses partisans à Sinbandi d'où il lança de nouveaux appels aux chefs malinké. Malgré sa récente brouille, Fodé Lende promit son appui, car les Balant étaient les ennemis de tous les Malinké. Les Balant résidant à Seju regagnèrent leurs villages afin de s'unir à leurs compatriotes. Ces derniers se préparèrent au combat. Le 4 juin, à 14 heures, Sunkari attaqua Mangarungu. La bataille fut violente et le bruit de la fusillade parvint jusqu'à Seju. Elle dura jusqu'à 10 heures du soir. Les 800 guerriers de Sunkari furent repoussés par les Balant qui les ramenèrent à Sinbandi. Cette défaite coûta cher à Sunkari qui perdit des hommes et des chevaux en grand nombre. L'armée de Fode Lendé passa la nuit du 7 au 8 juin à Salikénié avant d'arriver à Mankono. Les commerçants de Seju, inquiets, adressèrent alors une pétition au gouverneur Le Lanneau pour attirer son attention sur la gravité de la situation.

Dans la nuit du 10 au 11 juin, le capitaine Gelpy reçut au poste de Seju la visite secrète de Sunkari accompagné de son frère Karim. Les deux hommes sollicitèrent l'appui des Français contre les Balant. L'échec de Mangarungu avait été cuisant. Sunkari avoua avoir perdu 150 hommes, 20 chevaux et son tam-tam de guerre. Il se plaignit de Fode Lende qui, depuis le 8, n'avait pas bougé de Mankono. Après la victoire des Balant, le chef du Yasin restait dans l'expectative. Déçu encore une fois, Sunkari n'avait plus confiance en lui et redoutait de le voir arriver à Morikunda pour tenter de prendre ses captifs joola. Gelpy exhorta ses visiteurs à faire la paix avec les Balant et de ne rien redouter pour Morikunda placé sous la protection du fort. Il leur promit seulement « l'amitié que la France accorde à tous ceux qui vivent en paix avec elle et ses voisins » [1]. Il accepta de transmettre par la voie hiérarchique une lettre de Sunkari pour le gouverneur, rédigée en arabe et dont voici la traduction :

« Sunkari Kamara, fils de Ndura Kamara, au commandant de Seju et au gouverneur.

Je viens par la présente vous demander pardon. Je sais, ce que j'ai fait est sans raison. Vous, commandant de Seju et le gouverneur, je vous tiens pour mon père et ma mère et je vous demande beaucoup pardon. Je vais continuer à faire la guerre aux Balant. Quand cette guerre sera finie, je ne la ferai plus à personne et mon armée mettra ses fusils de côté. Je n'écouterai que la parole des Français. Si vous vouliez faire la guerre et que vous me le commandiez, je le ferai avec vous et tout ce que vous me commanderez. Je désire que le commandant de Seju et le gouverneur m'aident. Je fais la guerre aux Balant parce qu'ils tuent des gens qui ne leur font rien et qu'ils volent nos bœufs. Dès que cette guerre sera finie, je romprai avec Fodé Kaba, Fodé Lende et le Pakao pour ne m'occuper que des Français et du Buje. Commandant de Seju et Gouverneur, je vous considère comme père et mère. [2] »

[1] Archives du Sénégal, 13 G 371. Rapport du capitaine Gelpy, 13 juin 1881.
[2] Archives du Sénégal, 13 G 371. Lettre de Sunkari, pièce N° 6.

Sunkari et son frère repartirent sans se faire d'illusions. Ils ne pouvaient faire confiance aux Français qui jusqu'ici avaient préféré s'entendre avec les Peul et les Balant.

Le 21 juin, Fodé Lende sollicita à son tour une entrevue qui lui fut accordée sur-le-champ. « J'ai cru devoir agir ainsi, écrivit Gelpy, afin qu'après la guerre, s'il est victorieux, il n'excite à Sedhiou les désirs de guerre des Mandingues jusqu'à présent tranquilles, ou s'il est vaincu, leur ressentiment. [1] » A Fodé Lende comme à Sunkari, Gelpy conseilla la paix avec les Balant. Le chef du Yasin arriva à Sinbandi le 1er juillet. Des Balant isolés dans les villages malinké vinrent se réfugier à Seju.

Le 6 juillet, un Balant de Seju, Brande Mane, vint annoncer que son frère Fode Mane avait été assassiné par les hommes de Sunkari installés à Sinbandi. Le commandant fit écrire par son interprète, Sunkari-Siise une lettre en arabe pour demander des explications à Sunkari. Elle resta sans réponse. La situation était préoccupante ; la maison Chambaz et Sambain ayant jugé bon de vendre des armes et des munitions à Sunkari, plutôt que d'en laisser le bénéfice à des maisons de Gambie. Le village était mal défendu et avait besoin de 300 fusils au moins. Pour l'heure, il disposait de 27 défenseurs au fort, 26 dans les maisons de commerce, 150 fusils à pierre, 30 fusils Chassepôt ou Gras, 5 canons en mauvais état, 7290 cartouches pour fusils Chassepôt ou Gras, 1800 capsules pour fusils à pierre.

Le 15 août, les Malinké de Sunkari pénétrèrent dans le village balant de Kuñiara qui était désert. Le 18, Siisao, un autre frère de Sunkari, vint à Buno pour inviter les Malinké à construire un camp à Kuñiara, pour y cultiver des terrains. Mais le 28, les Balant de Niafor tendirent une embuscade et repoussèrent leurs ennemis sur Kuñiara. Les Malinké laissèrent sur le terrain une dizaine de cadavres et une trentaine de fusils. Le 11 septembre, les forces réunies de Sunkari et de Fodé Lende incendièrent successivement Niafor et Jatakunda. Malgré leur succès, les deux chefs n'osèrent pas s'aventurer plus profondément dans les forêts balant. Ils exigèrent comme prix de leur victoire une indemnité de guerre de 1200 bœufs. Le capitaine Gelpy ordonna l'évacuation du Balantakunda avant le 1er novembre. L'ultimatum de 1876 se renouvelait. Fodé Kaba, alors allié de Sunkari, avait obtempéré. Qu'allait faire Fodé Lende ? Il résolut d'imiter l'exemple du marabout diaxanké, à la grande stupeur de Sunkari, qui resta seul à Sinbandi. Furieux, il rentra à Morikunda, et simula l'abandon de la dette de guerre de 1200 bœufs. Il en réclama 200 en secret.

3. La rupture entre les Français et Sunkari (décembre 1881)

Au début du mois de décembre, des Joola de Seju vinrent se plaindre que des guerriers de Sunkari les avaient molestés parce qu'ils avaient exigé le paiement de boulines de vin de palme vendues. L'interprète fut chargé d'aller à Morikunda demander des explications. Il fut très mal reçu et Sunkari lui dit : « Tu diras

[1] Archives du Sénégal, 13 G 371. Rapport du capitaine Gelpy, 22 juin 1881.

au commandant que je suis le chef du Buje, de tout le Buje et que lui n'a que le commandement de Seju. On a dit que j'étais l'ami des Français, mais cela n'a jamais été vrai et plus maintenant que jamais. Je suis l'ennemi des Français parce que Seju n'a jamais cessé de recevoir des Balant, Joola et autres qui sont venus s'y réfugier pendant qu'on leur faisait la guerre. Je ne veux plus recevoir à partir d'aujourd'hui quiconque viendra à Morikunda me parler de la part du commandant. Je ne suis pas l'ami des Français et ce que le commandant a de mieux à faire, c'est d'écrire au gouverneur d'envoyer tout de suite un bateau à vapeur, car Seju ne tardera pas à être attaqué. [1] »

Cette rupture suivie d'une véritable déclaration de guerre ne fut pas prise à la légère. Sunkari était connu pour son esprit vif et ses déclarations emportées. Si elles ne manquaient pas de forfanterie, elles devaient néanmoins être prises au sérieux. Les maisons de commerce furent priées d'organiser leur défense et la garnison fut placée en état d'alerte. Le 7 décembre, Sunkari déclara que les propos rapportés par l'interprète n'étaient que des mensonges, Gelpy n'en crut pas un mot.

La traite du riz et de l'arachide s'annonçait médiocre, les hommes étant au combat et les femmes n'osaient sortir pour aller aux champs [2]. Vers le 15 décembre, Sunkari et Fodé Lende à nouveau réconciliés, attaquèrent les Balant au moment où ceux-ci acceptaient de faire la paix et de donner 44 bœufs. Bien décidés à ne plus se laisser intimider par les Français, les deux hommes invitèrent tous les chefs les plus influents du Balmaadu, du Suna, du Pakao, du Yasin et du Buje à se réunir le 28 à Sandiñiéri, sous la présidence de Sunkari. L'assemblée décida que désormais les arachides seraient vendues à des traitants agréés par Sunkari ou par un de ses représentants. Le boisseau utilisé serait celui de 1862, adopté à l'époque par la Maison Griffon. Tout traitant pris en délit de fraude serait exclu des achats et ne bénéficierait d'aucune protection. Pour une fois, les Malinké tentaient de créer un front commun face aux commerçants. Ces derniers furent impressionnés par leur détermination. Ils proposèrent une réunion commune pour trouver un accord. Les Malinké acceptèrent de négocier le 8 janvier 1882 à Sandiñiéri. Une grande palabre groupant plus de 400 personnes eut lieu aux jour et lieu dits mais Sunkari s'abstint de paraître. Après de laborieuses discussions, un accord fut conclu sur l'emploi d'un boisseau dit 30 %, un peu plus grand que celui qui avait été préconisé au cours de la réunion du 28 décembre précédent. Le 9 janvier, vers 10 heures, des chefs conduits par Samba Aïsata, chef du village de Seju, vinrent exprimer au commandant leur vive satisfaction au sujet du boisseau adopté la veille à Sandiñiéri [3]. Gelpy n'osa pas leur avouer combien ils avaient été dupés par M. Sorano, le représentant de Maurel et Prom

[1] Archives du Sénégal, 1 D 20. Rapport du capitaine Gelpy, 6 décembre 1881.

[2] Archives du Sénégal, 1 D 20. Rapport du capitaine Gelpy, 10 décembre 1881.

[3] Samba Aïsata était né vers 1822 à Kanel, près de Podor dans le Fuuta-Toro. Fils de Bubakar Samba et de Aïsata Bella, il partit très jeune à Saint-Louis avec ses parents. Il arriva en Casamance pour la première fois en 1847. Il y resta quelques mois. Il s'établit à Seju en 1852 qu'il ne quitta plus. Il fut alors employé par la Maison Maurel. Il abandonna son emploi pour devenir chef de Seju en 1874 avec l'accord des Français. Il fut l'aïeul du député-maire de Seju, Ibou-Diallo, décédé en 1971.

qui avait usé du subterfuge suivant. Quelques jours auparavant, il avait fait augmenter par son menuisier, la hauteur du boisseau utilisé pendant la traite précédente. Après s'être longuement fait prier, les commerçants consentirent à la diminution du boisseau qui fut scié par deux fois devant l'assemblée réunie. Le tour était joué. Le boisseau avait été ramené aux dimensions préalablement contestées. Le capitaine apprit cette escroquerie à la suite de bavardages.

Samba Aïsata et ses compagnons demandèrent au commandant de pardonner à Sunkari « faible comme une femme, mais bon marabout » [1]. Gelpy refusa et expliqua aux chefs que l'attitude de leur ami l'avait obligé à écrire au gouverneur et qu'il fallait attendre sa réponse. « Ces gens ont peur d'une expédition et c'est probablement pour cela qu'ils ont abandonné Sunkari malgré sa palabre du 28 dernier », écrivait-il à Gorée [2].

4. Les pressions du commerce sur les autorités coloniales

Les commerçants firent pression sur Canard devenu gouverneur du Sénégal le 2 octobre 1881, par l'intermédiaire de Félix Cros, président de la Chambre de Commerce de Gorée. Ils réclamèrent avec insistance l'élimination de Sunkari. Ce sont de véritables instructions plus que des suggestions que l'on relève dans la lettre de Félix Cros, du 2 janvier 1882. « L'expédition terminée, et Sunkari châtié comme il le mérite, la garnison du poste devra être renforcée et la chaloupe à vapeur devra sillonner la rivière en tous sens„ sans quoi l'influence de la France et les intérêts des citoyens français de même que leurs personnes courront le plus grand danger... Votre intervention, vous ne l'ignorez pas, sera d'autant plus efficace qu'elle sera prompte et la répression exemplaire. [3] » A lire ces lignes, on imaginerait davantage la prose du Ministre. Le 4 janvier, le président de la Chambre de Commerce insista auprès d'Estienne, commandant par intérim du 2e arrondissement de Gorée : « Il semble qu'il y ait nécessité pour le gouvernement français de mettre ce chef dans l'impossibilité de guerroyer de nouveau et d'entretenir en permanence sur les lieux une canonnière à vapeur. ... Une démonstration pacifique mais en même temps prompte et efficace est nécessaire pour rassurer le commerce... et celui-ci espère que l'administration locale voudra bien lui accorder cette satisfaction... [4] »

Le 6 janvier, Jacquemart, commandant du 2e arrondissement de Gorée, ordonna à l'aviso « La Cigale », dirigé par M. de Rotrou, de partir pour Seju. Gelpy fut averti de son arrivée imminente avec l'instruction suivante : « Pour l'instant, que ce soit pour Sunkari ou Fodé Kaba, le gouverneur ne veut pas de coup de fusil. [5] » « La Cigale » arriva à Seju le 11 vers 15 h. 30. Sunkari fut

[1] Archives du Sénégal, 1 D 38. Rapport du capitaine Gelpy, 11 janvier 1882.

[2] Archives du Sénégal, 1 D 38. Rapport du capitaine Gelpy, 11 janvier 1882.

[3] Archives du Sénégal, Q 32. Correspondance du Président de la Chambre de Commerce de Gorée au gouverneur, 2 janvier 1882.

[4] Archives du Sénégal, Q 32. Correspondance au commandant du 2e arr. de Gorée, 4 janvier 1882.

[5] Archives du Sénégal, 4 B 73. Correspondance du commandant de Gorée à Seju, 6 janvier 1882.

invité à venir entendre un message bienveillant du gouverneur, transmis par M. de Rotrou. Retiré à Morikunda, le chef méfiant répondit qu'il viendrait après avoir réuni tous les chefs du pays. Le 13, il refusa de céder aux sollicitations des commerçants, des chefs, des notables de Seju qui l'engageaient à se déplacer et déclara à l'interprète que c'était aux Français à se déranger pour venir lui communiquer la parole du gouverneur. Les deux officiers effectuèrent une visite à Morikunda, accompagnés d'une escorte de six matelots armés de fusils Kropatchev. Ils inspectèrent les cases extérieurement. Les jours suivants, ils firent de même dans quelques villages du Buje et du Yasin dévoués à Sunkari. Comme la récolte des arachides était en cours, Gelpy prit le parti d'ignorer l'attitude de Sunkari pour éviter tout incident. Après la traite, il serait toujours temps de s'occuper de lui. Le pays était à peu près calme, sauf sur les rives du Soungrougrou. ou Fodé Kaba et Fodé Lende poursuivaient leur guerre contre les Joola. La paix devait être maintenue jusqu'en avril. Sunkari était soutenu par presque tous les villages malinké. Même des chefs bañun étaient à sa dévotion. En effet, Siisao et Lona respectivement chefs de Jañu et de Kubone lui avaient proposé leur aide contre les Joola réfugiés à Adeane et Gudomp, en échange de son amitié.

La présence de l'aviso était rassurante. Compte tenu des transactions en cours, on espérait qu'il se maintiendrait encore quelque temps. « La Cigale » partit le 24 janvier pour Karabane. Il fut rappelé d'urgence le 29.

5. L'affrontement avec Sunkari (février 1882)

Le 25 janvier, trois hommes de Sunkari enlevèrent deux femmes balant de Seju et deux femmes joola le 26. Sunkari refusa de les rendre, déclarant qu'il n'était au courant de rien. Le 30, les deux officiers se dirigèrent sur Morikunda à la tête de la garnison du fort et de la compagnie de débarquement. Ils furent accueillis par des coups de feu qui les obligèrent à se retirer au poste. Rapidement, le village fut encerclé par une armée de cinq cents cavaliers. Pour la seconde fois en dix ans, Seju était assiégé. de Rotrou demanda des renforts et des munitions à Gorée.

La première attaque manding eut lieu le mardi 30 janvier pendant que les officiers français écoutaient au poste des propositions de paix apportées par des chefs envoyés par Sunkari. Elle échoua. Le mercredi 31 janvier, Sunkari évacua Morikunda avec ses femmes et ses vivres pour se replier sur Bakum, mieux défendu et plus éloigné du fort. Le 2 février, un assaut, l'après-midi, fut repoussé par les gens du village. Le 3, un canon de l'aviso fut placé sur un chaland pour bombarder Bakum. Le bateau à fond plat put s'approcher du rivage et les tirs furent ainsi plus meurtriers. Le 4, une opération fut montée avec l'aide des commerçants et des habitants du village contre Bakum et Morikunda. Vingt obus tombèrent sur les cases de Morikunda mais le tata de Sunkari, énergiquement défendu, résista. Du 5 au 8 février, Seju fit face à de petites attaques sans envergure. Les chefs du Pakao envoyèrent des messages, assurant Gelpy de leur neutralité dans le conflit, et de leurs efforts pour persuader Sunkari de cesser les combats. De leur côté, Alfa Moolo et les Balant proposèrent leur aide. Gelpy les remercia mais déclina leur offre. A la suite d'une violente attaque malinké, Bakum et Morikunda furent bombardés. Dix obus incendièrent les cases de Morikunda.

Le 9 février, Félix Cros adressa au gouverneur par dépêche une pétition des commerçants de Seju qu'il venait de recevoir : « Sollicitons de votre bienveillance ordres pour que village de Morikunda soit rasé complètement. Distant de Sedhiou de 1 kilomètre, il est le repaire de Sunkari, l'ennemi acharné des Français... Il n'y aura de paix que lorsque ce guerrier qui ne capture que pour avoir des esclaves sera pour toujours dans l'impossibilité de reparaître dans les parages. [1] »

Le gouverneur Canard prit immédiatement ses dispositions. Il ordonna à Jacquemart, commandant du 2e arrondissement de Gorée, de partir pour la Casamance à la tête d'une importante colonne militaire. Le 11 février, à 14 heures, les avisos « Ecureuil » et « Alecton » embarquèrent, avec à leur bord, 60 hommes d'infanterie de marine de Saint-Louis, 10 de Dakar, 30 disciplinaires, 10 artilleurs de Saint-Louis, 15 de Dakar et 30 tirailleurs. Jacquemart était accompagné par le commandant Dodds, chef d'Etat-Major. Les munitions et les vivres furent prévus pour trois mois de campagne. Ils arrivèrent à Seju le 13 au soir. Jacquemart fut accueilli par de Rotrou car la veille, Gelpy s'était alité, gravement malade. Malgré les soins du médecin, il mourut dans la nuit du 14 au 15 d'une fièvre bilieuse hématurique et fut enterré le 15 au matin avec les honneurs militaires.

L'arrivée des renforts français incita Fodé Lende à se retirer. Sunkari se retrouva seul face à un adversaire bien déterminé à l'éliminer. Fodé Kaba, occupé dans le Fooñi et soucieux de ne pas s'opposer aux Français, écrivit à Dodds le message suivant : « Mon plus grand plaisir est d'être toujours en paix avec les Français. Si je prends les armes, ce sera contre les païens, mais jamais contre les Blancs. Dieu a dit que la paix doit toujours régner entre les Blancs et les Musulmans. [1] »

6. L'offensive des Français contre le Buje et le Yasin

Le 16 février à 6 heures, toutes les troupes partirent à l'assaut de Morikunda, qui était fortement défendu. Le village était protégé par un tata puissant construit, au sud, et entouré d'une enceinte formée de trois rangs de palissade garnis d'un parapet intérieur en terre avec fossé. Les Malinké opposèrent une résistance énergique qui dura une heure et demie. Le feu prit aux cases et le tata fut rapidement atteint. La panique gagna les assiégés qui cherchèrent à quitter le brasier. Bakum subit le même sort. Sunkari s'enfuit dans le Yasin. Le 17 février, Kunayan et Jende furent détruits. Après une journée de repos, une opération débuta le 19, par le fleuve, contre le Yasin. Le soir, Madina accueillit la colonne par un tir nourri. En dépit d'un débarquement difficile, les soldats incendièrent le village. Le 20,

[1] Archives du Sénégal, Q 32. Correspondance du Président de la Chambre de Commerce de Gorée au gouverneur, 10 février 1882.

[1] Archives du Sénégal, 13 G 371. Correspondance de Dodds, 9 mars 1882.

ce fut le tour de Sitaba et de Turekunda. L'après-midi vers 15 heures, ils traversèrent le fleuve et arrivèrent devant Bambajon qui résista héroïquement avant d'être livré aux flammes. Effrayés par ces représailles, de nombreux villages préférèrent se soumettre avant l'arrivée des troupes. Sandiñiéri, Karantaba, Jaring demandèrent la paix et payèrent respectivement, un cheval, dix bœufs; six chevaux, trente bœufs, un otage; un cheval, trente bœufs, un otage.

Du 21 au 23 février, les soldats se reposèrent et Jacquemart reçut au poste la soumission des chefs les plus importants du Suna et de quelques villages favorables à Sunkari. Dodds prépara une nouvelle expédition contre Fode Lende, qui s'était réfugié à Njama.

La colonne partit le 23 à 15 h. 30 sous la direction de Dodds, Jacquemart indisposé resta à Seju. Elle comprenait 160 hommes [1]. Les vivres prévues pour quatre jours et 265 litres d'eau étaient portés par deux mulets et 45 porteurs recrutés à Seju. Le premier objectif était Basaf où l'on pensait trouver Sunkari, puis Salikénié et Njama. Après avoir connu quelques difficultés pour traverser un petit marigot qui sépare le Buje du Yasin, la troupe essuya des coups de feu à deux kilomètres de Basaf. Un soldat fut tué et trois autres blessés. Basaf fut incendié. Les douze brancardiers noirs et les porteurs refusèrent d'avancer. L'artillerie étant bloquée par un marigot profond et dangereux, Dodds, après avoir évalué les difficultés, ordonna le retour à Seju.

Le 28, le chef de Salikénié vint faire sa soumission. Jacquemart le chargea de transmettre un message verbal à Fodé Lende pour l'exhorter à se soumettre. Sérieusement malade, le commandant du 2e arrondissement de Gorée résolut de rentrer à Gorée le 29 à bord de « L'Ecureuil », et laissa le commandement de la colonne à Dodds.

Le 29, à 8 h. 30, « L'Ecureuil » mouillait à Adeane. Le chef du village, Manel-Verda, un mulâtre d'origine portugaise, qui avait sollicité la protection de Ziguinchor contre une attaque des Joola, fut imposé d'une amende de 50 francs. Jacquemart lui rappela que c'était à Seju qu'il devait s'adresser. Un peu plus tard, il rendit visite au sous-lieutenant qui exerçait les fonctions de chef du Préside de Ziguinchor. Celui-ci s'engagea à ne plus s'immiscer dans les affaires de ce village.

Une des premières conséquences des opérations dirigées contre les Malinké fut la fuite de leurs captifs Joola et Balant qui s'échappèrent dans toutes les directions. Trois cents vinrent se réfugier à Seju. Le Pakao et le Balmaadu n'étaient pas encore complètement soumis car les villages déjà imposés ne se pressaient pas pour venir payer leur contribution de guerre. Dodds envisageait une expédition contre ces deux pays quand Fodé Lende arriva au fort le 3 mars au matin. Il eut deux entrevues dans la journée avec Dodds auquel il affirma n'avoir jamais soutenu Sunkari. Au contraire, ses hommes se seraient retirés au fur et à mesure que les Français avançaient. Dodds ne crut pas un mot de ses explications et pour le confondre, il lui demanda des nouvelles de son premier

[1] Artillerie: 1 officier, 23 hommes. Compagnies de débarquement: 2 officiers, 40 hommes. Infanterie de Marine: 3 officiers, 63 hommes. Spahis: 2 hommes. Disciplinaires: 2 officiers, 24 hommes.

lieutenant Arfan Bala qui avait été blessé à la cuisse à Turekunda. Le chef malinké accepta toutes les conditions imposées. Il n'avait d'ailleurs pas le choix. Il s'engagea à payer pour le Yasin, 300 bœufs et 40 chevaux. Lui-même devait payer 100 bœufs et 20 chevaux, et conclure un traité avec les Français.

Malgré l'interdiction de Jacquemart, les Balant ne purent s'empêcher de piller quelques villages malinké. Ils traversèrent le fleuve et attaquèrent Tambana et Bajari. Pour éviter des pertes importantes, l'ordre fut donné d'évacuer les ressources en arachides, mil et riz de Buno et des villages voisins pour être vendus à Seju. Le 27 février au matin, le lieutenant Jactel s'était embarqué pour Buno avec un détachement de tirailleurs et quelques Noirs de Seju. Ils arrivèrent à 10 heures et trouvèrent une quarantaine d'habitants. Pendant qu'il expliquait le but de sa mission, un coup de feu partit et un tirailleur fut tué. Ses camarades ripostèrent aussitôt et quand le feu cessa, les habitants avaient disparu, laissant cinq cadavres sur la place. L'opération continua les 28, 1, 2 et 3 mars. Le 3 au matin, une case prit feu. Eteint une première fois, l'incendie reprit à 15 heures à trente mètres du lieu où se trouvaient les produits réunis dans la journée. Il ne put être maîtrisé et le détachement dut rentrer à Seju. Le bilan de l'opération n'était pas fameux : six tués, aucune arachide et 1469 francs provenant de la vente du mil et du riz.

Le 6 mars, Dodds tenta une opération contre Sindina, fidèle à Sunkari et proche de la pointe des Piedras. Le débarquement eut lieu à l'aube du 7, à 5 h. 30. La population surprise dans son sommeil s'enfuit, affolée. Deux habitants capturés furent fusillés et le village, bien protégé par deux palissades, fut incendié. De nombreuses explosions révélèrent la présence cachée de munitions. Le chef du village qui faisait route pour Seju pour y faire sa soumission, fut arrêté dès son arrivée au poste. Dodds jugea utile de justifier son action. Peut-être pensait-il que son opportunité et la rigueur employée seraient critiquées à Saint-Louis. « Mon action à Sindina n'a pu être évitée. On nous avait dit que Sunkari y avait une habitation particulière, que c'était là qu'il avait réuni toutes ses richesses et qu'enfin un de ses oncles était chef de ce village. [1] » Jacquemart, rentré à Gorée, l'invita à libérer le chef qui, comme on en avait fait courir le bruit, n'était nullement parent de Sunkari.

Le 11 mars, Fodé Lende qui était attendu avec ses bœufs et ses chevaux, ne vint pas. Il envoya son frère le lendemain, avec un cheval et 40 bœufs, tous en piteux état. Il s'excusa de ne pouvoir venir lui-même et de ne pas faire davantage, car il était obligé de rester dans le Yasin pour réunir le reste des contributions et vaincre la résistance des habitants qui ne se laissaient pas imposer volontiers. Dodds admit ces raisons qui lui parurent sincères. « La pacification » lui semblait en bonne voie. Seule, l'attitude du Pakao et de quelques villages du Balmaadu laissait encore à désirer.

Fodé Lende écrivit une lettre où il acceptait de livrer Sunkari contre une réduction de 100 bœufs et de 10 chevaux. « Il aura beaucoup de difficultés car Sunkari est sur les bords du Soungrougrou, prêt à passer dans le Sonkodu », écrivit Dodds dans son rapport du 15 mars. « Je ne crois pas nécessaire d'agir

[1] Archives du Sénégal, 1 D 38. Rapport de Dodds au gouverneur, 11 mars 1882.

dans le Balmaadu. Les villages que je n'ai pas encore vus se présenteront d'eux-mêmes quand ils apprendront la soumission des villages du Pakao de la rive opposée. [1] » Dans sa réponse, Jacquemart signala qu'il avait suggéré au gouverneur la nomination officielle d'un nouveau chef du Buje en la personne de Samba Aïsata, « excellent serviteur qui est tout dévoué... C'est un homme énergique et qui a du commandement » [2].

Attendu le 11, Fodé Lende se présenta le 17, sans Sunkari, mais avec 94 bœufs et 6 chevaux, choisis parmi les bêtes les plus étiques de son cheptel. Il ramenait avec lui un traitant noir et sa femme employés par la Maison Blanchard et que Sunkari avait capturés le jour de la prise de Morikunda. Ce geste calculé lui valut une réduction de 50 bœufs et de 10 chevaux sur la contribution du Yasin. Le 18 au matin, un traité de paix fut conclu. Avant de quitter Seju, Fodé Lende demanda à Dodds de surseoir à toute expédition contre le Pakao avant le 23 mars. Il voulait tenter une dernière démarche. Le 23, il fit savoir que sa mission avait échoué. Certains villages trouvaient que Seju était trop éloigné pour venir y faire leur soumission. D'autres refusaient d'entrer en contact avec ses représentants. Sans plus attendre, Dodds décida d'agir.

7. L'EXPÉDITION CONTRE LE PAKAO (MARS 1882)

Le 24 au soir, la colonne quitta Seju sur des chalands à fond plat mis à la disposition de l'armée par les commerçants. Les deux avisos avaient prêté deux baleinières équipées. 400 volontaires et 13 cavaliers suivaient la voie de terre sous les ordres du lieutenant Jactel. Le 25, à 7 heures du matin, la flottille arriva devant Buñadu. L'alkati reçut l'ordre de mettre une partie de la contribution de guerre qui avait été déjà imposée, à la disposition des officiers pour nourrir la troupe et les volontaires. Arfan Sitafo, beau-frère de Fodé Lende et parent de l'almaami et de l'alkati de Karantaba, supplia Dodds de patienter. Il pensait pouvoir amener le lendemain à Sakar tous les chefs du Pakao et du Balmaadu.

Le 26 à 8 h. 30, les chalands arrivèrent devant Sakar où flottait déjà le pavillon parlementaire. Plusieurs villages du Pakao firent leur soumission, mais aucun représentant du Balmaadu ne se présenta. Dodds pria l'alkati de Mankono de les prévenir qu'il patienterait à Sakar encore vingt-quatre heures. Le 27, devant le silence des habitants du Balmaadu, il ordonna la traversée du fleuve. Le 28, les troupes arrivèrent devant Kubone. Arfan Sitafo sollicita un nouveau sursis et l'attaque fut différée. Le 29, à 14 heures, tous les chefs du Balmaadu rencontrèrent Dodds à Kubone et déclarèrent que les chefs du Pakao ne leur avaient pas transmis d'invitation de se rendre à Sakar. Ils acceptèrent de faire ou de renouveler leur soumission. L'opération ayant atteint son but, la colonne rentra le 1er avril à Seju.

[1] Archives du Sénégal, 1 D 38. Rapport de Dodds au gouverneur, 15 mars 1882.
[2] Archives du Sénégal, 1 D 38. Lettre de Jacquemart au gouverneur, 22 mars 1882.

8. Les nouveaux traités de paix - avril 1882

Les chefs du Suna, du Balmaadu et du Pakao promirent de se rendre à Seju le 5 avril pour la conclusion des traités de paix. Les représentants du Suna et du Balmaadu arrivèrent les premiers, mais avec un jour de retard. Un traité fut signé le 7 au soir en présence du commandant de poste intérimaire, le médecin de 2e classe, Reynaud, et de tous les officiers de la colonne. Les délégués du Pakao arrivés le 8, signèrent le traité le 11 avril. Suivant les instructions du gouverneur, Dodds accorda des remises de contributions de guerre en échange du renoncement par les Malinké de leurs propres exigences à l'égard des Balant.

Les traités furent tous à peu près identiques. Examinons à titre d'exemple celui passé avec le Suna et le Balmaadu [1].

Article 1: Les pays mandingues de la rive gauche de la Casamance formant le Balmadou et le Souna demeurent placés sous la souveraineté de la France.

Article 2: Les chefs du Balmadou et du Souna s'engagent à refuser de faire la guerre sans avoir pris au préalable l'avis du gouverneur du Sénégal qui, de son côté, leur promet aide et protection.

Article 3: Les chefs du Balmadou et du Souna s'engagent à refuser le passage de leurs pays aux guerriers armés qui voudraient les traverser pour porter la guerre ou faire des pillages dans les autres parties de la Casamance.

Article 4: Le commerce dans le Balmadou et le Souna est exclusivement réservé aux Français.

Article 5: Les commerçants français pourront s'établir sur tels emplacements qui leur conviendront. Ils s'entendront avec les propriétaires du sol pour l'achat ou la location des terrains nécessaires pour ces établissements.

Article 6: Toute contestation entre sujets français et habitants du Balmadou et du Souna sera référée au commandant de cercle de Sedhiou, sauf appel devant le chef de la colonie. Les chefs du Balmadou et du Souna s'engagent à exécuter les jugements rendus contre les sujets mandingues suivant les lois de ces pays.

Article 7: Les chefs du Balmadou et du Souna promettent aide et protection aux sujets français établis sur leur territoire ou de passage dans leur pays. Ils s'engagent à ne jamais prendre ni même entraver les transactions commerciales.

Article 8: En retour de la protection qu'ils accordent aux sujets français, les chefs du Balmadou et du Souna continuent à percevoir la redevance annuelle de 75 francs sur chaque traitant établi dans les pays.

A l'exception du Buje, territoire français, les pays malinké demeuraient placés sous la suzeraineté de la France. Les articles 2 et 3 visaient particulièrement les marabouts guerriers comme Fodé Kaba et Sunkari. Les Malinké n'étaient plus libres de leur destin. Ils conservaient seulement le droit de s'administrer selon leurs coutumes et la paix avec leurs voisins leur était imposée.

Le 13 avril, Dodds reçut Fodé Lende qui lui fit part de ses appréhensions sur l'avenir. Il redoutait que Fodé Kaba ne perturbât à nouveau la région avec

[1] Archives du Sénégal, 13 G 4. Traités avec les chefs indigènes.

sa guerre contre Alfa Moolo. En fait, il craignait des représailles depuis qu'il avait signé le traité, l'article 3 défendant la traversée de son territoire par tout guerrier armé. Le 14 au soir, Marandan, Sumbudu et Sakar annonçèrent leur refus de payer la contribution de guerre. Sommé de s'exécuter dans les vingt-quatre heures, Marandan s'acquitta de sa dette. Menacés d'être incendiés, les deux autres villages payèrent le 16 avril, dans la soirée. Le 17, à 8 heures du matin, sa mission terminée, Dodds et ses hommes rentrèrent à Dakar.

Sunkari échappa aux poursuites. Le Buje lui fut interdit. Proscrit, il résida à Jambati dans le Sonkudu, quelque temps, entouré de quelques fidèles. Avec les années, il perdit tout espoir de reconquérir le Buje. Amer, lassé par une vie errante et éprouvé par les fatigues de l'âge, Sunkari voulut consacrer les dernières années de sa vie à la prière et la méditation. Il sollicita du gouverneur l'oubli du passé [1]. Le 7 janvier 1887, à 7 heures du matin, Opigez, commandant du cercle de Seju, arriva à Sindina à bord de l'aviso « Le Podor ». Il fut accueilli par Sunkari entouré de 60 guerriers. Le vieux chef fit sa soumission. Opigez en prit acte mais n'eut pas la générosité de lui permettre de résider à Sindina, comme il le souhaitait. Suivant les ordres du gouverneur Genouille, il lui permit de se retirer à Gudomp, de l'autre côté du fleuve, en face de Sindina, sous la surveillance du chef Ceko qui accepta de répondre de sa personne. Sunkari, déçu, ne cacha pas son mécontentement. Malgré la décision gouvernementale, il continua à vivre à Sindina et Opigez dut le sommer plusieurs fois de quitter le Buje. Ayant renoncé à toute activité politique, sa présence fut peu à peu tolérée. Il acheva son existence dans le silence et la prière. La date exacte de sa mort n'est pas encore déterminée. En 1897, il vivait encore. D'après son neveu, Cheikh Amadu Kamara interrogé en 1970 à Buno, il serait mort vers 1900.

Fils du Buje, Sunkari s'était senti comme Fodé Kaba une vocation d'apôtre de l'islam. La résistance des Balant, protégés par les Français soucieux de leurs intérêts commerciaux, l'empêcha de réaliser son dessein. Profondément irrité par l'opposition française, il crut la surmonter en attaquant par deux fois le poste militaire de Seju. Sa bravoure et sa vaillance furent mal récompensée car sa politique eut pour conséquence l'accroissement de l'influence française sur tous les pays malinké qui durent se soumettre. Plus perspicace, Fodé Kaba l'avait bien compris quand il abandonna le Balantakunda en 1876 pour s'éloigner de Seju. Sa correspondance, en 1882, avec Jacquemart et Dodds en est un témoignage supplémentaire. Il demanda à « son ami Jacquemart » de lui faire confiance et de pardonner à Sunkari et aux chefs du Pakao [2].

Le 6 juillet 1882, Jacquemart qui était à Paris, fut reçu par le député Berlet, sous-secrétaire d'Etat au Ministère de la Marine et des Colonies. L'ancien commandant du 2e arrondissement de Gorée tenait à justifier la politique qu'il avait pratiquée en Casamance en février, car elle avait été désapprouvée par le gouverneur. A la demande du ministre, il rédigea une note explicative [3].

[1] Archives du Sénégal 13 G 462 (8). Rapport de tournée du commandant de cercle de Sedhiou en Haute et Basse Casamance, janvier 1887.

[2] Archives du Sénégal, 1 D 38. Correspondance de Fodé Kaba, 1882.

[3] Archives Nationales. Sénégal et Dépendances IV, dossier 106 a, 6 juillet 1882.

Au départ, le Gouverneur avait pensé que la destruction de Morikunda, refuge de Sunkari, suffirait. Or, quand la colonne était arrivée à Seju, Jacquemart avait trouvé une situation bien différente, du fait que la plupart des Malinké s'étaient joints à Sunkari. Par la suite, malade, il avait laissé le commandement à Dodds avec les instructions suivantes : poursuivre la soumission des Malinké qui était déjà presque assurée ; imposer aux différents chefs de rudes contributions ; repeupler le Buje par des Balant et des Joola et construire une fortification en troncs de rôniers autour de Seju. « Mon but en repeuplant le Buje de cette manière était de mettre un obstacle entre les Malinké et le poste. [1] »

Cette politique fut désapprouvée par le gouverneur Canard, qui donna l'ordre de diminuer les contributions dans une très forte proportion, de rappeler les Malinké dans le Buje et de chasser les Joola de Seju. « A mon avis, écrivait Jacquemart, c'est ouvrir la porte à deux battants à ces derniers s'ils veulent prendre leur revanche. [1] » Le Ministre l'approuva et annota dans la marge du rapport : « Décidément, Monsieur Canard était un piètre administrateur et un plus piètre politique. [1] »

Nous n'avons pas tous les éléments nécessaires pour apprécier le jugement sévère du ministre, mais la politique qui consistait à maintenir les indigènes sur leur territoire, les Malinké dans le Buje et les Joola dans leur région d'origine, était, nous semble-t-il, une mesure sage d'apaisement. La présence des Joola en pays malinké en nombre important ne pouvait être qu'une cause permanente de troubles.

[1] *Ibid.*

Chapitre 9

LES RÉSISTANCES JOOLA (1870-1890)

1. La vie a Karabane

En avril 1869, Pinet-Laprade avait pris la décision de séparer administrativement Karabane de Seju. La Casamance était donc divisée en deux cercles dirigés chacun par un commandant qui correspondait avec le commandant de Gorée. Plus tard, après une certaine confusion dans les attributions respectives des deux administrateurs, le cercle de Karabane passa à nouveau sous les ordres de Seju.

En 1870, le poste de Karabane était occupé par onze personnes : le commandant, un caporal de 2e classe, deux soldats, un commis et un préposé aux douanes, un interprète de 2e classe, quatre canotiers. Le village était peuplé pour les 4/5 de Joola et d'une minorité de Wolof avec quelques Mandjaks de Guinée portugaise. La population ne dépassait pas 600 personnes : 212 hommes + 313 femmes, dont 176 enfants de moins de 15 ans = 525 habitants en 1877 [1].

L'état sanitaire du poste était rarement satisfaisant. Les hommes souffraient en permanence de paludisme et de troubles intestinaux. Les commandants de cercle recrutés le plus souvent dans le corps des sous-officiers, se succédaient à Karabane au rythme de deux par an en moyenne. Terrassés par la maladie, plusieurs moururent à la tâche, quelques mois à peine après leur entrée en fonctions. Le lieutenant Duluc, affecté en septembre 1876, disparut le 27 novembre des suites d'une fièvre bilieuse, de même le lieutenant Luguière en 1880 et Couhitte en 1881.

La vie de garnison n'avait rien d'attrayant. Isolés, repliés sur eux-mêmes, les hommes s'ennuyaient et cherchaient des distractions dans la boisson et des aventures avec des femmes du village, ce qui provoquait des incidents avec les habitants. Les rapports humains étaient parfois tendus, aggravés par la fatigue et le climat débilitant. En 1870, la mésentente régnait entre le commandant de cercle Jauréguiberry et M. Henriette, un mulâtre qui était commis des douanes. Vivant côte à côte, ils ne se supportaient plus et à la suite d'une vive altercation, chacun prit la plume pour exprimer ses griefs au commandant de Gorée. Jauréguiberry était découragé. Epuisé physiquement et moralement, il se plaignait

[1] Archives du Sénégal, 22 G 6. Recensement de la population, 1847-1884.

du peu d'intérêt des autorités supérieures pour le sort de la petite garnison. Malgré ses réclamations, les vivres qui arrivaient de Gorée étaient souvent de mauvaise qualité. Heureusement, pour pallier le retard fréquent des livraisons, il envoyait son embarcation dans un village ami, échanger du tabac et de l'eau-de-vie contre des dizaines de poules. Se sentant mal dirigé, il apprit son rappel avec un vif soulagement et son remplacement par le sous-lieutenant Jugnet qui arriva à Karabane le 22 septembre 1870. La plupart des membres de la garnison, minés par les fièvres, furent relevés en décembre.

Les indigènes cultivaient le riz et quelques légumes. Pendant la saison sèche, les Joola passaient leur temps à recueillir le bunuk ou vin de palme dont ils subissaient les effets. Ils habitaient dans des cases en paille sur les terrains concédés par le gouverneur, sur proposition du commandant de cercle soumise au Conseil général. Les Wolof se mélangeaient aux Joola de l'île en épousant leurs femmes. Musulmans, ils avaient facilement deux ou trois épouses. Le contraire était rare. Les Joola vénéraient leurs boekin au nombre de quatre dans le village, deux pour les hommes et deux pour les femmes. Le plus important se trouvait dans l'île, mais en dehors du village [1]. Les hommes n'assistaient pas aux cérémonies en l'honneur des boekin féminins et réciproquement. Comme dans tous les pays joola, les bœufs étaient conservés pour les sacrifices importants où ils étaient consommés dans des festins impressionnants. Mais ils mangeaient plus souvent du singe et même des chiens qu'ils échangeaient volontiers contre des porcs. Une condition cependant : l'animal ne devait pas être de couleur noire [2].

En 1876, le village avait deux chefs, Bastien qui était le porte-parole des Joola et des Wolof, et Domingo qui représentait les Mandjaks. Ils revendiquèrent la création d'un marché et un contrôle strict des opérations des traitants qu'ils accusaient de vol. Il y en avait trois : M. Lagaluzère qui travaillait pour la Maison Pastré de Marseille et réalisait un chiffre d'affaire annuel de 60 000 francs environ, MM. Pilwiger et Lezongard étaient à leur compte avec des chiffres d'affaires respectifs de 20 000 et 10 000 francs [3]. Ils se plaignirent le 8 août 1876 au capitaine Garderrein, commandant la canonnière « La Pique » qui effectuait une inspection, que les pilotes de Jogue n'introduisaient plus les navires par la grande passe ; d'où des retards et des pertes. Les pilotes interrogés répliquèrent que la grande passe était ensablée et qu'un banc s'était formé en son milieu. Garderrein rapporta que l'esclavage existait dans l'île et que la présence de captifs était tolérée par les autorités. Interdit aux Européens, l'esclavage était pratiqué par les Wolof. Tellier relate que les vols d'enfants étaient fréquents entre les villages et ils étaient troqués contre des bœufs [4]. Les plaintes sur ce point affluaient au poste. Souvent, les villages réglaient leurs comptes eux-mêmes en capturant un homme ou une femme du village suspecté de vol. Innocent ou coupable, le captif était retenu jusqu'au jour où l'enfant était rendu.

[1] TELLIER. *Possessions françaises du Sénégal. Cercle de la Basse-Casamance. Poste de Carabane.* 1885.

[2] *Ibid.*

[3] Archives du Sénégal. 13 G 457.

[4] TELLIER. *Possessions françaises du Sénégal. Cercle de la Basse Casamance. Poste de Carabane.* Bulletin Union Géographique du nord de la France, 1885, p. 421-428.

2. Le cercle de Karabane

La situation politique ne présentait pas les mêmes caractères de gravité que dans le cercle de Seju, mais les commandants avaient à faire face en 1870 à deux problèmes : la perception de l'impôt dans les villages sous autorité française et la coexistence difficile entre les Joola de Bukitimgo et les Wolof de Jakene.

Karabane, Kachiuane, Elinkine, Jembering et quelques autres villages étaient astreints à l'impôt personnel. Avec une mauvaise volonté évidente, Karabane et Elinkine commençèrent à payer, soit pour le premier trimestre 1870, 208 fr. 50 et 36 francs. Les autres, comme Jakene et Jogue se firent prier. Quant aux chefs de Jembering, ils ne comprirent pas que l'on pût leur demander une chose pareille, n'ayant dans le passé jamais été soumis à semblable contribution. Leur refus fut catégorique. Désemparé, Jauréguiberry demanda conseil à Canard, commandant supérieur de Gorée, qui lui conseilla de faire preuve de patience et de persuasion auprès des populations. Malgré tous ses efforts, elles restèrent sourdes à ses arguments.

Si Tenduk et Conk-Esil, ennemis de longue date, s'épuisaient dans une guerre quasi perpétuelle, Jakene et Bukitimgo s'affrontaient depuis peu en combats violents. Le premier village était peuplé de Wolof attirés par le commerce de Karabane, le second appartenait aux Joola. Au mois de février 1870, un traitant de Jakene enleva une jeune fille de Bukitimgo, qu'il accusait de l'avoir volé. Rapidement, les jeunes gens de Bukitimgo attaquèrent Jakene et l'alerte fut chaude. Le 14 février, les habitants de Jakene, sous la conduite de leur chef Biram Jaas, partirent à l'assaut du village joola et la bataille dura de 15 à 18 heures [1].

Dans la mesure de ses moyens, le commandant de cercle tentait de rétablir la paix entre les villages dépendant de l'autorité française. Son rôle était de maintenir l'influence déjà acquise dans le bas pays et de surveiller toujours aussi étroitement les visées britanniques et portugaises. Par sa position, Karabane véritable sentinelle à l'entrée de la rivière, restait le garant de la présence de la France en Casamance.

3. Les nouvelles difficultés

Le 16 mai 1877, le lieutenant Maurer, commandant de cercle, signala dans son rapport que la Basse Casamance était tranquille et que l'état sanitaire était satisfaisant [2]. Le 29 au soir, un navire grec, « Le Prodomos », chargé d'arachides pour la Maison Pastré de Marseille, s'échoua sur la côte de Jembering. Malgré les précautions prises pour surveiller l'épave et les avertissements renouvelés, les habitants du village ne résistèrent pas à la tentation de le piller. Le 31, vers une heure du matin, trois cents Joola se précipitèrent sur le « Prodomos » qui fut dépouillé de 37 775 kilogs d'amandes de palme, 219 770 kilogs d'arachides et d'un peu de caoutchouc ; le tout évalué à 42 217,30 francs. Quelques jours plus

[1] Archives du Sénégal. 13 G 457. Correspondance de Karabane avec Gorée, 1870.
[2] Archives du Sénégal. 13 G 457.

tard, il ne subsista plus que la carcasse. Les chefs du village nièrent leur participation et accusèrent un village voisin. L'expédition punitive de Pinet-Laprade de 1865 était bien oubliée et les habitants refusèrent de rendre ou de payer une quelconque indemnité. Huit ans plus tard, le cotre « Adélaïde », appartenant à la Maison Blanchard et Cie, subit le même sort de la part des Joola de Sukujak et de Varela, au sud du cap Roxo. L'affaire était plus délicate, car les pillards venaient de Guinée portugaise. Comme la frontière n'était pas délimitée, la position de Sukujak était indéterminée. Le commandant de cercle réussit à récupérer quelques marchandises et le produit d'une amende de 50 bœufs vendus 25 francs l'unité, soit 1250 francs [1].

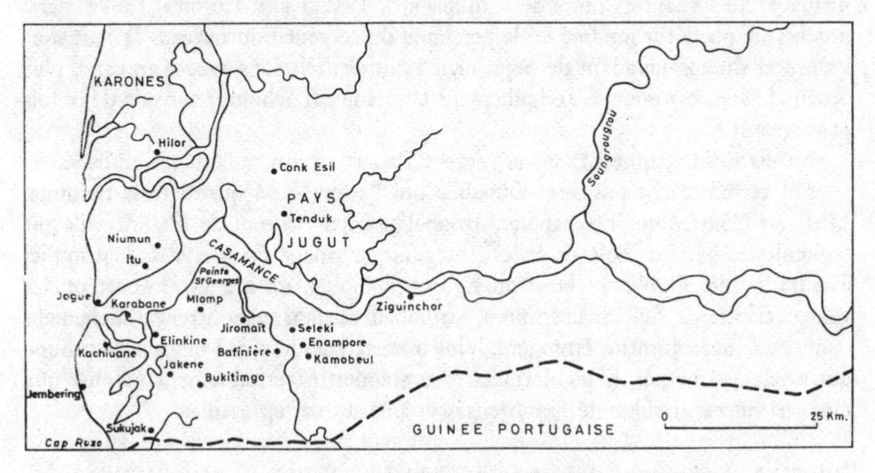

Fig. 19. **Le pays joola dans le cercle de Karabane (1870-1890).**

En dehors du refus de payer l'impôt et les inévitables pillages d'épaves, la Basse Casamance n'était pas aussi troublée que la région de Seju. Les villages étaient isolés par les innombrables marigots et menaient pour la plupart une vie autarcique. Le commandant exerçait un contrôle à peu près efficace sur les villages proches de Karabane et il ne lui était pas possible, avec sa mauvaise baleinière, de sillonner tous les cours d'eau. Quand deux villages éloignés s'affrontaient dans des querelles intestines ne gênant pas le commerce, il se gardait bien d'intervenir. Par contre, le « châtiment » d'un village pour faute grave exigeait l'intervention de Gorée. Or, cette opération demandait une préparation minutieuse et l'autorité supérieure n'avait pas toujours la possibilité d'envoyer les avisos et les troupes nécessaires, retenues par des opérations plus urgentes. Elle devait aussi tenir compte de la saison opportune, et du milieu physique local, très difficile pour organiser une action de représailles. Aussi, comme l'écrivait Canard en 1875, « en politique, surtout dans ce pays, et avec nos faibles ressources, il faut être patient et savoir temporiser » [2].

[1] Archives du Sénégal, 13 G 371, 27 août et 26 novembre 1885.
[2] Archives du Sénégal, 4 B 50. Correspondance de Gorée à Karabane, 26 juillet 1875.

Les responsables du cercle de Karabane ne faisaient pas d'excès de zèle, n'en ayant ni l'envie, ni les moyens. Le 1er septembre 1883, le lieutenant-gouverneur Cléret signalait au gouverneur Bourdiaux : « Rien de particulier au point de vue agricole et commercial. Un différend sans grande importance s'est élevé au sujet de la pointe Saint-Georges entre les gens de Mlomp et les Jugut. Le chef de poste a dû se rendre à la pointe et a fait entendre aux principaux chefs de Mlomp que, nous ayant cédé ce territoire par un traité du 6 avril 1860 en ne se réservant que l'exploitation des palmiers, ils devaient vivre en paix avec leurs voisins et laisser cultiver. [1] » A la demande du commerce, un poste fut établi à la pointe le 6 février 1886 sous la garde provisoire du second maître, du quartier maître et de six laptots noirs de l'équipage de l'aviso « Le Héron ». Le 23 mars, un chef de poste fut nommé en la personne du sergent Bournazeau. Il était sous les ordres du commandant de Seju, mais avait des relations avec Karabane, plus proche (3 heures) pour le ravitaillement en viande fraîche qui arrivait deux fois par semaine [2].

En cette fin d'année 1886, le sergent Bauert, commandant à Karabane, ne pensait certainement pas aux difficultés qui l'attendaient quand trois traitants, MM. de Courtadon, Tromanoire, Brion-Huchard, vinrent se plaindre d'avoir été molestés par les Joola de Seleki, magnifique village de la rive sud, jusqu'ici fort tranquille. Etablis au bord du Kamobeul-bolon, un marigot important, les villages de Etama, Seleki, Enampore, Kamobeul allaient se montrer farouchement opposés à toute autorité étrangère. Violemment hostile aux Français, le groupe des « Seleki » fut parmi les derniers à se soumettre véritablement et plus que tous les autres, il subit de nombreuses et très dures représailles.

4. La mort du Lieutenant Truche [3]

Le 1er mai 1886, le lieutenant Truche avait quitté Dakar sur le navire « La Rochelle » pour rejoindre son poste de commandant de cercle de la Casamance, à Seju. Il avait sous ses ordres les chefs de poste de Karabane et de la pointe Saint-Georges ainsi que tous les chefs de détachement et les employés de tous les services. Le cercle de Karabane était ainsi supprimé.

Nous ignorons la date et les circonstances exactes qui poussèrent les habitants de Seleki à molester les traitants et à piller leurs marchandises. Le lieutenant Truche demanda au sergent Bauert, chef de poste à Karabane d'aller enquêter sur place. Un chef influent, Griffon, refusa de rencontrer le sergent et à plus forte raison de payer une amende pour l'attitude de ses compatriotes. Le lieutenant Truche vint à Karabane et décida de se rendre personnellement à Seleki

[1] *a*) Par décret du 12 octobre 1882, l'emploi de commandant du 2e arrondissement du Sénégal fut supprimé. Gorée et les possessions françaises au nord de la pointe de Sangomar (extrême nord du Salum) furent placées sous l'autorité directe du gouverneur du Sénégal. La Casamance passait sous l'autorité d'un lieutenant-gouverneur résidant à Gorée.

b) Archives du Sénégal, 4 B 74, 1er septembre 1883.

[2] Archives du Sénégal, 4 B 73, 23 mars 1886. Correspondance du lt-gouverneur.

[3] Archives du Sénégal, 2 B 75, 1 D 50.

le 1er décembre, avec une petite escorte composée d'un caporal, d'un artilleur, de deux disciplinaires, de l'interprète Suleiman Siise et de MM. de Courtadon, Tromanoire, Brion-Huchard. Cinquante volontaires de Karabane et de la pointe Saint-Georges avec tous les laptots du poste formaient le gros de la troupe. Elle partit le 1er décembre au matin sur un vapeur en direction de Seleki [1]. Après avoir passé la pointe Saint-Georges, le bateau remonta le Kamobeul-bolon jusqu'à proximité du village. Les hommes débarquèrent le canon et quelques obus pour intimider la population. Le passage à travers le rideau de palétuviers et la marche dans le sol bourbeux des rizières ne furent pas faciles. Cachés derrière les arbres qui masquaient le premier quartier du village, les Joola en armes attendaient. Prévenus de l'arrivée des Français, ils avaient fait appel à des guerriers d'Enampore, Etama, Kamobeul et Esil qui, pour l'occasion, étaient venus nombreux leur porter assistance. Le lieutenant n'imaginait pas l'accueil qui allait lui être réservé et pensait avoir affaire au seul village de Seleki. Soudain, sa troupe fut encerclée et une fusillade nourrie la surprit. Truche ordonna à ses hommes de se placer en carré pour riposter, mais déjà les premières victimes tombaient autour de lui. Pris de panique, les volontaires s'enfuirent de tous côtés. Blessé à la jambe par une sagaie empoisonnée, le lieutenant ordonna le repli sur le bateau tout en continuant à faire feu sur ses adversaires. Les rescapés s'embarquèrent en toute hâte sous les balles qui ricochaient sur le navire. Grièvement blessé, Truche se fit sauter la cervelle avec sa dernière cartouche. Avec lui périrent M. de Courtadon, le caporal Seguin, l'artilleur Renaudin, deux disciplinaires, sept Africains dont l'interprète Suleiman Siisé qui refusa d'abandonner le commandant de cercle. Un laptot fut blessé. M. Tromanoire, isolé et sans armes au milieu des balles qui arrivaient de partout, dut la vie au secours et au courage du chef laptot Nicolas Jouga.

Informé, le sergent Bauert réquisitionna immédiatement les armes et les munitions des commerçants pour les distribuer aux habitants de Karabane et de la pointe Saint-Georges. Les deux postes furent placés en état d'alerte. La disparition du commandant de cercle fit sensation à Saint-Louis et dans toute la Casamance. C'était la première fois que des Casamançais tuaient en combat régulier un important représentant de l'autorité française [2]. Le gouverneur Genouille informa le Ministre de la Porte : « Je prends des mesures pour obtenir réparation de ces faits regrettables et assurer le respect de notre autorité... Il faut bien avouer d'ailleurs que M. Truche, le lieutenant tué, a agi avec une légèreté excessive. Il s'est lancé sans ordres dans l'aventure qui a amené sa mort. [3] »

A Seju, le médecin de la Marine, Trouin, qui exerçait l'intérim pendant le déplacement du lieutenant Truche en Basse Casamance, prit le commandement officiel du cercle en attendant l'arrivée d'un nouveau titulaire. Seju fut mis en état de siège. A la fin du mois, le capitaine Opigez, successeur de Truche, effectua une tournée d'inspection en Moyenne et Basse Casamance pour s'informer de

[1] Voir carte p. 186.

[2] Avec la mort de Fodekaba en 1901, l'affaire de Seleki semble être un des événements qui a le plus impressionné les Joola de la rive sud. Selon Tété Diadhiou, ancien interprète, un des derniers témoins de cette affaire, Jéhisse, est mort en 1965.

[3] Archives du Sénégal, 2 B 75. Registre des situations politiques, 15 décembre 1886.

l'état d'esprit des populations et préparer l'action punitive contre Seleki. Il quitta Seju sur l'aviso « Le Podor », le 2 janvier 1887, qui mouilla à la pointe Saint-Georges, le 3 au soir. Il fut reçu par le chef qui était une femme : Dominga. Elle déclara que les Seleki n'avaient pas de véritable chef mais seulement un conseil de notables dont le plus influent était Griffon. Il aurait perdu son fils dans la dernière bataille. Les chefs d'Enampore avaient tenté d'empêcher Seleki de s'opposer par les armes au lieutenant Truche mais n'avaient pas été entendus. Le canon laissé dans les rizières fut apporté par des habitants d'Enampore à Jiromaït dont un des chefs était traitant de la Maison Blanchard. Le 4 janvier, le chef d'Elinkine, Tiskarre, révéla que Seleki était resté longtemps soumis à Enampore et qu'il n'y avait pas de véritable chef.

Le 5, « le Podor » arriva à Jiromaït pour récupérer des objets appartenant aux victimes. Opigez trouva le canon, six fusils, un revolver, deux sabres, une vareuse de caporal, une pantalon de disciplinaire, une chemise du lieutenant Truche, un bidon, un casque d'artilleur, un casque de disciplinaire et les six gris-gris de l'interprète. Les armes avaient été achetées aux Joola par François Chambaz, négociant français installé à Ziguinchor. Opigez apprit que le conseil des chefs de Seleki comprenait Griffon, Alaola, Jajor, Sukalope, Kujuti, Guitabarene. Il chargea le chef de Jiromaït de les prévenir qu'ils devaient payer une amende de 100 bœufs et rendre tous les objets qui manquaient, notamment la tête du lieutenant. « Le Podor » s'approcha de la rive de Seleki et tira une vingtaine d'obus sur des cases qui furent incendiées. A la suite de l'affaire de Seleki, plusieurs villages flup préférèrent attendre les réactions françaises avant d'accepter des pavillons français. Ils constatèrent une certaine faiblesse, d'autant que les Seleki racontèrent que « les bombardements n'avaient fait que les chatouiller »[1]. Ingénieux, ils mirent au point une forme originale de défense passive. Des guetteurs judicieusement placés annonçaient l'arrivée des avisos. Immédiatement, le village était évacué. Toute la population se réfugiait dans les bois avec le bétail et quelques vivres. Les toitures en paille des cases étaient enlevées pour diminuer les risques d'incendie. Il faut avoir présent à l'esprit que le village joola est composé de quartiers dispersés, généralement dissimulés dans des bosquets, et souvent éloignés les uns des autres par plusieurs centaines de mètres. L'efficacité des tirs à partir d'un aviso était donc limitée. Les obus atteignaient toujours les cases du quartier le plus proche du fleuve. Par mesure de sécurité, les villageois les évacuaient. Seule une intervention par voie de terre pouvait donner quelques résultats. En attendant la colonne promise par Saint-Louis, un deuxième aviso, « Le Goéland », dirigé par le commandant Lecomte, bombarda le village à la fin du mois de janvier. Manifestant quelque lassitude, les chefs donnèrent 8 bœufs en signe de soumission. Le commandant de cercle, de retour à la pointe Saint-Georges le 5 février, devait rencontrer à Jiromaït les chefs d'Enampore, Etama et Batinières. Ils évitèrent de venir et Opigez les fit avertir qu'il les considérait comme complices de Seleki. Celui-ci devait avoir livré avant le 16, au moins 50 bœufs et rendu les restes et les effets du lieutenant Truche sous peine de subir un nouveau bombardement.

[1] Archives du Sénégal. 13 G 462 (8). Rapport d'Opigez à Gorée, 1er février 1887.

Le 6 février, le colonel Duchemin, commandant supérieur des troupes et chargé d'une mission politique et militaire dans les Rivières du sud, arriva à Karabane à bord de l'aviso « L'Ardent ». Il rencontra Opigez à la pointe Saint-Georges dans la nuit du 7 au 8. Les habitants de Seleki n'ayant pas répondu à l'ultimatum, un débarquement eut lieu le 10 février. Les cases furent incendiées, notamment les greniers à riz et de mil. Les villageois s'enfuirent non sans avoir résisté car ils déplorèrent une vingtaine de morts et une cinquantaine de blessés. En détruisant les réserves de riz, les officiers savaient qu'ils portaient un coup très dur. Base de l'alimentation quotidienne, le riz a une valeur sacrée aux yeux des Joola. Le premier résultat fut la récupération des restes du lieutenant Truche. Les Seleki gardèrent quelques vêtements comme trophées de guerre qu'ils ne rendirent jamais.

Il fallut attendre mars 1888 pour obtenir la première soumission véritable du village de Seleki. Il faut entendre par là une décision prise collectivement par les chefs et approuvée par les habitants. Il y en aura d'autres, car avec le temps qui efface les souvenirs pénibles, les Joola refuseront à maintes reprises d'obéir aux ordres imposés.

Le 6 mars, l'administrateur civil de Karabane, Ly, réussit à se rendre à Seleki accompagné seulement d'un laptot et de deux interprètes. Après avoir rassuré la population qui fuyait, il déjeuna chez un chef de quartier, Guitabarène, et demanda à voir Griffon, Alaloa, et Kilambang. Il leur offrit des cadeaux, 18 litres d'alcool et 40 têtes de tabac et participa à trois grandes palabres qui durèrent plusieurs heures, à la suite desquelles les Seleki consentirent à accepter un pavillon français et à discuter des délais pour payer le reste de l'amende de 1886. Le solde de l'amende fut porté à trente bœufs. Ly resta trois jours dans le village et fut accompagné au bateau par une grande partie de la population. Avant de partir, il désigna Guitabarène comme chef de Seleki. Le 15 mars, il remit un pavillon à Akuffo, reconnu comme chef d'Enampore. Le 16 et le 17, des pavillons furent acceptés par les villages de Kamobeul et d'Esil. Huit petits traitants purent s'installer dans les villages du groupe Seleki.

L'administrateur rentra satisfait de sa mission. Il avait obtenu la soumission d'un important secteur joola de la rive sud. Les Joola avaient accepté les pavillons et les conditions imposées. Les apparences étaient toutefois trompeuses, car malgré ses talents de négociateur qui contrastaient avec l'attitude belliqueuse du lieutenant Truche, Ly n'avait pas obtenu des résultats très sûrs. Ignorant la structure politique et sociale des Joola, il croyait pouvoir désigner de sa propre autorité des chefs de village. Quelles que fussent leur influence et leur personnalité, leur autorité restait limitée à leur quartier. Ils étaient bien incapables d'imposer une décision à leurs collègues, si ceux-ci la rejetaient. Guitabarène, chef désigné de Seleki, était un vieillard qui ne représentait que son quartier. Les Français constatèrent rapidement que son autorité était nulle.

TROISIÈME PARTIE

La confrontation des impérialismes européens et leurs conséquences (1880-1900)

Chapitre Premier

LA CONJONCTURE ÉCONOMIQUE DE 1880 A 1900

Ce qui caractérise la période 1880-1900 est la chute des cours de l'arachide en Europe, avec pour corollaire un abandon quasi général de cette culture par les paysans, au profit du caoutchouc exploité dans les forêts de Basse Casamance. A partir de 1885-1890, la Basse Casamance va susciter les convoitises de plusieurs sociétés commerciales qui poussent l'administration à étendre son autorité directe sur les populations. Plus puissantes qu'autrefois, elles intriguèrent pour obtenir des concessions, et prendre des risques qui ne leur réussirent pas toujours.

1. Les cultures

Outre l'arachide, principale culture d'exportation, le riz et le mil restaient les deux cultures vivrières de base. Elles ne s'exportaient pratiquement plus. Parfois des fléaux naturels causaient des crises éprouvantes pour les cultivateurs. La terrible famine de 1893 fut provoquée dans le Fooñi par les ravages des sauterelles. Le mil, le riz, le maïs furent entièrement détruits. Les maisons de commerce vendirent un peu de riz aux Casamançais qui furent réduits à faire un seul repas par jour. Ils achetèrent le kilog de riz à Seju, 1 franc. A l'intérieur, les traitants ne se gênèrent pas pour le vendre 2 francs et 2 francs 50. L'année suivante, ils échangèrent le boisseau de riz valant 3 à 3 francs 50 au maximum contre 4 à 5 kilogs de caoutchouc d'une valeur de 8 à 10 francs [1].

Le coton du Pakao et de Haute Casamance qui donnait une soie rougeâtre fut abandonné. Les paysans ne le cultivaient presque plus avec l'introduction des étoffes européennes. 50 tonnes avaient été exportées de Casamance en 1865, 602 kilogs seulement quittèrent le Sénégal en 1896.

La cire, qui avant 1850 était le principal produit commercial de la région, décrut dans le volume des exportations. Entre 1869 et 1876, le tonnage annuel moyen exporté atteignit 16 tonnes. De 1884 à 1886, il passa à 2 tonnes pour connaître une reprise spectaculaire en 1899 avec 36 tonnes. Il est vrai que les

[1] E. Courtet. *Etude sur le Sénégal*, Paris, Challamel éditeur, 1903.

Casamançais délaissèrent pour un temps la cire pour le caoutchouc, plus aisément exploitable et d'un rapport plus intéressant. 1 kilog de cire brute rapportait entre 0 f 50 et 0 f 80, alors que le kilog de caoutchouc valait au moins 3 francs.

Les amandes de palme ou palmistes subirent elles aussi la concurrence du caoutchouc. La production et la valeur diminuèrent à cause de la destruction lente mais continue de l'essence productive.

Exportations Casamance [1]	Moyenne	Valeur du kg	Valeur totale
1879-81	468 480 kg	0 f 16	77 967,68 francs
1895-99	433 654 kg	0 f 15	65 048,10 francs

Mais les principaux produits d'exportation étaient l'arachide qui connut une baisse importante et le caoutchouc qui eut toutes les faveurs entre 1880 et 1900.

a) *L'arachide*

La crise particulièrement aiguë de l'arachide commenca à partir de 1886. Elle eut deux causes essentielles. L'une externe au Sénégal fut la baisse constante des cours en Europe, en raison de la concurrence des arachides de l'Inde anglaise, plus appréciées sur les marchés. L'autre fut la différence de valeur entre les produits récoltés à l'intérieur même de la colonie. Un mètre cube d'arachides en coques du Kayoor pesait en moyenne 353 kilogs, alors que le même volume récolté en Casamance ne donnait que 274 kilogs. Entre 1863 et 1867, la moyenne annuelle des exportations était de 6123 tonnes. Elle tomba à 2020 tonnes entre 1892 et 1895, à 1575 tonnes entre 1897 et 1899. Le prix du kilog, 0 f 17 pour 1869-1881 passa à 0 f 10 en 1894, 0 f 07 en 1895, pour remonter à 0 f 10 entre 1897 et 1899. Ce fut donc un désastre pour la Casamance qui contrasta avec les progrès des centres arachidiers de Saint-Louis, Rufisque, et de la Petite Côte (Portugal, Joal, Salum).

Pour lutter contre cette détérioration, Félix Cros suggéra, en 1888, au gouverneur intérimaire Quintrie des recommandations à donner aux paysans et chefs de village. « Ils doivent d'abord vivre en paix, faute de quoi l'administration sévira avec décision, cultiver l'arachide sur la plus vaste échelle possible. Les terres vierges sont à défricher et à ensemencer, ainsi que celles qui n'ont pas reçu de semences depuis deux ans au moins. La culture de l'arachide doit passer avant le mil, sans pourtant négliger ce dernier, car avec l'arachide, il est plus aisé de se procurer tel article de traite à sa convenance. [2] »

Les paysans de Moyenne et Haute Casamance ne furent guère encouragés à appliquer de telles consignes dans la mesure où le commerce diminua ses prix d'achat et continua comme dans le passé à accroître chaque année le volume du boisseau qui servait de base à l'achat des arachides. Excédés, ils menaçèrent de faire grève des semailles en 1891 et émigrèrent en masse en Gambie pendant l'hivernage.

[1] E. Courtet. *Etude sur le Sénégal*, Paris, Challamel éditeur, 1903.

[2] Archives du Sénégal. 13 G 463 (3). Lettre de Félix Cros, président de la Chambre de Commerce de Gorée-Dakar, au directeur des Affaires Intérieures Quintrie, 16 mai 1888.

En 1897, la légère augmentation des prix provoqua une meilleure production et les traitants réapparurent l'année suivante. En 1899, 2178 tonnes furent exportées de la Rivière, ce qui représentait la valeur de 218 000 francs. La situation était loin d'être encore satisfaisante car les exportations furent inférieures à celles de 1876; 2575 tonnes, la plus mauvaise année de la période 1869-1881. L'une des conséquences majeures du recul de l'arachide, fut un effort des sociétés commerciales pour intensifier la production du caoutchouc. La mise en valeur des forêts de la Basse Casamance fut vivement souhaitée et l'administration conviée à en faciliter la pénétration.

b) *Le caoutchouc*

C'est vers 1879-80 que le caoutchouc devint un objet de commerce. Le mouvement commercial commença à s'accentuer en 1883 avec une exportation de 59 tonnes pour atteindre le tonnage moyen de 252 tonnes entre 1896 et 1899. Les prix connurent une hausse constante; 3 francs de 1887 à 1891, 3 f 50 de 1896 à 1898, 4 f 40 en 1899 [1].

Le caoutchouc casamançais était produit essentiellement par une apocynée appelée Landolphia Heudelatii, connue aussi sous le nom de liane Toll. En forêt, elle est vigoureuse, 15 cm de diamètre, et couvre de son feuillage les arbres qui lui servent d'appui. Elle voisine avec d'autres landolphiées: Landolphia florida, Landolphia tomentosa.

L'exploitation débuta en Basse Casamance d'une manière quelque peu anarchique. Trois régions importantes étaient productrices. Le pays joola-bayot au sud-ouest de Ziguinchor, le Balantakunda, et le Fooñi-kombo où l'on distinguait deux zones; la première située au nord de Kafuntin et la seconde entre Baïla et Biñona, autour des lagunes qui remontent jusqu'à Conk et des marigots proches du fleuve. Au début, la récolte fut assurée par les Akous et les Mandiagos. Les Akous étaient d'origine Sierra-Leonaise et venaient de Gambie. Ils étaient réputés pour leur adresse à saigner les lianes, sans gaspiller et souiller le produit obtenu. Les Mandiagos appartenaient au groupe Mandjak de Guinée portugaise. Ils arrivaient des rives du Rio Cacheu. Belliqueux, amateurs de vin de palme, souvent pillards, ils offraient leurs services aux traitants de Ziguinchor et exploitaient le latex dans la forêt bayot. Leur intrusion chez les Joola provoqua des troubles violents, car ils s'attaquaient aux femmes et au bétail. Les réactions bayot suscitèrent les plaintes des commerçants de Ziguinchor auprès des autorités de Seju qui furent priées d'intervenir par la force. Les Mandiagos apportaient leur récolte aux traitants, en échange d'avances en riz, sel ou poisson sec. Elle était vendue au prix de la place. Par la suite, les Joola et les Balant prirent conscience du profit qu'ils pouvaient tirer de l'exploitation du caoutchouc et firent la guerre aux Mandiagos qui leur faisaient concurrence, d'autant qu'ils saignaient les lianes à blanc, pendant qu'ils étaient occupés aux travaux des rizières [2].

[1] Prix annuel moyen. Voir E. COURTET. *Etude sur le Sénégal*, et M. ETESSE. *Rapport sur le caoutchouc en Casamance*, supplément au J.O. de l'A.O.F., 4 mai 1912, p. 121-136.

[2] Marius ETESSE. *Rapport sur le caoutchouc en Casamance.*

Quand la liane était gonflée de sève, un akou expérimenté pouvait extraire 1 kg de caoutchouc par jour et sans grand effort. En fait, un homme arrivait à récolter 12 à 15 kg par mois. Les récolteurs aggloméraient le latex en boules qu'ils coagulaient avec du sel. C'était surtout le travail des femmes et des enfants qui faisaient bouillir le latex le soir, dans de l'eau, pour le confectionner ensuite en boules. Après avoir constaté son degré de pureté, l'acheteur le plaçait dans de l'eau légèrement salée avant de le revendre à l'exportateur qui le plaçait dans des tonneaux humides.

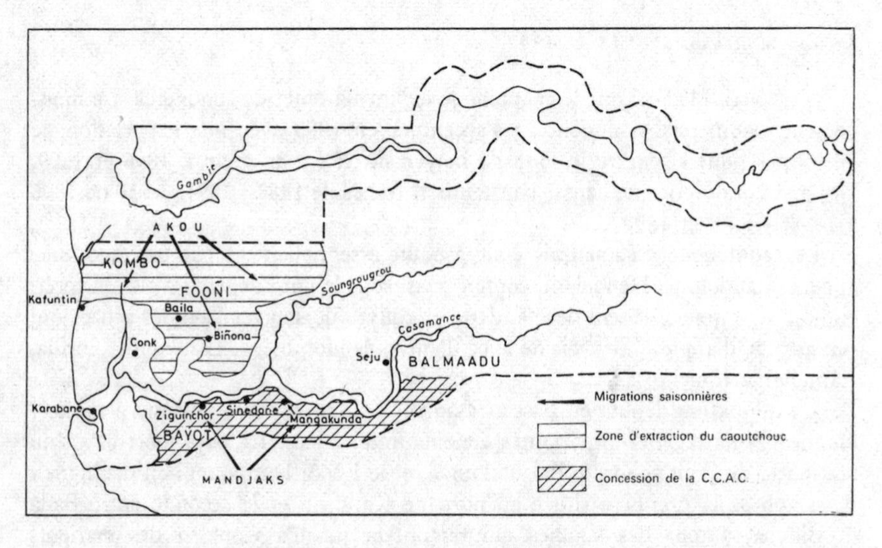

Fig. 20. La culture du caoutchouc en Basse Casamance (1880-1900).

On distinguait quatre qualités de caoutchouc. Le A.P. (Akou prime) qui était le plus recherché, mais il était rare, le A ou Akou qui était le plus exploité, le A.M. ou Akou moyen qui contenait quelques impuretés, enfin le B, de qualité médiocre, à cause de la présence de boue, de sable, de détritus de bois. Après trituration, le A donnait 70 à 80 % de caoutchouc et le A.M., 60 à 70 %. L'inconvénient, c'est que les Africains ne prenaient guère de soin pour extraire le latex. Le A.P. était extrait surtout dans le nord du Fooñi par les Malinké de Gambie. Le caoutchouc joola et balant appartenait aux qualités A et A.M. Le B n'était pas rare car le récolteur laissait le suc tomber à terre au lieu de le faire tomber sur de larges feuilles pour le recueillir. Le produit récolté était lourd à cause de la terre et des cailloux qu'il contenait.

Devant les progrès du caoutchouc, l'administration pensa à d'éventuelles plantations. Des essais furent faits en 1895 avec le céara qui présenta des inconvénients. Trop fragile, il fut attaqué par les termites et les charançons. La Société agricole de Casamance créa deux plantations ; l'une à Seju, l'autre à Mangakunda, à partir des pépinières de Seju. Mal entretenues, elles donnèrent des résultats médiocres et disparurent. De nouveaux essais furent alors tentés à Ziguinchor et Sinedone. La récolte eut lieu pendant l'hivernage. Une autre essence fut recommandée par les spécialistes ; le Funtumia elastica qui résista bien aux vents brûlants. Le latex parut plus abondant que celui du céara.

L'exploitation du caoutchouc était dirigée et animée par quelques sociétés commerciales qui lui consacraient tous leurs soins. Compagnies de traite avant tout, elles achetaient les divers produits locaux exportables, en échange des articles de traite recherchés par les paysans.

2. Les sociétés commerciales

A partir de 1885, les commerçants furent attirés par la perspective de profits intéressants dans l'exploitation du caoutchouc. Certaines sociétés obtinrent du gouvernement français des concessions importantes qui provoquèrent la mauvaise humeur de leurs rivales. C'est ainsi que le 14 août et le 26 décembre 1889, le Président de la République française, Sadi Carnot signa deux décrets qui accordaient à un nommé Cousin, une concession du droit d'exploiter pendant cinquante ans les forêts de la rive gauche de la Casamance, du marigot Kajinol au Balmaadu. Le 16 janvier 1890, Cousin constitua une société civile au capital de 800 000 francs qui eut son siège à Marseille et choisit le sigle de C.C.A.C., ou Compagnie Commerciale et Agricole de la Casamance. Un cahier des charges annexé aux décrets stipula les obligations et avantages suivants.

Le concessionnaire devait s'abstenir de toute exploitation dans la partie des forêts distante de moins de 2 kilomètres des villages et d'un kilomètre des surfaces cultivées par les paysans. D'autre part, la concession ne s'appliquait qu'aux forêts qui n'étaient pas l'objet d'une exploitation régulière et normale de la part des habitants, sauf dans le cas d'une entente entre le concessionnaire et les indigènes intéressés. Restaient également en dehors de la concession toutes les forêts ou parties de forêt sur lesquelles les paysans avaient des droits de propriété formellement reconnus [1].

Le concessionnaire devait verser au profit du budget du Sénégal une redevance fixe de 5000 francs par an. La redevance fut ramenée à 1000 francs pour les dix premières années. L'interruption de l'exploitation pendant un an par le fait du concessionnaire, à quelque époque que ce fût, provoquait sa déchéance de plein droit, prononcée par le Sous-Secrétaire d'Etat aux Colonies.

En compensation, il avait le droit d'exploiter les forêts selon son choix, d'y ouvrir des routes, de créer des voies de communication respectant les propriétés indigènes, d'aménager des portions de forêts contiguës ou séparées, de les enclore par des barrières, d'y élever les constructions nécessaires à l'exploitation et d'y créer des centres habités. A l'expiration de la concession, le concessionnaire pouvait conserver comme lui appartenant en propre par prescription, les terres ou forêts aménagées par lui.

[1] A. Cousin. *Concession coloniale. Etude sur la concession de la rive gauche de la Casamance*, Paris, Challamel, 1899, 141 pages, 1 carte.

Bien entendu, les Casamançais ne furent pas consultés sur l'accaparement de leurs terres. Cela allait de soi pour Cousin qui écrivait : « Quant aux terrains, il ne lui vient pas à l'esprit (de l'indigène) qu'ils puissent avoir une valeur, car il en prend suivant ses besoins et suivant sa fantaisie ; la forêt est si immense. Il serait donc bien étonné d'apprendre que le gouvernement a pris tant de soin pour le protéger contre le concessionnaire que jusqu'au jour ou il aura été suggestionné par un Blanc mal intentionné, si ce n'est par l'administration coloniale elle-même... Mais alors à partir de ce jour-là, il sera insupportable, il exagérera ses droits, surtout si comme cela est advenu, il est soutenu par l'administration toujours prête à donner raison à l'indigène contre l'Européen. [1]»

On devine à l'aigreur du propos, que la concession ne plut pas à tout le monde, en particulier aux sociétés locales qui s'efforcèrent de tout mettre en œuvre pour éliminer un concurrent aussi favorisé.

Le Conseil Général du Sénégal manifesta une vive hostilité au concessionnaire au cours de la session ordinaire de décembre 1890. Il protesta et demanda que les concessions en Casamance, territoire colonial, fussent préalablement examinées par les pouvoirs locaux. La C.C.A.C. décida de s'installer d'abord à Ziguinchor où une factorerie commerciale et agricole fut construite sur un terrain acheté à MM. Blanchard de Marseille. Pour commencer l'exploitation agricole, un terrain fut acquis tout près du village, au lieu dit « kande ». En octobre 1891, la société élimina un concurrent en achetant les comptoirs de Maurel et Prom et de Maurel frères en Casamance, c'est-à-dire les immeubles, fonds de commerce, flottille, matériel et marchandises. En novembre, elle éleva son capital à 2 millions et en 1892 réalisa 184 272 francs de bénéfice net.

Le Conseil Général continua à manifester son animosité en refusant de voter à sa session ordinaire de 1891 un crédit pour le balisage de la Casamance ; « la Compagnie qui est propriétaire de cette partie de notre colonie avec tout privilège pouvant bien se charger de ce travail » [2]. Les sociétés rivales passèrent à l'offensive soit en achetant comme la C.F.A.O. à Karabane, un terrain proche de la nouvelle factorerie de la C.C.A.C. [3], soit en se faisant accorder, début 1893, des concessions à titre provisoire par l'administration coloniale de Casamance. La C.C.A.C. protesta auprès du gouverneur et du Ministère contre les concessions de terrain à Ziguinchor accordées à la C.F.A.O. (Compagnie française de l'Afrique Occidentale) et à la Société Flers-Exportation. Elle invoqua son privilège exclusif sur les territoires situés sur la rive gauche entre le marigot de Kajinol et le pays malinké. Sur le point d'obtenir satisfaction, le Ministère changea et la solution fut ajournée.

En 1894, la C.C.A.C. protesta contre un nouveau mode de perception en Casamance qui touchait les traitants. Selon une vieille coutume, les traitants payaient aux chefs de villages, une patente annuelle de 50 à 75 francs. En fait, la plupart après avoir promis, négligeaient de payer. Pour remédier à cette situation, l'administrateur supérieur suggéra au gouverneur de décider que les traitants

[1] A. Cousin. *Concession coloniale. Etude sur la concession de la rive gauche de la Casamance.*

[2] Supplément du J.O. du Sénégal 1891. Session ordinaire du Conseil Général.

[3] Karabane se situe hors du périmètre de la concession.

opérant dans les villages autres que Karabane, Ziguinchor, et Seju (territoires d'administration directe) paieraient entre les mains de l'administrateur du cercle un droit de patente de 75 francs, dont 25 francs pour le chef de village et 50 francs pour le budget régional. L'administrateur délivrerait des reçus réguliers et remettrait aux chefs indigènes les sommes qui leur reviendraient. Pour la C.C.A.C. qui employait 200 traitants, cela représentait une somme de 15 000 francs.

Cette même année, les compagnies subirent de lourdes pertes qui les placèrent en difficulté. Neuf traitants sur dix accusèrent des déficits par suite de crédits non remboursés. Depuis la famine de 1893, les Casamançais avaient cherché à acquérir du riz au lieu d'acheter des étoffes de pagne ou de la bimbeloterie offertes par les traitants. En conséquence, les compagnies voulurent congédier tous leurs traitants noirs et les remplacer en quelques endroits importants par des opérateurs européens. Leur nombre réduit devait obliger les paysans à se déplacer vers les comptoirs, et les familiariser avec les pratiques commerciales. L'administrateur de Seju fut sceptique sur le résultat de ces nouvelles mesures dans le Fooñi. « Les commerçants se préparent à de graves mécomptes car tous les Diolas se refusent absolument à sortir de leurs villages. Cela tient à ce que le commerce des captifs alimenté par des vols d'enfants ou des enlèvements de grandes personnes se fait encore sur une grande échelle dans l'intérieur du Fogny »[1].

La C.C.A.C. en difficulté fut obligée d'entrer avec la Société Flers-Exportation dans un groupement de plusieurs entreprises coloniales pour constituer, en octobre 1894, la C.C.F.A. (Compagnie Coloniale franco-africaine) qui opéra sur tout le long de la côte occidentale, de Dakar au Congo portugais et au Soudan français. Il resta donc en Casamance deux sociétés importantes, la C.C.F.A. et la C.F.A.O.

En 1895, il n'y eut aucune amélioration et l'année fut qualifiée de très mauvaise. La suppression des traitants noirs n'avait rien arrangé. L'avilissement des cours de l'arachide en Europe découragea un peu plus les producteurs qui l'abandonnèrent de plus en plus ; d'où l'idée de faire des essais de plantation de graines de sésame pour la remplacer. La C.F.A.O. distribua des semences aux villages du Buje et les premiers rendements parurent prometteurs. La récolte de caoutchouc fut de qualité médiocre. Le A.P. extrait par les Akou de Gambie passa en fraude la frontière et il fut vendu à Bathurst à un meilleur prix. Les commerçants en Casamance payaient un droit de 0 f 24 par kilog qui n'existait pas en Gambie.

Au mois d'octobre, un désaccord entre les membres du conseil d'administration de la C.C.F.A. amena la C.C.A.C. à négocier son retrait. Elle intenta un procès pour reprendre son apport. Dès lors, les soucis ne cessèrent de croître. Elle réduisit de plus en plus ses frais généraux et ses factoreries. Le comptoir de Marsasum fut abandonné. En octobre 1898, elle disparut pour faire place à une nouvelle société, la Compagnie du Caoutchouc en Casamance au capital

[1] Archives du Sénégal, 13 G 475. Rapport du lieutenant Moreau, commandant du poste de Seju au colonel, commandant supérieur des troupes, 5 novembre 1894. Moreau fait allusion aux rapts perpétrés par des Jula malinké et peul.

de 500 000 francs. La C.C.A.C. apporta à la nouvelle compagnie tout l'actif net de Casamance moyennant l'attribution de 250 000 francs d'actions et 40 % des bénéfices. Cousin fondateur de la C.C.A.C. expliqua l'échec de son entreprise par l'hostilité et les intrigues malveillantes de ses rivaux locaux appuyés par l'administration et le député du Sénégal, Couchard, qui lança de violentes attaques contre la société, le 28 février 1895, à la séance de la Chambre des Députés [1].

A côté des sociétés, des commerçants travaillaient pour leur compte avec plus ou moins de succès. La crise les affecta durement, mais leurs frais généraux furent moins élevés. Avec l'aide d'un ou deux traitants, ils cherchaient le caoutchouc et les palmistes pour les revendre aux sociétés.

A la fin du siècle dernier, l'espoir vint avec la timide relève de l'arachide. Le caoutchouc se vendait bien et Ziguinchor devint le point de traite principal de la rivière. Le misérable village de 1886 laissait peu à peu la place à une agglomération où un urbanisme de type colonial commença à prendre de l'extension [2]. Le 13 décembre 1898, une convention sur la durée du travail et adoptée par les maisons de commerce, entra en vigueur. Les employés furent astreints aux horaires: 6 h - 11 h et 13 h - 17 h 30, soit neuf heures et demie par jour. Quand on connaît le climat de Ziguinchor et la chaleur torride des après-midi qui est supérieure à 30°, on imagine facilement la peine des travailleurs. L'insécurité régnait cependant aux portes du village avec les embuscades tendues par les Bayot. Pour rassurer le commerce qui ne cessait de se plaindre, un poste militaire avec 25 tirailleurs, sous le commandement d'un lieutenant, fut créé le 30 juillet 1899. Comme à Seju, quarante ans plus tôt; les commerçants et leurs traitants travaillaient à leurs risques et périls. Aux Malinké succédèrent les Joola violemment hostiles à toute subordination. Admirablement servis par une nature d'accès difficile, ils opposèrent dans la limite de leurs moyens, une résistance farouche, qui n'était pas prête à céder.

[1] A. Cousin. *Concession coloniale. Etude sur la concession de la rive gauche de la Casamance.*
[2] Voir plan de 1902 établi par le lieutenant Lambin, 4e partie, chapitre 4.

Chapitre 2

LA RIVALITÉ FRANCO-PORTUGAISE (1878-1890)

1. Les intrigues portugaises

Au début du mois de décembre 1878, le chef du Préside de Ziguinchor, Joaquim, Antonio Pereira, reçut la visite du chef du Préside de Cacheu, son supérieur hiérarchique. Sa venue coïncida avec le réveil de l'action politique portugaise en Casamance. Quelques jours plus tard, Pereira, accompagné par deux soldats, visita plusieurs villages de la rivière entre la pointe Saint-Georges et le Soungrougrou. Il remit un pavillon portugais à un mulâtre, Manuel Verda, qui résidait à Adeane, village bañun. Son père, Fabrice Verda, avait acquis le territoire d'Adeane pour la valeur de 900 gourdes. Pereira repartit pour Ziguinchor après avoir laissé une garnison de trois hommes. Le fait fut signalé au gouverneur Brière de l'Isle qui informa le ministre Pothuau : « Le Préside de Ziguinchor est commandé par un noir mal vêtu... Il se disposerait à placer des militaires à Diao à l'entrée du Fogny et fait répandre le bruit avec beaucoup de forfanterie que toute la Casamance relève de Cacheu. » [1]

Le chef de bataillon Boilève partit sur l'aviso « Le Castor » pour « examiner sérieusement la question sur place et faire rentrer les choses en leur état régulier dans ces contrées sur lesquelles la France a seule d'ailleurs acte de souveraineté par l'entretien d'établissements respectables. » [2] Le gouverneur fondait les droits de la France sur le traité du 18 mars 1865 par lequel les villages bañun de la rive sud, à l'est de Ziguinchor, accordaient à la France un droit de suzeraineté sur tout le territoire compris entre le marigot de Bermaka près de Jaring, à l'est et le marigot de Jinokuna à l'ouest [3].

« Le Castor » partit le 30 janvier pour la Casamance et les îles Bissagos. A Adeane, les Français appréhendèrent un mulâtre portugais, Antonio Ricardo, qui portait un uniforme et se faisait appeler Docteur. Interrogé, il déclara se

[1] Archives du Sénégal, 2 B 74. Registres des situations politiques, janvier 1879.

[2] Archives du Sénégal, *ibid.*

[3] Traité du 18 mars 1865 signé entre Mailhetard, commandant du cercle de Seju et les chefs bañun de Jañu (Diagnou), Gonu, Niena, Kubone, Samik, Gandiane, Bisse, Tudenal, Abal, Niajo, Bumeda. Archives du Sénégal, 13 G 4.

promener dans le pays en simple particulier, en vertu d'une permission de trois jours accordée par le chef du Préside de Ziguinchor. Mais les habitants affirmèrent qu'il était dans le village depuis plus d'un mois et qu'il circulait dans la région pour donner des instructions au nom du chef du Préside de Cacheu. Afin de connaître la vérité, Boilève arrêta le mulâtre et le présenta au chef du Préside de Ziguinchor, Henrique José Ribeiro. Celui-ci monta à bord du « Castor » et s'excusa pour la conduite de son compatriote. La conversation qu'il eut avec Ricardo révéla que ce dernier était effectivement en mission en Casamance par ordre de Cacheu. Boilève rentra à Saint-Louis le 14 février. Brière de l'Isle estima que la présence du « Castor » à la confluence du Soungrougrou avait eu pour résultat de prémunir les indigènes liés par des traités à la France, contre les agissements portugais, et que l'attitude du chef de Bataillon pouvait rendre les Portugais plus circonspects. Pourtant, en novembre 1880, la garnison de Ziguinchor, qui comprenait un caporal et deux soldats invalides disposant de deux fusils à pierre, fut remplacée par un sergent-major, dix-huit soldats valides bien armés et deux pièces d'artillerie. Brière de l'Isle informa le Ministère le 10 décembre qu'il allait envoyer Jacquemart, commandant du 2e arrondissement de Gorée, en tournée d'inspection. Le Ministre, le vice-amiral Cloué lui répondit qu'il n'y voyait aucun inconvénient, mais il recommanda de faire preuve de prudence. D'abord, les appréhensions du gouverneur étaient exagérées; ensuite il ne fallait pas mécontenter le Portugal qui « aidait puissamment la France à tenir les entreprises anglaises d'expansion en échec dans les parages » [1].

Le chef du Preside justifia l'accroissement des effectifs de la garnison par l'extension du commerce de Ziguinchor. Les Français qui en étaient les maîtres et les principaux artisans, apprécièrent le prétexte invoqué, à sa juste valeur. Le commerce était entre les mains d'un négociant français, François Chambaz, qui s'était établi à Ziguinchor après avoir quitté l'Infanterie coloniale. Il réalisait le plus important chiffre d'affaires, 50 000 francs en 1874. Le reste était assuré par quelques succursales des Maisons de Seju. La cire et les peaux partaient à Seju et les arachides étaient entreposées à Ziguinchor où des bateaux de Gorée les chargeaient en prétendant qu'elles étaient d'origine portugaise. Ils évitaient ainsi de payer des droits de sortie à Karabane. Personne n'était dupe de cette fraude, car tout le monde savait que l'enclave de Ziguinchor ne fournissait aucun oléagineux. Le commerce avec Cacheu était médiocre, car il fallait douze heures de marche et traverser un marigot pour y arriver. Pour enrichir les finances de Ziguinchor, une taxe minimum de 300 reis fut imposée à tous les passagers et embarcations qui se rendaient à Seju.

Le 30 avril 1882, le chef du Preside, Antonio Fiallo, renouvela les droits du Portugal sur Adeane. Il fit savoir aux traitants, qu'ils devaient solliciter son autorisation pour s'y établir. Dodds qui achevait sa campagne contre les Malinké de Sunkari, reçut à bord de « L'Ecureuil » le chef bañun d'Adeane qui lui annonça qu'une chaloupe à vapeur portugaise était venue à la fin du mois de mars et que de nombreux pavillons avaient été distribués dans les villages environnants. Le chef du Preside avait alors déclaré que la colonne militaire française venait

[1] Archives Nationales. Sénégal VI, dossier 14. Relations avec le Portugal, 21 janvier 1881.

saccager tout le pays et que les bañun avaient intérêt à se placer sous la protection du gouvernement portugais [1]. Cette fois, une démarche officielle du Ministère des Affaires Etrangères fut effectuée auprès du gouvernement de Lisbonne qui opposa, le 14 octobre 1882, une version des faits toute différente, au chargé d'affaires français.

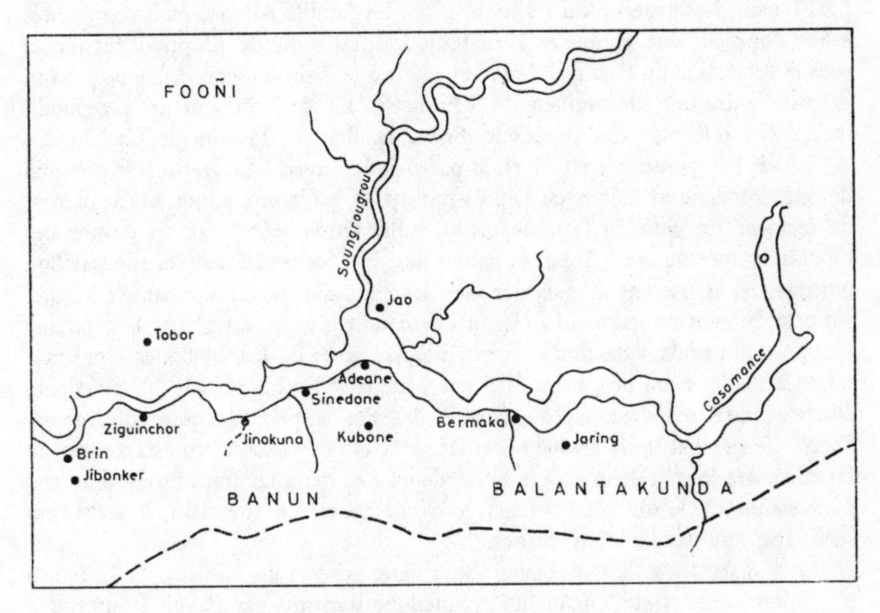

Fig. 21. Les intrigues portugaises (1879-1886).

2. L'affaire Laglaise (1884)

En février 1884, un incident opposa les autorités portugaises et françaises. Le 4 février au matin, un chasseur naturaliste français, M. Laglaise, établit son campement sur les bords de la Casamance, à faible distance du village bañun de Sinedone. Il fit hisser un pavillon français à un mât rustique pour faire connaître sa nationalité [2]. Quelque temps plus tard, Jul, le chef du village vint sommer M. Laglaise d'amener son pavillon pour le remplacer par le pavillon portugais. Il refusa mais une troupe nombreuse amena de force le pavillon français. Le 8 février, à 22 heures, le chef du Préside de Ziguinchor fit arrêter M. Laglaise, qui fut incarcéré à Ziguinchor pour avoir insulté les couleurs portugaises. Il fut libéré sur l'intervention du négociant Chambaz, à condition de ne pas quitter

[1] Archives Nationales. Rapport de Dodds au gouverneur. Sénégal VI, dossier 14, 4 mai 1882.

[2] Archives Nationales. Rapport du capitaine du « Héron » au commandant en chef de la Division Navale de l'Atlantique sud, 29 février 1884. Sénégal VI, dossier 14. Relations avec le Portugal.

Ziguinchor. Prévenu par Seju, le lieutenant-gouverneur Bayol arriva à Ziguinchor le 14 février au matin. Il rappela que Sinedone était sous protection française depuis le traité du 18 mars 1865 et que l'arrestation de Laglaise était illégale. Le chef du Préside refusa de l'admettre et dit que le territoire de Sinedone appartenait aux Portugais. Il était la propriété de la famille du délégué à la douane de Ziguinchor, Ernesto José Alfonso, qui avait acheté le terrain au chef bañun Fati Dinali, le signataire du traité de 1865. La famille Alfonso était représentée à Sinedone par une femme et avait toujours désiré que sa propriété fût placée sous la protection du Portugal. Bayol fit valoir que le droit de propriété ne pouvait détruire le droit de souveraineté de la France, mais son interlocuteur lui répondit qu'il allait informer son supérieur direct, le chef du Préside de Cacheu. Le 18 février, la réponse attendue n'étant pas arrivée, l'aviso « Le Héron » se présenta devant Sinedone au début de l'après-midi. Les habitants, effrayés, acceptèrent de recevoir un pavillon français mais manifestèrent leurs craintes devant des représailles portugaises. Aussi, le lendemain, ils hissèrent à nouveau le pavillon portugais et refusèrent de palabrer avec les Français en abandonnant le village. Le détachement militaire du « Héron » descendit à terre, dirigé par le capitaine Lenoir, commandant de cercle. Il incendia les cases de Jul, quelques greniers à riz et razzia le menu bétail. Le 21 février, Laglaise fut libéré et le 22, Sinedone, écartelé entre ses deux « protecteurs », sollicita la paix. Joaquim d'Almeida, Secrétaire général de la Guinée portugaise arrivé de Bissau, protesta auprès de Bayol contre le châtiment infligé à Sinedone. Les deux hommes furent d'accord pour soumettre le différend à leurs gouvernements. En attendant, le statu quo serait respecté par les deux parties.

Le 8 mars 1884, le gouverneur Bourdiaux adressa au ministre Félix Faure le rapport complet sur l'incident de Sinedone transmis par Bayol. Il approuva la conduite du lieutenant-gouverneur et ajouta : « Je crois que l'on pourrait prendre pour base d'une entente avec le Portugal, la cession de Ziguinchor par cette puissance et leur abandonner en compensation le rio Cassini que nous n'occupons pas et qui nous appartient en vertu d'un traité du 28 novembre 1865 signé par Pinet-Laprade.[1] » La suggestion semblait judicieuse, d'autant qu'elle était inspirée par le commerce et qu'un nouvel incident franco-portugais allait lui donner plus de valeur.

3. L'incident de Mbéring ou Brin (1884)

Le 28 mars, le vapeur portugais « Cassini » passa devant Karabane pour aller réclamer aux gens de Mbering quinze personnes que ceux-ci avaient enlevées dans les environs de Ziguinchor. Terrorisées par les récits des razzias de Fodé Kaba sur la rive nord, elles avaient quitté leur village pour venir se réfugier à Ziguinchor. Les chefs de Mbering avaient refusé de les rendre au chef du Préside qui les avait menacés de représailles.

[1] Archives Nationales, Sénégal VI, dossier 14.

Le 3 avril, la canonnière « Bengo » ayant à son bord le gouverneur de la Guinée portugaise, Pedro Ignacio de Gouveia, passa devant Karabane pour se rendre à Ziguinchor où elle arriva le 4 au soir, retardée par un échouement. Le sergent Tellier, chef de poste de Karabane, arriva dans la nuit à Mbering où il visita les trois quartiers, Jirel, Jiguere et Butemol. Les chefs lui déclarèrent que le gouverneur avait envoyé un délégué, Antonio Preira de Carvalho pour réclamer les personnes qui avaient été enlevées. Ils lui avaient répondu que ce rapt était le fait du village voisin de Jibonker et qu'ils avaient tenté une démarche pour que les captifs fussent rendus. Furieux, Carvalho les avait alors menacés de mettre le feu au village. Ils avaient répondu que leur village était français. Tellier décida de rester à Mbering le 5 avril pour rassurer la population et attendre l'arrivée éventuelle des Portugais. Il repartit le 6 pour Karabane et apprit à son arrivée que les Portugais avaient incendié les trois quartiers de Mbering. La canonnière « Bengo » repassa le 8 devant Karabane. Tellier arriva au village le 9 pour constater les dégâts. Le 10, il rendit visite aux chefs de Jibonker qui lui donnèrent un papier portant le visa de la canonnière « Bengo » et signé Pedro Ignacio de Gouveia. Les Portugais avaient écrit que les gens de Jibonker étaient venus demander pardon au gouverneur sur les conseils de ceux du village de Jibelor, pour l'offense faite au Préside. Ils offraient une indemnité de vingt bœufs et cent boisseaux de riz pour être distribués aux gens de Ziguinchor. Les chefs de Jibonker s'empressèrent d'affirmer que cette « indemnité » était en réalité une amende et qu'ils ne la paieraient pas.

Plus heureux que Mbering, Jibonker avait échappé à l'incendie. Ce n'était pas le fait du hasard. La décision portugaise fut modifiée par une lettre du lieutenant-gouverneur Bayol transmise par Tellier, et qui était arrivée à Ziguinchor le 6 avril à 22 heures 15. Elle contenait entre autres la copie du traité passé le 30 mars 1828 entre le commandant de l'aviso « Le Serpent » et le chef de Mbering et des pays environnants. Le gouverneur de Guinée portugaise avait répondu par retour le 7 avril au matin. Il déclarait que le traité mentionné était inconnu des habitants de Ziguinchor, mais aussi de ceux de Mbering qui n'avaient jamais fait allusion au protectorat français. En conclusion, il exprimait le souhait de voir le statu quo respecté tant que les Cabinets de Paris et de Lisbonne n'auraient pas réglé de manière définitive la question de délimitation entre le Sénégal et la Guinée portugaise. [1]

Le 11 avril, Tellier écrivit à Bayol pour lui dire : « Je tiens de source certaine que votre lettre a très embarrassé les Portugais » [2]. Le papier remis par les habitants de Jibonker portait, outre la signature du gouverneur portugais, celles de deux témoins dénoncés par les Joola comme des esclavagistes notoires, Laurenço de Alvarengo et Antonio Pereira de Carvalho dit Caro.

Ainsi, avec ces quelques tentatives pour imposer leur autorité aux villages proches de Ziguinchor, les Portugais cherchaient à faire admettre leurs droits sur la Casamance et à acquérir quelques avantages afin de posséder des gages intéressants dans la perspective d'un échange avec les Français.

[1] Archives Nationales, Sénégal VI, dossier 14. Relations avec le Portugal.

[2] Archives Nationales, *ibid.*

4. Les convoitises françaises sur Ziguinchor

Défendus par leur énergique président, Félix Cros, les commerçants de Gorée réclamèrent au lieutenant-gouverneur, en février 1883, qu'un délai d'entrepôt d'un an fût accordé aux commerçants français établis à Ziguinchor. Dans une lettre du 23 février, Félix Cros écrivait : « Le commerce pense que pour tout simplifier, il serait préférable de négocier avec le Portugal l'annexion pure et simple de Ziguinchor, vu sa faible entreprise. [1] » Le 22 janvier 1884, il renouvela les mêmes revendications et réclama en outre l'exonération de tout droit de port pour les bateaux qui entraient à Ziguinchor, en vue d'y entreposer des produits, réservant l'application de ces impôts aux navires ou caboteurs qui venaient prendre ces mêmes produits pour les exporter [2].

Ainsi s'affirmait déjà l'intérêt des commerçants français pour Ziguinchor, qui allaient lui permettre de devenir sénégalaise et plus tard, capitale régionale de la Casamance. Pourtant Ziguinchor par lui-même n'avait pas la moindre valeur. Son étendue se réduisait à quelques hectares de terrain de nature inculte et sa défense militaire avait de vieilles murailles toutes décrépies, mal servies par deux ou trois canons enfoncés aux trois-quarts en terre. Quant au trafic, il était nul [3].

Trois raisons essentielles poussaient les commerçants français à réclamer l'enclave portugaise ; d'abord sa position sur le fleuve entre Karabane et Seju. Bien placée, accessible aux vapeurs, elle avait l'avantage d'éviter les transbordements imposés par les bas fonds de la pointe des Piedras et qui empêchaient les navires d'un gros tonnage de remonter jusqu'à Seju. Malgré les razzias de Fodé Kaba et de son émule Birahim Njaay qui pillaient le bas Soungrougrou depuis 1883, les points de traite de cette rivière avaient des liaisons plus faciles avec Ziguinchor qu'avec la capitale du Buje. La baisse de la production arachidière dans les pays malinké et le développement des ressources forestières incitaient à la recherche et au contrôle de nouvelles terres plus en aval. Les progrès spectaculaires du caoutchouc, la demande accrue des amandes de palme et des noix de touloucouna donnaient à la Basse Casamance une importance nouvelle. Les pays joola suscitaient des convoitises. Le commerce suggéra de nouvelles conquêtes. Par sa situation, Ziguinchor devint son objectif immédiat.

Le 6 septembre 1885, Félix Cros rappela à Bayol sa lettre du 22 janvier 1884. Dans son style fort suggestif et quelque peu péremptoire, il écrivait : « Il n'entre pas dans mes attributions d'indiquer la compensation qui devrait être offerte au Portugal du fait de la cession qu'il nous consentirait de cette parcelle minuscule de terrain, mais il vaudrait assurément mieux pour la France comme pour le Portugal que nous lui cédions nos droits sur le Cassini en échange de Ziguinchor dont la position géographique au milieu de notre rivière de Casamance est pour le moins regrettable. [4] »

[1] Archives du Sénégal, Q 32. Lettre de Félix Cros, 23 février 1883.
[2] Archives du Sénégal, Q 32. Lettre de Félix Cros, 22 janvier 1884.
[3] Archives du Sénégal, Q 13 G 371. Lettre de Félix Cros, 5 septembre 1885.
[4] Archives du Sénégal, Q 32. Lettre de Félix Cros, 6 septembre 1885.

Le 12 mai 1886, les commerçants français en Casamance obtinrent gain de cause. Ziguinchor devint française et partant sénégalaise à la suite d'une convention signée entre le Portugal et la France.

5. La convention franco-portugaise du 12 mai 1886 [1]

Le Président de la République française et Sa Majesté le Roi du Portugal et des Algarves, animés du désir de resserrer par des relations de bon voisinage et de parfaite harmonie les liens d'amitié qui existent entre les deux pays, ont résolu de conclure à cet effet une convention spéciale pour préparer la délimitation de leurs possessions respectives dans l'Afrique occidentale et ont nommé pour leurs plénipotentiaires, savoir :

Le Président de la République française : [2]
Monsieur Girard de Rialle, ministre plénipotentiaire, chef de la division des Archives au Ministère des Affaires Etrangères, chevalier de l'Ordre national de la Légion d'Honneur... etc., et Monsieur le capitaine de vaisseau O'Neill, commandeur de l'Ordre national de la Légion d'Honneur..., etc.

Sa Majesté le Roi du Portugal et des Algarves : [3]
Monsieur Joao d'Antrade Corvo, conseiller d'Etat, vice-président de la Chambre des Pairs, Grand Croix de l'Ordre de la Légion d'Honneur..., etc., son envoyé extraordinaire et ministre plénipotentiaire près le gouvernement de la République française et Monsieur Carlos Roma de Bocaye, député, capitaine de l'Etat Major du génie, son officier d'ordonnance honoraire et attaché militaire à la légation près Sa Majesté l'Empereur d'Allemagne, roi de Prusse, chevalier de l'Ordre de Saint-Jacques..., etc.

Lesquels, après avoir échangé leurs pleins pouvoirs trouvés en bonne et due forme, sont convenus des articles suivants :

Article 1er. « En Guinée, la frontière qui sépare les possessions françaises des possessions portugaises suivra... :

Au nord, une ligne qui partant du cap Roxo se tiendra autant que possible, d'après les indications du terrain, à égale distance des rivières Casamance et San Domingo de Cacheu jusqu'à l'intersection du méridien 17° 30' de longitude ouest avec le parallèle 12° 40' de latitude nord ; entre ce point et le 16° de longitude ouest de Paris, la frontière se confondra avec le parallèle 12° 40' de latitude nord ; à l'est, la frontière suivra le méridien de 16° ouest, depuis le parallèle de 12° 40' de latitude nord jusqu'au parallèle 11° 40' de latitude nord.

Au sud, la frontière suivra une ligne qui partira de l'embouchure de la rivière Cajet, située entre l'île Catack qui sera au Portugal et l'île Tristao qui sera à la France, et se tenant autant que possible d'après les indications du terrain à égale distance du rio Componi (Tabati) et du rio Cassini, puis de la branche septentrionale du rio Componi (Tabati) et de la branche méridionale du rio Cassini

[1] Archives du Sénégal, 2 F 4.
[2] Jules Grévy.
[3] Louis Ier (1861-1889).

(marigot de Kakonda) d'abord et du rio Grande ensuite, viendra aboutir au point d'intersection du méridien 16° de longitude ouest et du parallèle 11° 40' de latitude nord.

Appartiendront au Portugal toutes les îles comprises entre le méridien du cap Roxo et la limite sud formée par une ligne qui suivra le thalweg et la rivière Cajet et se dirigera ensuite au sud-ouest à travers la passe des Pilotes pour gagner le 10° 40' de latitude nord avec lequel elle se confondra jusqu'au méridien du cap Roxo. »

Article 2. « Sa Majesté le Roi du Portugal et des Algarves reconnaît le protectorat de la France sur les territoires du Fouta-Djalon tel qu'il a été établi par les traités passés entre le Gouvernement de la République française et les Almamys du Fouta-Djalon. Le gouvernement de la République française, de son côté, s'engage à ne pas chercher à exercer son influence dans les limites attribuées à la Guinée portugaise par l'article 1er de la présente convention; il s'engage en outre à ne pas modifier le traitement accordé de tout temps aux sujets portugais par les Almamys du Fouta-Djalon. »

L'article 3 avait trait aux limites des possessions françaises et portugaises dans la région du Congo. L'article 4 reconnaissait au Portugal le droit d'exercer son influence dans les territoires qui séparaient ses possessions de l'Angola et du Mozambique, sous réserve des droits précédemment acquis par d'autres puissances.

Article 5. « Les citoyens français dans les possessions portugaises sur la côte occidentale d'Afrique et les sujets portugais dans les possessions françaises sur la même côte seront respectivement, en ce qui concerne la protection des personnes et des propriétés, traités sur un pied d'égalité avec les sujets et les citoyens de l'autre puissance contractante. Chacune des hautes parties contractantes jouira dans les dites possessions, pour la navigation et le commerce, du régime de la nation la plus favorisée. »

Article 6. « Les propriétés faisant partie du domaine de l'Etat de chacune des hautes parties contractantes dans les territoires qu'elles se sont mutuellement cédés feront l'objet d'échanges et de compensations. »

Article 7. « Une commission sera chargée de déterminer sur les lieux la position définitive des lignes de démarcation prévues par les articles 1 et 3 de la présente convention et les membres seront nommés de la manière suivante. Le Président de la République française et Sa Majesté très Fidèle nommeront chacun deux commissaires. Ces commissaires se réuniront au lieu qui sera ultérieurement fixé dans un nouvel accord par les hautes parties contractantes et dans les plus brefs délais possibles après l'échange des ratifications de la présente convention. En cas de désaccord, les dits commissaires en référeront aux gouvernements des hautes parties contractantes. »

La Convention fut ratifiée par la Chambre des Députés française le 20 juillet 1887 et à la fin de l'année, le gouvernement portugais ayant émis le vœu de voir la Commission franco-portugaise travailler sans retard, les autorités françaises désignèrent, au mois de décembre, le capitaine Brosselard-Faidherbe comme commissaire du gouvernement. Les premiers travaux de délimitation débutèrent en février 1888.

6. L'OCCUPATION DE ZIGUINCHOR (22 avril 1888)

Il fallut attendre deux ans pour que Ziguinchor devienne effectivement une possession française. La mission française dirigée par le capitaine Brosselard-Faidherbe fut chargée de prendre officiellement possession de Ziguinchor, au nom de la France, en avril 1888.

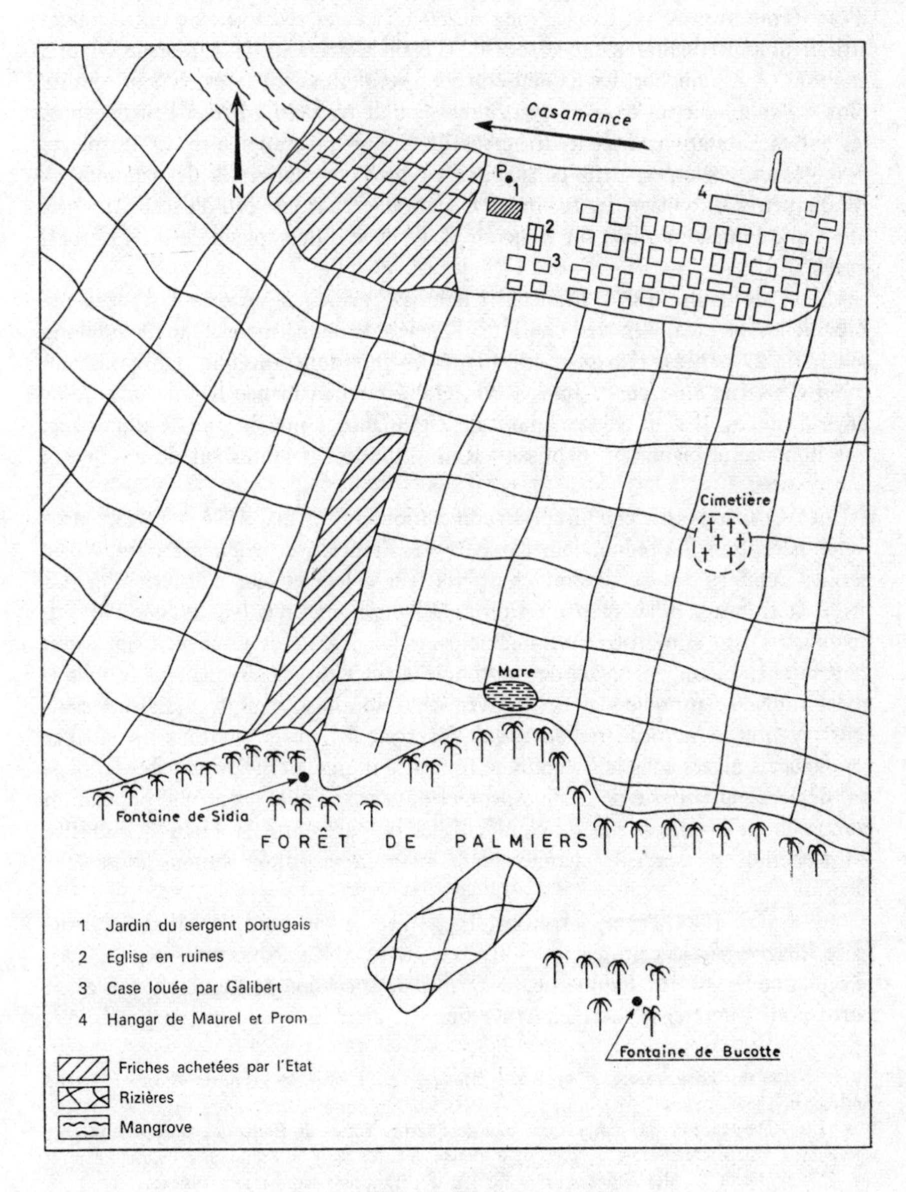

Fig. 22. **Plan de Ziguinchor en 1888.**

Ziguinchor, qui avait été détruite aux trois quarts par un gigantesque incendie en 1879, comportait neuf ans après, une population de 2000 personnes environ, groupée dans une centaine d'habitations vastes mais serrées et enfermées dans une palissade en mauvais état. « A l'extrémité occidentale, se dressait le mât de pavillon où flottaient les couleurs portugaises. L'église était située en arrière sur une sorte de tertre et devant le portail se dressait une vieille croix en pierre. A l'extrémité orientale, un petit wharf permettait d'aborder par sept mètres d'eau. Tout auprès, un hangar long de 50 mètres et recouvert de tuiles rouges attirait plus particulièrement le regard. C'était le magasin de la Maison Maurel et Prom. A Ziguinchor, les habitations confortables étaient rares. C'était tout au plus si l'on apercevait trois ou quatre maisons de traitants bâties à l'européenne, les autres habitations étaient des cases de forme quadrangulaire de 25 mètres de côté, assez élevées, mais construites en pisé et recouvertes de chaumes. [1] » A 500 mètres du village, les habitants allaient chercher une eau d'excellente qualité à une fontaine au lieu dit Boucotte, à l'entrée d'une splendide forêt de palmiers [2].

Le 8 décembre 1887, François Chambaz, principal négociant français de Ziguinchor et créancier des chefs de l'ancien Préside, mourut après un long séjour de 27 années. Il laissait 19 enfants vivants dont une fille qui épousa un colon d'origine alsacienne, Jules Roth, établi en Casamance depuis une quinzaine d'années. Il avait créé en amont de Ziguinchor, à une dizaine de kilomètres, une importante plantation baptisée « Roth Ville » où travaillaient de nombreux Gourmettes. [3]

Les Gourmettes accueillirent la convention du 12 mai 1886 avec une profonde déception. Ils redoutaient l'arrivée des Français, et leur crainte fut avivée par les notables qui ne dissimulèrent pas leur colère et leur consternation. La présence française allait mettre un terme à l'autonomie relative de l'enclave qui, jusqu'ici, s'était administrée elle-même, sous le contrôle de Cacheu. Depuis des générations, aucun Portugais de métropole n'avait dirigé directement le village et les mulâtres appréhendaient l'arrivée d'un administrateur français qui allait tout régenter. L'autorité militaire qui s'exerçait à Seju et sur tous les villages casamançais placés sous la suzeraineté française inquiétait les principales familles qui déploraient la perte de leur autorité et de leurs privilèges sur une population composée en grande partie de captifs. Elles préparèrent à la Mission française un accueil fort réservé et manifestèrent au premier administrateur toute leur hostilité.

Le 8 avril 1888, l'aviso « Le Guadiana » avec à son bord, la Mission portugaise dirigée par le commissaire Oliveira, arriva à Karabane pour régler, avec le capitaine Brosselard-Faidherbe, les termes de la cession de Ziguinchor. L'aviso partit pour Ziguinchor le 11 effectuer une dernière visite et retira la garnison [4].

[1] BROSSELARD-FAIDHERBE. *Casamance et Mellacorée*, Paris, A la Librairie Illustrée, 8, rue St-Joseph, 1891.

[2] Les Ziguinchorois qui connaissent bien le quartier actuel de Boucotte, sauront apprécier combien le village était étroit. Il longeait le fleuve. Voir le plan de Ziguinchor de 1888.

[3] Voir tableau des descendants de la famille de François Chambaz, en annexe.

[4] Archives des Pères du Saint-Esprit. *Journal de Carabane*. Père Kieffer, 1887-1889.

Il repartit pour Karabane dans la nuit du 12 au 13 et quitta définitivement les eaux casamançaises dans la journée du 13 avril, mettant fin officiellement à 243 années de présence portugaise dans cette rivière.

La Mission française arriva à Ziguinchor le 21 avril au soir sur l'aviso « Le Goéland » suivi de la canonnière « Myrmidon ». Les membres de la commission de délimitation débarquèrent en compagnie de M. Ly, administrateur de Basse Casamance, et de trois ecclésiastiques dont Mgr Picarda, Vicaire apostolique en tournée d'inspection des missions catholiques [1]. Le capitaine Brosselard-Faidherbe suivi de l'explorateur Galibert, membre de la Mission, visitèrent quelques cases pour trouver un endroit susceptible d'héberger le personnel de la Commission. Ils décidèrent, après accord de son propriétaire, de s'installer dans la concession d'un nommé Preira. A 19 heures, ils rentrèrent à bord pour le dîner et à 20 h 30, toute la Commission débarqua pour passer la nuit [2].

Le dimanche 22 avril à l'aube, une corvée du « Goéland », commandée par l'enseigne de vaisseau, second du bord, descendit à terre pour installer un mât de pavillon et un autel destiné à la célébration d'une messe en plein air. A 7 h 45, tout était prêt pour la cérémonie. A 7 h 55, les officiers de la Commission, l'administrateur Ly, Mgr Picarda, les commerçants et le détachement des tirailleurs en armes, se placèrent dans un ordre parfait en face du mât de pavillon. A 8 h 07, le pavillon français fut hissé en haut du mât, salué par une salve de 21 coups de canon. Ziguinchor était française.

A 8 h 45, la foule amassée sur le quai, accueillit Mgr Picarda qui célébra la messe dominicale à l'autel dressé par les marins du « Goéland ». L'office fut la dernière cérémonie officielle de cette journée historique. La présence en haut du mât d'un nouveau pavillon signalait aux Gourmettes qui rentraient chez eux qu'un certain passé était révolu. En devenant française, leur cité était vouée à un avenir qu'ils ne soupçonnaient probablement pas. Ancien site de la tribu bañun des Izguichos, premier grand peuple connu qui ait occupé la Casamance, Ziguinchor allait devenir plus tard, ville sénégalaise et capitale régionale de toute la Casamance. Les Bañun, victimes d'un véritable génocide depuis le XVIIe siècle, de leurs belliqueux voisins, Malinké et Joola, peuvent voir dans ce fait, une étrange revanche du destin.

Pour administrer Ziguinchor, le capitaine Brosselard-Faidherbe délégua ses pouvoirs à l'explorateur Galibert « apte à exercer cette fonction, surtout en raison de ses connaissances de la langue et des mœurs des populations portugaises [3] ». Il réclama un statut officiel pour cette nouvelle fonction [4]. Le ministre Félix Faure donna son accord et nomma Galibert, administrateur provisoire de Ziguinchor.

Galibert rendit visite à Jibelor, au roi bañun Bunuk-Bukor, propriétaire du territoire de Ziguinchor qui prit acte de la convention du 12 mai 1886. Mais le

[1] Mgr Picarda visitait les Missions de Karabane et de Seju. Le 6 octobre 1888, Karabane fut fermée (manque de ressources, peu de chrétiens) et les Pères furent mutés à Rufisque.

[2] Archives du Sénégal. 13 G 457. Compte rendu de la prise de possession de Ziguinchor par l'administrateur Ly.

[3] Archives du Sénégal. 13 G 463 (1). Lettre du gouverneur au ministre, 4 juin 1888.

[4] Ziguinchor fut cédé à la France qui la confia plus tard à la colonie du Sénégal.

chef bañun de Ziguinchor refusa de faire acte d'allégeance aux Français et il fut immédiatement remplacé par un colosse de Jibelor, Gnamini Kabo, parlant très bien le créole portugais et qui vint résider à Ziguinchor [1].

Les premiers contacts avec la population ne furent pas faciles, en raison du mauvais esprit entretenu par la famille Carvalho. Déchue de ses anciennes fonctions dirigeantes, elle tenta de conserver son influence sur ses anciens sujets.

Galibert ordonna d'assainir le village qui en avait bien besoin. Les habitants furent contraints de nettoyer les rues, devant leurs cases, d'attacher leurs porcs à des pieux sous peine d'amende. La palissade qui entourait les cases fut abattue, permettant ainsi une meilleure aération. Un service de voirie composé de laptots et dirigé par le chef du village se chargea de faire porter les ordures à des dépôts établis dans les rizières avoisinantes. La création d'un Etat civil et surtout l'établissement d'actes de propriétés suscitèrent de vives protestations. Les parents qui n'avaient pas un besoin absolu de leurs enfants furent obligés de les envoyer à l'école ouverte par un Père de la Congrégation du Saint-Esprit venu de Seju. A la fin du mois de mai, quarante enfants commencèrent à apprendre à lire et à écrire une nouvelle langue, le français. Comme on le voit, l'administrateur ne perdait pas de temps pour se mettre au travail, et organiser la vie communautaire selon des règles auxquelles la population n'était pas habituée. Fatigué par une gastrite et de l'anémie dues à une mauvaise alimentation, et aux privations d'un trop long séjour en brousse, Galibert obtint un congé à Gorée, au mois de septembre, pour se reposer. Le 18 octobre, il écrivit au gouverneur : « Les successions à Ziguinchor sont embrouillées, les héritiers et ceux de qui ils héritent, sont pour la plupart criblés de dettes vis-à-vis des maisons de Sedhiou. Il est vrai que Ziguinchor appartient presque tout entier à trois familles [2]. J'ai dû, durant le premier mois, interdire toute vente. Depuis, je les ai admises à condition que les vendeurs endettés ne toucheraient pas leur argent avant que l'autorité compétente ne se soit prononcée. Le plus endetté de Ziguinchor est un mauvais drôle. Il a fait de la prison. Il a fait de l'opposition à l'occupation française. Aujourd'hui, il se tient coi. Son nom est Carlos Carvalho d'Alvarenga. Il vient de faire une vente. J'ai légalisé la vente et fait opposition au jugement. Cela ne saurait durer, n'est-ce pas. [3] »

L'administrateur Ly [4] de Karabane qui avait quitté son poste au début de l'hivernage, fut remplacé officiellement par Galibert qui alla résider dans l'île, Ziguinchor n'offrant encore aucune maison suffisamment salubre pour servir de résidence. A cet effet, 5000 m² de terrain avaient été achetés par la Mission Brosselard, mais ils n'étaient pas encore payés et les travaux n'avaient pas commencé.

[1] Voir en annexe la liste des chefs bañun de Ziguinchor depuis 1888.

[2] Carvalho, Tavarés, Nunez.

[3] Archives du Sénégal. 13 G 457.

[4] Ly : « Petit potentat qui croyait avoir le droit de tout faire ici, parce qu'il était appuyé par Gasconi, député du Sénégal. » Opinion du Père Kieffer, *Journal de Carabane*, Archives des Pères du St-Esprit.

Ainsi Ziguinchor, bon gré, mal gré, dut se plier aux exigences de l'administration française. Entrepôt commercial, elle exporta en 1889 3000 kilogs d'arachides décortiquées et 50 000 kilogs en coques. L'avantage de son site sur le fleuve et la récolte de caoutchouc (22 000 kilogs) croissante, lui donnèrent de l'importance aux dépens de Karabane et de Seju. Elle attendra cependant une vingtaine d'années pour acquérir la fonction de capitale régionale qu'elle possède aujourd'hui sans conteste.

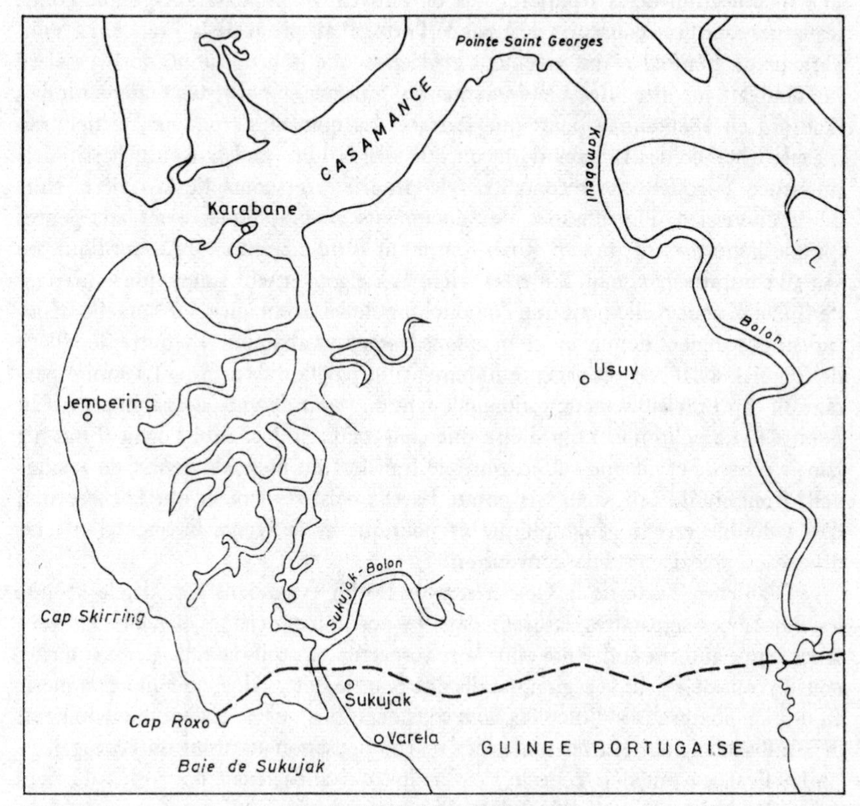

Fig. 23. Le marigot de Sukujak.

7. Les problèmes frontaliers

Inévitablement, l'établissement de la ligne frontière devait poser des problèmes. Le ministre des Affaires Etrangères du Portugal reçut l'ambassadeur de France à Lisbonne en septembre 1888 pour lui faire part des plaintes de nombreux sujets portugais contre l'administration coloniale française jugée trop exigeante dans les postes fiscaux établis à la frontière et provoquant des difficultés dans les rapports commerciaux [1].

[1] Archives du Sénégal, 2 F 4. Lettre de l'ambassadeur de France au ministre des Affaires Etrangères à Paris, 2 octobre 1888.

a) *Le problème du marigot de Sukujak*

A la suite d'une proposition de Brosselard au commissaire portugais de modifier le tracé de la frontière en la faisant partir du cap Varela au lieu du cap Roxo, les deux gouvernements français et portugais ordonnèrent à leurs représentants de se conformer exactement aux dispositions de la convention [1].

Cependant, le gouvernement portugais fit valoir qu'il ne pouvait accepter une modification de la frontière sans de nouvelles compensations, étant donné les larges sacrifices consentis déjà par le Portugal au profit de la France. Le gouverneur du Sénégal réagit vivement et déclara que la proposition de Brosselard lui semblait justifiée. Les plénipotentiaires français et portugais étaient tombés d'accord en 1886 sur le point que le tracé des nouvelles frontières se tiendrait à égale distance des rivières de façon à laisser la libre jouissance du bassin à la puissance à laquelle on reconnaîtrait la propriété du cours de la rivière. Lors de la discussion, l'insuffisance des documents géographiques avait fait penser qu'une ligne partant du cap Roxo remplirait cette condition. « Aujourd'hui, on sait au contraire *de visu* qu'il n'en est rien. [2] » Le gouverneur ajouta que le marigot de Sukujak était réellement une embouchure de la Casamance par laquelle pénétraient et sortaient depuis longtemps tous les petits caboteurs. En outre, le village de Sukujak avait reçu et accepté librement un pavillon français. « La limite partant du cap Barella est donc rationnelle tant au point de vue géographique qu'au point de vue politique. Loin d'être une concession nouvelle du Portugal qui n'a jamais possédé et occupé ce territoire, le transfert du point de départ de la nouvelle frontière du cap Roxo à la pointe Barella n'est réellement que la correction d'une double erreur géographique et politique et la reconnaissance d'un état de choses préexistant à la convention.

» D'ailleurs, l'acte de la Conférence de Berlin exige dans son article 35 que les Puissances signataires assurent dans les territoires occupés par elles, la présence d'une autorité suffisante pour faire respecter les droits acquis. Cette autorité, nous l'avons déjà dans la région, tandis que pour le Portugal, elle serait à conquérir au prix de nombreuses difficultés. Les considérations qui précèdent me paraissent déjà suffisantes pour écarter toute idée de compensation au profit du Portugal. [3] »

La France avait déjà cédé le rio Cassini, qui appartenait pour plus du tiers au roi des Nalou, Dina Salifu, fidèle allié de la France et qui protesta énergiquement contre la cession de son territoire aux Portugais. Au nord de la Guinée, une grande partie du royaume de Muusa Moolo avait été abandonnée. En échange, la France avait obtenu Ziguinchor « sans commerce, sans industrie, sans aucune sorte de ressources, sans produit financier, sans autorité, sans influence même sur le voisinage immédiat » [1]. Les prétentions portugaises étant inacceptables, la France refusa de nouvelles compensations et les Portugais s'opposèrent à la rectification de frontière demandée.

[1] Archives du Sénégal, 2 F 4. Lettre du sous-secrétaire d'Etat à la Marine et des Colonies au gouverneur, 11 mai 1888.

[2] Archives du Sénégal, 2 F 4. Lettre du gouverneur au ministre, 6 janvier 1889.

[3] Archives du Sénégal, 2 F 4. Le gouverneur du Sénégal au ministre des Colonies, 6 janvier 1889.

b) *Les incidents frontaliers*

Les nombreux incidents qui éclatèrent par la suite furent, selon les Français, provoqués par le tracé de la frontière imposé par l'accord de 1886 et qui ne respectait pas les groupes ethniques et les besoins économiques d'ailleurs parfaitement inconnus lors de la signature du protocole, et par l'anarchie presque complète qui régnait en Guinée portugaise à cause de l'absence d'autorité des Portugais.

La frontière, mal délimitée jusqu'en 1905, amena les autorités françaises et portugaises à percevoir l'impôt dans des villages qui ne dépendaient pas de leur juridiction [1]. C'est ainsi que le premier octobre 1903, le gouvernement de Guinée portugaise se plaignit que le résident du Firdu eut perçu une somme de sept cents francs au titre de l'impôt dans le village de Kantakunda, à cinq kilomètres au sud de la frontière. Le 9 octobre 1904, la même erreur fut commise par des agents subalternes portugais qui pénétrèrent en Casamance, et perçurent au village de Samik, deux cent dix francs d'impôt [2].

La frontière n'empêcha pas les ethnies de vaquer à leurs occupations sans se soucier des bornes placées sur leurs sentiers. C'est ainsi qu'en avril 1905, les Joola du sud de Sukujak reçurent l'aide des habitants de Kabrousse pour attaquer la mission de délimitation [1]. Quant à la contrebande, elle s'effectua sur une grande échelle, favorisée par une nature luxuriante. Vers 1890, le trafic de l'alcool et du tabac en feuilles s'organisa sur une grande échelle entre Karabane et Cacheu. L'alcool et le tabac étaient chargés à Karabane par les soins de la maison Blanchard sur des chaloupes qui passaient par le marigot de Jiromaït ou kamobeul bolon, débarquaient en fraude le chargement dans les villages portugais. Mais la création d'un nouveau droit d'importation sur l'alcool en 1901, rendit le produit français aussi cher qu'en Guinée et ralentit le trafic frauduleux [2].

En novembre 1902, Gaston Doumergue, ministre des Colonies, désigna l'administrateur Maclaud pour diriger la commission française chargée de procéder à la délimitation définitive des frontières entre la Guinée portugaise et les territoires français. Le 20 avril 1905, les deux missions se séparèrent à Usuy après avoir achevé leur pénible travail d'abornement [3].

La frontière casamançaise ne différait pas sensiblement de la ligne de démarcation déterminée par les cours de la Casamance et du rio Cacheu, sauf en deux points où des territoires d'égale superficie furent échangés sur proposition de la commission française. Les villages de Manka et Lamban passèrent en Guinée en échange de Vensako et Samodje. La France obtint ainsi la totalité du bassin navigable du marigot de Tanaf, affluent de la Casamance. Une légère modification fut apportée au tracé, à la hauteur du village portugais de Ngore.

Malgré les réclamations de Maclaud, la commission portugaise rejeta une fois de plus les exigences françaises sur le cap Varela.

[1] Archives du Sénégal, 2 F 5. Incidents frontaliers franco-portugais.

[2] Archives du Sénégal, 2 F 5. Déclaration écrite du chef du Bureau des Douanes de Karabane, 16 septembre 1901.

[3] Archives du Sénégal, 2 F 17. Rapport de l'administrateur Maclaud au ministre.

Chapitre 3

L'APPARITION DE NOUVEAUX MARABOUTS GUERRIERS (1884-88)

1. Les premières campagnes de Birahim ou Ibrahima Njaay

Le 21 juin 1884, le gouverneur Seignac-Lesseps reçut une pétition des traitants de Casamance transmise par Félix Cros, président de la Chambre de Commerce de Gorée. Elle demandait l'intervention des autorités supérieures contre les agissements d'un chef de bande, Birahim ou Ibrahima Njaay, qui sous prétexte de guerre sainte avait groupé des Malinké du Pakao et du Yasin pour les lancer contre les Joola [1].

Birahim Njaay était un Wolof originaire de Saint-Louis et citoyen français. Marchand ambulant, il avait travaillé pour la Maison Gaspard-Devès et avait fixé sa résidence à Marsasum sur le Soungrougrou. Couvert de dettes et profondément impressionné par l'exemple de Fodé Kaba, il décida de l'imiter à la suite de la mort d'un ami, tué par des Bañun à Santak. En représailles, il incendia le village le 17 juin 1884 et Uonk, tout proche, le 24. Pour s'opposer à ce nouveau conquérant qui profitait des ennuis de Fodé Kaba dans le haut Soungrougrou, attaqué par Muusa Moolo, le gouverneur autorisa, le 16 juillet, le départ de l'aviso « Myrmidon » pour la Casamance. Mais les guerriers du nouveau marabout ne pouvaient être effrayés par ce bateau qui ne sortait pas du fleuve. D'une mobilité extrême, ils pillèrent de nombreux villages des Kalunayes, anéantissant les cultures et le commerce. Seule, une colonne était capable d'une action efficace, mais comme toujours, Saint-Louis ne disposait pas, au moment voulu, des moyens nécessaires pour faire face à une pareille entreprise. Au mois de mai 1885, Birahim Njaay se reposait dans son sanié, base de ses opérations, sur la rive droite du Soungrougrou, en face de Marsasum. En octobre, sa présence fut signalée au nord du Fooñi, puis sur les bords de la Gambie où il attendit la saison sèche pour reprendre ses opérations.

Le 29 avril 1886, le lieutenant-gouverneur Bayol ordonna au lieutenant Truche, commandant de cercle de la Casamance, de faire fusiller Birahim Njaay

[1] Consulter : Fay Leary. *Islam Politics and Colonialism. A Political history of Islam in the Casamance (1850-1914).*

ou un de ses lieutenants, si par hasard, il lui tombait entre les mains [1]. Pour éviter l'approvisionnement en armes des Casamançais, un arrêté du 10 avril 1886 en interdit la vente sur tout le territoire de la Colonie. Les chefs de poste de Karabane et de la pointe Saint-Georges reçurent l'ordre d'exercer une surveillance active sur les cotres et embarcations qui remontaient la Casamance, de saisir toutes les armes et de dresser des contraventions aux patrons des navires fraudeurs.

Les campagnes de Birahim Njaay, à la suite de celles de Fodé Kaba, eurent pour conséquence un exode massif des Joola qui traversaient le fleuve pour se réfugier en pays bañun autour d'Adeane, Kujundu et Gudomp. Plusieurs centaines de familles s'installèrent et défrichèrent la forêt au grand mécontentement des propriétaires des lieux. Le Buje, de son côté, vit sa population augmenter avec l'arrivée de réfugiés joola qui se fixèrent à Seju et dans les villages voisins. La population recensée en 1884 dans les villages du Buje, fit ressortir une majorité de mille quatre-vingt-huit, Joola, par rapport aux Malinké, mille vingt-huit [2].

A la fin du mois d'avril, Birahim Njaay envahit le pays Jugut. Le 22 mai, le gouverneur Genouille ordonna au chef de bataillon Rémy de préparer une colonne expéditionnaire pour le réduire. Il était temps d'agir, car ses bandes se divisaient pour harceler plusieurs régions à la fois. L'une d'elles, commandée par l'un de ses lieutenants, Darno-Bojan, pilla les bords du Soungrougrou à partir de Marsasum. Cependant, le commandant Cavelier de Cuverville, de la Direction Navale de l'Atlantique sud, écrivit le 23 mai au gouverneur pour le dissuader d'entreprendre cette expédition jugée hasardeuse à une époque où les pluies et les orages avaient commencé en Casamance. Genouille se rangea à l'avis du militaire, plus averti des risques et inconvénients de ce genre d'opération [3].

La mort du lieutenant Truche en décembre le persuada qu'il était temps d'agir avec fermeté; l'impression de faiblesse accentuée par la disparition tragique du commandant de cercle étant désastreuse. Une colonne dirigée par le Colonel Duchemin, commandant supérieur des Troupes incendia Seleki le 10 février 1887 mais ne réussit pas entrer à en contact avec les bandes éparses de Birahim Njaay.

Le successeur de Truche, le capitaine Opigez, organisa une marche sur Marsasum avec des gens du Buje et ils incendièrent le 27 mars le tata du chef. Mais le 1er juin 1887, Birahim Njaay accepta de rencontrer le commandant de cercle à Tobor. L'entrevue nous est relatée par Opigez. « Ibrahima N'Diaye était là avec un millier d'hommes armés, cavaliers et fantassins. Le village (bañun) était abandonné par ses habitants. Des chants ressemblant à des cantiques étaient chantés dans plusieurs cases. C'étaient les louanges de Birahim. Je me suis mis sous un arbre et fis dire à Birahim de venir me parler. Au bout d'un moment, il arriva et me dit: « Bonjour ». Je lui répondis que moi, je ne lui disais pas « bonjour » pour le moment, que je pourrais peut-être le lui dire plus tard selon sa conduite (il y a une chose certaine, c'est que la colonne du Rip a certainement

[1] Archives du Sénégal, 13 G 371. Correspondance du lieutenant-gouverneur à Seju.
[2] Archives du Sénégal, 13 G 371. Recensement de la population dépendant du poste de Seju.
[3] Archives du Sénégal, 1 D 50. Expéditions militaires.

décidé Birahim à me voir et à désirer la paix)[1]. Je lui fis alors de vifs reproches sur sa conduite à tous les points de vue. Il me dit qu'il ne faisait pas de mal aux Français et n'empêchait pas le commerce, qu'il n'attaquait que ceux qui s'étaient d'abord attaqués à lui, que du reste le Fogny n'était pas français. Je lui répondis qu'en troublant le pays, il s'attaquait aux Français, et que du reste le Fogny comme tous les pays depuis la rivière de Gambie jusqu'à Diana, étaient français ou sous le protectorat de la France.[2] »

Birahim Njaay ne cherchait pas querelle. Il accepta volontiers d'écrire une lettre au gouverneur à la demande d'Opigez où il déclarait vouloir rester tranquille et faire la paix. Il fit cadeau au gouverneur de deux vaches et accompagna le commandant de cercle à son canot avec une partie de ses troupes.

Comme Fodé Kaba, Birahim Njaay évitait de s'opposer directement aux Français. Natif de Saint-Louis, il connaissait mieux que d'autres leurs moyens et leur force quand ils en disposaient. Intelligent, il avait accepté l'entrevue pour tenter de calmer leur irritation et les dissuader d'entreprendre une expédition d'envergure contre lui. Il était tout disposé à ne pas porter atteinte à leurs biens. Quant aux promesses de faire la paix avec les Joola, il était bien décidé à les ignorer. Chef de puissantes bandes organisées, le pillage des villages rebelles à sa loi était plus rémunérateur que les profits de la traite acquis par un labeur dur et pénible. L'aventure commencée en 1884 sous le motif de la guerre sainte lui avait été jusqu'ici bénéfique. Il n'avait vraiment aucune raison pour y mettre un terme.

Quelques jours après son entrevue à Tobor avec le capitaine Opigez, Birahim Njaay écrivit une lettre au gouverneur dans laquelle il expliqua qu'il était entré dans le Fooñi parce que les habitants de ce pays étaient des ignorants et qu'ils avaient tué des traitants. Il avait alors reçu l'ordre de Dieu de les combattre et avait demandé au commandant de Seju l'autorisation de percevoir des coutumes sur toute personne qui viendrait faire du commerce dans le Fooñi. Si cette demande était accordée, il répondrait des biens des commerçants. Il ne faisait de tort à personne et ne voulait pas qu'on lui en fasse. Conformément à la parole de Dieu, il attendait la réponse du Gouverneur avec patience et souhaitait qu'il parlât au commandant de Seju qui avait pu voir que tout le pays était placé sous son autorité[3]. Quintrie, Directeur de l'Intérieur et gouverneur par intérim, reçut à Saint-Louis des envoyés de Birahim Njaay et les chargea d'un message pour leur maître où il l'exhortait à rester tranquille en attendant le retour du gouverneur Genouille.

Mais le chef wolof n'eut pas le temps d'attendre en paix la réponse qu'il souhaitait. Les Joola attaquèrent l'une de ses bandes à Jukuli[4] et massacrèrent après les avoir grièvement blessés ses deux lieutenants, Masemba et Joseph Juuf. En représailles, Birahim Njaay incendia plusieurs villages et s'approcha des rives

[1] Le 11 mai 1887, Nioro du Rip fut prise par les Français et Saer Mati s'enfuit en Gambie.

[2] Archives du Sénégal. 13 G 462 (7). Opigez dit que le Fogny est français en se basant sur des traités de protectorat passés en janvier 1861 avec les villages de Basada, Kanjalon, Bona, Mambina. Voir 13 G 6.

[3] Archives du Sénégal. 13 G 462 (7). Rapport d'Opigez, 22 juin 1887.

[4] Jukuli = Jakoye?

de la Gambie au nord du Fooñi, appelé par un marabout du Kombo, Fodé Silla, qui était en difficulté avec ses sujets rebelles. Il s'installa à Kafuta où il fit construire un tata pour servir de point de départ à de nouvelles razzias en pays joola. Très vite, il devint un rival inquiétant pour Fodé Silla qui, depuis une quinzaine d'années, tentait d'imposer sa loi aux Soninké de la région.

2. Les origines de Fodé Silla du Kombo

Fodé Silla naquit à Gunjur ou Gunjuru au début du XIXe siècle, dans le sud du Kombo. Son père Matora Ture était un marabout important. Sa famille, originaire du Fuuta-toro, arriva dans le Kiang au début du XVIIIe siècle, et après avoir séjourné sur la Bintang, vint s'établir à Gunjuru. Selon Bakari Dabo de

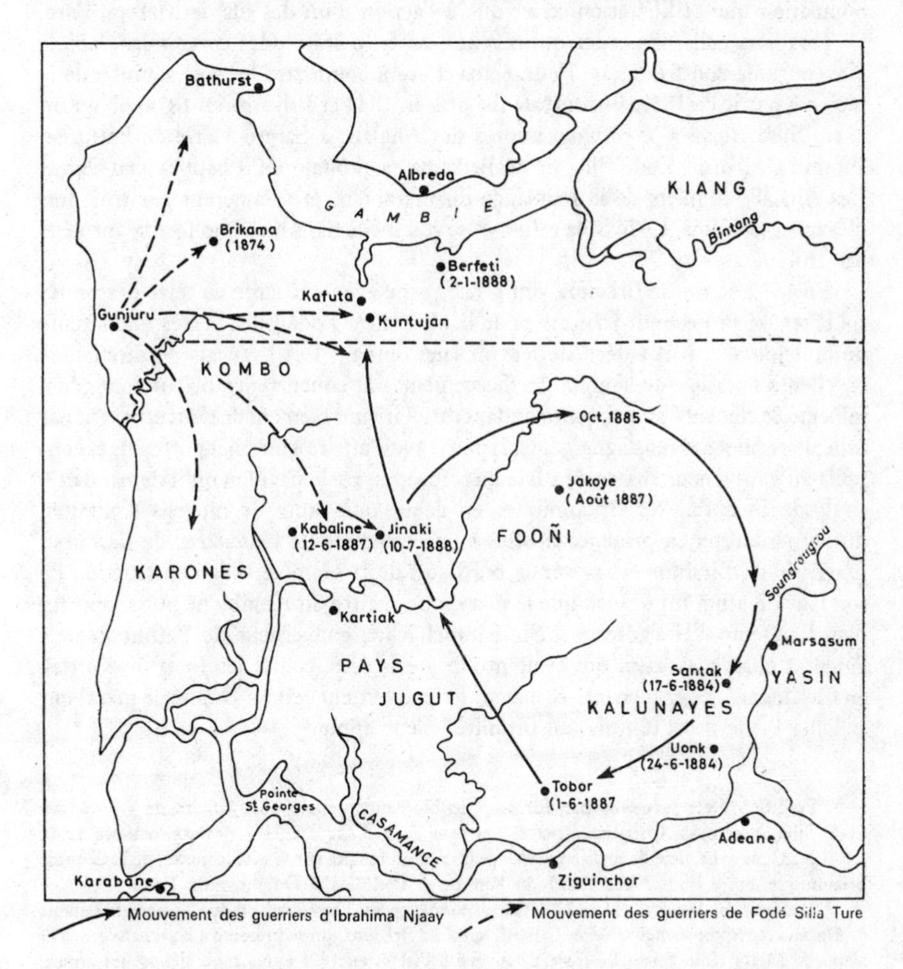

Fig. 24. Apparition en Basse Casamance de nouveaux marabouts guerriers : Ibrahima Njaay et Fodé Silla Ture.

Gunjuru, petit fils de Lan Dabo, lieutenant de Fodé Silla, le nom des Ture est lié à l'histoire du village[1].

Un soninké, Mayan Dabo, serait venu s'installer auprès d'un clan joola dirigé par le chef Bihari Saña, sur l'emplacement de Gunjuru. Le chef joola lui demanda de vivre non loin de là au lieu dit « batokung », c'est-à-dire de l'autre côté de la rivière pour éviter toute mésentente. Plus tard, le marabout Matora Ture vint à son tour avec sa famille demander la possibilité de s'installer. Mayan Dabo accepta et ses enfants se convertirent à l'islam. Chef et guerrier, Mayan Dabo faisait la guerre aux villages voisins. Quand il partait en campagne, il confiait ses biens à Matora qui fit venir un jour son frère aîné aveugle qui désigna de son bâton un emplacement pour la création d'un nouveau village musulman.

Gunjuru était tributaire du roi bañun malinkisé Mansa Bojan de Brikama, qui imposait à ses habitants des coupes de rôniers. Les devins apprirent à la population que sa libération serait due à l'action d'un des fils de Matora Ture.

Ibrahima Silla, fils cadet qui revenait de faire ses études coraniques dans le Kayoor, aida son frère aîné Fodé Kaba Ture à combattre les rois soninké de la région à partir de 1850. Busumbala fut pris en 1864 et Brikama en 1874, obligeant le roi Siise Bojan à se réfugier auprès des Anglais, à Sainte-Marie de Bathurst. Ibrahima Silla dit Fodé Silla fit de Brikama sa capitale qu'il baptisa Darsilame. Les Anglais, inquiets de la puissance du marabout, le sommèrent par trois fois d'évacuer Brikama. Fodé Silla refusa et se retrancha dans un camp fortifié, protégé par trois tatas.

En 1879, le roi de Brikama vint à Karabane avec une suite de seize personnes solliciter un protectorat français et de l'aide contre Fodé Silla. Après une attente de huit jours, il partit déçu de n'avoir rien obtenu. Les Français perdirent une excellente occasion de s'opposer efficacement à la concurrence britannique. Mal informé, le colonel Canard, commandant du 2e arrondissement de Gorée, ne crut pas utile de vérifier ses renseignements. Il pensa avoir affaire à un sujet portugais et conseilla au gouverneur Brière de l'Isle de refuser au roi le pavillon qu'il demandait[2].

Fodé Silla tint les Britanniques en échec qui, faute de moyens suffisants, durent supporter sa présence hostile à une trentaine de kilomètres de Bathurst. L'arrivée de Birahim Njaay sur le bord sud de la Gambie et la construction de son tata à Kafuta fut un défi que le marabout, maître du Kombo ne put supporter bien longtemps. Il s'adressa à Sir Samuel Row, gouverneur de Bathurst, pour l'aider à chasser ce rival qui avait profité de sa lutte contre les Joola de Kartiak en Casamance, pour menacer Brikama. Le gouverneur refusa. Dépité, le marabout sollicita l'aide des Français qui promirent leur appui.

[1] Tradition orale recueillie par Idrissa Diedhiou qui prépare un mémoire de D.E.S. sur Fodé Silla. Voir aussi Christian ROCHE, *Les trois Fodé Kaba*, Notes africaines, octobre 1970, I.F.A.N. Dans cet article, je mets en évidence la confusion faite par GRAY, historien de la Gambie britannique, entre Fodé Kaba Turé du Kombo et Fodé Kaba Dumbuya du Fooni.

[2] Archives du Sénégal, 13 G 370. Correspondance du commandant du 2e arrondissement de Gorée avec le gouverneur. Selon Canard, le roi de Brikama qui se présente à Karabane en 1879 s'appelle Meisa Koli. Siise Bojan s'est converti à l'islam en 1875 après avoir déposé les armes. Meisa Koli est peut-être un membre de la famille du roi vaincu qui a refusé la défaite. Lire GRAY. *History of the Gambia*, The Soninké-marabout war, 1866-1887.

Le 2 janvier 1888, les guerriers de Fodé Silla encerclèrent le tata de Kafuta qui fut détruit après un siège de quelques jours. Birahim Njaay fut tué au village de Kunkujan près de Kafuta. La nouvelle de sa mort se répandit comme une traînée de poudre dans les pays joola du Kombo et du Fooñi. Un de ses lieutenants, Bubu Sidibe, qu'il avait laissé à Tobor, fut attaqué par les Bañun. Il s'enfuit, laissant son tata en flammes pour se réfugier à Marsasum, mais un ordre de Seju l'obligea à quitter le village sous peine d'être arrêté.

3. La lutte contre Papa Omar Njaay

Papa Omar Njaay, cousin de Birahim, regroupa ses partisans à Berfett sur la Gambie, en face d'Albréda, tandis que son demi-frère Bañik Jallo chercha à acheter un cotre pour reprendre le commerce en Casamance. Il arriva au mois de mars 1888 à Marsasum et reprit les opérations de traite comme si rien ne s'était passé. Il déclara que la guerre ne l'intéressait plus mais qu'il fournirait des vivres et des munitions à son cousin malgré ses efforts pour le dissuader de continuer [1].

Le capitaine Opigez adressa un message à Fodé Silla pour le prévenir que Papa Omar Njaay reconstituait ses bandes et qu'il fallait en finir avec lui. Le marabout lui répondit à la fin du mois d'avril. Il déclara qu'il avait averti Papa Omar Njaay de cesser les combats, sinon il serait tué. Bañik Jallo échappa de justesse à une arrestation à Seju. Invité par le capitaine Opigez à venir palabrer avec lui, il fut prévenu à temps par des Wolof qu'il allait tomber dans un piège. Le gouverneur blâma Opigez d'avoir utilisé un tel procédé car l'effet était déplorable sur les indigènes [2].

Papa Omar Njaay incendia deux villages jugut le 12 juin, dont Kabaline, proche du Kombo. Il fut tué le 28 juin 1888 par les guerriers de Fodé Silla. Les Saraxolé qui formaient une partie de ses troupes rentrèrent chez eux. Cette nouvelle fut accueillie avec satisfaction à Seju et les Joola crurent que la disparition du dernier chef des bandes de Birahima Njaay allait enfin leur apporter la paix. Hélas pour eux, Fodé Silla débarrassé de ses rivaux envahit le pays joola et incendia, le 10 juillet, le village de Jinaki [3]. Les habitants résistèrent et blessèrent grièvement Arfan Silima, lieutenant de Fodé Silla qui s'enfuit en abandonnant quarante-cinq chevaux.

Opigez, qui avait pris le titre d'administrateur de la Haute Casamance, demanda des explications à Fodé Silla qui répondit, début août, qu'il ne faisait pas la guerre aux Musulmans, mais seulement aux buveurs de vin de palme. Opigez lui fit comprendre que l'amitié des Français était liée au maintien de la paix dans le Kombo et dans le Fooñi.

[1] Archives du Sénégal. 13 G 463 (2). Notes concernant certains perturbateurs d'après les rapports de l'administrateur de Seju au gouverneur, 1er juin 1888.

[2] Archives du Sénégal. 13 G 463 (2). Réponse du gouverneur à l'administrateur, 15 juin 1888.

[3] Jinaki : village du Kombo introuvable sur la carte.

L'attitude du marabout était embarrassante au moment où la rivalité franco-britannique était particulièrement vive dans les négociations sur la délimitation des frontières de la Gambie. Un traité de protectorat sur le Kombo dominé par Fodé Silla pouvait être un succès politique remarquable. Mais le chef malinké ne se souciait pas d'aliéner sa liberté. Dans un rapport à Félix Faure, sous-secrétaire d'Etat aux Colonies, le gouverneur écrivit : « Je pense qu'il serait utile de donner quelques cadeaux à Sylla et de le ramener ainsi à notre cause. [1] »

Il proposa la création d'un village proche de Karabane pour recueillir les captifs libérés de Birahim Njaay. « Ce serait une solution plus humanitaire que de les envoyer à Saint-Louis où ces malheureux seraient dénués de tout » [2] ou à Seju trop proche des pays manding qui leur étaient hostiles.

La tentative des chefs wolof de soumettre les pays joola de la rive nord s'acheva par la fuite de Bañik Jallo à Bathurst. Ce fut un échec. Cependant, plusieurs villages du Fooñi proches de la Gambie avaient disparu, anéantis ou évacués par leurs habitants terrorisés. Dix ans plus tard, quand les Français parcoururent la région frontalière pour délimiter la frontière, les pistes avaient disparu, sous la brousse envahissante. Dans les villages du Fooñi et du Kombo, les anciens relatent toujours des récits effrayants sur les campagnes de Birahim Njaay et de Fodé Silla, sans oublier Fodé Kaba Dumbuya qui s'était installé dans le Fooñi au village de Médina.

[1] Archives du Sénégal, 13 G 26. Rapport du gouverneur au ministre, août 1888.
[2] Archives du Sénégal, 2 B 76. Registres des Situations politiques, décembre 1888.

Chapitre 4

LA RIVALITÉ FRANCO-BRITANNIQUE

La rivalité franco-britannique, vive dans de nombreux pays d'Afrique, se fit sentir dans les territoires situés entre la Casamance et la Gambie. Entre 1880 et 1889, de fortes pressions s'exercèrent sur les chefs africains pour leur faire accepter, bon gré, mal gré, l'influence puis la domination de l'une ou l'autre des puissances rivales. Certains durent se soumettre, d'autres, comme Fodé Silla et Fodé Kaba, plus puissants, résistèrent, mais leurs adversaires européens s'unirent pour la circonstance dans le but de les réduire. Muusa Moolo, plus habile, tenta avec plus ou moins de bonheur d'exploiter les avantages d'une collaboration pour accroître et fortifier son royaume du Fulaadu [1].

1. Le problème gambien

Enclaves au milieu des territoires français, les possessions anglaises de Gambie étaient un véritable défi au gouvernement et au commerce français de la colonie du Sénégal. Leur objectif était le départ des Britanniques des rives de cette splendide rivière, voie de pénétration à l'intérieur de l'Afrique occidentale. A tous égards, leur présence était une gêne pour les relations avec la Casamance et un obstacle sérieux aux visées expansionnistes de la France vers le Sénégal oriental et le Fuuta-Jaloo. Les gouverneurs suppliaient Paris de négocier l'échange de la Gambie avec la Grande-Bretagne. De leur côté, les commerçants britanniques de Bathurst avaient jusqu'ici fait échouer un tel projet grâce à l'appui de nombreux députés de la Chambre des Communes. Au contraire, ils insistaient pour que le maintien de la souveraineté britannique ne fût pas remis en cause et demandèrent l'ouverture de négociations avec la France pour délimiter des frontières précises avec les territoires relevant de la souveraineté française.

Les Français acquirent un avantage certain en signant, le 3 novembre 1883, un traité de protectorat avec Muusa Moolo. Dans sa communication au Sous-Secrétaire d'Etat Félix Faure, le gouverneur Bourdiaux justifia l'intérêt du traité par la proximité des possessions anglaises de Gambie. « Par cet acte, nous venons

[1] Voir plus loin, au chapitre 6.

de nous assurer la priorité qu'à longtemps recherchée le gouvernement de Bathurst. [1] »

En 1886, dans une lettre confidentielle adressée au lieutenant Truche, commandant du cercle de Seju, le lieutenant-gouverneur Bayol révéla les dernières instructions que le Ministre lui avait données avant son départ de Paris pour la Colonie : « En ce qui touche les Rivières du sud, j'attache un prix tout particulier à ce que vous passiez des traités avec les chefs de tous les territoires qui sont encore indépendants, particulièrement dans la région de Casamance et dans les régions qui s'étendent entre nos possessions des Rivières du sud et le Fouta-Djalon. [2] » Et Bayol d'ajouter : « En un mot, il faut nous étendre le plus possible du côté de Sainte-Marie de Bathurst. La délimitation des possessions anglaises et françaises peut venir à l'ordre du jour dans un bref délai, vous comprendrez sans peine l'importance qu'il y a pour le gouvernement à se placer dans une situation privilégiée. [3] »

Pour bien préciser les limites de l'action dévolue au lieutenant Truche, le lieutenant-gouverneur s'appuyait sur le « Colonial Office History » qui indiquait que les établissements anglais comprenaient l'île de Sainte-Marie de Bathurst et le Kombo anglais sur la rive gauche, le comptoir d'Albréda et ses dépendances, l'île de Mac-Carthy, sur la rive droite. Il était dit formellement que l'administrateur de la Gambie n'exerçait aucune autorité sur les peuples qui entouraient les établissements anglais [4].

« Ce sont les Français qui fondèrent les premiers établissements sur les bords de ce fleuve vers la fin du XVe siècle. Il est important pour l'avenir et la sûreté de notre colonie sénégalaise que la possession de ce cours d'eau soit de nouveau entre nos mains.

« La mission dont j'ai l'honneur de vous entretenir peut, si elle réussit, faciliter la tâche des plénipotentiaires qui seront chargés au nom du gouvernement de la République de traiter de l'échange de cette enclave britannique au milieu de notre colonie. Le chef de poste de Carabane pourrait visiter les marigots qui se dirigent vers Sainte-Marie de Bathurst et prendre quelques renseignements. Vous lui recommanderez la plus grande réserve. [5] »

Comme on peut en juger, les autorités du Sénégal espéraient toujours en un échange possible de la Gambie. En attendant, des pressions s'exercèrent des deux côtés sur Fodé Silla, chef du Kombo, pour qu'il acceptât un traité de protectorat. Les Britanniques lui déclarèrent que les Français allaient organiser sous peu une expédition contre lui. Le gouverneur Clément-Thomas réagit en écrivant au marabout en janvier 1889 pour démentir cette affirmation. Il lui offrit un fusil Lefaucheux, un revolver et un beau manteau. Fodé Silla répondit qu'il était et serait toujours l'ami des Français. Le messager révéla qu'il s'était trouvé

[1] Archives Nationales. Sénégal et dépendances, dossier 106b, décembre 1883.

[2] Archives Nationales. Sénégal et Dépendances. Archives diplomatiques, dossier 25. Archives du Sénégal, 13 G 371, 12 octobre 1886.

[3] *Ibid.*

[4] Bayol ne signale pas l'édition du Colonial Office History.

[5] Archives du Sénégal, 13 G 371. Le lieutenant-gouverneur au commandant de Seju, 12 octobre 1886.

en présence d'un fonctionnaire anglais qui engageait le marabout à se placer sous le protectorat de la Grande-Bretagne, et cherchait à l'effrayer en lui déclarant que tôt ou tard les Français prendraient son pays par la force. Fodé Silla montra le manteau offert par le gouverneur, gage des bonnes intentions françaises à son égard [1].

A défaut d'un accord sur l'échange de la Gambie, un arrangement fut signé le 10 août 1889 entre la France et la Grande-Bretagne. Il délimitait les possessions respectives des deux pays sur la côte occidentale de l'Afrique [2].

2. L'ACCORD SUR LA GAMBIE DU 10 AOUT 1889

Une zone de 10 kilomètres de chaque côté de la Gambie, entre la côte et le site de Yarbatenda était cédée à la souveraineté britannique. Selon l'article 1er de la Convention, la frontière à délimiter avec la Casamance, devait partir de l'embouchure de la rivière San Pedro, suivre la rive gauche jusqu'au 13° 10' de latitude nord. Ensuite, elle serait établie par le parallèle qui, partant de ce point, va jusqu'à Sandeng, fin de la Bintang-Creek [3]. Le tracé remonterait alors dans la direction de la Gambie, en suivant le méridien qui passe par Sandeng jusqu'à une distance de 10 kilomètres du fleuve, pour suivre la rive gauche jusqu'à Yarbatenda, y compris.

Par l'article 5, les deux gouvernements se réservaient de nommer des commissions spéciales de délimitation pour tracer sur les lieux la ligne de démarcation entre les possessions françaises et anglaises. L'arrangement fut ratifié le 12 mars 1890, par le Président de la République française, Sadi-Carnot.

Les autorités coloniales sénégalaises l'accueillirent avec déception et regret. Elles estimèrent que la France avait accordé des concessions trop larges à une rivale qui ne les méritait pas.

Avant l'accord, les possessions effectives de la Grande Bretagne en Gambie comprenaient sur la rive gauche, l'île de Saint-Marie où est construit Bathurst, le Kombo britannique, et trois petits villages sur la Bintang [4]. La France possédait, le Kantora cédé le 14 juillet 1881 par le Fuuta-Jaloo, et convoité par Muusa Moolo, le Fulaadu placé sous protectorat français depuis le 3 novembre 1883. En 1882, Dodds avait imposé la tutelle française aux pays malinké de Moyenne Casamance. Il ne restait donc que le Kombo et le Kiang, comme pays limitrophes de la Gambie, avec lesquels les Français et les Anglais n'avaient pas de traité. Par l'accord du 10 août 1889, la France renonçait à une partie du Uli, du Kantora, du Firdu, et à 170 kilomètres de développement du fleuve Gambie, de MacCarthy à Yarbatenda, supprimant ainsi toute communication entre la Casamance et le Rip-Niani [5]. Pour le capitaine Pineau, membre de la commission française de délimitation, l'accord du 10 août fut désastreux pour les intérêts français.

[1] Archives du Sénégal, 2 B 77. Registre des Situations politiques, mars 1889.

[2] Archives du Sénégal, 1 F 16. Délimitation de la Gambie.

[3] L'expression «jusqu'à Sandeng» devait être considérée comme comprenant Sandeng dans le territoire britannique. Annexe N° 2 de la Convention.

[4] Villages de Tendaba, Bajana, Kansala, non retrouvés sur les cartes d'E.M.

[5] Archives du Sénégal, 1 F 16. Rapport du capitaine Pineau, juin 1891.

Les travaux de délimitation de la frontière sud commencèrent en 1891 et les commissaires éprouvèrent plusieurs difficultés pour travailler sur les territoires des chefs africains indépendants comme Fodé Silla et Fodé Kaba.

3. Les résistances de Fodé Silla

Après la reconnaissance de la rivière San Pedro, connue par les Malinké sous le nom de Ala-in (Allahein River), la Commission se heurta à l'opposition de Fodé Silla, pour la poursuite de leurs travaux. Après une entrevue avec l'administrateur de Gambie, il consentit à laisser le libre passage. Le 17 mars 1891, la Commission pénétra en pays joola séparé du territoire de Fodé Silla par une brousse épaisse, sans aucune voie de communication. L'accueil hostile des Joola obligea l'escorte renforcée à incendier un village, pour progresser sans encombre vers l'est. Le 26 mars, à proximité du territoire de Fodé Kaba, les commissaires hésitèrent, car des rumeurs insistantes prétendaient que le marabout allait attaquer sous peu. Ils furent cependant rassurés par un télégramme de Saint-Louis leur annonçant la signature d'un traité avec Fodé Kaba, écartant tout danger. En effet, ils furent accueillis le 11 avril par un lieutenant du chef malinké qui leur dit être au courant du traité [1]. Le 5 mai, leurs premiers travaux achevés, les deux missions quittèrent Bathurst, sur un vapeur pour aller procéder à la délimitation de la haute Gambie [2].

Fodé Silla ne voyait aucune contradiction entre l'affirmation d'une politique de bon voisinage et de paix avec les Européens et la poursuite de la guerre contre les Joola du Kombo. Ils étaient pour lui des païens qu'il fallait convertir et soumettre. Ce point de vue ne fut pas apprécié à Bathurst et à Seju où on commença à sérieusement se lasser des agissements du marabout nuisibles aux intérêts du commerce. Sa mauvaise volonté pour permettre le passage de la commission de délimitation de la frontière finit par persuader les deux gouvernements coloniaux qu'une expédition était nécessaire.

Les Français qui tentaient de s'installer dans le Fooñi et le Kombo se heurtèrent à la résistance des Joola. Ceux du Kombo réagirent contre les exactions d'un chef wolof, Mangone Sèye imposé par l'administration de Seju, et appuyé de temps en temps par Fodé Silla. La capture de ce dernier n'était pas facile, car il résidait en territoire anglais.

De leur côté, les Britanniques avaient les mêmes raisons d'en finir avec le chef manding qui refusait de se soumettre à leur loi et qui poursuivait ses campagnes de prosélytisme guerrier contre les Soninké. Ces derniers, réfugiés en grand nombre à Bathurst et dans le Kombo anglais suppliaient le gouverneur d'intervenir pour supprimer leur ennemi et retrouver ainsi leurs anciens territoires [3]. Des commerçants ayant été arrêtés et molestés, le gouverneur de Gambie, avec l'accord de Londres, décida une expédition contre Fodé Silla.

[1] Voir p. 143.

[2] Archives du Sénégal, 1 F 16. Rapport sur les travaux exécutés par la Commission française de délimitation, 5 juin 1891.

[3] Voir Gray. *History of the Gambia*, chapitre XXVI, «Beginning of the Soninké Marabout war».

La Basse Casamance.

Karabane.

Une concession diola.

Repiquage des rizières.

Factorerie N° 1 de la Compagnie de la Casamance à Carabane.
Brosselard - Faidherbe
Casamance et Mellacorée. Pénétration au Soudan (1891).

Factorerie N° 2 de la Compagnie de la Casamance à Sedhiou.
Brosselard - Faidherbe
Casamance et Mellacorée. Pénétration au Soudan (1891).

Le capitaine H. Brosselard.
Gravure de Thiriat, d'après une photographie.
Brosselard - Faidherbe
Casamance et Mellacorée. Pénétration au Soudan (1891).

La *Mésange* et son canot.
Dessin de Th. Weber, d'après une photographie.
H. Brosselard
Voyage dans la Sénégambie et la Guinée Portugaise (1889).

Une rue à Zighinchor.
Dessin de Taylor, d'après une photographie.
H. Brosselard
Voyage dans la Sénégambie et la Guinée Portugaise (1889).

Seju
Le poste militaire en 1888.

4. La lutte franco-anglaise contre Fodé Silla

Prévenu, le marabout se prépara à la guerre et acheta des armes et des munitions. Un de ses hommes vint à Jebali en Casamance, acheter aux traitants de la poudre et des fusils pour quatre cents francs.

Les troupes anglaises étaient formées de quelques unités du 1st West India Regiment, de Police Constables, de marins et blue jackets des H.M.S. : « Raleigh », « Alecto », « Widgeon », et « Magpie ». L'expédition fut divisée en deux détachements. Le premier partit en direction du nord-ouest et l'autre du sud-ouest, dans le but d'opérer une jonction à Gunjuru où l'on pensait que Fodé Silla avait concentré ses armes.

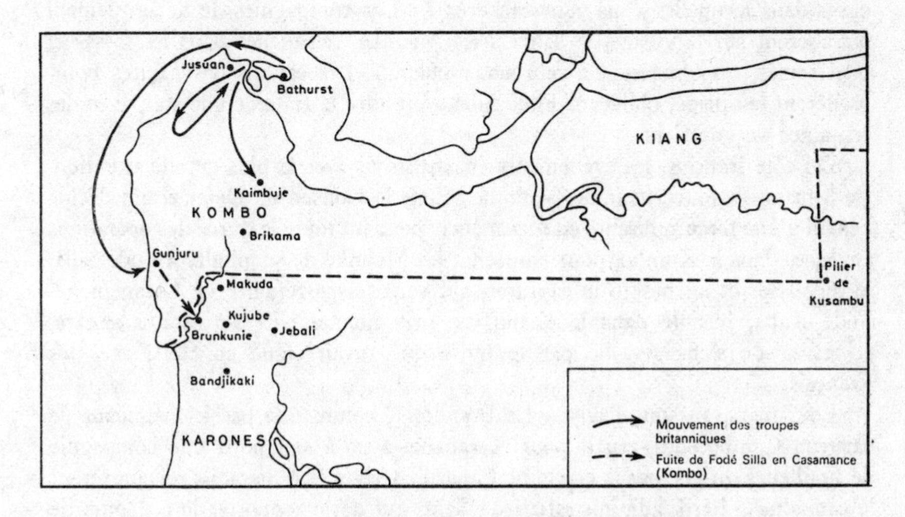

Fig. 25. Les derniers combats de Fodé Silla (1894).

Le détachement du sud-ouest marcha sur Kaimbuje qui fut détruit. Il subit une première attaque malinké qui fut repoussée. Mais le lendemain, entre Kaimbuje et la plage où ils allaient embarquer, les soldats tombèrent dans une embuscade meurtrière où ils perdirent 15 marins, dont 4 officiers. 47 hommes furent blessés et les Malinké emportèrent 40 fusils Henny Martini, modèle 1888, un canon et 2000 cartouches laissées sur le terrain [1]. Fort de sa victoire, Fodé Silla envoya une lettre au gouverneur de Gambie pour lui dire qu'il mangerait à sa table le lendemain. A la suite de cet échec sévère, les forces étant devenues insuffisantes, le détachement du nord-ouest fut rappelé, et il se replia en bon ordre sur Bathurst qui avait besoin d'être protégée. Des renforts importants s'embarquèrent de Sierra-Leone et de Gibraltar pour venir au secours des Anglais de Bathurst.

[1] Archives du Sénégal, 1 F 8. Extrait du Journal de Bathurst du 28 février 1894. Rapport de Jules Guiraud, consul de France à Bathurst, au gouverneur de Lamothe, 28 février 1894.

Le 26 février 1894, Fodé Silla, à la tête de 800 guerriers, dévasta plusieurs villages du Kombo anglais et s'approcha de Bathurst pour tenter d'en faire le siège. Disposant de 250 hommes, le capitaine Westmoreland, commandant des troupes, protégea le pont d'Oyster-Creek qui menait à la ville et repoussa une attaque malinké au village de Jusuan, à 7 miles de Bathurst. Les premiers renforts, impatiemment attendus, arrivèrent le 1er mars de Sierra Leone, sur le packet « Mandingo », avec à son bord 300 hommes. 150 soldats du West India Regiment partirent pour le Kombo, avec leurs porteurs. Le 7 mars, le croiseur « Le Satellite » de Gibraltar, arriva avec seulement ses effectifs de bord. Sans tarder, il partit le lendemain avec le « Widgeon », le « Magpie » et « l'Alecto » pour bombarder Gunjuru. Fodé Silla réunit ses guerriers et leur dit : « Demain, il y aura une grande bataille. Refaites vos sagnés et contre nos ennemis, creusez des tranchées dans lesquelles vous vous cacherez. [1] » Les compagnies de débarquement marchèrent sur le village, le 8, mais les Malinké, retranchés dans les fossés et bien armés, les obligèrent à rebrousser chemin. Les canons des navires bombardèrent le village, obligeant Fodé Silla à prendre la fuite vers le sud, avec des centaines de guerriers.

Du côté français, les événements étaient suivis avec la plus grande attention. Le 3 mars, le gouverneur de Lamothe réunit le Conseil de Défense qui décida l'envoi d'une force suffisante en Casamance, pendant toute la durée des opérations anglaises dans le Kombo, pour empêcher les Malinké de se joindre à Fodé Silla, le repousser et au besoin le capturer, s'il venait à se réfugier en Casamance [2]. Fodé Kaba, installé dans le Kiang, ne prit aucune part active à la guerre, et refusa de s'engager, lié par le traité qu'il avait signé en 1891, avec les Français.

Le 5 mars, au soir, l'aviso « Le Brandon », commandé par le lieutenant de vaisseau Cambécédès, partit pour Karabane, avec à son bord une compagnie de tirailleurs dirigée par le capitaine Canard. Arrivés le 6 mars, ils rencontrèrent le capitaine Têtard, administrateur de Seju, qui devait apporter le concours de ses forces [3]. L'administrateur de Karabane, M. d'Osmoy, était déjà au Kombo, où il avait rejoint le lieutenant Moreau, chef de poste de Jebali, afin de surveiller les éventuels mouvements des troupes de Fodé Silla [4]. Le 9 au matin, une centaine de guerriers armés franchirent la frontière. Désarmés, ils furent installés entre Kujube et Jebali où ils fondèrent un village. Ils acceptèrent de payer un impôt annuel de 1 kilog de caoutchouc par tête comme prix de leur installation en territoire français. Le même jour, à 15 heures, Canard partit sur un cotre réquisitionné à Karabane, pour Jebali, avec une centaine d'hommes. L'administrateur de Seju, Têtart, alla dans le Fooñi, pour dissuader Fodé Kaba d'intervenir dans le conflit, et pour rassurer les Britanniques qui l'accusaient de fournir une aide à Fodé Silla.

[1] Archives du Sénégal, 13 G 375. La guerre entre Fodé Silla et les Anglais, relatée à d'Osmoy par Fodé Jame, second chef de Gunjuru.

[2] Archives Nationales. Sénégal et Dépendances IV, dossier 108 c, 3 mars 1894.

[3] Archives du Sénégal, 1 D 56. Le gouverneur au commandant du « Brandon », 4 mars 1894.

[4] Archives du Sénégal, 13 G 375, dossier Fodé Silla, mars 1894.

Le 10 mars, à 5 heures du matin, d'Osmoy et le lieutenant Moreau quittèrent Makuda, pour se rendre à Brunkunié, afin de couper la retraite à Fodé Silla qui allait traverser la rivière-frontière San Pedro. Ils arrivèrent au village, à peu près en même temps que le marabout qui envoya deux de ses chefs pour annoncer sa reddition.

5. La capture de Fodé Silla (11 mars 1894)

Fodé Silla offrit de se rendre seul, à l'heure fixée par l'administrateur. Il viendrait les bras croisés sur la poitrine. D'Osmoy lui demanda de venir le lendemain à midi, accompagné de ses guerriers. Le 11, à midi, à l'abri, sous une case en feuilles de rônier, l'administrateur de Karabane, entouré d'un goum de 180 guerriers, attendit l'arrivée du chef malinké. Il avait de la chance, car tout semblait bien se passer. Sans tirer un seul coup de feu, il allait pouvoir ramener à Karabane, un des plus importants chefs de la Gambie. Pour parer à toute éventualité fâcheuse, le lieutenant Moreau se cacha avec ses tirailleurs, dans un petit bosquet de palmiers, placé derrière la case [1]. Fodé Silla se présenta vers 14 heures. Il accepta les conditions imposées, à savoir le désarmement de tous ses guerriers qui pourraient fonder un village à Banjikaki. Astreints à l'impôt d'un kilog de caoutchouc par tête, ils devraient travailler leurs lougans. D'Osmoy récupéra en outre 6 chevaux, 200 fusils et 27 barils de poudre.

Le 12, le marabout fut averti qu'il devait envisager son départ pour Jebali. Contrarié et inquiet, il répondit qu'il était vieux et que ses pieds enflés le rendaient incapable de faire de trajet; d'Osmoy lui proposa alors quatre moyens: à pied, à cheval, en pirogue, et en palanquin. Comme il les repoussait tous, l'administrateur sortit son revolver et fit venir 6 tirailleurs armés devant Fodé Silla, en lui disant qu'il y avait encore un cinquième moyen. Il comprit fort bien et dit qu'il marcherait à pied. Au milieu de la colonne, il marcha jusqu'à Jebali où il fut remis au capitaine Canard [2].

Pour apaiser les craintes des Britanniques qui redoutaient sa présence en Casamance, le gouverneur ordonna son transfert au Sénégal où il fut confié à la garde de Demba Ware, président du Conseil des Chefs du Kayoor. Retiré à Sakh, avec une vingtaine de fidèles qui avaient demandé à partager son exil, il mourut dans la nuit du 19 au 20 septembre 1894 [3].

Le Conseil de Défense entendit le lieutenant de vaisseau Cambécédès qui affirma que Fodé Kaba était resté étranger au conflit et que les effectifs envoyés étaient suffisants pour réprimer des brigandages possibles, des guerriers de Fodé Silla. Il décida le maintien du statu quo et ordonna de faire rentrer ultérieurement la compagnie du capitaine Canard. Ainsi, Anglais et Français avaient levé un obstacle important à leurs dominations respectives. Restait Fodé Kaba, établi dans le Kiang, et qui, contrairement à l'ancien marabout du Kombo, avait accepté de négocier avec les Français, pour tenter de sauvegarder les territoires qu'il avait conquis sur les Joola [4].

[1] Archives du Sénégal, 13 G 375, dossier Fodé Silla, mars 1894.
[2] Fils de l'ancien gouverneur du Sénégal.
[3] J.O. du Sénégal et Dépendances, 1894, p. 346.
[4] Voir 2e partie, chapitre 6.

6. Les problèmes frontaliers

La délimitation des frontières de la Gambie posa des problèmes et les incidents rencontrés à la frontière sud de la Casamance se renouvelèrent. Les gouverneurs de Gambie et du Sénégal s'adressèrent des notes de protestation pour violation de frontières [1].

En 1891, la commission mixte de délimitation reconnut sur le terrain une partie de la frontière au nord de la Gambie et au sud, le tracé formé par le parallèle 13° 10', c'est-à-dire de l'embouchure de la rivière Allahein ou San Pedro au pilier de Kusambu. Pour la délimitation de la Haute Gambie, le cours fut relevé exactement et huits points seulement de la frontière furent déterminés. Les deux commissions estimèrent qu'il y avait intérêt à ne pas troubler le statu quo des juridictions indigènes et ils donnèrent des assurances verbales à plusieurs reprises aux chefs et habitants du pays. Cependant, la situation se modifia rapidement et les Français se trouvèrent en opposition avec les Anglais sur la souveraineté de certains villages.

Une seconde mission de délimitation fut alors organisée qui commença ses travaux le 2 janvier 1896 [2]. Conformément aux dispositions de la convention du 10 août 1889, la frontière ne devait en aucun cas être à moins de dix kilomètres du fleuve. La Gambie présentant des méandres accentués, il ne fut pas possible à la frontière de les suivre exactement. La commission mixte procéda à l'établissement de courbes dont le centre se trouvait à l'extrémité supérieure des principales boucles de la rivière, et cette façon de faire donna des résultats satisfaisants.

Une troisième mission dirigée du côté français par l'administrateur Adam et du côté anglais par Henry Reeves poursuivit le travail d'abornement de la rive gauche en janvier 1899 [3].

Les travaux commencèrent à l'est dans le Kantora. Plusieurs villages furent partagés comme Gambisara peuplé de Saraxolé. Un tiers du village resta français avec quatre cent quarante cases et deux tiers passèrent aux Anglais avec mille trois cent cases et trois mille personnes. En février, le Fulaadu fut divisé à son tour, ainsi que le Niamina, le Jarra et le Kiang en avril. Muusa Moolo et Fodé Kaba eurent ainsi leur territoire partagé [4].

Les opérations de délimitation ne supprimèrent pas chez les Français tout espoir d'obtenir un jour ou l'autre, un échange de la Gambie. En attendant, rien ne fut négligé pour inciter les Anglais à s'en aller comme le montrent les instructions ministérielles suivantes : « La Gambie anglaise dont les transactions étaient jusqu'ici sans importance semble depuis quelque temps entrer dans une ère de prospérité. Cette situation, due vraisemblablement à l'incertitude de nos

[1] Archives du Sénégal, 1 F 17. Le gouverneur du Sénégal au sous-secrétaire d'Etat aux colonies, août 1893.

[2] Archives du Sénégal, 1 F 19 et 1 F 20. Voir les rapports de la mission dirigée par l'administrateur Farque.

[3] Archives du Sénégal, 1 F 21. Mission Adam.

[4] Archives du Sénégal, 1 F 22. Mission Adam. Rapports sur la mission de délimitation, 25 mai 1899.

frontières, ne saurait manquer de nous préoccuper. L'Angleterre, en effet, qui dans ces dernières années paraissait vouloir consentir à la rétrocession de cette enclave, se verrait naturellement amener à y renoncer si la prospérité du territoire devait s'y accentuer. Aussi le moment paraît-il venu de faire par tous les moyens possibles une concurrence énergique au commerce de Gambie de manière à diminuer très sensiblement ses recettes. Vous pourriez arriver notamment à ce résultat par des détaxes occultes. Il est permis de penser que, sinon en ruinant cette colonie, tout au moins en jetant un profond désarroi dans ses finances, nous nous en rendrons l'acquisition plus facile. [1] »

Avec le début de l'Entente cordiale, Delcassé, ministre des Affaires étrangères, signa un accord avec l'Angleterre le 8 avril 1904. En échange du droit français de séchage du poisson à Terre Neuve, la France obtint trois concessions en Afrique occidentale, l'une au Soudan, l'autre en Guinée où l'Angleterre céda les îles de Los et la troisième en Gambie [2].

L'accord du 10 août 1889 assurait au gouvernement britannique une zone de dix kilomètres de chaque côté du fleuve entre la côte et le point terminus de la colonie anglaise fixé en amont des rapides de Yarbatenda, fermant ainsi le bief navigable aux Français. L'accord du 8 avril 1904 rectifia la frontière en faveur du Sénégal en la plaçant à vingt kilomètres en aval de Yarbatenda. Ainsi, la rivière était accessible en tout temps aux navires de haute mer. Pour éviter de mauvaises surprises dans une région encore mal connue, il fut entendu que dans le cas où la Gambie ne serait pas utilisable jusque là pour la navigation maritime, un accès serait donné aux Français sur un point du fleuve accessible aux bateaux de haute mer. En outre, la France obtint sur la Gambie le droit de jouissance du régime prévu par l'Acte général de Berlin pour garantir la liberté de navigation sur le Niger [3].

Malgré les explications de Delcassé à l'Assemblée Nationale, le nouvel accord souleva de nombreuses critiques des deux côtés de la Manche. Les commerçants français déplorèrent le maintien d'une Gambie anglaise qui coupait la colonie du Sénégal en deux et les colons de Bathurst estimèrent que l'abandon de Yarbatenda à la France était rien moins qu'un coup mortel porté au commerce et au progrès de la Gambie [4].

[1] Archives du Sénégal, 1 F 9. Lettre du ministre des Colonies André Lebon au gouverneur général, 24 février 1898.

[2] Archives du Sénégal, 1 F. Accord franco-anglais du 8 avril 1904.

[3] Le régime prévu sur le Niger par l'Acte général de Berlin était celui de la liberté complète de transit sans droits de douane, ni frais d'aucune sorte.

[4] Archives du Sénégal. 1 F. Opinion des colons de Gambie exprimée dans le « West African Mail »; coupure envoyée dans une lettre expédiée de Bathurst.

Chapitre 5

LA MAINMISE FRANÇAISE SUR LA MOYENNE CASAMANCE (1890-1900)

1. La soumission des Malinké

Les accords des Français avec Fodé Kaba en 1891 et 1893 enlevèrent aux Malinké de Moyenne Casamance toute velléité de résistance armée. Occupés à leurs cultures et à leur négoce, ils tentèrent d'ignorer la présence française et subirent son autorité avec résignation. Ils n'éprouvaient à son égard aucune sympathie et le lui faisaient bien sentir. Chaque village était pratiquement autonome et obéissait à deux notables, l'alkati chef du village et l'almaami chef religieux musulman qui exerçait une influence prépondérante sur la communauté. Les administrateurs étaient déconcertés par l'absence de chefs territoriaux qui pouvaient jouer un rôle d'intermédiaire. Seuls les alkati ou les almaami servaient d'interlocuteurs responsables. En 1894, le gouverneur de Lamothe, soucieux d'un contrôle plus strict de la situation politique et économique en Casamance, et inquiet des résistances joola de plus en plus vives, imposa une nouvelle organisation administrative. L'autorité fut confiée à un administrateur supérieur, ordonnateur du budget régional. Etabli à Seju, il était assisté par deux administrateurs-adjoints; l'un pour le cercle de Seju, l'autre pour celui de Karabane. Le royaume du Firdu et ses dépendances, pays de protectorat dépendait directement de l'administrateur supérieur qui était représenté par un résident auprès de Muusa Moolo, à Hamdallahi [1].

Dès son arrivée en Casamance en 1894, Farque premier administrateur supérieur, visita les pays malinké. Il fut accueilli froidement par les villages du Pakao qui refusèrent de vendre du mil et du riz pour ses porteurs. Le Suna était calme, à l'exception de Bambajon, toujours très rétif. Le Yasin était généralement tranquille. Quelques villages comme Mandina, Kandiba furent condamnés à des amendes pour leur accueil hostile au passage des tirailleurs de Biñona. Le chef de Marsasum, Mulay Drame, favorable à la France, avait une influence réelle. Il se heurta à l'opposition de nombreux traitants wolof qui refusèrent de payer l'impôt établi en 1895. Avec l'appui de l'administration, tout rentra dans

[1] Archives du Sénégal, 13 G 372. Réorganisation du district de Casamance, 18 janvier 1894.

l'ordre, mais pour échapper aux impositions, plusieurs quartiers joola se retirèrent dans le Fooñi, sur la rive droite du Soungrougrou. Njama, village de l'ancien marabout Fodé Maja, qui s'était illustré au cours des événements troublés de Seju en 1872, refusa de payer. Le Buje, autour de Seju, ne soulevait plus de difficultés. On distinguait deux groupes de villages ; ceux qui étaient situés près de Seju, et ceux placés en face de Gudomp, séparés des premiers par une grande forêt. Le second groupe était un peu réticent, à cause de la présence à Tuba, près de Sindina, du vieux Sunkari encore influent.

Les Malinké du Pakao acceptèrent sans enthousiasme de verser leur contribution en mil. Pourtant en 1897, ils payèrent 8000 francs, dont 2000 francs en espèces. Au Balmaadu, seul Sandiñiéri restait fidèle à sa tradition frondeuse, mais la plupart des villages influencés par l'exemple du Pakao obéissaient aux ordres de Seju. Ce résultat était dû en partie au prestige d'un marabout, Chérif Yunus, installé à Sandiñieri. « Cet homme possède dans le pays une influence considérable qu'il met entièrement à notre disposition. Quel instrument utile dans la main d'un administrateur qui l'appréciera. Il agit sur les Mandingues par la parole, par le raisonnement et les plus indifférents s'exécutent. Voilà le chef supérieur qu'il faudrait aux confédérations mandingues, le chef par l'intermédiaire duquel on exercerait avec facilité le protectorat. [1] » Mais le marabout refusa une telle fonction, car il n'ignorait pas l'attachement des Malinké à leur autonomie villageoise. D'autre part, n'étant pas le seul notable religieux de la région, son influence risquait d'en pâtir.

Le Brasu, sur la frontière guinéenne, ne fit aucune opposition et les chefs de Tanaf (23 km de Farim en Guinée portugaise), qui avaient reçu pour la première fois la visite d'un administrateur en 1896, savaient enfin de qui ils dépendaient. Jusqu'alors entre Farim et Seju, ils ignoraient à qui ils devaient s'adresser.

A la fin du XIXe siècle, les Français ne rencontraient plus de résistance active chez les Malinké. « L'assimilation de ces provinces devient de plus en plus profonde. Notre autorité ne rencontre aucun obstacle qui puisse la gêner : appels de justice, impôts, corvées concernant le tranport des matériaux pour la Résidence du Firdu sont acceptés par ces gens qui, en 1894, se considéraient presque comme indépendants. [2] » ... « Le Pakao a donné l'exemple... d'une grande obéissance. Il nous reste néanmoins à former avec tous les villages indépendants qu'il contient une sorte de confédération dont les principales agglomérations seront les chef-lieux de canton. Cette idée, du reste, sera appliquée à tous les Etats Mandingues. [3] »

[1] Archives du Sénégal. 13 G 487 (3). Rapport de l'administrateur supérieur Adam, 15 janvier 1897. Chérif Yunus était né vers 1850 à Wara, ancienne capitale du Uadaï d'une famille de Chorfa originaire de la Mecque. Après un long périple qui l'amena dans le Rip, il s'installa après 1877 dans le Pakao, puis à Sandinieri où il vécut 25 ans. Il épousa plusieurs femmes dont une fille de Maaba et une fille de Muusa Moolo. Consulter Fay LEARY : *A political history of Islam in the Casamance, region of Senegal (1850-1914)*.

[2] Archives du Sénégal, 2 G 66. Rapport trimestriel de l'administrateur supérieur Adam, 5 avril 1898.

[3] Archives du Sénégal, 2 G 59. Rapport du second semestre 1897 de l'administrateur supérieur Adam.

2. Le controle du Kabada

Le Kabada était un petit pays toucouleur au nord du Fooñi qui jouxtait la frontière gambienne. Limité à l'est par le Firdu, au sud par le Pakao-Sonkudu, et à l'ouest par le Kiang, sa superficie était évaluée à 900 km². Par sa situation géographique, il avait échappé jusqu'à présent à l'action directe de l'administration française. Proches de la Gambie, les habitants faisaient du commerce avec les traitants britanniques. Quelques villages à l'est revendiquaient l'autorité de Muusa Moolo, d'autres pensaient appartenir à la Gambie. Quelques-uns à l'ouest se proclamaient indépendants.

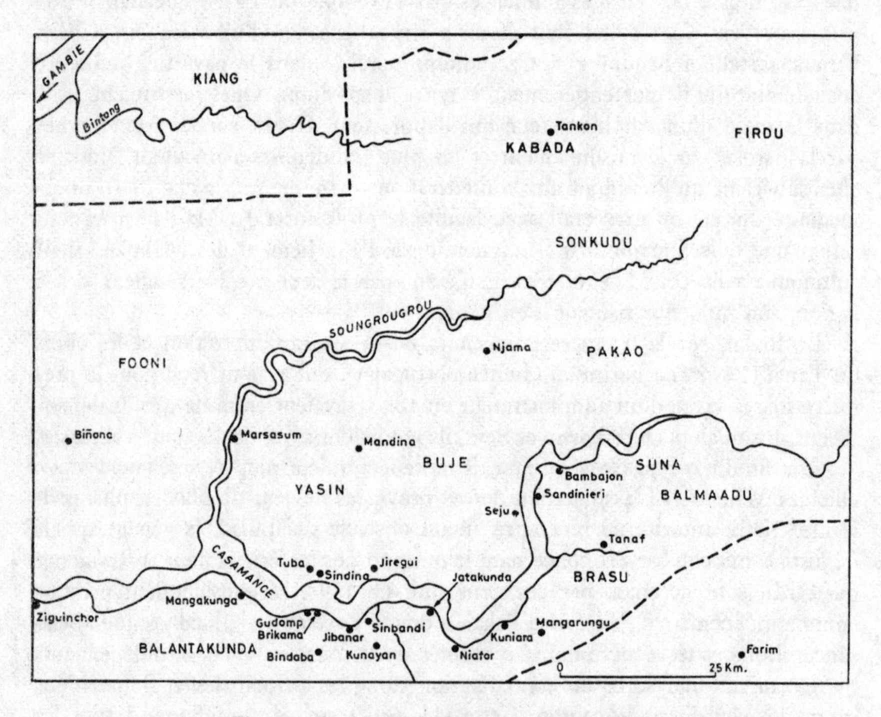

Fig. 26. La Moyenne Casamance (1890-1900).

Les Toucouleur, évalués à 3000 environ, vivaient dans une trentaine de villages qui avaient entre 50 et 400 habitants. A la tête de chaque agglomération, était placé un chef qui appartenait le plus souvent à la famille généralement puissante qui avait fondé le village. Dans chaque famille, l'autorité se transmettait par voie directe au fils ainé et les enfants étaient envoyés chez les Maures de la rive gauche du Sénégal pour étudier le Coran et les principes de la langue arabe sous la direction d'un marabout célèbre. Vers l'âge de 20 à 25 ans, ils revenaient prendre part à la vie de la communauté.

Paysans, les habitants du Kabada cultivaient le mil (basi, sanio) et l'arachide qu'ils exportaient sur Bathurst par la Gambie. Quand il y avait famine, ils envoyaient du mil dans le Yasin et le Fooñi. Ils récoltaient aussi du maïs, de l'igname et du manioc. Ils tissaient le coton et le teignaient avec de l'indigo. La brousse était giboyeuse (panthères, chacals, hyènes, biches) et les oiseaux y étaient nombreux. La forêt était riche en arbres à caoutchouc inexploités connus dans le pays sous le nom de « kaba »[1]. Le commerce était difficilement orientable vers la Casamance trop éloignée par rapport à la Gambie. Il n'existait qu'un seul traitant à Tankon, qui devait faire plus de quinze heures de marche sous une chaleur accablante, s'il voulait se rendre à Seju.

Ignorés par les Français jusqu'en 1895, les Toucouleur ne firent rien pour les attirer. Le 11 février pourtant, Farque adressa une lettre aux notables du Kabada par l'intermédiaire d'Alfa Ibrahima, chef de Tankon, vieillard puissant, intelligent et lettré, qui possédait de nombreux captifs. Il les informa que le gouverneur de Lamothe allait venir à Seju et qu'à cette occasion, il souhaiterait les rencontrer pour causer avec eux des affaires de leur pays. Dans leur réponse, ils honorèrent le gouverneur de leurs sentiments amicaux mais déclarèrent que leurs intérêts vitaux dépendant de Bathurst et de la Gambie, ils ne pouvaient se rendre à Seju. « Ce n'est pas que nous méprisons les Blancs ou refusons d'exécuter leurs ordres, seulement nous ne pouvons quitter les Anglais à l'heure qu'il est.[2] »

Peu satisfait, Adam, administrateur de Haute Casamance, effectua une tournée harassante au Kabada pour recenser le pays et y établir le principe de l'impôt. Avec patience, il expliqua dans de nombreuses palabres que si la France ne mettait pas d'obstacle au commerce avec la Gambie, elle avait conclu un accord avec la Grande-Bretagne qui plaçait le Kabada sous son contrôle. Les Toucouleur consentirent au paiement de l'impôt. En 1896, le successeur d'Adam oublia de le percevoir, si bien qu'en 1897, les habitants furent surpris qu'on vînt réclamer leurs contributions. Au cours d'une nouvelle tournée, du 7 au 17 décembre 1897, Adam, devenu administrateur supérieur, rappela leurs promesses aux délégués des villages réunis pour une longue palabre à Tankon. Ces derniers firent remarquer que depuis 1895, ils n'avaient reçu aucune instruction, ni nouvelle de Seju. Ils s'étaient crus délaissés. Ils voulurent bien payer l'impôt pour la première fois mais demandèrent une diminution. Adam accepta et quitta le Kabada en excellents termes avec les notables[3].

En 1899, malgré plusieurs lettres pressantes de rappel, les Toucouleur qui avaient d'abord fait la sourde oreille, refusèrent de payer l'impôt. Le capitaine Seguin, administrateur supérieur, effectua une nouvelle tournée au mois de juin et menaça les notables de leur imposer un chef étranger. Comme ils obtempéraient à l'injonction qui leur était faite, il proposa au gouverneur général d'ériger le Kabada en province distincte des pays malinké, avec pour chef, Alfa Ibrahima de Tankon, jugé dévoué aux intérêts français.

[1] D'après certaines traditions orales, Kaba aurait donné son nom au pays Kabada.
[2] Archives du Sénégal, 13 G 480 (9). Rapport de l'administrateur Adam.
[3] Archives du Sénégal, 13 G 480 (9). Rapport de l'administrateur Adam, 20 février 1895.

3. Les résistances balant

Après une période d'accalmie, les Balant reprirent régulièrement leurs habitudes de pillage des pirogues et des villages malinké de la rive droite. De nouveau, les Jula furent attaqués, leurs marchandises dérobées. Jatakunda se signala particulièrement en 1894 par une nouvelle phase d'agression, et les plaintes ne cessèrent d'affluer sur le bureau de l'administrateur à Seju. Au mois de février 1894, Farque infligea une amende de 50 francs à ses habitants, avec ordre de restituer le riz et le mil volés, mais ils refusèrent, et leur attitude créa un exemple fâcheux pour les autres villages du Balantakunda. En 1895, un groupe de soldats commandés par le capitaine Baudoin tomba dans une embuscade tendue à Jibanar par les habitants de Jatakunda. L'officier fut blessé au bras. Une expédition punitive fut immédiatement décidée avec l'appui des volontaires des villages du Buje. Le 28 février au matin, Jatakunda fut encerclé par 80 tirailleurs qui, avec l'appui d'une pièce de canon, détruisirent les cases et les pillèrent. Niafor et Kuniara subirent le même sort. Les tirailleurs réussirent à trouver un important approvisionnement à Bindaba, à 15 km au sud de Gudomp où les Balant avaient caché leur mil et riz. Harassés par la fatigue, les soldats rentrèrent à Seju le 7 mars pour prendre quelque repos. Les Balant, en effet, attaquaient la nuit de préférence, par petits groupes, obligeant leurs adversaires à se tenir constamment sur le qui-vive. Malgré cette opération de représailles, les habitants de Jatakunda repassèrent le fleuve et attaquèrent le village joola de Jiregui [1]. Puis le calme revint. Les Balant s'acquittèrent à peu près de tous leurs impôts fixés à 2500 francs sur lesquels ils payèrent une valeur de 1700 francs en mil. Ils ne versèrent pas un franc de l'amende de 5000 francs infligée par Farque à la suite de l'affaire de Jibanar. Cette attitude peut paraître paradoxale. En fait, elle était logique. Les Balant avaient accepté l'impôt, mais refusaient toujours l'intervention française dans leurs problèmes internes, et leurs querelles avec les Malinké. Quand ils cédaient, c'était sous la contrainte, mais ils étaient prêts à reprendre leur liberté d'initiative dès qu'ils en avaient la possibilité.

A la fin de l'année 1895, le chef de bataillon Denès, administrateur supérieur, considéra que les Balant n'étaient pas aussi fautifs qu'on le prétendait. Les Malinké les chargeaient de tous les méfaits, même ceux qu'ils commettaient. « Le pays balant peut être facilement assimilé, mais à une condition expresse, c'est qu'au moins provisoirement, un poste militaire soit installé à Jatakunda. [2] »

Le 26 janvier 1898, Seju apprit que les Balant avaient attaqué les 22 et 23, le village de Gudomp. Repoussés, ils se préparaient à revenir en force et le chef demanda un secours urgent. La cause de cette guerre était l'assassinat par les Balant, de Sambu Yasi, chef des Malinké de Gudomp, qui avait donné asile à un couple de Balant qui avait fui Brikama. Les raisons de l'attaque du village n'étaient pas claires. Selon les habitants, les Balant étaient poussés par Jombiko,

[1] Archives du Sénégal, 13 G 371. Expédition punitive dans le Balantakunda.
[2] Archives du Sénégal, 13 G 371. Rapport de l'administrateur supérieur au gouverneur.

chef de Mangakunda, qui leur avait dit que les Blancs allaient venger la mort de Sambu Yasi par une extermination de tous les Balant. Ceux-ci auraient alors déclaré : « Puisqu'on veut nous tuer, nous allons frapper les premiers en détruisant Gudomp. » Pour éclairer cette affaire, Adam invita Jombiko à venir s'entretenir avec lui à Gudomp. Malgré sa promesse, Jombiko, peu rassuré, s'enfuit en Guinée portugaise. Né d'un père mandiago et d'une mère balant, le chef deM angakunda avait été déjà compromis dans l'affaire Demba Juuf [1]. Plus tard, profitant de l'oubli, il vint s'installer dans les environs de Mangakunda où il devint l'homme influent de la région. A la mort du chef de Mangakunda, il fut élu par la population. Il ne se gêna plus pour spolier quelques-uns de ses administrés, surtout les Joola qu'il terrorisait. Doué d'une force peu commune, audacieux, doté d'une garde personnelle composée de Balant, il empêchait toute plainte, quand l'administrateur venait à passer.

Le 30 janvier, Adam se rendit à Mangakunda et fit procéder à l'élection d'un nouveau chef, un Joola du nom d'Amata, et ordonna aux Balant de quitter le village dans les 48 heures. Après quelques vaines tentatives pour entrer en contact avec des Balant compromis, il finit par rencontrer des notables de Jatakunda qui acceptèrent de servir d'intermédiaires. Il posa les conditions suivantes pour un règlement :

1. Afin d'éviter de semblables querelles, les villages situés sur la rive gauche du marigot de Safane devraient quitter leurs emplacements actuels et s'établir sur la rive droite.

2. Jibanar, Brikama, Kunayan, Sinbandi, devraient se réconcilier solennellement avec Gudomp.

Les Balant éludèrent les réponses et considérèrent l'incident comme clos, mais le 13 février, ils acceptèrent de verser une indemnité pour dédommager les familles victimes de Gudomp. Le 21 février, la paix fut faite, mais avec quelques arrière-pensées, car chaque groupe, méfiant, vint au rendez-vous, accompagné à distance par des guerriers bien armés [2].

Le 28 mars 1899, le capitaine Seguin, administrateur supérieur, visita Jatakunda pour choisir l'emplacement du fortin, siège du futur poste. La résidence devait être confiée au lieutenant Bloin. Les vieux l'acceptèrent mais les jeunes furent très hostiles, surtout ceux du village de Mangarungu.

Le poste fut construit sans difficultés. Il avait la forme d'un rectangle sur une superficie de 12 hectares, y compris le champ de manœuvre. Situé à 250 mètres du fleuve, il comprenait trois bâtiments ; le logis de l'officier et des sous-officiers, la salle des armes et des coffres avec le magasin des vivres, la cuisine et le four. Une grande place s'étendait derrière les bâtiments et servait de lieu le rassemblement.

La création du poste et l'installation d'un résident eut un effet certain sur l'état d'esprit des populations. Le caoutchouc circula plus librement. De nombreux traitants vinrent s'établir dans les villages et les Balant, à leur contact,

[1] Voir 4e partie, chapitre 1.

[2] Archives du Sénégal, 13 G 489 (3). Rapport sur les incidents du Balantakunda par l'administrateur Adam, 1898.

acquérirent des besoins nouveaux. Quelques villages payèrent l'impôt, notamment Jibanar, qui était toujours très belliqueux. Mangarungu fit des offres de soumission.

Les Balant semblaient donc s'assagir et se soumettre. Mais tous les problèmes étaient loin d'être réglés. Comme leurs voisins Joola, particulièrement rebelles à l'autorité française qui cherchait à s'imposer, ils eurent encore l'occasion de manifester leur désir de vivre libres de toute contrainte étrangère.

Chapitre 6

LES DÉBUTS DU RÈGNE DE MUUSA MOOLO (1882-1893)

1. Portrait de Muusa Moolo

Muusa Moolo naquit à Sulabali vers 1846 et c'est sa mère, Kumba Ude, qui hébergea El Haji Omar Tall lors de son passage dans le village [1]. Agé de 36 ans, le nouveau roi du Firdu avait le teint plutôt foncé. Il était grand, avec une légère corpulence [2]. Selon le capitaine Baurès qui effectua une mission au Firdu et qui vécut quelques mois auprès de lui, à Hamdallaye, en 1894, il était très simplement habillé et allait toujours pieds nus. « Il ne sourit pas souvent et a su donner à sa tête un aspect hautain et dédaigneux. Il est naturellement méfiant et autoritaire et ne fait rien que de lui-même. Il cache ses projets avec soin et au dernier moment fait connaître sa volonté. Il est très superstitieux, pratique l'islamisme avec ostentation. Il fait souvent ce qu'il appelle des « charités », c'est-à-dire donne à certaines fêtes de l'année des bœufs aux pauvres, mais a bien soin de ne pas les prendre dans son troupeau. Les marabouts ont sur lui une très grande influence surtout pour tout ce qui touche la guerre et à ses relations avec les Européens. Comme ils lui ont prédit qu'il mourrait soit d'un accident de cheval, soit de la main d'un de ses fils, il a soin de ne monter que des chevaux spécialement dressés, et ne va jamais à des allures vives. Il est très redouté, mais n'est pas aimé, surtout des Mandingues qui sont dans le Fouladou. Il a essayé en vain de leur imposer la langue peule qu'il voudrait entendre parler sur toute l'étendue de son territoire. Il dispose du bien de ses sujets avec la plus grande facilité. Dès qu'un village apprend son passage, toutes les jeunes filles, toutes les jolies femmes sont expédiées dans des villages environnants, en hâte. Il le sait et en est humilié. [3] »

[1] Kumba Ude est enterrée à Sulabali où sa tombe est toujours visible.
[2] Voir photo.
[3] Archives du Sénégal, 13 G 372. Mission au Firdu du capitaine Baurès, 1894.

2. Le traité avec la France (3 novembre 1883)

Le 22 mai 1883, le lieutenant Lenoir écrivit à Gorée : « Muusa Moolo, roi du Fouladou, n'a cessé de me faire des avances pour se rapprocher de nous, j'ai toujours accueilli ces avances, tout en ne m'engageant à rien et j'attendais avec impatience votre visite pour savoir au juste quelle conduite tenir vis-à-vis de ce chef très influent, très puissant dans la Haute Casamance. [1] »

« Au point de vue politique et au point de vue de l'avenir commercial de la Casamance, nous avons tout intérêt à nous rapprocher de ce chef ; le pays qu'il commande est vaste, peuplé et la population de race peule nourrit et élève de magnifiques troupeaux. Le Fouladou s'étend du reste jusqu'au Bambouck [2] et faire un traité de bonne amitié avec le chef qui le commande, c'est aussi assurer la sécurité sur la droite de la ligne ferrée que nous construisons à si grands frais sur le Haut Sénégal. Du reste, c'est grâce à Moussa Moolo, qui a compris de suite quel intérêt, quelle ressource pouvait être pour son peuple la traite du caoutchouc qui s'est introduite cette année pour la première fois en Casamance, que les commerçants ont pu en expédier jusqu'à présent 40 tonneaux, résultat magnifique si on considère que c'est la première fois que le marché de Sedhiou demande ce produit.

Ce résultat est d'autant plus beau que le prix des arachides diminuant toujours, les cultivateurs ne trouvent plus leur travail assez rémunéré et beaucoup font abandonner la culture de cette graine ; déjà cette année, dans plusieurs villages, on ne s'est pas donné la peine de la retirer de la terre. [3] »

Le gouverneur Bourdiaux autorisa le lieutenant Lenoir à ouvrir des négociations avec Muusa Moolo qui aboutirent au traité de protectorat du 3 novembre 1883 [4].

Article 1. Moussa fils de Moolo, convaincu des avantages que peut procurer à son pays, un traité de bonne amitié et de commerce avec les Français, place tous les pays qu'il commande et ses sujets sous la suzeraineté et le protectorat de la France et s'engage à ne jamais céder aucune partie de sa souveraineté sans le consentement du gouvernement français [5].

Article 2. Le commerce se fera librement et sur le pied de la plus parfaite égalité entre les Français et les indigènes sous la protection de la France. Moussa s'engage pour sa famille et pour ses chefs à ne gêner en rien les transactions entre

[1] Archives du Sénégal, 4 B 74. Correspondance du lieutenant-gouverneur au gouverneur. Extrait de lettre du commandant de Seju transmis au gouverneur. Le lieutenant Lenoir a reçu une lettre de Muusa Moolo écrite en arabe, le 2 avril 1883.

[2] Appréciation exagérée. Les possessions de Muusa Moolo ne dépassaient pas la Kuluntu à l'est.

[3] Archives du Sénégal, 4 B 74. Correspondance du lieutenant-gouverneur par intérim Cléret au gouverneur, 7 juin 1883.

[4] Archives du Sénégal, 13 G 4. Traités avec les chefs indigènes.

[5] Cet article est important car les Français n'ignoraient pas que de nombreux pays dépendant de Muusa Molo se trouvaient en Guinée portugaise et sur les rives de la Gambie. En l'absence de toute délimitation de frontière, et dans le climat de concurrence entre les puissances européennes, toutes les spéculations étaient permises pour l'avenir.

acheteurs et vendeurs, à ne jamais intercepter les communications avec la Casamance et à n'user de son autorité que pour protéger le commerce français, l'écoulement des produits sur Sedhiou et développer les cultures.

Article 3. Les commerçants français qui voudront s'établir dans le pays pourront choisir tel emplacement qu'il leur conviendra, sauf à s'entendre avec les propriétaires du sol pour louer ou acheter le terrain dont ils auront besoin. Ils pourront bâtir des maisons en pierre. Les contrats de location ou de vente seront enregistrés au poste de Sedhiou.

Article 4. En aucune circonstance et sous quelque prétexte que ce soit, les opérations commerciales d'un négociant ou traitant ne pourront être suspendues par ordre du roi Moussa ou de ses chefs. En cas de contestation entre un sujet français et un indigène, l'affaire sera jugée par le commandant de Sedhiou, sauf appel devant le gouverneur du Sénégal.

Moussa s'engage à faire exécuter selon les lois de son pays, les jugements rendus contre ses sujets. Les jugements rendus contre les sujets français seront exécutés par les soins du gouverneur du Sénégal.

Article 5. Sauf les redevances que le roi et les propriétaires du sol percevront sur les traitants à titre de location pour les terrains loués, il ne sera perçu aucun droit, aucune coutume, aucun cadeau.

Article 6. Le roi Moussa, persuadé qu'une route commerciale ferrée comme celle que l'on construit en ce moment à Médine, ne peut accroître que la prospérité et la richesse de son pays, s'engage pour le présent et pour l'avenir à fournir à la France, gratis, tout le terrain dont elle pourrait avoir besoin pour construire un chemin de fer, partant soit de Bakel, soit de Médine et se dirigeant sur Dianah ou tout autre point de la Casamance par la vallée de la Falémé ou par toute voie naturelle au choix de la France. La France pourra construire des forts sur la ligne.

Article 7. A l'avenir, le présent traité servira de base aux relations entre le gouvernement français et Moussa Moolo et ses successeurs. Tous les traités et conventions antérieures, s'il en existe, sont abrogés.

Article 8. Le roi Moussa déclare n'avoir jamais passé aucun traité, aucune convention avec d'autres nations. Du reste tout traité, toute convention passés antérieurement avec d'autres nations ne pourraient en rien entraver l'exécution des stipulations du présent traité qui a été fait de bonne foi.

A la lecture du traité, on ne voit pas très bien l'intérêt de Muusa Moolo d'avoir signé de semblables conditions. Les Français obtenaient des avantages exorbitants et n'avaient rien laissé au hasard ; projet d'une voie ferrée est-ouest, élimination de toute contestation éventuelle de la part de la Grande-Bretagne et du Portugal. La Haute Casamance ouvrait ses territoires au commerce français qui allaient en faire une chasse gardée. La pénétration à l'intérieur du continent était facilitée et dans l'immédiat la route du Fuuta-Jaloo par le nord-ouest était libre. Mais Muusa Moolo comptait bien recueillir à long terme les bénéfices de sa politique de collaboration. Il avait besoin des troupes françaises pour acquérir de nouveaux territoires aux dépens du Fuuta-Jaloo. En attendant le moment opportun pour agir, il fallait donner à ses nouveaux alliés des gages divers de son loyalisme.

Le lieutenant-gouverneur Bayol, qui avait compris les objectifs du roi du Firdu, conseilla la prudence au commandant de Seju dans la politique à suivre avec lui : « Muusa Moolo est un chef qui parait dévoué et qui a intérêt à le paraître. L'appui de la France peut faire de lui un roi indigène très important, mais il faut prendre garde de ne pas mécontenter notre allié, l'almamy du Fouta-Djalon et le roi du Labe qui considère le Firdu comme une province frontière de ses états. Il faut entretenir les meilleures relations avec Muusa Molo, mais ne pas lui faire de promesses. [1] »

3. La collaboration de Muusa Moolo avec les Français (1887-1893) [2]

En attendant la participation active des Français à ses projets de conquête, Muusa commença par leur donner des preuves de sa fidélité qui se traduisirent par des écrits et des actes. On peut bien sûr douter de la sincérité des premiers en estimant que la flatterie était un moyen comme un autre pour obtenir satisfaction, mais les actes sont irréfutables. Examinons les uns et les autres à travers les exemples suivants :

a) *Lettre de Muusa Moolo au commandant de Seju (21 juin 1887)*

« Louange à Dieu l'Unique,

De la part de Moussa, fils d'Alfa Molo au commandant. Salut le plus complet. Nous t'informons que nous nous portons tous très bien. Nous désirons que la présente te trouve de même toi, ton armée et tes sujets.

J'apprends que les Français sont venus jusqu'au pays Badibou, ils se sont battus avec Saer Maty et qu'on l'a complètement battu. J'ai prié pour toi. Sache bien que je suis pour le Dieu et son prophète et aussi pour les Français. Je n'ai ni mère, ni père, ni parent que les Français. Je suis sous les ordres de Dieu et sous les ordres des Français et sous leur protection. Tous vos ennemis, ce sont les miens. Comme nos amis sont les miens, ma maison est la vôtre, mon pays est le vôtre. Un père pourrait ignorer de quel endroit où il trouve son fils, mais le fils sait toujours où se trouve son père. Je place les Français pour mon chef et mon père. Ils pourront faire dans mon pays tout ce qui leur plait.

Le porteur de ma lettre dont le nom Demba Patté, c'est mon garçon. Je te demande une ouverture du chemin, car j'ai du monde qui achète des chevaux ici qui veulent aller jusqu'à Saint-Louis, même plus loin pour en acheter. Je veux qu'ils voyagent librement dans ton territoire. »

La plupart des lettres de Muusa Moolo portaient son cachet qui était un timbre en caoutchouc un peu déformé par la chaleur. Elles étaient écrites en arabe et traduites à Seju par l'interprète officiel du poste ; un toucouleur le plus souvent. »

[1] Archives du Sénégal, 13 G 371. Correspondance du lieutenant-gouverneur Bayol avec le lieutenant Truche, commandant du cercle de Seju, 12 octobre 1886.

[2] Archives du Sénégal, 13 G 462 (8).

b) *La capture et la mort de Mamadu Lamine, marabout du Buundu (9 décembre 1887)*

Mamadu Lamine Drame était un marabout saraxolé originaire de Gunjuru près de Kayes. Après la mort de Bubakar Saada, vieil almaami du Buundu, en décembre 1886, Mamadu Lamine et ses talibés s'étaient opposés aux Buunduké qui lui refusaient le libre passage à travers leur territoire. Par la force, Mamadu Lamine s'était alors installé à Senudebu et était devenu le maître des rives de la Falémé. Du 14 mars au 12 avril 1887, il fit le siège de Bakel, ce qui amena le gouverneur Genouille à confier au lieutenant-colonel Galliéni, la mission de mettre le marabout hors d'état de nuire.

La campagne fut très difficile, car Mamadu Lamine résista avec acharnement et ses talibés firent preuve d'une grande bravoure. Cependant, à la fin de l'année 1887, il devint un homme traqué qui, en compagnie de quelques fidèles, fuyèrent en direction de la Haute Gambie. Il se réfugia dans le Uli, à Tubakuta, chez le marabout Dimbo fils de Simotto Moro, mort en 1885 et ancien ennemi juré de Bubakar Saada et d'Alfa Moolo [1]. La présence de Mamadu Lamine chez un ennemi de longue date, dans un territoire qu'il convoitait, amena Muusa Moolo à proposer ses offres de service aux Français pour le capturer. Une attaque concertée entre ses guerriers et les soldats du capitaine Fortin contre le tata de Tubakuta le 9 décembre 1887, fut un échec dans la mesure où le marabout réussit à s'échapper. Une tragique poursuite s'engagea alors contre le fugitif. Elle nous est relatée en partie par Galliéni [2]. « Ce Moussa Molo est l'un des chefs les plus intelligents de toute cette partie du Soudan. Il avait craint que Mamadu Lamine ne voulût étendre ses visées ambitieuses jusque dans ses Etats et il nous avait offert spontanément son concours pour nous aider à combattre le perturbateur. Ses hommes avaient un aspect militaire et une certaine discipline que l'on n'est pas habitué à rencontrer parmi les troupes des souverains nègres. Le capitaine Fortin songea-t-il à l'utiliser de suite pour entamer les poursuites contre le marabout.

» Le 9 au soir (décembre), une véritable chasse à l'homme est organisée. Moussa Moolo est lancé sur la rive droite de la Gambie pour couper la retraite... Le marabout doit être ramené mort ou vif au commandant de la colonne. C'est l'ordre.

» Mamadu Lamine se réfugie à Maka, mais doit quitter le village avec l'arrivée des poursuivants. Après une marche exténuante, Mamadu Lamine et quelques fidèles se jettent dans le village de Ngoga-Sukota situé à deux ou trois kilomètres de la Gambie. Le village est aussitôt cerné par Moussa Molo et ses troupes. Les habitants de Ngoga-Sukota se voient compromis. Ils cherchent à s'emparer du fugitif. Un combat s'engage dans le village même. Le chef, pour déloger Mamadu Lamine, fait mettre le feu à ses propres cases et à celle où le marabout s'est réfugié. Les talibés se font tuer bravement. Mamadu Lamine est blessé à la cuisse par un coup de sabre... [3] »

[1] Consulter : GRAY. *History of the Gambia; The Soninké Marabout war, 1866-1888.*
[2] GALLIÉNI. *Deux campagnes au Soudan français, 1886-1888*, Paris. Librairie Hachette et Cie, 1891, pp. 363-371.
[3] GALLIÉNI. *Deux campagnes au Soudan français, 1886-1888.*

Récit de Muusa Moolo :

« Mes deux chefs guerriers Ali Maka et Sumtukuna ont pris Mamadu Lamine vivant et blessé. Dans un moment, il a été entre mes mains vivant et non mort. Alors on l'a porté sur un brancard, vivant, au capitaine (Fortin). [1] »

Mamadu Lamine, qui avait perdu beaucoup de sang, succomba des suites de sa blessure et de la fatigue accumulée pendant sa fuite. Le 12 au soir, la colonne n'étant pas arrivée, le cadavre entra en putréfaction et les captifs de Muusa Moolo qui le transportaient, refusèrent de s'en approcher. Pour obéir aux ordres de son maître, qui étaient de transporter le marabout au camp français, le griot de Muusa trancha la tête du corps qui fut abandonné aux oiseaux de proie. Il accrocha ce trophée à l'arçon de sa selle et se présenta au camp, à Tubakuta, le 13 au matin, avec le cheval blanc du marabout portant ses armes et sa robe couverte de gris-gris.

« Après cela, j'ai remercié Dieu et le commandant de Sedhiou, écrivit Muusa Moolo. Tout ce que j'ai fait pour les Français, c'est pour le commandant de Sedhiou jusqu'à maintenant... Vous aussi, il ne faut pas m'oublier, parce que j'ai confié ma tête aux Français pendant ma vie, après ma mort aussi. Toute mon affaire est entre les mains du commandant de Sedhiou et du gouverneur. Salut. [2] »

Le 19 décembre, dans son rapport à Saint-Louis, le capitaine Opigez notait : « Moussa Molo a rencontré les Français à Tubakuta qui venait d'être brûlé. Mamadu Lamine s'était sauvé dans un village appartenant à Moussa Molo. C'est là que ses guerriers l'ont pris et remis entre ses mains. J'ai cru, Monsieur le Gouverneur, devoir envoyer à Moussa Molo quelques petits cadeaux pour le remercier de la promptitude qu'il avait mise à obéir. Malgré cela, il me semble qu'il devrait être récompensé plus largement, directement par vous. Ne pourrait-on pas, Monsieur le Gouverneur, profiter de la bonne volonté actuelle de Moussa Molo pour en finir avec Fodé Kaba et Birahim N'Diaye, soit en l'appuyant avec une petite colonne, soit en lui donnant une certaine somme ? [3] »

4. Les oppositions internes a Muusa Moolo

a) *Lutte contre Bakari Demba*

Le Fulaadu était divisé en petites régions ou provinces dirigées par des chefs peul nommés par Muusa, qui lui étaient étroitement soumis [4]. Toute tentative de rébellion ou de sécession était impitoyablement réprimée. En décembre 1889, quatre vassaux qui avaient sollicité de l'aide auprès de l'almaami de Timbo pour tenter de le renverser avaient été exécutés [1]. Retranché derrière les murailles de son tata d'Hamdallaye, le roi du Firdu régnait en maître et gouvernait avec

[1] Archives du Sénégal, 13 G 462 (8). Lettre de Muusa Moolo au capitaine Opigez, commandant du cercle de Seju, 17 décembre 1887.

[2] Archives du Sénégal, 13 G 462 (8). Lettre de Muusa Moolo au capitaine Opigez, commandant du cercle de Seju, 17 décembre 1887.

[3] Archives du Sénégal, 13 G 462 (8). Lettre du capitaine Opigez au gouverneur, 1er décembre 1887.

[4] Voir carte du royaume de Muusa Moolo.

dureté. Sa fermeté suscitait de nombreux mécontentements et des oppositions se manifestaient jusqu'à l'intérieur de sa propre famille. Son oncle paternel Bakari Demba et son frère Dikori plus populaires, et souvent en désaccord avec sa politique, devenaient des rivaux gênants que Muusa résolut d'écarter.

Il demanda aux Français de lui prêter main-forte contre son oncle Bakari Demba retiré dans son fief de Korop. Le 17 février 1892, le gouverneur de Lamothe, de passage à Seju, ordonna au lieutenant Bertrandon du régiment des tirailleurs sénégalais de partir avec un détachement au Firdu, pour collaborer avec Muusa Moolo dans sa lutte contre son oncle. « Suivant le degré de confiance qu'il aura dans notre pouvoir de l'aider ou de lui nuire, Moussa sera peut-être pour nous un auxiliaire précieux ou une source de conflits incessants... Votre passage à travers ses Etats sera tout d'abord une preuve de notre bon vouloir à son égard. Il nous fournira en outre l'occasion de recueillir des renseignements sur le pays, les habitants, le degré de concentration de sa population, ses forces productives, sa valeur militaire, ses rapports de bon et mauvais voisinage avec les territoires qui l'entourent... Je vous serais surtout reconnaissant de faire valoir à l'occasion, mais sans insister plus que de raison, les avantages qui pourraient résulter pour lui de l'établissement d'un résident à poste fixe à Hamdallaye, et aussi de l'application à des œuvres d'utilité publique, dirigées par des agents du protectorat (écoles, puits, routes, etc.), d'une portion des ressources qu'il tire de l'impôt payé par ses sujets. [1] »

Bakari Demba, assiégé dans son tata, à Korop, s'enfuit la nuit dans le Niani anglais. Muusa s'empara de tous ses biens, captura sa cousine Fanta qu'il ne pouvait épouser. Très épris et surtout fort jaloux, il fit assassiner son fiancé et surveiller étroitement la jeune fille par un serviteur dévoué.

Au mois de novembre 1892, ses sujets du Sankolla portugais se révoltèrent et Muusa demanda au gouverneur l'autorisation d'intervenir en déclarant : « Que les Portugais et les Français nous laissent débrouiller entre nous » [2], mais le gouverneur l'invita à s'adresser aux autorités portugaises, pour cette affaire ne relevant pas de sa juridiction. La défaite de Bakari Demba accrut l'opposition à Muusa. Tous les mécontents se rallièrent à son frère Dikori Kumba, de plus en plus populaire. Avant qu'il devînt un rival trop dangereux, le roi décida de lui faire la guerre sans tarder.

b) *La mort de Dikori Kumba*

Fodé Kaba écrivit une lettre au commandant de Karabane pour l'informer que Dikori lui avait envoyé trois messagers pour solliciter son aide. Il lui avait répondu qu'il avait besoin de l'autorisation des Français pour intervenir. La fortune de Muusa dépendait de l'issue du combat, car une défaite risquait de lui aliéner la plupart de ses partisans, attachés à lui beaucoup plus par crainte que par sentiment. Le combat décisif eut lieu à Pata, dans le Jimara, le 3 octobre 1893 et s'acheva par la mort de Dikori, tué par les guerriers de Muusa Moolo. Selon la tradition

[1] Archives Nationales. Sénégal et Dépendances IV, 108d, 17 février 1892.

[2] Archives du Sénégal, 13 G 467 (2), novembre 1892.

orale, Dikori vaincu aurait cherché à fuir et aurait été abattu. Le lendemain, averti par les cris des griots, le roi apprit la mort de son frère et tenta vainement de connaître le nom de son meurtrier. Une autre tradition relate que Dikori aurait été attiré dans un guet-apens, sous le couvert d'une trêve pour négocier la paix. Dikori, confiant et sans armes, aurait été tué, alors qu'il se rendait au lieu prévu pour la rencontre.

CHAPITRE 7

LES ESPOIRS DÉÇUS DE MUUSA MOOLO (1893-1903)

1. LA MISSION DU CAPITAINE BAURÈS (1894)

Pour favoriser la pénétration française en Haute Casamance, le gouverneur de Lamothe confia une importante mission à un officier, le capitaine Baurès. Officiellement, il devait se rendre à Hamdallaye pour assurer Muusa Moolo de la sollicitude et de la protection du gouverneur. En fait, cette mission avait deux objets [1]. L'un purement technique consistait à établir la topographie du Fulaadu dans les régions frontalières de la Gambie et de la Guinée portugaise, l'autre de caractère tout politique, était « d'étudier cette région encore peu fréquentée et de rapporter des renseignements précis et détaillés sur ses ressources, son organisation, sur l'autorité réelle de Muusa sur ses sujets, mais aussi sur les populations des territoires voisins de la Gambie, de la Guinée portugaise et du Fuuta-Jaloo ». Baurès devait examiner avec soin le caractère du chef du Fulaadu, rechercher soigneusement ses projets et aspirations secrètes, préparer l'envoi d'un représentant permanent du gouvernement du Sénégal auprès de lui.

« Il peut devenir très important à un moment donné que nous sachions très exactement quels rapports entretient le chef du Firdu avec les chefs du Fouta-Djalon. Il peut être appelé à prendre la défense du pays qui va jusqu'à la Koulountou contre les incursions incessantes d'Alfa Ibrahima et de Modi Yaya [2].

» Si pendant votre séjour auprès de lui, Moussa Molo était contraint à prendre les armes pour repousser quelques incursions de leur part, je vous autorise à lui donner tout l'appui moral, tout le concours effectif que vous jugerez nécessaire pour asseoir son autorité auprès de ses gens comme auprès de ses adversaires. Vous pourrez notamment faire connaître à Moussa que je ne verrais aucun inconvénient à ce qu'il prenne sous sa protection effective tout le territoire situé à l'est de ses possessions actuelles... S'il se sent assez fort pour faire la police plus loin jusqu'au Niokolo par exemple, je ne m'en formaliserais pas davantage,

[1] Archives du Sénégal, 13 G 372. Instructions du gouverneur de Lamothe, 7 février 1894.

[2] Alfa Ibrahima du Labe (Alfaya) et son co-prince Modi Yaya (Soriya) devenu Alfayaya en 1892.

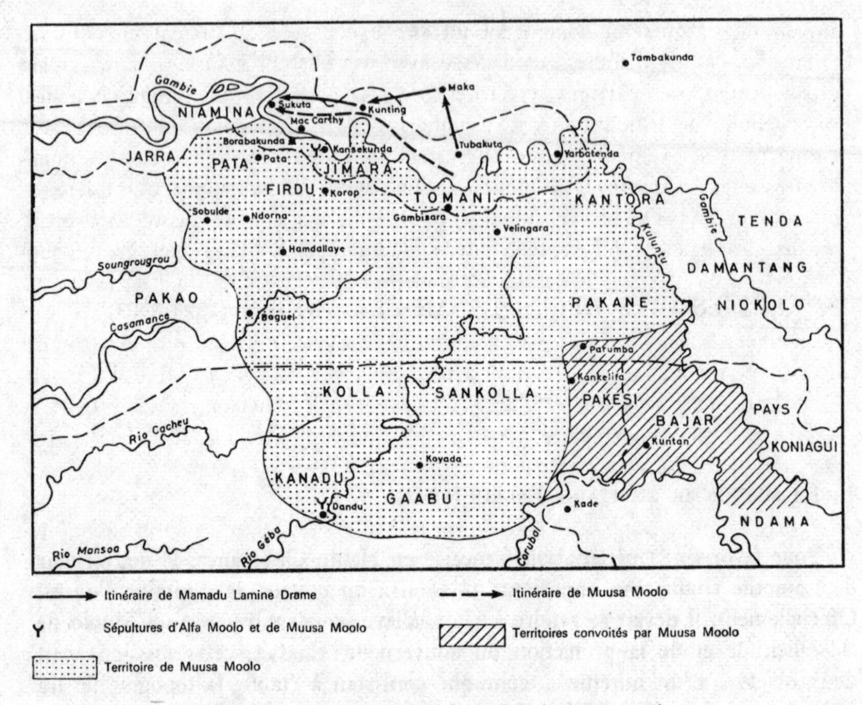

Fig. 27. Le royaume de Muusa Moolo (1881-1903).

bien que la question de savoir si ce dernier pays relèvera du Sénégal ou du Soudan ne soit pas encore définitivement tranchée. [1] »

De ces instructions, retenons deux points essentiels. Préparer la domination française sur le Fulaadu et encourager une politique d'expansion du roi du Firdu aux dépens de son ancien suzerain et ennemi, l'alfa de Labe.

Baurès reçut un accueil courtois mais réservé à Ndorna, résidence principale de Muusa Moolo. Son arrivée impromptue excita la méfiance de son hôte et de ses conseillers. Muusa séjournait habituellement à Ndorna ou à Hamdallaye, villages qui lui appartenaient personnellement, et peuplés essentiellement de captifs. A Ndorna, se dressait un tata de 60 mètres sur 80, de forme rectangulaire, mais avec de nombreux saillants et rentrants. Hamdallaye comprenait deux parties distinctes, celle occupée par le roi, et celle occupée par ses gens. La première avait la forme d'un rectangle d'environ 100 mètres de long sur 50 mètres de large et délimité par un sanié assez élevé. On entrait librement dans l'enceinte comprise entre le sanié et un mur en crinting de 12 mètres de haut. Une porte cadenassée ne s'ouvrait que devant les personnes déjà annoncées, et qui étaient attendues. On pénétrait alors dans un terrain où des cases abritaient certains parents de Muusa. Après avoir franchi une petite barrière, le visiteur arrivait à la maison du roi, en bois et de style européen. Elle avait été construite par des ouvriers

[1] **Archives du Sénégal,** 13 G 372. Instructions du gouverneur de Lamothe, 7 février 1894.

anglais de Bathurst et comportait un rez-de-chaussée où étaient entassés de nombreux ballots d'étoffe, et un étage avec des chambres vastes, hautes, mais presque nues. Les palabres se tenaient dans la cour sous un refuge en paille. A proximité de la maison, une seconde enceinte strictement interdite à tout étranger, et sévèrement gardée, empêchait tout regard indiscret sur les nombreuses épouses royales [1]. Au cours de son séjour, Baurès apprit que quelques malheureuses étaient mortes de faim, attachées à des anneaux, d'autres avaient été décapitées pour avoir excité la jalousie de leur époux. » J'ai préféré ne m'apercevoir de rien », écrivit le capitaine qui ne voulait pas compromettre le succès de sa mission [2].

Muusa avait une préoccupation constante, diriger à nouveau tout le territoire que son père avait conquis. Il en rendait responsables les Français et les Portugais qui, depuis leur accord de 1886, avaient favorisé la rébellion de ses provinces situées en Guinée portugaise. Il souhaitait que la France l'aidât à reconquérir les pays de son père afin de donner toute sa valeur au protectorat qu'il avait accepté en 1883.

Baurès comprit que la France devait compter avec les influences britannique et portugaise. Les Anglais n'avaient pas cherché à étendre leur domination directe au delà de la frontière commune en 1889, mais ils pensaient pouvoir exercer une influence sur Muusa Moolo et ne négligeaient aucun effort pour y parvenir. Le Peul Dembo Dansa, factotum de Muusa Moolo, qui gardait ses femmes pendant son absence et qui avait toute la confiance de son maître, était chargé des relations avec les Anglais. Il avait plus d'autorité et d'influence que le Toucouleur, Mamadu Malik, représentant du roi auprès des Français. Détestant les Français et plus proche des Britanniques auprès desquels ils faisaient de fréquents séjours, il avait un rôle occulte qui inquiétait le capitaine.

Du côté portugais, la situation était différente. La faiblesse et le peu d'influence des Portugais expliquaient le désir ardent de Muusa de rétablir son autorité sur les provinces rebelles du Kanadu, Karesi, Makana, Kolla et Sankolla entraînées dans la révolte par Buku, chef du Kanadu, désigné par Alfa Moolo, et qui s'était affranchi en 1883, à la mort de ce dernier. D'autres provinces, comme le Fanbantan, le Farinko, le Sama, n'avaient pas osé suivre l'exemple des rebelles.

Entre les deux puissances rivales, la France, selon Baurès, devait mener auprès du roi, une politique suivie et ferme qui ferait d'elle la maîtresse incontestée de la Casamance. Le premier objectif était de faire admettre à Muusa la présence permanente d'un résident français à la fois souple et énergique, disposant d'une escorte de tirailleurs, qui peu à peu s'imposerait et exigerait du roi que toute sa correspondance et ses demandes lui fussent remises.

Le 3 mars 1894, l'administrateur supérieur de la Casamance, Farque, partit de Seju en tournée dans le Firdu, pour recueillir de vive voix les premières impressions du capitaine Baurès. Il entra dans le premier village du Fulaadu

[1] Archives du Sénégal, 13 G 373. Rapport sur le Fouladou par l'administrateur Adam, 4 août 1896.

[2] Archives du Sénégal, 13 G 373. Mission du capitaine Baurès, 2 août 1894.

le 5 et fut bien accueilli par l'almaami de Boguel, Yate Bande qui lui offrit des œufs et des poulets. Farque arriva à Ndorna le 7 mars vers 8 heures du matin où il fut accueilli par Muusa et le capitaine. Mamadu Malik qui l'avait accompagné depuis Seju, lui demanda de rassurer le roi, inquiet par l'arrivée successive de deux Européens à quelques jours d'intervalle. Farque fit de son mieux, mais quand il exprima le désir de se rendre à Hamdallaye avec son interprète pour rencontrer M. Bourrel, chef des Postes et Télégraphes, en mission technique, et qui venait de Tambakunda, il se heurta à un refus. Surpris, il voulut expliquer l'objet de sa visite au cours d'une palabre publique, mais le roi refusa d'y participer. A force d'arguments, il réussit à le convaincre et à dissiper la méfiance des notables. Muusa demanda alors l'autorisation de châtier les habitants du Jarra qui avaient pris parti en faveur de son frère Dikori, et de pénétrer en armes sur les territoires anglais et portugais. Farque refusa, ce qui fit dire au roi qu'il ne comprenait plus le traité de 1883 qui faisait obligation aux Français de le protéger.

2. La lutte de Muusa Moolo contre l'alfa de Labe

Le Fuuta-Jaloo, peuplé de Peul, formait une confédération aristocratique dirigée par un almaami élu tous les deux ans par un grand conseil de notables ou Assemblée fédérale, dans la ville de Fugumba. Choisi alternativement dans les deux grandes familles Alfaya et Soriya, fondatrices de l'Etat fula, il résidait à Timbo. Son autorité s'exerçait sur des provinces ou diwé [1], et sur des pays tributaires. Chaque diwal était administré par un chef ou alfa désigné par le conseil provincial des anciens, avec l'agrément de l'almaami régnant.

Le diwal de Labe était très important. Situé au sud-est de la Casamance, il exerçait sa suzeraineté sur des pays périphériques tels que le Dandu, le Gaabu, le Pakési, le Bajar, Ndama (peuplés de Malinké). Muusa Moolo avait soustrait le Fulaadu à l'autorité de l'alfa en acceptant le protectorat français de 1883. L'alfa était choisi lui aussi parmi les descendants des grandes familles Alfaya et Soriya, et il partageait le pouvoir tous les deux ans avec son co-prince, de la même manière que l'almaami. En fait, à la suite d'intrigues compliquées, les chefs du parti Soriya étaient plus souvent au pouvoir à Labe que leurs rivaux Alfaya.

En 1854, Ibrahima, membre du groupe Soriya, était devenu alfa mo Labe. Grand guerrier, il entreprit de nombreuses campagnes sur les marches occidentales du diwal, notamment au Gaabu et aida Alfa Moolo à secouer le joug malinké au Fulaadu, tout en lui imposant sa suzeraineté. Père de neuf fils, il prit soin de leur distribuer de son vivant d'importants commandements. Révoqué en 1879 par l'almaami de Timbo, il eut la satisfaction de voir son fils aîné Modi Aguibu lui succéder à la tête du diwal. Cependant, la jalousie de ses frères provoqua

[1] diwé pluriel de diwal. Il y en avait onze en 1887.

son assassinat en 1882 et le meurtrier, son jeune frère Modi Yaya, chef de la région de Kade réussit, après de multiples manœuvres, à se faire élire et reconnaître chef du diwal en 1892 sous le nom d'Alfa-yaya [1].

Dès son accession au pouvoir, Alfa-yaya protesta auprès des gouverneurs du Sénégal et de Guinée française contre la sécession de Muusa Moolo. Avec la complicité de Saada Amadi, ex almaami du Buundu détrôné par Galliéni en 1887 et réfugié au Fuuta en janvier 1893, il pilla systématiquement les caravanes qui cherchaient à gagner le Soudan par le Niokolo et le pays Tenda, ce qui amena le gouverneur de Lamothe à inviter Muusa Moolo et l'almaami Malik Ture du Buundu à entrer en guerre contre l'alfa mo Labe en razziant ses territoires vassaux du Pakesi, Ndama, Bajar et Damentang. Cette politique faisait l'affaire de Muusa Moolo et du gouverneur.

Pour le roi du Firdu, la perspective de nouvelles conquêtes aux dépens du Labe était inespérée. Non seulement l'appui français lui permettait de défendre son domaine, mais il l'incitait à l'étendre sans grands risques. Pour le gouverneur, l'aide apportée avait pour objectif l'extension de l'influence française sur le Fulaadu et sur d'autres territoires comme le Bajar, le Pakesi et le Niokolo. Le roi du Firdu pensait protéger son indépendance face aux ambitions d'Alfa-yaya. En fait, il l'aliénait chaque jour davantage au profit des Français.

Conscient pourtant de sa vassalité à l'égard de ses protecteurs, il pensait pouvoir préserver la liberté qui lui restait.

a) *La guerre contre le Bajar et le Pakesi, vassaux du Labe*

En avril 1894, Muusa Moolo partit en campagne contre des vassaux fidèles à Alfa-yaya. Bénéficiant de l'appui des guerriers de Mamadu Pate de Koyada (territoire portugais), chef peul du Gaabu et du Forea, il pénétra dans le Ndama en compagnie du capitaine Baurès et de ses 12 tirailleurs. Le chef du Ndama, Cerno Ibrahima, féal d'Alfa-yaya, prit la fuite. Allié aux chefs Koniagui de la région d'Itiu (près de Yukunkun), Muusa était particulièrement lié à l'un d'entre eux, le vieux Tugane, qui lui donna des guerriers pour piller le Bajar où le roi Joki accepta de faire sa soumission. Pénétrant dans le Pakesi, il fut bien accueilli par le roi Bamba Dalla, mais des espions révélèrent qu'il menait double jeu. Vassal et allié de Alfa-yaya, il avait secrètement fait appel à son aide [2].

Isolé avec un petit groupe de guerriers de Muusa au village de Parumba, le capitaine Baurès adressa un ultimatum au roi du Pakesi, exigeant sa soumission dans les vingt-quatre heures. Pour toute réponse, Bamba Dalla attaqua Parumba le 9 juillet. Abandonnés par les hommes de Muusa, les Français résistèrent contre

[1] Consulter entre autres : DEMOUGEOT. *Notes sur l'organisation politique et administrative du Labé avant et depuis l'occupation française*, Paris, Larose libraire, 1944. — DIALLO Tierno. *Les Institutions politiques du Fouta-Djalon au XIXe siècle.* Thèse de 3e cycle, Sorbonne 1968. — Sow M. Samba. *La région de Labé au XIXe siècle et au début du XXe siècle*, D.E.S., Sorbonne, 1969.

[2] « Le Badiar et le Pakesi veulent encore moins obéir à Muusa. Ces deux pays craignent le Fouta-Djalon et voudraient bien en être débarrassés, mais Moussa ne leur inspire aucune confiance. « Mission Baurès. Rapport 13 G 372.

600 assaillants et furent sauvés in extremis par Muusa Moolo à la tête de ses troupes. Sur les treize défenseurs, quatre avaient été tués, cinq blessés dont le capitaine Baurès touché au bras. Très irrité devant la défection des auxiliaires que le roi lui avait confiés, Baurès fit de violents reproches à Muusa qui porta plainte devant l'administrateur Farque. « Depuis que le capitaine est arrivé dans mon pays, il n'a jamais manqué de rien... Il m'a frappé au milieu de mes guerriers et si cela se renouvelle, je me sauverai et j'irai chez les Anglais. Ce ne sera pas de ma faute, mais c'est pour éviter tous les manques d'égard et mauvais traitements de ce capitaine. [1] »

Baurès fut rappelé immédiatement et s'embarqua à Dakar pour la France, le 8 août 1894, pour être remis à la disposition du Ministère de la Guerre. Ce rappel ne paraît pas avoir été provoqué par son attitude à l'égard du roi car un télégramme du 29 juin 1894 du gouverneur à Farque, invitait ce dernier à informer Baurès qu'une dépêche ministérielle demandait son rapatriement [2]. Cependant, son manque de diplomatie à l'égard de Muusa ne pouvait plus justifier sa présence auprès de lui. Dans son rapport écrit le 2 août, à Saint-Louis, le capitaine exprima l'impression médiocre que lui avaient laissée les troupes de Muusa.

« Moussa serait plutôt un chef de bande qu'un roi. Dans l'expédition dirigée contre le marabout Tierno Ibrahima, tributaire du Fouta-Djalon, Moussa avait auprès de lui bien près de 3000 hommes. Mais quel ramassis sans consistance. Il y avait pour une part à peu près égale de Mandingues, Toucouleurs, Ouolofs, des Maures, même des Peuls du Cayor reconnaissables à leur coiffure. La moitié à peu près était armée de fusils de toutes les dimensions et de tous les calibres. Les uns avaient des sabres, d'autres rien du tout. Quand une pareille cohue se rue sur un village, il ne reste plus rien. C'est comme quand une nuée de sauterelles s'abat sur un champ de mil... [3] »

Selon Mamadu Samba Sow [4], l'intervention française au Fuuta, de Baurès accompagnant Muusa Moolo et de Hostains appuyant les hommes de Malik Ture du Buundu, aurait été favorisée par Alfa-yaya, soucieux de mettre en difficulté l'almaami régnant Amadu favorable aux Français. « Par ce biais, toute intervention armée française ne pouvait manquer de perdre irrémédiablement l'almaami dans l'esprit de ses sujets. La position d'Alfa-yaya dans la Confédération était particulièrement redoutable. Homme le plus puissant du pays après l'almaami régnant, il était le maître incontesté de tout le Labe. Aussi fort que chacun des deux almaami, il pouvait, s'il le voulait, se rendre absolument indépendant. [5] »

[1] Archives du Sénégal, 13 G 478. Lettre de Muusa Moolo à l'administrateur supérieur de Casamance, reçue à Seju le 11 juillet 1894. Ecrite à Parumba, elle ne porte pas le cachet royal, Muusa déclarant ne pas l'avoir emporté avec lui.

[2] Archives du Sénégal, 13 G 478.

[3] Archives du Sénégal, 13 G 372. Rapport du capitaine Baurès sur sa mission, 2 août 1894.

[4] Mamadu Samba Sow. *La région de Labé (Fouta-Djalon) au XIXe siècle et au début du XXe siècle*, Mémoire de D.E.S. dactylographié, Sorbonne, Paris, 1969.

[5] *Ibid.*

Muusa fit savoir à Seju, quelques jours après l'échec de Parumba, que les Koniagui, les Basari et une partie des gens du Pakesi lui avaient offert de l'aide contre Bamba Dalla appuyé de son côté par le Bajar et Alfa-yaya. Mais, peu sûr de ses alliés, il sollicita une colonne de 300 hommes et quatre canons pour l'aider à reprendre la lutte, de Lamothe profita de cette nouvelle exigence pour tenter d'imposer les siennes. Sans rejeter la demande du roi, il prit le temps d'y répondre, afin d'accroître l'inquiétude de Muusa et de provoquer au besoin de nouvelles sollicitations. A la fin du mois d'août, quatre chefs de guerre que le roi avait laissés en avant-garde à Parumba pendant l'hivernage, trahirent et passèrent du côté d'Alfa-yaya. Le 29 septembre, Muusa mit en garde l'administrateur Adam de Haute Casamance contre les agissements de Bamba Dalla qui devait recevoir en décembre un secours de 1200 guerriers de l'almaami de Timbo et d'Alfa-yaya. Cette information surprit un peu, car le roi du Pakesi venait d'écrire à Saint-Louis par l'intermédiaire du Bour Salum pour demander à faire sa soumission. Muusa affirma que Bamba Dalla n'était pas sincère.

Le gouverneur finit par lui annoncer qu'une colonne de 60 tirailleurs, commandée par le lieutenant Moreau, allait partir au Pakesi pour venger l'attaque de Parumba. En contrepartie, le roi était invité à signer une convention par laquelle il acceptait de verser la moitié de l'impôt du Fulaadu à la France et autorisait la construction d'un poste militaire à Hamdallaye [1].

Le lieutenant Moreau quitta Seju le 4 janvier 1895 au matin avec son détachement en direction d'Hamdallaye, via Jana-Malari. Muusa Moolo accueillit la colonne avec joie et consentit à signer la convention le 11 janvier 1895. La frontière entre la Guinée portugaise et la Casamance n'était pas encore délimitée sur le terrain, et on éprouva quelque hésitation à traquer Bamba Dalla dans sa capitale de Kankelifa qui devait se trouver en territoire portugais [2]. Pour éviter tout incident diplomatique, le gouverneur écrivit à son homologue portugais pour le prévenir de l'expédition du lieutenant Moreau. Après avoir expliqué les raisons de cette intervention, il déclara que les troupes françaises pouvaient franchir involontairement la ligne de démarcation. « Dans ce cas, je tiens essentiellement à ce que Votre Excellence soit bien persuadée qu'une erreur de ce genre au cas où elle se produirait, ne serait jamais invoquée comme nous attribuant un droit sur des localités que les déterminations géographiques plus exactes nous démontreraient plus tard appartenir réellement au Portugal. [3] »

Le lieutenant Moreau arriva devant Kankelifa le 21 janvier 1895, mais Bamba Dalla, prévenu, s'était replié dans le Bajar. Le village incendié, la colonne se dirigea sur Kutan, capitale du Bajar qui fut détruite à son tour, mais Bamba Dalla réussit à s'enfuir à Kade. Les opérations terminées, de nombreux notables vinrent faire leur soumission à Hamdallaye. Satisfait d'avoir vaincu le Pakesi, Muusa tenta de revenir sur la convention du 11 janvier, mais il dut se résoudre à favoriser la construction du poste, sur les indications du lieutenant Moreau.

[1] Archives du Sénégal, 13 G 473 (1). Rapport semestriel 1894 par Adam, administrateur de Haute Casamance.

[2] Kankelifa est effectivement situé en Guinée-Bissau.

[3] Archives du Sénégal, 13 G 478, 8 janvier 1895.

b) *Le traité du 25 janvier 1896*

Le 25 janvier 1896, il signa un nouveau traité avec les Français qui complétait la convention. Les articles 2 et 3 étaient particulièrement significatifs sur la vassalité de Muusa à l'égard de ses protecteurs.

Article 2. Le Firdou et les territoires dépendants, y compris le Bajar et le Pakési au sud-est, le Jarra au nord-ouest, paieront à Moussa un impôt personnel et annuel qui ne pourra excéder 2 francs. La perception en sera faite par l'intermédiaire des chefs de région. La moitié du produit de cet impôt sera versé chaque année autant que possible en espèces entre les mains de l'administrateur du district de la Casamance à Sedhiou. L'autre moitié demeurera la propriété du chef du Firdou qui en disposera au mieux des intérêts de son pays.

Article 3. Moussa reconnaît à la France un droit de contrôle absolu sur ses propres actes et sur ceux des chefs de région. Ceux-ci seront choisis par le chef du Firdou, après avis des notables et devront être agréés par les autorités françaises [1].

Les articles 4 et 5 concernaient d'éventuels travaux à faire sur la Haute Casamance, en amont de Boguel, pour rendre la rivière navigable, et l'amélioration ou la création de routes descendant des centres vers la rivière, en vue de favoriser le trafic dans les escales françaises.

Le gouverneur de Lamothe pouvait s'estimer satisfait. Le protectorat sur le Firdu et ses dépendances s'était consolidé et le soutien des troupes françaises avait assuré l'autorité du roi sur ses sujets. La rapidité avec laquelle l'impôt était payé dans les provinces en était une preuve. Les chefs nommés par Muusa Moolo étaient des notables sans grande personnalité et autorité. Dans les régions éloignées du Firdu, ils avaient des conseillers qui étaient des agents personnels de l'autorité royale.

Depuis janvier 1895, le Bajar et le Pakesi étaient tributaires du Firdu. Leur attitude était équivoque car ils étaient menacés à tout moment d'une invasion des troupes de l'almaami de Timbo ou de Muusa. Le Pakesi s'était donné un nouveau chef, Ansoumane Sane, qui était fort contesté et incapable d'empêcher le pays de sombrer dans l'anarchie. Le protectorat de Muusa était nominal et il n'avait pas osé placer ses chefs dans le Bajar. Son représentant dans le Pakesi, qui résidait à Kanti, n'avait aucune autorité. Le 8 avril 1896, il voulut partir visiter le Ndama. Ce pays tributaire de Timbo cherchait à négocier une alliance avec lui. Son roi, Cerno Ibrahima, profita du désarroi qui existait au Fuuta-Jaloo provoqué par une opposition de rivaux au pouvoir de l'almaami Bokar Biro, hostile à la France, pour tenter de faire la guerre contre le Tenda et le Damentang. Ancien ennemi de Muusa, il sollicitait à présent son appui [2]. Avant de pénétrer dans le Pakesi et le Bajar, Muusa, toujours prudent, s'informa sur l'accueil que les populations lui réserveraient. Comme il était hostile, il préféra renoncer au voyage et rentra au Firdu.

De retour à Ndorna, il demanda l'envoi dans le Pakesi et le Bajar d'un officier français ou d'un fonctionnaire, avec une petite escorte pour informer les

[1] Archives du Sénégal, 13 G 482. Traité entre la France et le Firdu, 25 janvier 1896.
[2] Archives du Sénégal, 13 G 373. Rapport sur le Fulaadu par Adam, 4 août 1896.

populations qu'elles relevaient de l'autorité du roi du Firdu. L'administrateur Adam lui répondit qu'il ne devait pas espérer que les Français fissent la police à sa place, dans des régions qui refusaient de lui obéir. Cependant, sensible à son inquiétude concernant les intrigues et les plaintes d'Alfa-yaya qui revendiquait le Firdu, Adam suggéra au gouverneur général Chaudié, successeur de de Lamothe à la tête du Sénégal, de calmer ses appréhensions.

3. Les intrigues d'Alfa-yaya

Alfa-yaya se plaignait depuis longtemps auprès des gouverneurs de Guinée française et du Sénégal, de la trahison et des atteintes à son autorité portées par l'ancien vassal de son père. Il adressait de nombreux messages à l'administrateur supérieur de Casamance à Seju et lui faisait porter des cadeaux. Agacé, Muusa fit saisir dix bœufs envoyés par Alfa-yaya à l'administrateur Adam. Blâmé, il répondit que ces bœufs avaient été prélevés dans le Pakesi, pays qu'il considérait comme le sien. Les gens de Labe, interrogés, reconnurent en effet que les bœufs provenaient du Pakesi, par ordre de leur chef [1]. Muusa écrivit une lettre au gouverneur général pour lui rappeler les promesses qu'on lui avait faites. Adam appuya ses doléances auprès de Saint-Louis tout en profitant des allées et venues des gens d'Alfa-yaya, pour faire pression sur lui, en réclamant le paiement immédiat de l'impôt.

En 1897, le gouverneur général Chaudié approuva un nouveau traité imposé à Muusa Moolo qui lui accordait le Bajar et le Jarra français. Le Pakesi n'était pas mentionné et Alfa-yaya tenta de le récupérer par une démarche auprès de M. de Beeckman, résident français à Timbo. Adam protesta énergiquement au « nom du souvenir de Parumba, au nom des intérêts de Muusa Moolo, au nom enfin de la parole donnée » [2]. Il demanda l'autorisation à se rendre dans le Bajar pour aider Muusa à y établir son autorité, car ce territoire était entre les mains de Yoro Jao, représentant d'Alfa-yaya, et installé près de Kutan. « On a trop attendu jusqu'ici. Il faut agir le plus tôt possible. [3] » Au mois de décembre 1897, il exprima sa surprise que le gouverneur de Konakry laissât Alfa-yaya occuper un pays qui ne lui appartenait pas.

Cerno Ibrahima du Ndama, ne pouvant compter sur l'aide de Muusa, préféra signer un traité de protectorat avec la France en mai 1897, qui le plaçait sous le contrôle direct mais provisoire de Seju. Furieux, Alfa-yaya interdit aux gens du Ndama de traverser le Bajar, grâce à son proconsul Yoro Jao, qui fut invité à s'opposer à tout retour des habitants du Pakési qui avaient émigré dans la région de Kade lors de la fuite de Bamba Dalla, et qui désiraient à présent rentrer chez eux.

Alfa-yaya écrivit deux lettres au gouverneur de Konakry pour se plaindre de la perception de l'impôt du Ndama par l'administrateur de Seju. Il désirait qu'il fût versé à Konakry par son intermédiaire. Adam protesta auprès du

[1] Archives du Sénégal, 13 G 482. Rapport de l'administrateur Adam au Directeur des Affaires Indigènes à Saint-Louis, 28 octobre 1896.

[2] Archives du Sénégal, 13 G 487 (3). Rapport de Adam, août 1897.

[3] *Ibid.*

gouverneur du Sénégal qu'une caravane de Cerno Ibrahima eût été pillée dans le Bajar par des gens d'Alfa-yaya, alors qu'elle se rendait à Seju, porter du caoutchouc. Il fit valoir qu'il était gênant pour lui de ne pas être en mesure d'assurer la protection du roi du Ndama [1]. Il rencontra, le 7 janvier 1898, Muusa Moolo fort déçu de voir les Français si peu respectueux de la parole donnée. L'administrateur, qui comprenait et soutenait activement les intérêts de son protégé, usa de toute la diplomatie possible pour le rassurer et le faire patienter. « Je ne crois pas, écrivait-il dans un rapport, que le Bajar envisagerait avec plaisir de relever de Moussa, pas plus qu'il n'est heureux de se trouver momentanément sous la dépendance d'Alfa-yaya... Dans la suite, si dans sa haine de Moussa le Bajar est considéré comme irréductible, on suivra à son égard une ligne de conduite opportune. [2] »

Le capitaine Seguin, successeur d'Adam, fut reçu par Muusa Moolo, au cours de sa tournée au Firdu du 1er au 8 juillet 1898. Le roi lui dit qu'il ne comprenait pas pourquoi le Pakesi qui lui avait été en principe accordé, ne fut pas en mesure de lui verser des revenus. Seguin eut recours à une réponse dilatoire. Mais le 15 novembre 1898, une dépêche ministérielle signée par le ministre des Colonies, Guillain, et adressée au gouverneur général Chaudié, mit fin aux espérances et aux ambitions de Muusa Moolo en délimitant la frontière entre les territoires de la Guinée française et du Sénégal [3].

« Vous remarquerez, écrivait le Ministre, qu'en adoptant la frontière ci-dessus indiquée, il a été décidé que les pays du Badiar, N'Dama, Labé et Koniagui, resteraient placés sous l'administration de la Guinée française. [4] » Le Pakesi était partagé entre les deux Guinée.

La déception et l'amertume du roi du Firdu furent très vives. Le capitaine Seguin proposa au Directeur des Affaires indigènes de le dédommager et de le récompenser des bons services qu'il n'avait jamais cessé de rendre. Il suggéra de donner au territoire de Muusa les limites suivantes : 1) à l'est la Kuluntu jusqu'à la frontière anglaise de Gambie ; 2) au sud, le parallèle qui constitue la frontière de la Guinée portugaise.

Elles furent approuvées par le Gouverneur général en 1899, qui accorda en outre le Kantora et 2000 francs pour les travaux exécutés pour la pose de la ligne télégraphique en Haute Casamance. Le résident installé à Hamdallaye, M. Bœuf, réclama pour Muusa la croix de la Légion d'honneur car « il y a lieu... de se rappeler avec quel enthousiasme de cœur, Moussa s'est donné librement à la France et cela d'autant plus, en face des immenses largesses dont la colonie rivale n'a cessé d'entourer le roi... pour l'attirer de son côté, et nous fermer à l'est nos grandes voies de communications intercoloniales. Depuis, son dévouement ne s'est jamais démenti » [5].

[1] Archives du Sénégal, 13 G 490 (1). Rapport de Adam, février 1898.

[2] Archives du Sénégal, 13 G 489 (2). Rapport de Adam, 25 janvier 1898.

[3] Dépêche ministérielle N° 236, 15 novembre 1898. Bulletin officiel et administratif de la Guinée française.

[4] *Ibid.*

[5] Archives du Sénégal, 13 G 550. Dossier confidentiel sur Muusa Moolo. Rapport du 1er octobre 1899, sans cote.

4. Les relations de Muusa Moolo avec les Anglais

Avec la convention franco-britannique de 1889, une partie des territoires de Muusa se trouvait en Gambie. Tout le nord du Fulaadu limité par le fleuve et formé des anciens royaumes gaabunké du Jimara et du Tomani, étaient passés sous son autorité. Avec Dembo Densa, son représentant en territoire anglais et intermédiaire auprès des autorités de Bathurst, Muusa conservait ses intérêts et percevait des tributs.

En 1894, l'un des objectifs du capitaine Baurès avait été de connaître l'état des relations du roi avec les Britanniques. Il l'avait accompagné dans ce but, en avril 1894 à Borabakunda, près de Mac-Carthy, dans le Jimara. M. Llwelyn, administrateur de Bathurst, avait convoqué Muusa pour lui demander de ne pas empêcher les populations des régions voisines de la Gambie d'apporter leurs produits dans les escales de cette rivière. Prié courtoisement par M. Mosley, représentant de l'administrateur, de se retirer au moment de l'entrevue, Baurès avait fini par être informé par son interprète Makura, qui avait réussi à se glisser parmi les membres de la suite royale.

Un incident éclata en avril 1896, quand deux chefs gambiens, Gari Sabali et Jata Dalang, obéissant aux ordres du Travelling-Commissioner de Mac-Carthy, arrêtèrent, puis libérèrent des captifs que Muusa avait expédiés dans le Niani pour y être échangés contre des chevaux. Muusa menaça de se venger en capturant tous leurs sujets libres qui voyageraient dans le Firdu[1]. L'administrateur de Bathurst demanda au gouverneur d'expliquer à Muusa Moolo que les gouvernements français et britannique s'étaient entendus pour arrêter et libérer tous les captifs qui traversaient leurs protectorats, et que les captifs ainsi libérés étaient libres de retourner dans le Firdu ou d'aller dans la région de leur choix. Le gouverneur Chaudié répondit qu'il avait donné des instructions à l'administrateur supérieur de Casamance pour interdire tout acte de violence à Muusa Moolo et lui exposer clairement ses devoirs et ses droits. Il demanda que les autorités britanniques agissent de même avec les chefs de la Gambie. « Il arrive, en effet, que certains chefs ne se contentent pas de s'emparer des captifs pour les libérer, mais rendent aussi en captivité des personnes libres. [2] » Au mois de mai 1896, le lieutenant Legou, commandant le poste d'Hamdallaye apprit, après enquête auprès du roi, que les deux captits « libérés » par les chefs gambiens travaillaient dans les champs de Gari Sabali. La libération ainsi comprise n'était pas loin de ressembler à un vol. Le 20 juillet, l'administrateur de Bathurst mit un terme à cette polémique en assurant que les deux captifs avaient été expédiés à Bathurst à la mi-juin où ils avaient été libérés.

En 1898, la C.F.A.O. (Compagnie française de l'Afrique occidentale) saisit le gouvernement de Bathurst de récriminations à l'égard de Muusa Moolo qui avait augmenté dans l'étendue de son territoire gambien les droits que les traitants avaient à payer et forcé ses sujets à vendre essentiellement à la « Trading

[1] Archives du Sénégal, 13 G 482. Plainte de l'administration de Bathurst contre Muusa Moolo, 7 avril 1896.

[2] Archives du Sénégal, 13 G 482. Lettre du gouverneur à l'administrateur de Bathurst, le 15 avril 1896.

Bathurst Company ». L'administrateur de Bathurst demanda à Muusa de le rencontrer à Borabakunda et l'administrateur supérieur de Casamance accorda l'autorisation. Il pensait à des raisons politiques et douanières. « Bathurst n'a jamais réprimandé Moussa et lui fait au contraire de riches cadeaux. Moussa pourrait porter un coup funeste au commerce de Gambie s'il défendait à ses sujets de vendre aux escales anglaises. En second lieu, la réputation surfaite de Moussa fait comprendre à Bathurst qu'il faut compter avec lui. [1] »

Le 19 janvier 1898, Muusa accompagné par l'interprète officiel Gomès rencontra les Britanniques à Borabakunda. Les questions traitées étaient d'importance diverse. La plus délicate était les mauvaises relations du Firdu avec le Sandugu anglais qui avait offert asile à des gens du Pakesi après l'affaire de Parumba. Les autres concernaient des dettes de Muusa à un marabout de Gambie, éternelle question de chevaux ; les limites du Firdu français, la fuite d'une femme de Muusa à Mac-Carthy et le vol de deux hippopotames par des villages anglais à des chasseurs du Firdu.

En 1901, le consul de Grande-Bretagne à Dakar demanda au gouverneur général Ballay d'autoriser Muusa à participer à une nouvelle entrevue. L'interprète Gomès étant absent, Ballay usa d'atermoiements, mais pendant son absence en France [2], l'intérimaire Lanrezac finit par donner son accord. Une convention fut signée le 2 juin 1901 entre Muusa Moolo et le gouverneur de Gambie, George C. Denton, après une entrevue de deux heures, de 10 heures à midi. Muusa dut faire de larges concessions. La partie de son royaume se trouvant sous la sphère du gouvernement anglais devint un protectorat. Un officier britannique s'y installa et tout trafic, achat et vente de captifs y fut désormais interdit. Le gouverneur était autorisé à percevoir l'impôt sur toutes les cases du protectorat. En contrepartie, le gouvernement britannique accorda une rente annuelle de 12 500 francs. La convention ne pouvait être annulée du vivant de Muusa Moolo [3].

Castel, le résident français à Hamdallaye, demanda des explications au roi qui répondit qu'il avait été sollicité par l'intermédiaire de Dembo-Dansa. Il affirma qu'il avait subi et non accepté les conditions anglaises mais reconnut avoir apposé sa croix au bas du traité. Il déclara que le traité n'avait aucune valeur à ses yeux, du moment qu'il n'y avait pas mis son cachet. Castel n'osa pas dire au roi que les Britanniques se souciaient peu de ses arguties.

Le 23 janvier 1902, le gouverneur de Gambie, G. C. Denton, rencontra les chefs des principaux villages du Jimara et du Tomani et proposa au village de Gambisara de passer sous le contrôle de Dembo Dansa, mais celui-ci refusa et demanda à dépendre directement de l'administrateur de Mac Carthy. Muusa n'ayant pu venir, le gouverneur avoua qu'il avait été obligé de traiter des affaires avec lui par correspondance [4]. Le rapport gouvernemental ayant été publié au

[1] Archives du Sénégal, 13 G 489 (2). Rapport sur une tournée dans le Firdu, 25 janvier 1898.

[2] Du 21 avril au 26 octobre 1901.

[3] Journal Officiel de Bathurst. Rapport de G. C. Denton à M. Chamberlain.

[4] Archives du Sénégal, 1 F 9. Extrait du Colonial Reports. Annual Report for 1901 : « It was my desire to have had a meeting with Musa Molloh at Gambisara, but the French authorities did not see their way to allow him to come to me just now, so I was obliged to transact the business I had with him by letter, and this I have dealt with separately... » G. C. Denton.

Journal Officiel de Bathurst de 1902, le résident Riemban interrogea le roi sur le fait d'avoir eu des rapports secrets avec les Anglais. Muusa nia avoir réglé des affaires par lettres, mais reconnut avoir perçu trois trimestres de sa rente versée par le gouvernement de Bathurst, à raison de 3125 francs par trimestre, en monnaie anglaise. Il prétendit que le traité était entre les mains de Dembo Densa, chargé de percevoir sa rente, et qui lui faisait parvenir les sommes trimestrielles par ses frères Usman et Abdul Densa. Riemban supposa que le roi avait pris l'engagement de ne plus prélever de droits sur les Jula qui passaient la frontière entre la Gambie et la Casamance, favorisant ainsi le commerce au bénéfice de la Gambie et au détriment des escales de la Casamance [1].

5. La mainmise définitive de la France sur le Fulaadu

Le traité de 1896 avait levé toute équivoque sur l'autonomie que la France concédait encore à Muusa Moolo. Contraint de supporter la présence constante d'un résident et d'un poste à Hamdallaye, il espérait encore pouvoir exercer son autorité sur le Bajar et le Pakesi qu'on lui avait promis.

Après l'expédition du lieutenant Moreau contre Bamba Dalla en 1895, un poste provisoire en bois avait été construit. Le 15 mars 1897, le colonel Pujol, commandant supérieur des Troupes du Sénégal, proposa la suppression du poste, à cause du mauvais état sanitaire de la garnison. Tous les Européens qui s'y étaient succédé avaient dû être évacués sur Seju avant les six mois fixés pour la période, minés par la fièvre bilieuse. Le poste avait la forme d'un losange dont les axes avaient respectivement 100 et 50 mètres. Il était entouré d'une palissade formée de rondins pointus de deux mètres de haut qui arrêtait complètement l'air. Les cases occupées par les Européens se trouvaient aux extrémités du petit axe. Rondes et couvertes de paille, elles avaient pour tout mobilier, un châlit en bambous avec deux matelas et une moustiquaire. Les sièges et les tables étaient des caisses fabriquées par des tirailleurs [2]. Malgré l'avis du Directeur des Affaires Indigènes, favorable au maintien du poste militaire, le gouverneur général voulut s'informer plus amplement de l'opportunité de la construction d'un poste définitif, et il confia une nouvelle mission d'inspection au capitaine Noton du régiment des Tirailleurs sénégalais [3]. Le capitaine déconseilla le site d'Hamdallaye, « plaine entourée de terrains fangeux où les seuls vents régnants sont ceux de l'est qui brûlent et dessèchent tout » [4]. Dans ce pays désert, le poste avait des difficultés d'approvisionnement et la nourriture était apportée de Seju.

[1] Archives du Sénégal, 13 G 550. Dossier confidentiel sur Muusa Moolo, sans cote. Rapport du résident du Firdu, Riemban, à l'administrateur supérieur de la Casamance, 9 octobre 1902.

[2] Archives du Sénégal, 13 G 487 (2). Rapport du colonel Pujol.

[3] Avis du Directeur des Affaires Indigènes : « Au moment où la soumission complète du Fouta-Djallon va imposer au gouverneur général une initiative plus grande dans toute la région qui s'étend au nord de ce massif, il ne convient pas de réduire ses moyens d'action et de supprimer un poste qui a notablement contribué à y asseoir notre influence ». 13 G 487 (2), 25 mars 1897.

[4] Archives du Sénégal, 13 G 374. Rapport du capitaine Noton, 18 août 1897.

Le recrutement local de porteurs était quasi impossible, le roi les recrutant dans un rayon de 60 à 100 kilomètres. Noton proposa la création d'un nouveau poste à Munini, au sud-est d'Hamdallaye, à trois kilomètres et sur la rive gauche de la Casamance. C'était un point de passage des caravanes qui se rendaient de Farim en Gambie. Le village comportait huit concessions dont une appartenait aux Malinké, une seconde à Muusa Moolo, et les autres aux Fula. Le poste pouvait être bâti sur une hauteur, face au village et sur la rive droite de la rivière, à un endroit où l'eau était bonne.

Après lecture du rapport, le gouverneur général conclut qu'il n'était pas nécessaire en définitive de construire un poste qui n'avait plus de raison d'être. Muusa était trop compromis avec les Français et son intérêt était de rester soumis, vu la mainmise française sur le Fuuta-Jaloo. Un départ éventuel en Gambie ne pouvait plus être une gêne. En conséquence, il nomma un seul administrateur civil chargé des relations avec le roi. Ainsi, les heurts entre les autorités militaires et civiles furent évitées et des économies réalisées [1].

Le 31 mars 1898, le résident civil, M. de Roll, proposa à Adam, devenu administrateur supérieur, une politique à suivre dans le Fulaadu.

« En ce qui concerne le Fuladugu, la période d'occupation est terminée. Ne devons-nous pas tenter quelque peu d'entrer dans la période d'administration ? J'entends dans le sens le plus large du mot tel qu'il peut s'appliquer à un pays de protectorat... La situation du représentant de la France à Hamdallahi est plus qu'effacée, absolument nulle en ce qui concerne le développement intellectuel et la civilisation du pays. Lorsque notre intervention est nécessaire à la solution d'une affaire, Moussa vient lui-même présenter le plaignant au résident et se garde bien de laisser parler l'intéressé. C'est lui-même Moussa qui parle en son nom. Il est défendu à tout habitant du pays d'avoir des relations avec nous, sans passer par Moussa, à tel point que pour l'achat d'un œuf ou d'une poignée de mil, je dois m'adresser au roi du Firdou. [2] »

de Roll suggérait donc les mesures suivantes :

« Rabattre un peu l'orgueil de Moussa qui perce trop dans ses relations de tous les jours avec nous.

» Attirer un peu les indigènes, les familiariser en les habituant à venir à la résidence.

» Parcourir le pays, non pas en hôte de Moussa, mais en représentant de l'autorité qui a le droit de commander et de punir lui-même sans intervention de Moussa.

» Contrôler la justice de Moussa en lui imposant un code inscrivant ses jugements et en exerçant un droit de révision sur ces jugements. Exiger à partir de l'année suivante, le paiement de l'impôt en espèces, afin de faire connaître aux indigènes l'argent qu'ils ignorent et les obliger à faire un peu de commerce. [3] »

En marge du rapport, le Directeur des Affaires Indigènes écrivit : « Approbation à ce projet politique tout en faisant remarquer qu'il ne faut pas essayer de

[1] Archives du Sénégal, 13 G 374. Directives du gouverneur Chaudié.

[2] Archives du Sénégal, 13 G 489 (4). Rapport du résident du Firdu à l'administrateur supérieur du district de la Casamance, 31 mars 1898.

[3] *Ibid.*

se substituer à Moussa auprès des indigènes, car s'il n'était plus obéi de ses sujets, il naîtrait des incidents fâcheux qui causeraient beaucoup d'ennuis à l'autorité française. [1] »

L'impôt du Fulaadu était versé en nature, en bœufs et moutons. Au 1er janvier 1897, il s'élevait à 10 000 francs, représenté par 126 bœufs et 150 moutons, non compris la participation des villages appartenant personnellement à Muusa Moolo, soit 600 francs. Le roi augmenta la part qui revenait aux Français en percevant 20 000 francs en 1899 et 32 000 en 1902 sur 1393 cases. Il restait le seul percepteur et agissait selon son bon plaisir. A l'exception de Ndorna et d'Hamdallaye qui étaient exemptés, tous les villages payaient, et certains étaient plus chargés que d'autres au gré de ses antipathies. En 1902, l'administrateur Labretoigne du Mazel imposa à Muusa une modification importante à la perception de l'impôt. Dorénavant, chaque village était invité à apporter la totalité de l'impôt au résident qui délivrait à Muusa la part qui lui était due. Les amendes qui seraient infligées avec l'assentiment du résident devaient être perçues de la même manière [2].

Conscient d'être dépossédé de ses prérogatives, le roi accrut sa défiance à l'égard des Français. Très inquiet de voir ses sujets et les chefs de provinces s'adresser directement au résident, il interdit à son fils et successeur désigné Kefuta de rencontrer le résident. Craignant d'être assassiné, il devint plus dur à l'égard des villages suspects d'hostilité, et les plaintes affluèrent sur le bureau du résident, Charles de la Roncière.

6. La rupture avec la France

Le 14 mai 1903, le gouverneur général Roume fut informé par une dépêche du gérant du bureau télégraphique d'Hamdallaye du départ de Muusa Moolo en Gambie avec une centaine de femmes et une soixantaine de cavaliers. A l'aube, il avait profité de l'absence du résident de la Roncière pour ordonner la destruction des villages de Ndorna et d'Hamdallaye, et après avoir emporté ce qui était transportable, il était parti en direction de la Gambie et avait incendié sur son passage les villages de Tankone, Ara, Sobulde, Sare-Koliso, Médina et Jaobe. Il franchit la frontière le 16 mai et fut accueilli par l'administrateur de Mac-Carthy qui l'autorisa à s'installer provisoirement à Borabakunda, en attendant les instructions de Bathurst. Les raisons de ce geste furent données par Muusa Moolo dans une lettre écrite en arabe au gouverneur général Clozel, en avril 1917.

« ... Quand je suis arrivé sur le territoire anglais au village de Boraba, le gouverneur de Gambie est venu, m'a rencontré au village de Boraba et m'a interrogé au sujet de mon émigration. Je lui ait dit : « Un désaccord s'est pıoduit entre moi et l'administrateur de la Roncière à la suite de calomnies. J'ai pris peur à cause de cela et je suis venu auprès de vous. » Le gouverneur de la Gambie

[1] *Ibid.*

[2] Archives du Sénégal, 13 G 550. Dossier confidentiel sur Muusa Moolo. Rapport de Labretoigne du Mazel, 4 décembre 1902.

m'a dit: « Moussa, je te demande de m'expliquer ce qui s'est passé entre toi et l'administrateur de la Roncière et qui t'a amené à te transporter auprès de nous. » Je lui réponds: « Monsieur le Gouverneur de la Gambie, voici la palabre qui a eu lieu entre moi et l'administrateur de la Roncière. Il y a un mois, l'administrateur de la Roncière est parti pour visiter le pays; à son retour, comme il arrivait chez moi, il m'a dit: « Moussa, j'ai entendu parler de beaucoup de choses que tu aurais faites dans la contrée, et qui ne sont pas des actions honnêtes. » « Commandant, lui ai-je dit, convoque tous les gens qui m'ont accusé. Quand ils seront arrivés et rassemblés, interroge-les en ma présence. » « Moussa, dit l'administrateur de la Roncière, je ne prononcerai pas le nom d'un seul de ceux qui m'ont raconté cela, car si je te disais le nom d'un seul de ces gens, si je faisais cela, je ne recueillerais plus de renseignements par la suite. » Lorsque l'administrateur m'eut parlé ainsi, j'eus peur et c'est à cause de cela que je suis passé en territoire anglais. »

« Ensuite, au moment où venait d'avoir lieu cette conversation, je dis au gouverneur de la Gambie: « Je suis venu auprès de toi, mais tous mes biens sont entre les mains des gens du Firdou. Voilà tout. Aide-moi à recouvrer mes biens qui se composent de chevaux et de bœufs nombreux. » Le gouverneur de la Gambie dit alors: « J'ai bien entendu, mais fais abandon de ces biens. Français et Anglais ne font qu'un, mais je te le dis, aucun de ceux à qui tu dois de l'argent en pays français ne te réclamera quoi que ce soit, maintenant que tu es passé chez nous, si tu observes cette attitude. [1] »

Cette version est exacte. Elle est confirmée par de la Roncière. A la suite de plaintes nombreuses, plus de 30 villages avaient émigré en Gambie pour fuir la tyrannie de Muusa. Aux reproches adressés par le résident, il avait répondu qu'il tenait à se justifier devant le gouverneur à Saint-Louis, mais au lieu de partir pour Seju où l'attendait Labretoigne du Mazel qui devait l'accompagner, il préféra se dérober à toute explication et s'enfuir en Gambie [2]. Les seuls meurtres signalés furent ceux de femmes et de filles de Fodé Kaba, qui avaient refusé de le suivre.

L'une des premières réactions des Fula fut le retour d'un grand nombre d'émigrés qui avaient trouvé refuge en Guinée portugaise. Les chefs des provinces du Pakane et du Passa signalèrent la rentrée en Casamance de carrés exilés en Guinée portugaise depuis 1901. Kefuta, fils aîné de Muusa et terrorisé par son père, s'échappa de Borabakunda pour revenir à Hamdallaye. Une sombre histoire de famille l'opposait au roi qui avait vendu sa mère comme captive à un notable de Funjugne (Salum).

Le 10 juin 1903, le gouverneur de Gambie et 300 tirailleurs arrivèrent à Borabakunda par bateau. Avec 100 tirailleurs, il descendit à terre et rencontra Muusa Moolo auquel il offrit 100 sacs de riz, 10 paniers de kola, 10 sacs de sels, 10 caisses de limonade, 2 caisses de dattes et 500 francs en espèces. Il repartit ensuite pour Bathurst, en laissant des dizaines de tirailleurs dans plusieurs villages [3].

[1] Archves du Sénégal, 1 F 15. Lettre traduite le 28 avril 1917 et transmise au gouverneur général par Mgr Jalabert, évêque du Sénégal.

[2] Archives du Sénégal, 13 G 377. Rapport au ministre, 23 juin 1903.

[3] Archives du Sénégal, 13 G 377. Rapport de l'administrateur de Nioro du Rip, 17 juin 1901.

Le gouverneur général demanda à son collègue l'extradition de Muusa Moolo, mais celui-ci répondit qu'il attendait les instructions de son gouvernement. Toute disposition avait été prise pour empêcher un éventuel départ du territoire britannique.

Un espion informa La Roncière que Muusa Moolo avait l'intention de rejoindre les Koniagui, car la pluie et l'isolement dans la concession de Borabakunda décourageaient ses partisans qui désertaient en grand nombre. Cette nouvelle jeta la panique dans les villages de la région de Velingara et la population prit la fuite. A Velingara cependant, les habitants, mal armés, préparèrent leur défense. Abandonné par ses guerriers et déçu par le recrutement local qui n'avait rien donné, le roi renonça à son projet et nia devant le gouverneur de Gambie d'avoir eu des contacts avec les Koniagui.

Pourtant M. Hinault, résident français à Kade, démontra le contraire. Le 26 mai, Jae, du village de Patekunda (Firdu français), vint chez les Basari alliés au chef Tugane, ami de Muusa Moolo, pour inciter les Basari à s'armer contre les Français. Deux cavaliers peul de Gambisara (Firdu anglais) étaient arrivés à Itiu le 24 juin et quatre Peul du village de Basefo (Fuladugu anglais) avaient rencontré, le 5 juillet, Tugane qui répondit qu'il ne pouvait rien entreprendre avant la fin de la saison des pluies [1].

Le 11 juillet 1903, le gouverneur Denton informa officiellement le gouverneur général que le gouvernement de Sa Majesté avait refusé l'extradition. L'ex-roi du Firdu était autorisé à résider en Gambie, à condition de ne pas commettre d'actes d'hostilité contre les territoires français.

7. Les tentatives de Muusa Moolo pour rentrer en Casamance

En 1910, Muusa Moolo sollicita une première fois l'autorisation de revenir en Casamance. Il s'était établi à Kansekunda, sur la rive gauche de la Gambie, avec une centaine de femmes et de serviteurs. Bénéficiant de sa rente annuelle de 12 500 francs, il faisait cultiver les arachides qui étaient vendues à Bathurst. Sa présence avait provoqué un mouvement de population en direction de la Casamance et les autorités britanniques, mécontentes, avaient manifesté le désir de le déplacer à Kuntin, sur la rive droite. Muusa avait refusé et demandé à l'administrateur de Casamance à Ziguinchor l'autorisation de rentrer. En même temps, il avait pris contact avec le commandant portugais de Géba pour savoir si sa présence pouvait être tolérée à Dandu, village où son père était enterré.

Le Dr Maclaud, administrateur supérieur de Casamance, émit un avis favorable à condition que l'ancien roi ne fût pas admis à revendiquer ses biens confisqués en 1903. Le lieutenant-gouverneur du Sénégal Peuvergne mit en garde le gouverneur général William Ponty contre la sincérité et la soumission de Muusa. Il estimait que sa présence au Fulaadu pouvait être la source de troubles

[1] Archives du Sénégal, 13 G 377. Rapport de Hinault au gouverneur général, 10 août 1903.

dans une région désormais tranquille [1]. L'affaire traîna et le gouverneur général finit par autoriser Muusa Moolo à rentrer en Casamance, en 1914, mais à des conditions précises qui devaient être approuvées par écrit. L'ex-roi du Firdu devait abandonner solennellement et définitivement tous ses droits de chef dans le Fulaadu français pour dépendre directement de l'administrateur de Kolda. Il renonçait à toute contestation qui aurait une origine à l'époque où il était roi. Sa résidence était fixée à Sulabali, village natal de son père où il devait vivre en simple particulier. En souvenir des importants services rendus à la France, une rente annuelle de 9000 francs lui serait versée. Le gouverneur Cor ne se faisait pas beaucoup d'illusions sur une réponse positive de Muusa. « Nul doute que les 9000 francs offertes par le gouvernement français ne le satisferont point. Sa pension de 12 500 francs et plus de 20 tonnes de riz ne lui suffisant point. S'il acceptait, ne serait-ce pas la preuve qu'il souhaite rentrer pour pouvoir migrer en Guinée, avec ses femmes, ses partisans, et ses biens? [2] »

Depuis 1910, les autorités françaises redoutaient sa migration en Guinée portugaise troublée par des événements graves. En 1914, la situation politique était mauvaise depuis l'assassinat des administrateurs portugais de Cacheu et de Mansoa par les guinéens. Un chef wolof, Abdul Njaay, à la solde des Portugais, pillait les villages rebelles dans le Voyi [3]. L'arrivée de Muusa Moolo dans ces circonstances n'était pas souhaitable, d'autant qu'il était impatiemment attendu par le chef de Dandu, Yoro Bil, qui lui était dévoué et prêt à se placer sous ses ordres avec ses partisans.

Muusa refusa de s'engager par écrit sous le prétexte de « manque d'écrivain ». A la fin de l'année, le gouverneur général, avisé que la signature attendue de l'acte de renonciation n'était toujours pas apposée, ordonna de ne plus donner suite à des pourparlers engagés avec Muusa [4]. Il ne revint jamais en Casamance. Après la première guerre mondiale, il fut exilé quelques années en Sierra-Leone, et revint en Gambie. Agé, il tomba paralysé des deux jambes et ses proches accusèrent les médecins britanniques de l'avoir rendu impotent par un traitement à base de piqûres. Il mourut à l'âge de 85 ans, en avril 1931, à Kansekunda où il fut enterré. Comme Alfa Moolo, son père, il ne repose pas en terre casamançaise. Les deux fondateurs du royaume éphémère du Fulaadu sont enterrés aux deux extrémités nord et sud des territoires qu'ils ont conquis.

Muusa Moolo tenta de protéger et d'accroître les possessions que son père lui avait léguées. Il voulut se soustraire à la suzeraineté du Labe en s'alliant aux Français. C'était une politique efficace sur le moment mais dangereuse pour l'avenir. Pour assurer son indépendance vis-à-vis de ses rivaux, il choisit le moyen le plus sûr de la perdre au profit des Français qui trouvèrent en lui un auxiliaire précieux pour pénétrer plus aisément à l'intérieur du continent et pour prendre

[1] Archives du Sénégal, 13 G 377. Rapport du lieutenant-gouverneur au gouverneur général, 1910.

[2] Archives du Sénégal, 13 G 550. Dossier confidentiel sur Muusa Moolo. Lettre du gouverneur Cor au gouverneur général William Ponty, 5 août 1914, N° 171.

[3] Tété Diadhiou, actuel conseiller coutumier du gouverneur de la Casamance, m'a affirmé que Abdul Ndiaye était un agent des Français.

[4] Archives du Sénégal, 2 G 14/16. 4e trim. Rapport politique du Sénégal, 1914.

pied au Futa-Jaloo par le nord. C'était d'ailleurs habile, car les pays tributaires du Fuuta cherchaient à s'affranchir de la tutelle pesante des Peul. Muusa Moolo crut naïvement qu'ils changeraient de maîtres. A-t-il été vraiment conscient de l'issue de sa politique? Rusé, il a cherché surtout à satisfaire son ambition de diriger un royaume puissant et soumis. Peu scrupuleux sur le choix des moyens, il comprit que les Français alliés de son père dans la lutte en 1872 contre les Malinké de Casamance pouvaient faire sa fortune et n'a pas hésité. Plus tard, en 1896, il était trop tard pour se dégager de leur domination, probablement beaucoup plus contraignante que celle des Alfa de Labe qu'il avait si vivement combattus depuis 1883. En 1903, quand la tutelle lui fut insupportable, il préféra fuir en Gambie pour un tuteur encore plus exigeant. Il vécut assez longtemps pour mesurer l'étendue de son échec. Exilé politique, et entretenu par le gouvernement britannique, il n'a pas connu la fin tragique et noble de Fodé Kaba, son ennemi. L'aurait-il mérité? Il ne l'a pas cherché. Aujourd'hui, en Casamance, les vieux préfèrent évoquer l'épopée et la mort de Fodé Kaba que la fuite de Muusa Moolo en Gambie.

QUATRIÈME PARTIE

Les résistances des peuples de Basse Casamance (1890 - 1920)

Chapitre Premier

LES RÉSISTANCES DES POPULATIONS JOOLA (1890-1900)

1. La mise en place des chefs non autochtones et ses conséquences

Dans les années 1880-90, les Français qui connaissaient mal le pays joola au nord de la Casamance, distinguaient le Fooni alors en guerre contre les bandes de Fodé Kaba et d'Ibrahima Njaay et les régions maritimes des Karones et du Kombo. Le Fooñi, vaste région boisée, au relief peu accidenté est limité par la Casamance au sud, par les marigots du Soungrougrou et le Mampalago à l'est, par la frontière gambienne au nord. Le grand marigot dit de Gambie, connu actuellement sous le nom de marigot de Jululu le sépare du Kombo et du pays des Karones. Retranchés et isolés dans leurs îles entourées de marigots, les Joola-Karones désiraient rester libres de tous liens avec qui que ce fût. Au nord, ceux du Kombo s'opposaient aux Malinké musulmans et prosélytes de Fodé Silla. En 1888, ce dernier avait éliminé son rival wolof Ibrahima Njaay avant de succomber à son tour sous l'action conjuguée des Britanniques et des Français en mars 1894.

Sur la rive sud, seuls les habitants de Karabane et des villages environnants reconnaissaient l'autorité française. Jembering et Seleki étaient en état de rébellion quasi permanente et certains villages bayot n'avaient encore jamais vu de Blancs.

Depuis 1883, les Français avaient réussi à implanter leur domination sur la Moyenne et la Haute Casamance. Les Malinké vaincus en 1882, après la défaite de Sunkari, supportaient avec résignation, sans sympathie aucune, la tutelle qui leur était imposée. Le traité de protectorat signé avec Muusa Moolo le 3 novembre 1883 écartait tout souci majeur dans la poursuite de la conquête vers l'est, vis-à-vis des Fula, des Britanniques et des Portugais. L'extension de la culture arachidière et le désir de pénétrer profondément à l'intérieur du continent avaient été les premiers objectifs. La mise en valeur de nouvelles richesses dans les régions humides et boisées de la Basse Casamance, les décisions de la Conférence de Berlin de 1885 amenaient à présent les autorités coloniales à étendre leur contrôle sur les régions joola. Les frontières venaient d'être délimitées avec la Guinée portugaise et la Gambie, le sort de Ziguinchor était réglé à l'amiable depuis 1886. Restait à soumettre les Joola et à leur imposer une organisation administrative.

Fidèle à son habitude, le commerce par la plume de Félix Cros, Président de la Chambre de Gorée-Dakar, donna les consignes au pouvoir colonial afin qu'il agît au mieux de ses intérêts. « La Casamance est une rivière fort riche qui produira beaucoup avec la tranquillité... Le Fogny est la section la plus importante et la plus riche de cette rivière. Il produit en abondance le caoutchouc, la cire, les peaux et les arachides. Il était l'objet des convoitises de Birahim N'Diaye et son principal champ de dévastation. [1] »

Après l'assassinat du capitaine Forichon à Seju, le 21 mai 1891, le gouverneur de Lamothe avait envoyé en Casamance un homme de confiance, l'administrateur Martin, pour examiner avec soin la situation politique et économique. Rappelé à Saint-Louis au mois de novembre, l'administrateur suggéra au gouverneur une politique pour la Basse Casamance qui donna des résultats désastreux. Il remarqua tout d'abord qu'il n'y avait pas d'organisation politique puisqu'il n'y avait pas d'autorité. « C'est triste à dire, mais il faut convenir que tous les villages diolas à l'exception de quelques-uns, qui ont des rapports fréquents avec nos commerçants, ne reconnaissent l'autorité de personne... Les ordres sont lettres mortes pour ces gens abrutis par l'alcool qui, cependant, ne sont pas en rébellion » [2]. Surpris par la structure individualiste de la société joola qui contrastait fort avec ce qu'il avait vu ailleurs au Sénégal, il conclut un peu rapidement que les Joola ignoraient toute forme d'autorité. Nous savons ce qu'il en est [3].

« Les seuls villages qui aient un semblant d'organisation sont ceux commandés par des chefs d'une origine autre que celle de leurs administrés. Ce sont en général des Ouolofs de Saint-Louis et de Gorée. De là à conclure qu'il faudrait placer à la tête des villages idolâtres des Ouolofs, il n'y a qu'un pas, mais il ne faut pas de chrétiens... les musulmans, sobres par éducation religieuse, seraient de beaucoup préférables et l'on éviterait l'influence pernicieuse du fanatisme musulman sur ces populations primitives en ne donnant le commandement de ces villages qu'à d'anciens soldats ou marins qui ne sont pas fanatiques. [4] »

Près des lieux de traite comme Karabane, Seju, l'embouchure du Soungrougrou, Adeane et Gudomp en pays bañun, des traitants wolof s'étaient installés avec leur famille. Entreprenants, intermédiaires habiles entre les autochtones et les Français, ils étaient devenus souvent les interprètes officieux de ces derniers auprès des populations. Leurs villages étaient ainsi en contact avec les influences européenne ou malinké.

Malgré les razzias de Fodé Kaba dans le Fooñi, des marabouts malinké, maures parfois, discrets, pacifiques, mais efficaces, avaient réussi à obtenir quelques conversions à l'islam. La présence de cellules islamiques dans plusieurs villages donnait à leur Imam une autorité spirituelle remarquée par les Français [5]. L'observation de Martin était donc juste, compréhensible dans la mesure où il avait visité la plupart de ces lieux d'accès relativement facile, car bien connus,

[1] Archives du Sénégal, 13 G 463 (3). Lettre de Félix Cros au gouverneur, 1889.

[2] Archives du Sénégal, 13 G 466 (2). Rapport d'ensemble de l'administrateur Martin, 1891.

[3] Consulter la première partie, chapitre 1.

[4] Archives du Sénégal, 13 G 466 (2). Rapport d'ensemble de l'administrateur Martin.

[5] Consulter Fay Leary, *op. cit.* Les traditions orales des villages du Fooni ont souvent pour origine les premières conversions à l'islam qui apparaissent pour la plupart vers 1880.

mais sa conclusion était erronée. Vouloir imposer des chefs étrangers aux Joola était la preuve d'une connaissance superficielle du pays, de l'ignorance des mœurs et de la psychologie des populations. Pouvait-il en être autrement pour un administrateur, chargé de mission pendant cinq mois dans une région qu'il ne connaissait pas, et aussi malaisée à parcourir que la Casamance?

En 1890, les Joola étaient encore peu et mal connus. Jusqu'ici, ils n'avaient pas été des centres d'intérêt importants. Pour les administrateurs et les commerçants, impressionnés par certaines coutumes (nécrophagie, épreuve du tali), c'étaient des primitifs qu'il fallait civiliser[1]. Martin, après un séjour itinérant, pensa avoir trouvé une solution: soumettre les Joola à l'autorité de chefs noirs étrangers au pays, et dévoués à l'administration coloniale.

La mise en place de ces chefs non autochtones dans certaines régions et villages de Basse Casamance ne devait pas tarder a susciter des troubles graves, comme en témoignent les deux affaires suivantes.

a) *L'affaire Demba Juuf (Diouf) (1891-1892)*

Le village de Gudomp, à l'est de Ziguinchor, avait pour chef Demba Juuf, ancien marin illettré et originaire du Salum[2]. A la fin de l'année 1891, les habitants du village vinrent à Seju porter plainte contre ses exactions, et le capitaine Laumonnier, commandant le district de Casamance, ouvrit une enquête[3]. Deux Joola, Belusa et Aengori accusèrent le chef, du rapt de leurs femmes. A la suite d'un conflit entre Joola et Balant au village voisin d'Adeane, Demba Juuf avait demandé aux Joola de Gudomp de se placer sous sa protection contre une éventuelle attaque des Balant. Belusa et Aengori avaient envoyé leurs femmes et enfants dans les cases du chef pour être à l'abri. Mais quand ils réclamèrent leur retour, Demba Juuf nia les avoir hébergés. En fait, il les avait vendus à Ndura, chef malinké de Balmaadu. Le capitaine finit par découvrir que Demba Juuf, Ndura, Jules Bass son interprète officiel, Aliune Bass son frère et chef d'Adeane, formaient une bande de gens peu recommandables qui pillaient et rançonnaient les Joola. Demba Juuf, chef imposé par l'administration, obtint sa grâce en prenant l'engagement d'accompagner pendant deux ans l'explorateur Chasteret au Gabon. Jules Bass, qui se faisait payer pour conduire devant l'administrateur ceux qui avaient des réclamations à faire, s'enfuit en Guinée portugaise dans la nuit du 4 au 5 janvier 1892. Quant à Ndura, il fut déféré devant la justice indigène de Seju.

b) *L'affaire Mangone Seye (1893-1892)*

Les Joola du Kombo et des Karones subissaient l'autorité de Mangone Seye, wolof originaire du Kayoor qui résidait à Makuda, près de la frontière de Gambie. Subordonné à l'administrateur de Karabane, il lui rendait compte de sa gestion.

[1] « Flup et Bayottes sont encore anthropophages. Ils se livrent à des actes de cannibalisme sur leurs morts. Deux jours après l'enterrement, ce sont des jours de réjouissance publique... En résumé, cette race des Diolas est peu intéressante... » (Rapport de l'administrateur Martin).

[2] A l'origine, Gudomp était un village banun, peuplé en 1892 de nombreux Malinké et Joola. Ces derniers étaient des réfugiés du Fooni qui avaient déserté leurs villages razziés par les bandes de Fodé Kaba.

[3] Archives du Sénégal, 13 G 372. Affaire Demba Diouf.

Au mois de décembre 1892, l'administrateur intérimaire d'Osmoy reçut un rapport alarmant qui signalait que des Karones avaient envahi le village côtier de Kafuntin, tiré des coups de fusil, frappé le chef et pillé les récoltes. Très inquiet, Mangone Seye réclamait l'appui des tirailleurs pour les réduire. D'Osmoy quitta Karabane le 23 décembre pour effectuer une enquête chez les Karones. Il fut fort mal accueilli, surtout à Hilor où les chefs lui déclarèrent que s'ils reconnaissaient l'autorité de la France, ils entendaient s'administrer eux-mêmes. Si un homme de Mangone venait à être placé à Hilor, il mourrait de faim. D'Osmoy rentra alors à Karabane et rendit compte de sa mission au capitaine Grand, commandant de district de Casamance, et lui fit part de son mécontentement pour l'accueil qu'il avait reçu.

En janvier 1893, le gouverneur de Lamothe reçut une lettre écrite en arabe et signée Fodé Muusa chef malinké de Makuda, Kusabi, chef malinké de Jebali [1] : « L'homme que tu nous a envoyé comme roi ne nous fait que du mal depuis son arrivée ici. Il pille nos biens, attrape les gens, nous maltraite sans aucune raison. Cet homme, nommé Mangone Seye, n'agit jamais pour le bien et la prospérité du pays. Ce que nous pouvons t'en dire n'est rien à côté de tout ce qu'il a fait... Nous attendons ta réponse avant la fin du mois, car nous sommes décidés à émigrer vers d'autres pays afin de trouver un maître meilleur que Mangone. Déjà beaucoup de monde s'est sauvé. [2] »

De retour à Karabane, l'administrateur titulaire Laplène chargea son adjoint d'Osmoy de faire un nouveau voyage chez les Karones à partir du 23 janvier. L'interprète étant malade, c'est Mangone Seye qui traduisit en français les propos des Joola. Laplène, peu satisfait de cette traduction, se déplaça à son tour à Hilor, et la réalité lui apparut toute différente. Les hommes de Mangone Seye, originaires du Kayoor, perturbaient le pays par leurs exactions et des rapts de femmes.

Mangone Seye démentit par écrit toutes ces accusations et sollicita l'autorisation de venir s'expliquer à Karabane. Mais l'opinion de Laplène était faite, il demanda au gouverneur sa révocation immédiate. De Lamothe ordonna alors à l'administrateur de Seju d'ouvrir une enquête afin de voir si un blâme sévère et une amende infligée à Mangone Seye ne suffiraient pas, vu que pour le moment, il n'avait pas de candidat apte à le remplacer et il ne voulait pas laisser retomber le Kombo français dans l'état de morcellement par villages et fractionnement de village dans lequel on l'avait fait sortir. D'autre part, Mangone Seye était fort endetté et il ne tenait pas à exposer l'administration des Affaires politiques aux récriminations des créanciers qui avaient pu faire des avances considérables à Mangone à cause de l'appui officiel qui lui était donné.

Mangone Seye écrivit au capitaine Grand pour justifier sa conduite [3]. Depuis son arrivée au Kombo, affirma-t-il, cinq villages seulement s'étaient soumis à son autorité, Makuda, Kujube, Dibati, Seleti, Kafuntin. Les autres avaient refusé de payer la dîme. Il avait demandé de l'aide à l'administrateur de Karabane qui

[1] Villages du Kombo.

[2] Archives du Sénégal, 13 G 471 (3). Affaire Mangone Seye.

[3] Archives du Sénégal, 13 G 471 (3). Lettre de Mangone Seye au capitaine Grand, 15 mars 1893.

avait pris position en leur faveur, après une tournée chez les Karones. Il reprochait à ces derniers leur duplicité et leur mauvaise foi.

Au mois de mai 1893, Laplène fut muté. On lui reprochait une comptabilité déplorable. Il fut remplacé par l'administrateur Réaux. Par contre, Mangone Seye resta en place. Le gouverneur chargea alors l'administrateur Leclerc d'une mission en Basse Casamance qui consistait à établir un poste administratif à Kartiak, le plus important village du Kombo français, composé de quatre grands quartiers (Jania, Iul, Jukote, Jolambule).

Le 28 mai, Leclerc, Réaux et Mangone Seye, entouré de ses hommes, arrivèrent à Kartiak avec une partie du bois nécessaire à la construction du poste, mais les habitants refusèrent et demandèrent aux administrateurs de s'en aller. Malgré plusieurs palabres, les Joola ne cédèrent pas. Le 29, les Français quittèrent le village et rencontrèrent, le 30, le capitaine Grand à bord du « Myrmidon » auquel ils demandèrent d'intervenir par la force. Grand refusa et dit que quelques coups de fusil n'arrangeraient rien et compromettraient au contraire les résultats acquis dans le Fooñi. Agacé, Leclerc lui fit remarquer que cette reculade allait rendre difficile la position de Mangone Seye. « Tant mieux », répondit le capitaine, qui avait jugé l'individu à sa juste valeur. Leclerc protesta et affirma qu'il s'était toujours bien conduit, et le dégagea par avance de toute responsabilité si les événements venaient à s'aggraver. Mécontent, il conclut son rapport au directeur des affaires politiques à Saint-Louis, « réclamant une expédition sérieuse après l'hivernage, mais pas une expédition tuant des hommes et brûlant des villages, ce qui est insignifiant, mais une expédition mettant en mains des gages certains de la soumission et de l'obéissance de ces villages ; il faut en Casamance reprendre la théorie des otages. A ce prix seulement, nous arriverons à avoir sur ces populations sauvages une influence réelle et peu à peu introduire parmi elles les principes d'une civilisation pour laquelle, actuellement, elles se montrent réfractaires » [1]. On peut être légitimement effrayé par de tels propos. Malgré l'évidence de la faillite d'une politique et les réserves des administrateurs locaux à l'égard de Mangone Seye, le gouverneur avait désigné pour s'informer, un « civilisé » pour qui le massacre de populations était un fait « insignifiant ».

Le 12 juin, Mangone Seye vint à Karabane accompagné de quatre hommes. Prétendant n'avoir plus d'autorité que sur deux ou trois villages, il demanda à rentrer dans le Kayoor avec son entourage, car il n'avait plus de quoi se nourrir pendant l'hivernage. Il souhaitait aussi rencontrer le gouverneur à Saint-Louis. Réaux n'arriva pas à le persuader d'attendre les instructions supérieures. Il partit pour un mois et revint à Makuda au début du mois d'août. Dès son retour, il écrivit à Réaux pour se plaindre que sa maison était fort abîmée et qu'il avait été volé. Les Karones lui étaient toujours très hostiles et il redoutait une attaque. Aussi prévint-il : « S'il arrive quelque accident, tu peux compter que je n'ai pas commencé le premier. [2] » Le 23, il écrivit à nouveau et annonça que les Joola cherchaient à intercepter le courrier pour Karabane.

[1] Archives du Sénégal, 13 G 471 (3). Affaire Mangone Seye, 1er juin 1893.

[2] Archives du Sénégal, 13 G 471 (3). Affaire Mangone Seye. Lettre à l'administrateur de Karabane.

Début septembre, un traitant de Jebali, qui travaillait pour la C.F.A.O. arriva à Karabane et informa l'administrateur que le village avait été attaqué le 5, par des hommes de Mangone Seye alliés à des guerriers de Fodé Silla. Mangone Seye reconnut avoir attaqué Jebali pour rétablir son autorité. Selon ses dires, les habitants refusaient de lui obéir et avaient commencé à construire un sanié (enceinte fortifiée). Ils auraient fait appel à un agitateur, Fodé Muusa, expulsé en 1891 du Kombo français pour cause de rébellion. Réfugié en Gambie, il allait organiser une attaque contre lui.

A la suite de cet incident, les chefs de Jebali et Kujube vinrent demander à l'administrateur l'autorisation de se retirer provisoirement à Kubanao, village distant de deux kilomètres de Jebali. Le 21 octobre, le gouverneur réagit et ordonna à Réaux d'expédier Mangone Seye à Saint-Louis où il serait statué sur son sort. Cette décision fut provoquée par une plainte de la C.F.A.O. de Rufisque pour la perte subie par son traitant à Jebali [1], mais aussi par un violent réquisitoire d'un commerçant de Karabane, Louis Huchard, dans le journal « La Tribune des Colonies et des Protectorats » contre l'appui du gouverneur à Mangone Seye. « Avant l'arrivée de Mangoné, le Combo était tranquille et productif. Aujourd'hui, tout est désorganisé. [2] » Très vif, Huchard recommandait l'élimination physique de ce chef.

Le 20 novembre, Mangone Seye quitta définitivement la Basse Casamance, sur le cotre « Junon ». Limogé, il fut renvoyé comme simple particulier dans le Mbadane (pays sereer) où il vivait autrefois.

Justifiant sa politique, le directeur des Affaires politiques écrivit au Sous-Secrétaire d'Etat le 18 décembre 1893 : « ... Mon but, en le mettant à la tête des Diolas de la région, était d'arriver à grouper leurs villages disséminés et sans relations entre eux, en petits groupements plus capables de repousser les incursions de Fodé Silla sur notre territoire, plus aptes à recevoir les rudiments d'une organisation sociale qui leur fait complètement défaut. [3] »

De l'aveu de Mangone Seye, l'échec de l'expérience fut total. Il en était certes le principal responsable. Mais quelle que fût la conscience professionnelle qu'il eût dû avoir, il est vraisemblable que les résultats n'auraient pas été à la mesure des objectifs souhaités.

2. Les Joola de la rive nord après le départ de Mangone Seye

Dès son arrivée à Seju, Farque, premier administrateur supérieur de la Casamance, chercha à s'informer sur la situation politique et économique des pays joola. Il partit en tournée le 4 février dans le Kombo sur le Myrmidon, avec d'Osmoy devenu administrateur de Basse Casamance. Ils souhaitaient établir

[1] Archives du Sénégal, 13 G 47*J* (3). Affaire Mangone Seye. Plainte par lettre du 2 octobre 1893.

[2] Chronique Sénégalaise. « La Casamance, Fodé Kaba et Mangoné », extrait du journal *La Tribune des Colonies et des Protectorats*, 15, rue Monsigny. Correspondance de Louis Huchard. Carabane, juillet 1893.

[3] Archives du Sénégal, 13 G 471 (3). Affaire Mangone Seye.

un poste administratif à Jebali qui avait particulièrement souffert des exactions de Mangone Seye et de Fodé Silla. Le Kombo était dévasté. De nombreux villages avaient leurs cases incendiées et le riz était rare. « Les traitants, comme une bande de vautours, se sont abattus sur le pays et profitent de la situation pour exploiter les habitants d'une façon scandaleuse. Il y a quelques arachides dans le pays. On ne les a pas encore vendues, car les traitants exigent un boisseau trop grand, mais les cultivateurs sont cependant obligés d'en passer par là ; car ils n'ont pas de riz, et ils ne peuvent s'en procurer que par l'intermédiaire des traitants. Samo Bakari, chef de Jebali, avoue qu'il aurait bien tué Mangone Seye s'il n'avait été un chef nommé par les Français. Makuda, ancienne résidence de Mangone Seye, est dans un état plus navrant encore que celui de Jebali. Il ne reste rien, pas même un grain de mil et de riz. La situation du Kombo est donc lamentable. C'est partout la misère et presque la ruine. L'essai d'avoir nommé dans le Kombo un chef ouolof n'a produit que des résultats déplorables. [1] »

La visite du Fooñi se limita, pour cette première tournée, à Biñona, village de 350 à 400 habitants, sur le marigot qui portait son nom. Il se composait de 12 quartiers plus ou moins éloignés les uns des autres. Son chef, Keba Koli, porte-parole de la communauté, avait une quarantaine d'années environ. Ses yeux bridés lui donnaient un faciès asiatique. Pour tout vêtement, il portait un lambeau d'étoffe et un vieux tricot de matelot, mais le cou et les bras étaient garnis de colliers formés de barres de cuivre. Les traitants vendaient ce cuivre par barres de 80 centimètres, à raison de 1,25 franc l'unité. Les habitants de Biñona et des villages environnants firent bon accueil aux Français, car ils redoutaient la domination de Fodé Kaba. Ils ne s'opposèrent pas à l'installation d'un officier européen et de quelques tirailleurs dans la région, pour les protéger contre toute incursion des bandes. Ils acceptèrent de payer l'impôt, mais en boules de caoutchouc, car les sauterelles avaient causé de grands dommages au riz. L'accord se fit sur le paiement d'une boule de un kilo par tête, ce qui représentait la valeur de 1,50 f dans le pays. De cette tournée, Farque tira la conclusion qu'il fallait construire deux postes, l'un à Jebali, l'autre à Biñona. Il était nécessaire de s'attirer la sympathie des populations en les visitant souvent et pacifiquement. Sans tarder, de nouvelles tournées furent faites dans des villages importants, notamment chez les Karones particulièrement agressifs [2].

a) *L'opposition des Karones*

Les Karones avaient prévenu le lieutenant Moreau, premier commandant du poste de Jebali, qu'ils le recevraient à coups de fusils. Farque décida malgré tout d'aller à Hilor avec une escorte de trente tirailleurs. Le 14 mai 1894, à 6 heures, il quitta Seju pour Karabane sur le cotre « Madeleine ». Arrivé à Karabane, le 17, il loua un grand chaland à la C.F.A.O. pour transporter les tirailleurs et les vivres afin de remonter le marigot dit de Gambie jusqu'à Jebali. Il arriva au poste dans la soirée du 21, et le lieutenant Moreau lui apprit que Jolimanka,

[1] Archives du Sénégal, 13 G 372. Rapport de l'administrateur Farque au gouverneur.
[2] Archives du Sénégal, 13 G 372. Rapport de Farque au gouverneur. Rapport du lieutenant Moreau sur une tournée dans le Kombo, 19 mai 1894.

principal chef de Hilor, était venu l'assurer que les hommes sages des Karones, c'est-à-dire les Vieux, déploraient la menace qui avait été faite et qu'aucun mal ne serait fait aux Européens qui se présenteraient avec des vues pacifiques. Farque décida que le lieutenant Moreau et quatre tirailleurs partiraient par voie de terre. Le capitaine Têtart et lui, emprunteraient les marigots avec la troupe pour parer à toute difficulté. Moreau partit le 23 et arriva le 25 à Hilor où il fut bien reçu. Farque, qui avait remonté le marigot des Karones, apparut le même jour devant Hilor, vers 17 heures. Avant de débarquer, il exhorta les tirailleurs à conserver une bonne conduite, puis alla au village rassurer les habitants sur ses intentions. Le contact fut froid mais correct. Farque n'insista pas et ordonna le retour sur Jebali.

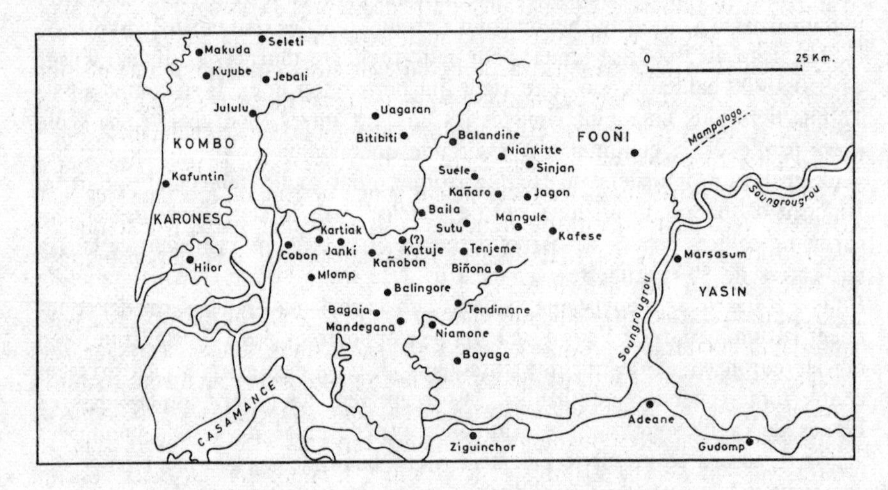

Fig. 28. Les Joola de la rive nord (1890-1914).

Cependant, un mois plus tard, quand Moreau revint à Hilor, il fut accueilli à coups de fusils et dut rentrer à Jebali sans avoir pu causer à Jolimanka. La raison de cette volte-face fut le différend qui opposait les Vieux dirigés par Jolimanka à Etea, roi des Karones, grand prêtre de la religion locale. Cette fois, le lieutenant avait été reçu par les partisans d'Etea, hostiles à tous contacts avec les Français. Après de longues palabres, les deux groupes rivaux se mirent d'accord et envoyèrent une délégation au mois de septembre pour présenter leurs regrets à Karabane. Ils consentirent à payer une amende de 5000 paquets de riz (5000 francs), mais les Français durent reconnaître Etea comme le véritable chef des Karones, Jolimanka restant simplement chef de Hilor [1].

[1] Reconnu comme principal instigateur du guet-apens tendu au lieutenant Moreau, Etéa dut payer 200 paquets de riz sur ses propres rizières. Archives du Sénégal, 13 G 475 (2). Rapport du capitaine Têtart au colonel, commandant supérieur des troupes.

b) *Les résistances dans le Fooni*

A Biñona, le poste récemment construit fut confié au lieutenant Miribel, assisté de deux sous-officiers européens et de 18 tirailleurs. Il était installé à 300 mètres de l'escale et adossé à une forêt située à droite de la route allant au village. Miribel observa que la plupart des traitants et colporteurs d'origine malinké cherchaient à dresser les Joola contre les Français. Ainsi Baïla, important village, refusa de payer l'impôt et d'entrer en relations avec l'administration française, de même le gros village de Sinjan. L'origine de cette opposition était une corporation de traitants qui avait pour chef Samba Cobon, un employé de la Compagnie française. Etabli depuis plusieurs années à Baïla, il avait de l'influence sur les Joola et refusait de la partager avec l'administration française dont il redoutait le contrôle. Il apprécia cependant sa protection, quand avec d'autres, il se réfugia à Biñona quelque temps, après l'assassinat par les Joola du traitant Jibril Sane, auxquels il réclamait le paiement d'un crédit.

En juin 1894, la situation dans le Fooñi était aussi satisfaisante que possible si l'on tient compte qu'il n'y avait que cinq mois à peine que les Français s'y étaient installés. L'est et le nord-est étaient calmes et soumis, car les habitants avaient trop souffert des pillages de Fodé Kaba, et ils aspiraient à la paix. Par contre, à l'ouest et au nord-ouest, les Joola étaient jaloux de leur indépendance et refusaient de reconnaître l'autorité françaisc. « Ils acceptent parfaitement que les Blancs traversent leur pays. Ils ne leur feront aucun mal, à condition toutefois qu'il ne leur soit rien demandé. [1] »

L'impôt réclamé aux habitants du Fooñi devait en principe payer la rente annuelle de 5000 francs promise à Fodé Kaba par le traité de mai 1893. Quelques villages en acceptaient le principe sous forme de boules de caoutchouc, d'autres refusaient, comme Baïla, sur les conseils des Jula soupçonnés de se livrer au commerce des captifs, notamment d'enfants exportés vers le Pakao, soit par Marsasum, soit vers la Gambie et le Salum [2]. L'opposition de Baïla posa un problème, car son exemple était néfaste pour les autres villages qui risquaient d'en faire autant. Le lieutenant Miribel suggéra à l'administrateur supérieur une expédition par terre et par eau en décembre, à partir de Biñona. Baïla détruit, une compagnie descendrait vers la Casamance pour visiter tous les villages qui ne connaissaient pas encore l'autorité française. Une autre se dirigerait vers la frontière de Gambie pour obliger la région à diriger ses produits vers la Casamance et reviendrait sur Marsasum en faisant raser tous les saniés des villages hostiles comme Suele (Kañaru), Jagon, Mangule [3].

L'affaire de Baïla se régla pacifiquement en février 1895, mais sous la menace d'une colonne de tirailleurs. Partie, le 6 février de Seju pour Adeane, elle s'embarqua à Adeane sur l'aviso « La Mésange ». Le 8 à midi, elle arriva à Baïla, prête à intervenir. Les Joola, affolés, avaient presque tous fui dans la forêt.

[1] Archives Nationales. Sénégal et Dépendances IV, dossier 108-1894. Rapport sur la situation générale en Casamance. Farque, 1er semestre 1894.

[2] La route de Gambie passait par Birinjago et Guito sur la frontière. Le Jula le plus suspect était un Fula, Mamadu, qui avait deux résidences : Kuruk et Sinjan.

[3] Archives du Sénégal, 13 G 372. Rapport du lieutenant Miribel, septembre 1894.

Farque et le capitaine Baudoin descendirent seuls avec les interprètes de Karabane et de Seju pour ne pas les effrayer. Les quatre personnes furent accueillies au débarcadère par les traitants de la C.F.A.O. et de la C.C.F.A. Quelques Joola étaient là accroupis sous un arbre. L'un d'eux, Lambito âgé d'une trentaine d'années, aux yeux intelligents, fut présenté par les traitants comme le chef de quartier le plus important et le plus écouté. Il voulut bien envoyer quelques messagers dans la forêt, réunir les hommes pour une grande palabre, sous un fromager, près de la case de la C.C.F.A. Pendant ce temps, l'administrateur supérieur visita le village formé de sept quartiers ou carrés [1]. Les habitants et traitants en déclarèrent six, car le septième comptait les meurtriers du traitant Jibril Sane, tué en 1894 à cause de ses nombreux méfaits. Farque, vu le personnage, n'insista pas. Vers 14 heures, la palabre commença et pendant deux heures, Farque expliqua aux villageois accroupis, que l'impôt demandé avait pour but d'avoir des recettes pour construire des ponts, des routes qui faciliteraient les relations entre les villages [2]. Les Joola se montrèrent accommodants et promirent de payer. Avant de partir, l'administrateur réunit les traitants et les mit en garde contre le discrédit qu'ils pourraient porter à l'administration. Il les menaça d'expulsion. Huit jours après, les habitants de Baïla portèrent 100 kilogs de caoutchouc à Biñona.

Forts de l'impression exercée sur les populations par la soumission de Baïla, les Français poursuivirent leurs visites pour imposer leur autorité. Certains résistèrent comme Katuje qui fut bombardé par le « Brandon » pour avoir tiré des coups de feu sur deux embarcations. Un quartier de Kañobon fut incendié pour son attitude hostile.

Mais les opérations de police, les visites fréquentes du commandant de poste de Biñona furent impuissantes à établir l'autorité française. C'était un vrai travail de Pénélope, ingrat et décourageant. Tel village qui se soumettait aujourd'hui et payait son impôt, était en rébellion le lendemain. Les promesses des Joola s'envolaient dès que le dernier tirailleur avait quitté le village. La résistance passive s'alliait à la résistance active et les commandants de poste ne savaient pas si le rapport optimiste du jour ne serait pas démenti par les faits quelques jours plus tard. En octobre 1897, le village de Sutu, avec à sa tête le chef Ayemari encercla Biñona sans l'attaquer cependant. Kulaye et Guna Sudugu, villages soumis, subirent des représailles de la part des Joola résistants. Araye, chef du quartier-est de Kulaye échappa deux fois à des tentatives d'assassinat. Guna-Sudugu repoussa une attaque de Kafese et resta en possession du pavillon français qu'il avait accepté.

L'administrateur supérieur Adam transmit à Saint-Louis des rapports peu encourageants. « La situation est loin d'être satisfaisante. Il est certain que de nombreux villages ne reconnaissent pas notre autorité. Cette indépendance, ils

[1] Quartier de Kalolaye, chef Lambito. Quartier de Asita, chef Jetayéli, 60 ans. Quartier de Katija, chef Apeklu, 60 ans. Quartier de Bukarak, chef Alikalie, 35 ans. Quartier de Bajunga, chef Aniokuto, 65 ans.

[2] Détail anecdotique. Le premier pont sur le marigot de Baïla, au village même, a été inauguré en 1970.

la crient dans des propos offensants et fâcheux pour nous. Pour remédier à cette situation, un seul moyen est à choisir : une répression énergique ayant pour conséquence la destruction de plusieurs villages et l'exil au Gabon de quelques centaines de Diolas. [1] »

Le 30 avril 1899, l'administrateur supérieur Seguin, aidé des lieutenants Soulages et Gilles, donnèrent l'assaut au village bañun de Niamone. Ilot bañun en pays joola, Niamone était un gros village très agressif à l'égard des Français de Biñona. Déjà en 1897, à la suite d'un différend avec le village voisin de Balingore, les Bañun avaient refusé de se rendre à la convocation du commandant de poste de Biñona, déclarant que les Blancs n'étaient bons qu'à crier, à venir mettre le feu aux villages, ce dont ils se moquaient, puisqu'ils n'avaient qu'à se réfugier dans la brousse et regarder faire. Niamone résista donc avec courage. Les pertes étant lourdes, les habitants évacuèrent le village et les cases des chefs furent incendiées. Il n'y eut cependant pas de pillage. Le 2 mai, les villageois se soumirent et consentirent à payer l'impôt. Ils livrèrent 200 fusils dont 50 à piston sur 350 environ. La soumission de Niamone eut sur le moment un effet considérable dans le Fooñi, qui retrouva une certaine quiétude.

Hostile à Fodé Kaba et à ses bandes guerrières, les Joola manifestaient la même détermination farouche de rester libres quand les Français succédèrent aux Malinké. Le milieu naturel était pour eux un allié précieux, et les forêts étaient des refuges sûrs dans lesquels les tirailleurs hésitaient à pénétrer. Les Français étaient isolés dans un milieu hostile qui résistait selon les tempéraments des groupes, mais avec beaucoup d'intelligence. Les plus valeureux tentaient la résistance armée, mais les ripostes étaient meurtrières et sans commune mesure avec les coups portés. Les plus prudents opposaient une arme défensive, mais souvent efficace : la passivité et la mauvaise volonté dans l'accomplissement des ordres reçus. Sept ans après le traité avec Fodé Kaba cédant le Fooñi à la France, la situation n'avait guère évolué. Le pays était dangereux pour tout étranger qui osait s'y aventurer et aucun Français ne quittait les villages sûrs, sans une escorte armée. Le Fooñi n'était pas encore sur le point de céder aux exigences des étrangers.

3. Les Joola de la rive sud

L'avenir de la rive sud était intimement lié à celui du Fooñi dans la mesure où les populations aussi attachées à leur indépendance, étaient bien décidées à s'opposer à toute forme de sujétion. En 1896, seuls quelques villages proches de Karabane et faiblement peuplés avaient payé l'impôt. Certains l'avaient payé en partie, d'autres oublié. Mais il y en a qui refusaient avec obstination, prêts à se battre. Il y avait enfin une région où l'on n'osait pas pénétrer : le pays Bayot où seuls quelques Mandiagos (ressortissants de la Guinée portugaise, en général

[1] Archives du Sénégal, 2 G 1 (60). Rapport du 2e semestre de 1897. Le Directeur des Affaires Indigènes considère cette appréciation exagérée et écrit en marge du rapport : « On pourrait les envoyer cultiver du riz dans le Oualo, mais pas par centaines. »

des Mandjaks) s'aventuraient à leurs risques et périls pour extraire du caoutchouc [1]. Les rixes étaient fréquentes et les commerçants de Ziguinchor se plaignaient amèrement des embuscades tendues par les Bayot sur les pistes avoisinantes. Depuis longtemps, ils réclamaient une expédition militaire et comme elle tardait à venir, ils clamaient qu'ils allaient agir à Saint-Louis et même à Paris, car ils étaient bien décidés à se défendre. Pour calmer leur mauvaise humeur et leurs appréhensions, le capitaine Seguin, accompagné du lieutenant Gilles, arriva à Ziguinchor le 5 août 1899 avec des tirailleurs destinés à la garnison provisoire de la ville. Le 8, « L'Ardent » mouilla dans le port et Seguin décida de partir avec lui faire une tournée pacifique dans le marigot de Kajinol. Le 10, l'aviso mouilla devant Seleki et le chef Tabarin monta à bord. Il annonça qu'il obéissait à Sibaye Sondo, roi d'Esil et qu'il ne pouvait rien faire pour empêcher le massacre des étrangers. Il suggéra une rencontre avec Amata, ministre du roi qui résidait à Enampor [2]. Amata fut prié de demander au roi de participer à une rencontre prévue le 11, mais Sibaye Sondo refusa de venir et les Joola commencèrent à s'armer. Seguin n'insista pas et « L'Ardent » rentra à Ziguinchor où les commerçants exhalèrent leur colère devant l'attitude pacifique des autorités. L'administrateur supérieur n'ignorait pas que des bandes de Mandjaks employés dans les forêts proches de Ziguinchor étaient souvent attaqués par les Bayot, mais ces derniers avaient quelques excuses. Les Mandjaks, en effet, ne se gênaient pas pour piller et enlever les femmes Bayot, légitimant ainsi les représailles des Bayot. Mais à leur retour à Ziguinchor, les victimes ne manquaient pas d'exagérer les attaques dont ils avaient été l'objet et déguisaient ainsi le détournement des marchandises et des produits [3].

Au début de l'année 1900, le rapport de l'administrateur Valgi, de Basse Casamance était très pessimiste. « La situation est inquiétante dans certaines régions qui sont plus hostiles et plus troublées que jamais. [4] » Depuis l'automne 1899, des villages se faisaient la guerre et Valgi était bien incapable de les en empêcher. Itu et Suzanna (Guinée portugaise) s'étaient affrontés laissant sur le terrain 60 morts et plus de 180 blessés. Seleki était en conflit avec Enampor. A Jembering, deux chefs de quartier s'étaient querellés et le sang avait coulé. C'étaient de vieilles histoires que l'on évoquait à la fin des récoltes, et qui avaient presque toujours pour cause essentielle, une contestation quasi permanente entre deux villages, ou quartiers d'un même village, pour la propriété des rizières.

Le pays Bayot était en pleine effervescence et son hostilité à l'homme blanc était toujours aussi vive. Le 29 janvier, M. Jourdain, préposé des douanes en

[1] Archives du Sénégal, 13 G 485 (1). Rapport de l'administrateur supérieur au directeur des Affaires Indigènes, 5 décembre 1896.

Cercle de Karabane. Ceux qui paient l'impôt: Elinkin, Santiaba, Luja-Wolof, Jakene Wolof, Kachiuane, Jiromaït, Pte Saint-Georges, Effiam, Jogue.

Ceux qui ont payé en partie: Itu, Enampor, Jembering (3500 h).

Ceux qui avaient promis de payer: Kanut, Samatite, Mlomp, Kajinol, Seleki, Banjal.

Ceux qui ont refusé de payer: Kamobeul, Bukutemu, Emaï, Okut, Yum, Flup, Luja-Joola, Efok. Ils ont répondu à l'interprète : « Nous ne paierons que forcés par les armes ».

[2] Sibaye Sondo étendait son influence sur tous les villages du groupe Banjal-Seleki.

[3] Archives du Sénégal, 13 G 491 (3). Rapport de Seguin au gouverneur général, 22 août 1899.

[4] Archives du Sénégal, 13 G 374, 31 janvier 1900.

service à Jiromaït fut insulté, menacé, molesté à Kamobeul par des Bayot armés, de passage dans le village. Il dut la vie à l'action énergique du chef de Kamobeul. Les rixes avec les récolteurs de caoutchouc étaient toujours aussi nombreuses. A Seju, on admit que la situation ne pouvait se prolonger indéfiniment et qu'une opération de police d'envergure était nécessaire, mais le pays Bayot était mal connu. Avant de s'y aventurer, il fallait savoir à qui on avait affaire.

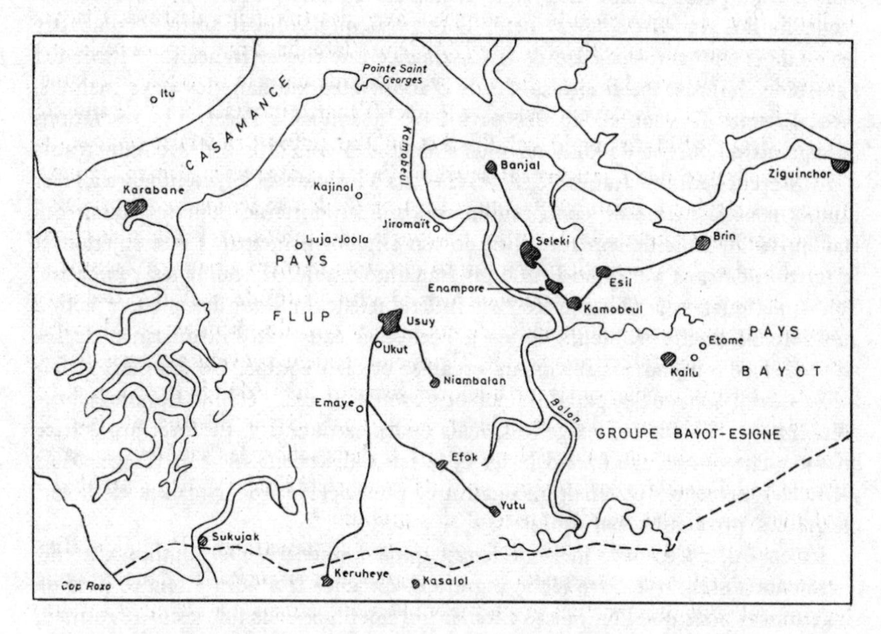

Fig. 29. Les Joola de la rive sud (1890-1914).

Les Bayot occupaient un territoire à cheval sur la frontière franco-portugaise. Les habitants de la partie française dits « Bayot grands » étaient très belliqueux. Leur domaine limité au sud par la frontière guinéenne, s'étendait entre le marigot de Guidel à l'est et le marigot de Kajinol à l'ouest. Au nord, une ligne Brin-Kanjalan le séparait du groupe Banjal-Seleki. Les Seleki distinguaient en outre deux types de Bayot, les Bayot proprement dits et les Bayot du groupe d'Esigne, proches de la frontière. Le chef des Bayot, Tupa, résidait à Kaïlu, village de deux cents habitants [1]. Son fils, Jenne, avait attaqué en janvier 1900 quatre chercheurs de caoutchouc, à trois kilomètres de Ziguinchor. L'un avait été tué, les trois autres blessés. Trois villages pouvaient opposer une résistance sérieuse, s'ils arrivaient à grouper leurs forces : Etome, Niasia, Kaïlu.

Au mois de novembre 1900, l'administrateur rencontra deux rois joola pour la première fois, Sibaye Sondo qui s'engagea à faire payer l'impôt et Sihalebe à Usuy, personnage sacré des Flup. Lui aussi consentit au principe de l'impôt.

[1] Archives du Sénégal, 13 G 374. Renseignements sur les Bayot, avril 1900.

C'était, semble-t-il, une grande victoire de persuasion, mais pour combien de temps? Au cours de sa tournée, il constata que les chefs désignés par l'administration n'avaient aucune autorité et que les Joola obéissaient à d'autres qu'il ne connaissait pas.

Soixante-quatorze ans après leur entrée officielle en Basse Casamance, les Français se trouvaient confrontés avec un épineux problème d'autorité. La situation n'avait guère évolué depuis le temps où Bocandé cherchait vers 1850 à recueillir des traités de suzeraineté. Il est vrai qu'il voulait surtout combattre les rivalités étrangères et faire de la Casamance une rivière française. Attirée par l'arachide, la présence française s'était d'abord étendue dans les pays malinké. Avec l'attrait du caoutchouc, les pays joola, jusqu'ici à l'écart des tractations commerciales, furent de plus en plus l'objet des convoitises des commerçants qui attirèrent l'administration. Celle-ci chercha à imposer sa loi, commença à lever l'impôt sous la forme de contribution en riz insupportable pour le paysan qui était privé du fruit de son travail et de son aliment principal. Cette sujétion et immixtion dans sa vie quotidienne lui était intolérable. Il voulut les combattre. Son appartenance à une société fort individualiste lui interdisait toute action guerrière de masse d'ailleurs vouée à l'échec, à cause de l'insuffisance de ses moyens, face à un adversaire mieux organisé et bien équipé. Ce qui était sa faiblesse devint souvent et paradoxalement sa force. Il plia l'échine devant la brutalité, promit d'obéir aux exigences, mais ne les exécuta pas. La forêt protectrice lui accordait son refuge quand le fer et le feu s'abattaient sur son village. Mais après la tourmente, il venait reconstruire, plus décidé que jamais à désobéir, malgré les promesses extorquées.

La conquête des pays joola ne faisait que commencer. De nombreux administrateurs s'usèrent à cette tâche ingrate et difficile. Il faudra attendre plus de vingt années pour que l'on puisse circuler librement, et dans une sécurité relative, à travers les forêts de Basse Casamance.

Chapitre 2

LES RÉSISTANCES DES PAYS JOOLA (1900-1914)

1. Les Joola de la rive sud ou Joola Kasa

Afin de permettre un contrôle possible des groupes joola, le pays fut divisé en deux parties sous l'autorité de résidents. A l'ouest, une résidence installée à Usuy, au cœur du pays huluf (flup) fut confiée à un officier assisté d'une dizaine de tirailleurs. Les groupes Bayot et Seleki, très agressifs, furent rattachés à la résidence de Ziguinchor confiée, elle aussi, à un militaire en 1900.

a) *La résistance des Flup*

Usuy était un gros village à 40 kilomètres à l'ouest de Ziguinchor. Pour y accéder, il ffallait traverser en pirogue le marigot de Kajinol ou Kamobeul bolon. Les boekin y étaient vénérés avec ferveur. Leur culte était assuré par des prêtres dont le plus célèbre, l'oeyi ou roi, était lié aux forces invisibles par des coutumes fort contraignantes [1]. Devant le danger de la pénétration et de l'emprise étrangère, les Flup firent jouer leurs croyances religieuses, seul lien de solidarité qui les unissait aux autres groupes et leur obédience au grand roi jamat de Keruheye ou Karoal en Guinée portugaise, tout près de la frontière. A Usuy, le roi Sihalebe subissait la présence du résident. Comme la coutume lui interdisait de quitter le village, il opposait une indifférence totale, forme comme une autre de résistance passive. La lutte fut activement menée par l'ahan boekin Jamuyon desservant du boekin Jananande, génie du lignage royal et en même temps protecteur de la communauté huluf d'Usuy. Il tenta d'organiser la lutte armée avec l'aide des Joola de Keruheye dirigé par un ahan boekin jamat qui avait usurpé le nom de Fodé Kaba mort en 1901 dans le Fooñi.

Selon des renseignements donnés en 1902 au lieutenant-administrateur Zimmer de Ziguinchor par un traitant et quelques joola, les Flup possédaient 6300 fusils à piston et à pierre [2]. Les munitions, c'est-à-dire la poudre et

[1] Voir 1re partie, chapitre 1.

[2] Usuy, 1000; Ukut, 600; Singalene, 600; Efok, 1000; Emaye, 1200; Yutu, 1000; Bukitimgo, 800. Archives du Sénégal, 13 G 375.

les capsules, étaient fournies par les villages jamat portugais de Kasalol, Katu et Yalle.

En 1903, le poste d'Usuy était installé. Le lieutenant Raymond, premier officier résident, disposait de trois pièces sommairement meublées. Le bureau comportait deux tables en pitch-pin (1 m 35 et 1 m 20), un fauteuil canné, une chaise en paille, un tabouret de bois. Deux casiers en bois peint contenaient divers papiers. Une presse à copier, une armoire à médicaments et une pendule qui ne sonnait pas, complétaient le décor habituel dans lequel travaillait le résident. Sa chambre était austère. Outre un lit métallique à sommier sur lequel reposaient deux matelas et un traversin couverts d'une moustiquaire, il disposait pour faire sa toilette d'une cuvette et d'un seau en fer. Trois tables, quelques chaises paillées étaient encombrées par divers objets. Un panka donnait de l'air la nuit. La salle de séjour paraissait plus confortable. Autour de la table en pitch-pin, des chaises cannées étaient rangées. Dans un coin, le lieutenant pouvait se reposer dans un fauteuil rocking-chair. Le long d'un mur, un buffet en bois peint faisait face à un garde-manger. Dans un autre coin, un filtre des Canaries et une machine à glace Carré témoignaient du souci de l'administration de préserver ses représentants de tout accident intestinal, hélas fréquent dans le pays quand on n'y prend pas garde [1].

Dès son arrivée, le lieutenant Raymond se heurta à l'hostilité des Flup animée par le roi Sihalebe et Jamuyon. Le roi fut arrêté et transféré à Seju. Jamuyon réussit à s'enfuir en Guinée portugaise. Le transfert de Sihalebe fut pour les Flup un acte sacrilège d'une gravité exceptionnelle que l'administrateur supérieur ne soupçonna pas. Le roi, personnage religieux et sacré, ne pouvait selon la coutume abandonner son territoire. Il était l'intermédiaire vivant et indispensable entre les forces invisibles et ses sujets qui ne l'avaient jamais vu ni boire, ni manger. Incarcéré avec plusieurs d'entre eux à Seju, il se laissa mourir de faim, devant ses gardiens stupéfaits. Son corps intéressa un anthropologue, le Dr Maclaud, futur administrateur supérieur de la Casamance, qui expédia son squelette au Muséum de Paris où il fut enregistré sous le numéro 19822 [2]. Pas un Français n'imagina à l'époque le drame de cet homme qui, fidèle à la religion de ses ancêtres, mourut en martyr. Il est vrai que leur présence en Casamance n'était pas dictée, à quelque exception près, par l'ethnologie. Il arrivait parfois qu'un administrateur s'intéressât aux mœurs et coutumes des populations, mais c'était presque toujours dans un but descriptif et comparatif.

Jamuyon fut activement recherché mais sa capture était difficile car il bénéficiait de l'appui de la population qui le protégeait. Réfugié à Keruheye, il circula de village en village pour prôner le refus de l'impôt et la lutte contre le Blanc. Au mois de janvier 1904, au cours d'une tournée au sud de la circonscription pour désarmer les villages, le lieutenant Raymond, accompagné d'une dizaine de tirailleurs, tomba dans une embuscade près de Keruheye, tendue par « Fodé Kaba » et Jamuyon. Trois tirailleurs furent blessés, lui-même fut contusionné

[1] Archives du Sénégal, 2 G 11 (31). Inventaire du matériel de la résidence d'Oussouye. 1904. Rapports mensuels.

[2] MACLAUD. *Notes anthropologiques sur les Diolas de Casamance*, Anthropologie, XVIII, 1907, Paris, Masson.

au genou et il ne dut son salut qu'à une retraite précipitée [1]. Enhardi par ce succès, « Fodé Kaba » envoya des émissaires pour menacer les villages qui avaient accepté de payer l'impôt. Effrayés de nombreux Joola abandonnèrent leurs cases, et se réfugièrent à Usuy. Poursuivre les chefs rebelles dans ce lacis de marigots et avec d'aussi faibles moyens, était une tentative vouée à l'échec. Raymond limita donc son ambition. Prudent, il tenta de dissiper la méfiance des habitants d'Usuy et s'estima satisfait quand il arriva à décider certains à faire revenir leurs bœufs chez eux. Animaux destinés aux sacrifices et aux festins, ils étaient une richesse que les Joola ne voulaient pas risquer de perdre par une éventuelle saisie. Usuy resta calme et la vente rémunératrice des premières arachides cultivées dans les environs contribua à assainir les relations avec les Joola. A la frontière cependant, « Fodé Kaba », poussé par Jamuyon, tint une grande palabre à Sukujak pour préparer la lutte de tous les villages proches de Keruheye [2]. Très actif, le chef jamat circulait en saison sèche à travers les villages frontaliers et gênait les contacts de l'administration avec les villages jamat de Yutu et Efok très hostiles. En hivernage, « Fodé Kaba » ne voyageait pas, car son regard suffisait à « compromettre » les récoltes.

En février 1908, le résident Mathieu informa l'administrateur supérieur qu'après de longues négociations, les Flup s'étaient enfin résolus à trouver un successeur au roi défunt. Le nouveau chef religieux Jankebaye vint présenter ses devoirs au résident et l'assura de son dévouement [3]. Cette démarche peut surprendre. Les Flup ont probablement voulu désarmer l'éventuelle défiance des Français à l'égard de leur nouveau roi. La disparition de Sihalebe fut une perte cruelle. L'initiation d'un nouveau roi demandait du temps et les boekin ne pouvaient rester sans desservant. Par conséquent, tous les moyens étaient bons pour le protéger.

Le 14 mars 1908, les troupes portugaises (quinze Européens, cent Africains, et quatre canons attaquèrent les villages jamat fidèles à « Fodé Kaba ». Susana, Kasalol, et Keruheye furent pillés et incendiés. « Fodé Kaba » s'enfuit dans la forêt. Cette expédition répressive s'inscrivait dans une grand campagne organisée par les Portugais avec huit cents hommes de troupes régulières. Partie de l'Océan au nord de Boulam, la colonne remonta le rio Cacheu et détruisit plusieurs villages joola et balant. La destruction de Keruheye eut pour premier résultat, une visite du roi Jankebaye d'Usuy au résident, pour renouveler son geste d'allégeance. Des délégations d'Efok et de Yutu vinrent faire acte de soumission, mais le danger passé, les Jamat retrouvèrent leur attitude hostile et refusèrent à nouveau de payer l'impôt. Jamuyon réussit à infliger quelques pertes à des détachements portugais et cette victoire suffit à ranimer toutes les énergies des Jamat dans leur lutte contre les Européens.

En janvier 1909, le lieutenant Duval, avec une cinquantaine d'hommes, obligea Niambalan à payer l'impôt. Les habitants désarmés, s'acquittèrent de leur

[1] Archives du Sénégal, 13 G 510 (1). Rapport de l'administrateur supérieur de Labretoigne-du-Mazel, 28 janvier 1904.

[2] Archives du Sénégal, 2 G 5 (31). Rapport mensuel de l'administrateur supérieur Aubry le Comte, février 1905.

[3] Archives du Sénégal, 2 G 8 (43). Rapport mensuel de l'administrateur supérieur Guyon, février 1908.

amende sans résistance. Par contre Efok et Yutu décidèrent de ne pas se laisser faire. Le 16 mai, le lieutenant Duval arriva à Efok avec cinquante hommes pour percevoir l'impôt. Il ne rencontra aucune résistance. Il partit ensuite à Yutu avec une escorte de quelques tirailleurs. Arrivé au village, il fut attaqué en force par des Jamat appuyés par des groupes de Guinée portugaise. Prévenu, le résident, qui était resté à Efok, tenta de rejoindre le lieutenant, mais les Jamat lui barrèrent la route. Duval repoussa les assauts et réussit difficilement à rejoindre le résident, harcelé par des tirs qui durèrent toute la journée. Le combat était dirigé par « Fodé Kaba » et Jamuyon. Le 17, Yutu fut encerclé par les tirailleurs qui délogèrent les derniers défenseurs embusqués dans cinq cases crénelées, le lendemain à 16 heures. Les cases furent incendiées pour mettre fin à ces accrochages continuels. Le village fut alors désarmé et chaque case fouillée. Sur six quartiers rebelles à Yutu, deux opposèrent encore de la résistance, notamment celui du chef Segufo déjà arrêté en 1906 et relâché sur ordre de l'administrateur supérieur. Fin mai, le désarmement fut achevé et les habitants de Yutu contraints, payèrent intégralement leur impôt [1]. Le calme revint peu à peu et les habitants qui s'étaient enfuis en Guinée portugaise rentrèrent en Casamance. Un poste de douane fut installé au mois de juillet, occupé par huit gardiens et quatre douaniers armés pour faire face à un éventuel coup de main.

Les Jamat et les Flup paraissaient soumis. L'impôt rentra à peu près, sans grandes difficultés, excepté parfois quelques réticences comme à Jembering en 1912. L'état d'esprit des populations fut cependant qualifié de « bon » et les Flup furent autorisés à célébrer à Usuy un gigantesque festin pour la nouvelle lune de mars 1913. Plusieurs milliers de personnes y participèrent et 200 bœufs furent sacrifiés. La présence d'un officier et de tirailleurs à Usuy avait été déterminante. Les Joola redoutaient les représailles auxquelles ils ne pouvaient échapper. Traqués par l'armée portugaise au sud de la frontière, l'exil en Guinée était une solution dangereuse et nécessairement provisoire. La soumission à la loi du plus puissant était inéluctable. Elle ne signifiait pas pour autant que les Joola étaient prêts à tout accepter.

b) *La résistance des Seleki et des Bayot*

Dans la région de Ziguinchor, le résident se heurtait à l'hostilité de deux groupes particulièrement rebelles, les Seleki et les Bayot.

Les Seleki avaient une réputation de rebelles obstinés. Maintes fois, ils avaient manifesté leur vigoureuse opposition et toute la Casamance avait encore en mémoire la mort tragique du lieutenant Truche, administrateur à Seju, tué au combat à Seleki en 1886. Plusieurs fois bombardé et razzié, Seleki était à l'avant-garde de la résistance. Avec ceux de huit autres villages, les habitants appartenaient au groupe Banjal-Seleki. Autonomes au niveau des villages, ils obéissaient cependant à un important ahan-bœkin, Sibaye Sondo, qui habitait à Esil [2].

[1] Archives du Sénégal, 13 G 380 et 1 D 170. Incidents de Yutu, mai 1909.

[2] Le groupe Banjal-Seleki comprend Banjal, Etama, Seleki, Enampore, Kamobeul, Esil, Brin, Bajat.

Les Seleki répugnaient à payer l'impôt et faisaient tout pour s'y soustraire. Chaque année, l'administrateur devait aller sur place entamer de longues palabres avec eux pour obtenir le respect de la parole donnée. Il ne se hasardait pas à pénétrer sans escorte sur leur territoire, car un coup de feu était vite parti et pouvait provoquer une fusillade générale. En temps habituel, le résident de Ziguinchor disposait d'un brigadier et de deux gardes. Aussi ses visites étaient-elles rares et s'effectuaient à l'époque de la perception de l'impôt en compagnie de l'armée. Sibaye Sondo avait été plusieurs fois emprisonné à Ziguinchor. A chaque libération, il promettait d'influencer ses fidèles dans la voie souhaitée par l'administration, mais comme aucun progrès n'apparaissait, le lieutenant Lambin, résident de Ziguinchor, pensa trouver une solution en proposant de le déporter à Podor ou au Gabon.

Les Bayot voisins étaient encore plus farouches. La plupart d'entre eux n'avaient jamais eu de contacts avec les Blancs. Retranchés dans leurs forêts, ils vivaient libres et entendaient bien le rester. Ils ignoraient le concept de l'impôt et n'admettaient pas que l'on vînt régulièrement leur enlever le riz, fruit de leur labeur. Pour le protéger, ils étaient prêts à se battre.

Au début de 1906, le résident Lambin convoqua à Ziguinchor tous les chefs de village de sa circonscription. Tous répondirent ou envoyèrent des délégués à l'exception de Seleki et d'Esil qui chassèrent les émissaires de l'administration. Le chef des Bayot Tupa envoya son fils Asan qui parlait couramment le wolof et un peu le français. Lambin pensa l'utiliser comme agent de l'administration. Les Bayot annoncèrent leur intention de payer l'impôt de 1906 dans un délai d'un mois et de payer l'arriéré de 1905 au village de Kailu, mais leur promesse resta lettre morte. Lambin, découragé, demanda que la 4e compagnie opérât avant l'hivernage, au sud de Ziguinchor dans les villages, jusqu'au paiement complet de l'impôt. En attendant, il fit arrêter le vieux chef Guitabarene de Seleki avec deux notables pour incitation au refus de l'impôt.

Au mois de mai 1906, la 4e compagnie de tirailleurs en garnison à Biñona, et qui venait d'opérer dans le Kombo et le Fooñi, arriva à Ziguinchor sous le commandement du capitaine Lauqué. Elle fut chargée de visiter les villages rebelles à l'impôt et d'en obtenir le paiement. La tournée eut lieu du 14 au 23 mai. Les tirailleurs marchaient à pied. Seuls le résident et le capitaine étaient à cheval. Un jeune adolescent de 14 ans, Tété Jaju, fils de Jalaman Jaju chef de Njaan près de Marsasum, participait à la tournée comme enfant de troupe. Il a pu, 60 ans plus tard, donner le témoignage suivant [1] :

La compagnie arriva à Brin le 14 mai et les habitants apeurés s'enfuirent en brousse. Le chef Kebo, ivre de vin de palme, fut impuissant pour les réunir. Comme la troupe s'installait, le chef apporta le lendemain plusieurs bœufs pour payer l'impôt. Le 16 mai, Jibonker reçut à son tour les tirailleurs à 7 heures du matin, mais le village était vide. Les Joola s'étaient réfugiés dans les bois avec leurs armes. La compagnie arriva à Seleki le 17, après avoir traversé Kamobeul et Enampore. Il était 11 heures du matin et le résident s'attendait à des difficultés car le village était dangereux. Peuplé de 700 habitants environ, il

[1] Christian ROCHE, *La mort de Jinaabo*, Notes Africaines, No 134, avril 1972.

possédait deux quartiers particulièrement hostiles, Baïban et Baken. Le premier convoqué par le capitaine à une palabre n'envoya que quatre individus. Lambin exhorta les villageois à se soumettre et les prévint que les tirailleurs resteraient à Seleki jusqu'au paiement intégral de l'impôt. Le capitaine Lauqué montra sa force en exhibant les caisses de munitions et avertit les Joola qu'il ne se laisserait pas surprendre comme le lieutenant Truche en 1886. Une seconde palabre fut prévue à 17 heures, mais personne ne se présenta. Lauqué donna alors des ordres pour passer la nuit et mit le camp en état d'alerte pour faire face à un éventuel coup de main.

Les Joola se préparaient en effet au combat. Ils avaient pour chef, un ahan-boekin redouté, Jinoeb Baaji, dit Jiñaabo ou Bigolo (éléphant), lié à Jamuyon, le dilambaj huluf d'Usuy. Desservant des boekin qui présidaient aux rites d'initiation, il marquait de sa sagaie les bœufs noirs qu'il voulait immoler pour les sacrifices. Guerrier valeureux, il était l'âme de la résistance parmi les Seleki. En cette soirée du 17 mai 1906, Jiñaabo participa à une assemblée de chefs réunis à Enampore. La décision fut prise d'attaquer le camp français pendant la nuit. Convaincu de son invulnérabilité, Jiñaabo avait l'intention de pénétrer dans le camp et de semer la panique. Ses compagnons avaient pour mission de refouler les tirailleurs vers le fleuve, où faute d'embarcations, ils devaient être tous massacrés.

A Seleki, près d'une grande mare, les soldats avaient installé leur camp sous les fromagers. Les tentes avaient été dressées à l'intérieur d'un rectangle protégé par huit sentinelles. Quatre étaient placées aux angles, les autres, mobiles, se déplaçaient sans arrêt. Afin de pallier à tout incident, le capitaine Lauqué, le lieutenant Devèrès, et le sous-lieutenant Yoro Jallo passèrent la nuit dehors sur des lits-picots.

Vers minuit, la sentinelle Dimingo Gomis entendit quelques bruits suspects au sud, à quelques mètres devant lui. Inquiet, il lança les sommations d'usage et fit feu sur une silhouette qui s'élançait sur lui. L'alerte immédiatement donnée, amena les tirailleurs à leurs postes de combat. Le capitaine se dirigea vers la sentinelle qui déclara avoir tiré sur un homme qui était tombé. Lauqué envoya chercher son photophore et se dirigea vers le lieu signalé. Il y trouva le corps ensanglanté d'un homme jeune et beau qui avait cessé de vivre. Le lendemain, le résident Lambin apprit que le grand ahan-boekin Jiñaabo avait été tué. Le désarroi le plus grand régnait dans le village qui assista à une nouvelle palabre. Les habitants firent leur soumission et commencèrent à payer l'impôt. Tout à leur douleur, les Seleki firent des funérailles splendides à leur héros, pendant que la compagnie poursuivait sa tournée vers Kamobeul. Le jeune fils de Jinaabo fut immédiatement exilé et caché par les chefs dans l'île d'Elubaline sur le Kamobeul-bolon, car ils redoutaient qu'il fût pris comme otage et envoyé à l'Ecole des fils de Chefs à Saint-Louis [1].

[1] La résistance de Jiñaabo est un fait prestigieux pour les Joola. Ils ont aujourd'hui donné son nom au lycée de Ziguinchor. En 1971, j'ai refait le trajet parcouru par la 4e compagnie, guidé par Tété JaJu qui m'a relaté le récit de la mort du dilambaj sur le lieu même où il a été tué. Puis en compagnie de son petit fils, j'ai pu voir le boekin de Jiñaabo installé sur un tertre, entouré d'une mare.

La tournée de la 4e compagnie donna toute satisfaction au résident Lambin qui accueillit, le 28 mai, le gouverneur-général Roume et le lieutenant-gouverneur Guy. La plupart des chefs désignés comme responsables par l'administration étaient présents et Lambin présenta à ses supérieurs un tableau plus optimiste de la situation. Le 14 juillet, la fête nationale française fut célébrée avec éclat à Ziguinchor et les chcfs joola convoqués à nouveau, assistèrent aux cérémonies à l'exception de ceux d'Esil qui furent condamnés à une amende. Le 19 septembre, Lambin revint à Seleki pour informer la population qu'elle aurait à payer en 1907 un impôt fixé à 4 francs par tête. Son arrivée coincïda avec la mort subite d'un ahan-boekin décédé le matin même et l'émotion fut considérable. Les habitants des deux quartiers hostiles de Baken et Baïban assistèrent très nombreux à la palabre. En rentrant à Ziguinchor, le résident s'arrêta à Brin et palabra avec deux quartiers sur quatre. Les chefs des deux carrés absents, Amaï de Jegele et Sirimaï de Butemu, influencés par l'ahan-bœkin Bure du quartier Butemu furent condamnés chacun à une amende de 50 francs. Dans l'ensemble, l'augmentation de l'impôt fut très mal accueillie et les Joola déclarèrent sans ambages qu'ils ne le paieraient plus.

L'administrateur supérieur Guyon avoua que les colonnes de police n'étaient pas très efficaces. « Comme les années précédentes, les colonnes de police n'ont pu que passer rapidement, impuissantes à imprimer dans l'esprit particulariste des indigènes, la notion d'une autorité permanente, l'idée d'une force qui tient presque tout le pays, à laquelle les fauteurs de désordre ne peuvent échapper et qui est en mesure de protéger les braves gens...

» En conséquence, depuis 8 ans que des circonstances pressantes ont mis les autorités locales dans la nécessité de recourir aux colonnes militaires de police, ce système a fait ses preuves qui sont à tous égards manifestement mauvaises. Conçu dans le but de procurer des résultats rapides, ses conséquences ont été peu à peu négatives. Il a décelé en outre d'autres graves inconvénients : c'est d'abord à la faveur d'un avantage tout à fait passager, le paiement de l'impôt, de donner l'illusion d'un progrès, d'empêcher en quelque sorte de voir clairement la situation. Ainsi dans le premier mois de l'année dernière (1905), avons-nous pu être portés à admettre une soumission définitive, l'impôt ayant été en partie recouvré, sous la pression des colonnes militaires, pour ces mêmes villages qui, dans les derniers mois, viennent d'affirmer une fois de plus leur esprit de résistance.

» Là où nos troupes ne sont pas passées, l'indigène se persuade aisément, les féticheurs aidant, qu'elles ont peur. Enfin le système crée dans les régions où passe la colonne une période de tension qui se traduit par une cessation presque complète de la traite.

» La pacification des groupements réfractaires serait donc par là, un perpétuel recommencement. Et d'une chose à l'autre ou bien nous devrons nous résigner pour le recouvrement de l'impôt de 1907, alors surtout qu'il est doublé, à de très fortes moins-values ; renoncer en même temps à toute évolution vers le progrès, à la création des liens de sympathie qu'il est pourtant dans les traditions de la France d'établir entre elle et les populations de ses possessions d'Outre-Mer ; à la tutelle qui s'impose à nous naturellement par l'amélioration de l'état matériel et le perfectionnement moral de nos protégés — ou bien pour percevoir l'impôt, devrons-nous recourir à nouveau aux colonnes de police et ainsi se creusera plus profond d'année en année le fossé qui sépare l'indigène de nous à moins que le progrès envisagé par vous d'occupation serrée et permanente, combiné avec l'extension des œuvres sociales ne soit mis à exécution sous le plus bref délai. [1] »

En février 1907, l'administrateur revint à Seleki et son impression fut mauvaise. Un seul chef, le vieux Guitabarene, semblait dévoué à la cause française, mais son autorité était nulle. Naïvement, l'administrateur s'étonna : « Les Diolas qui doivent payer en nature, sont surpris de la quantité de produits ou de têtes de bétail à fournir. Ils ne veulent pas comprendre le but de l'augmentation du taux de l'impôt. D'un autre côté, ils ne comprennent pas que les enfants qui ne peuvent pas travailler soient assujettis à la taxe. Seuls ceux au-dessous de 12 ans sont exonérés dans les territoires d'administration directe. [2] »

Les Joola qui redoutaient de nouvelles tournées de police, plaçaient leurs troupeaux et leurs réserves en riz dans les forêts. Chaque année, le même processus se renouvelait, ils tardaient à verser leurs contributions. Il fallait alors les menacer pour arriver à un résultat. Le gouverneur général Roume ordonna la déportation de Kupoti, chef bayot, à Matam pour deux ans, mais le dilambaj, qui résidait à Bukonu, échappa aux poursuites et s'enfuit le 4 mars au soir en Guinée portugaise, à Ilia, d'où il continua à entretenir la résistance passive [3]. Le lieutenant de vaisseau d'Arodes de Peyriagui, commandant l'aviso « L'Ardent », bombarda et incendia les villages de Seleki, Enampore, Kamobeul et Banjal en remontant le Kamobeul-bolon, le 8 mai 1907 [4]. Contraints, les Joola finirent par céder et apportèrent le fruit de leur travail.

En 1908, tout était à recommencer, les Bayot échappaient à nouveau à l'influence française et les Seleki proclamaient avec arrogance qu'ils ne devaient rien aux Français. Pourtant, le rendement de l'impôt personnel pour toute la Casamance augmentait chaque année, 602 911,69 francs en 1907 et 608 798,96 francs en 1908 [5], mais dans la résidence de Ziguinchor, les rentrées ne coïncidaient pas avec les prévisions, 11 609 francs sur 29 992 francs en 1909.

En 1910, les Bayot refusèrent de recevoir les émissaires africains de l'administrateur et toute tentative de négociation échoua. Du 29 octobre au 6 novembre, 40 tirailleurs, sous le commandement du lieutenant Benoit, effectuèrent une nouvelle tournée de police dans la région et occupèrent une fois de plus Seleki incendié sur l'ordre de Toupenay, administrateur supérieur par intérim. Il fut blâmé par le gouverneur général William-Ponty qui considéra que les tournées de police ne donnaient aucun résultat satisfaisant et durable [6]. Cela parut évident. Le traitement infligé aux Joola ne pouvait qu'accroître leur hostilité et leur détermination à résister. Mais en dehors des tournées de police, l'administration locale

[1] Archives du Sénégal, 13 G 378. Rapport de l'année 1906 par l'administrateur Guyon au lieutenant-gouverneur du Sénégal.

[2] Archives du Sénégal, 13 G 525. Rapport de l'administrateur de Ziguinchor, janvier 1907.

[3] Archives du Sénégal, 13 G 380. Affaires politiques.

[4] Archives du Sénégal, 13 G 375. Rapport au ministre de la Marine à Paris par le lieutenant de vaisseau d'Arodes de Peyriagui.

[5] Archives du Sénégal, 2 G 8 (34). Rapport de l'administrateur supérieur, décembre 1908.

[6] Archives du Sénégal, 13 G 380. Incidents de Séléki, 1910.

semblait à court d'imagination pour atteindre son but. En novembre 1911, les émissaires de l'administrateur supérieur Maclaud envoyés à Seleki furent chassés et menacés de mort et les Joola d'Esil subirent l'épreuve ordalique du tali, malgré l'interdiction formelle de l'administrateur [1].

En 1912, alors que les Seleki restaient toujours aussi hostiles, les Bayot versèrent 4000 francs d'impôt, ce qui surprit et ravit à la fois le Dr Maclaud, qui le signala dans son rapport en précisant que c'était la première fois depuis l'occupation de la Casamance [2]. Les chefs Bayot vinrent à Ziguinchor et ordre fut donné de les accueillir avec bienveillance, afin de diminuer leur méfiance à l'égard des Blancs. En 1913, ils payèrent l'impôt sans difficultés. Etait-ce le début de leur soumission? C'était mal les connaître et aucun administrateur ne se hasarda à l'affirmer. Les opérations de recrutement imposées par le gouvernement pendant la guerre de 1914 allaient mettre le feu aux poudres.

2. Les Joola de la rive nord ou Joola Fooni

Le Fooñi était loin d'être soumis. Plusieurs villages étaient irréductibles et comme sur la rive sud, le résident de Biñona parcourait le pays avec des tirailleurs. Le Kombo manquait de surveillance et, en 1905, l'administrateur supérieur proposa d'introduire dans la région le jeune Majedi Ture, fils de Fodé Silla, élevé à Saint-Louis à l'Ecole des fils de chefs, pour servir d'agent politique. La plupart des villages de la région de Jululu étaient habités par des paysans qui venaient du Kombo britannique et qui cultivaient l'arachide. Après la récolte, ils retournaient chez eux en Gambie. Pour réduire les foyers d'opposition de plus en plus agressifs, la 4e compagnie du 1er régiment des Tirailleurs sénégalais, dirigée par le capitaine Lauqué, effectua plusieurs opérations militaires dans le Fooñi et le Kombo, en 1906 [3].

Le danger le plus immédiat se situait dans la partie sud de la région des Jugut où trois villages importants, Balingore, Mandegana et Bagaya avaient esquissé une alliance défensive malgré leurs querelles intestines. Cet exemple était fâcheux pour les Français, qui cherchèrent à le supprimer. Jusqu'ici, les rivalités de village à village avaient empêché tout essai d'organisation, mais une réconciliation pouvait entraîner une coalition préjudiciable aux Français. En 1880, les Joola avaient montré leur force en s'unissant à Kañobon pour repousser une forte colonne conduite par un des frères de Fodé Kaba. Leur victoire avait été totale et la colonne entièrement anéantie. Le souvenir de ce brillant succès était resté gravé dans les mémoires et démontrait combien la résistance joola pourrait être plus efficace, si les liens de solidarité de ce peuple étaient plus étroits.

[1] Voir plus loin: « L'agitation des Balant en 1912 et 1913 ».

[2] Archives du Sénégal, 2 G 12 (63). Rapport mensuel de l'administrateur supérieur Maclaud, avril 1912.

[3] Archives du Sénégal, 1 D 170. Etude du rapport d'ensemble du capitaine Lauqué sur les opérations militaires exécutées par la 4e compagnie du 1er Régiment des Tirailleurs sénégalais du 24 octobre 1905 au 25 juin 1906.

L'effort du capitaine Lauqué se porta d'abord sur Balingore, où les habitants déclaraient à qui voulait l'entendre qu'ils n'avaient pas peur des Blancs qui n'avaient encore jamais osé séjourner chez eux. Pendant l'hivernage de 1905, leur audace s'accrut et ils affirmèrent aux émissaires du résident qu'ils étaient prêts à chasser les premiers Européens qui oseraient venir dans le village. Sans tenir compte des avertissements du résident de Biñona, ils attaquèrent à plusieurs reprises, Tenjeme et Tendimane, villages moins importants et moins réfractaires. Le mécontentement se généralisa et de nombreux Joola hésitèrent à venir porter l'impôt à Biñona.

Lauqué ne cherchait pas à détruire et à incendier. Intelligent, il voulait montrer sa force afin de ne pas être contraint à l'utiliser. L'opération eut lieu du 23 février au 3 mars 1906.

a) *L'occupation de Balingore*

Elle se fit sans effusion de sang. Lauqué interdit tout pillage aux tirailleurs et toute poursuite des habitants qui s'étaient réfugiés en armes dans la brousse. Il préférait leur laisser le temps de la réflexion. Peu à peu, ils se rapprochèrent du village et assistèrent par petits groupes à des palabres au cours desquelles le résident leur expliqua le but de la présence française (sécurité des personnes et des biens, etc.). La présence des tirailleurs, dispersés en petits groupes pour faire davantage de nombre, amena les Joola de Balingore à faire leur soumission. Lauqué ne fut pas dupe et savait très bien qu'à la première occasion, ils pouvaient se révolter. En attendant, il obtint les soumissions de Mandegana et de Bagaya, arrêtant pour un temps les tentatives d'union entre les trois villages.

b) *L'occupation de Suele*

Du 16 au 22 mars, l'effort se porta sur Suele, important village du Fooñi central et refuge d'un groupe rebelle actif. Lauqué appliqua la même méthode qu'à Balingore et la soumission se fit quartier par quartier avec autant de sincérité que dans le village précédent. Le résident de Biñona arriva à percevoir 2000 francs d'impôt en trois jours et régla à l'amiable de nombreuses réclamations pour vol. En outre, il reçut plusieurs chefs des villages voisins venus en curieux pour voir comment les habitants de Suele allaient résister, car ils avaient assuré au cours de l'hivernage précédent qu'ils chasseraient les Français de la région.

Du 30 mars au 21 avril, la 4e compagnie parcourut le Kombo où les villages de Bitibiti, Uangaran, Guinol et Kusabel faisaient acte d'indépendance. Extrêmement méfiants à l'égard des étrangers à cause des exactions commises par Ibrahima Njaay et Fodé Silla en 1887, ils avaient évité tout contact avec les Européens et étaient particulièrement agressifs à l'égard des voyageurs qui se hasardaient dans la région. Bitibiti fut occupé et ses habitants prirent la fuite. Quelques chefs furent capturés en brousse et le dialogue s'amorça avec eux, sans aucune brutalité. Rassurés sur les intentions des Français, ils informèment leurs partisans, et le village entier consentit à payer l'impôt, entraînant les autres groupes dissidents. La tournée s'acheva par la visite de Balandine, Katuje, Kaniaro, Sinjan, tous plus ou moins rebelles. Le capitaine Lauqué était conscient du résultat acquis et s'il était satisfait, il ne se faisait guère d'illusions sur la durée des soumissions obtenues. « Au point de vue pacification, il reste très probable que, comme du reste l'année dernière, la crainte du châtiment immédiat étant très dissipée dans la partie centrale du Fogny et dans les centres hostiles des résidences de Ziguinchor et d'Oussouye, les querelles et les brigandages vont recommencer pendant le prochain hivernage, les populations ne se pliant que difficilement à l'autorité, même lorsque celle-ci est appuyée par des forces militaires assez importantes.[1] »

c) *La résistance de Kartiak*[2]

Les gens de Kartiak n'avaient encore jamais intégralement payé l'impôt et se moquaient de leurs voisins qui acquittaient leurs redevances, les traitant de lâches et les accablant de sarcasmes et de vexations. En 1905, malgré le passage d'une colonne de 140 hommes dirigée par le capitaine Pontich, ils avaient refusé de céder leurs armes et n'avaient presque rien payé. De l'année 1906, ils devaient encore 1000 francs et en 1907, ils proclamèrent très haut qu'ils ne paieraient plus. Pour mettre fin à cette rébellion, le lieutenant-gouverneur du Sénégal, Camille Guy, décida d'installer un poste administratif à Kartiak comme à Sinjan et Balandine. Dès qu'ils apprirent la nouvelle, les Joola, et surtout leurs femmes, immolèrent un bœuf, offrirent son sang aux boekin et jurèrent que jamais ils ne permettraient aux Européens de s'installer chez eux. Le capitaine Lauqué, qui était en tournée chez les Jugut pour percevoir 7300 francs d'impôts, quitta Janki le 18 mai 1907 à midi pour se rendre à Kartiak, malgré les conseils de prudence du chef qui contrairement à l'habitude, ne l'accompagna pas et le laissa aux limites des rizières de Kartiak. Lauqué arriva à 14 heures et trouva le village désert. Il s'installa sur un grand espace découvert entre les quartiers des chefs hostiles et un autre favorable aux Français. Un de ses interprètes partit chercher un Joola qui avait une grande influence sur le quartier de Jatumbul, le plus puissant et le plus hostile. Le Joola arriva à persuader ses amis de se tenir tranquilles et à payer l'impôt.

L'après-midi, le capitaine reçut 2800 francs sur les 4500 que le village devait payer et obtint la promesse que le restant serait versé dans le délai de quelques mois. Ce délai fut accordé à la condition que, moyennant un bon salaire, le village participât à la construction du poste qui avait été décidée par le gouverneur. Un cotre, qui transportait de Seju des briques sèches, venait justement d'arriver au débarcadère. Lauqué voulut tester la bonne volonté des habitants et il leur demanda de prêter leur concours pour effectuer le débarquement des briques le lendemain. Le lendemain après-midi, les gens vinrent par petits groupes. Le capitaine leur expliqua encore une fois le but pacifique de la création du poste. Après une discussion entre eux, un chef vint dire que les habitants ne voulaient pas décharger les matériaux, ni permettre la construction du poste. Les palabres reprirent et certains quartiers finirent par accepter. Le capitaine quitta le village le soir même pour Cobon et Mlomp après avoir envoyé des ordres à Biñona

[1] Archives du Sénégal, 1 D 170. Rapport du capitaine Lauqué, septembre 1906.
[2] Archives du Sénégal, 13 G 380, 1 D 170.

pour faire venir un détachement de vingt hommes à Kartiak, afin de commencer la construction du poste sous la direction de l'adjudant Malleval.

Le 20 mai, le chef laptot laissé à Kartiak arriva à Mlomp pour informer le capitaine que les habitants avaient débarqué une partie des briques mais qu'ils refusaient de continuer. Lauqué envoya son interprète qui, au cours d'une nouvelle et longue palabre, persuada les Joola de reprendre le travail. L'adjudant Malleval obtint leur concours pour la construction de six cases, puis ils renoncèrent à poursuivre la tâche, obligeant le sous-officier à solliciter de la main-d'œuvre dans les villages voisins. On imagine l'action des influences antagonistes qui tantôt incitaient les villageois à la conciliation, tantôt à la résistance. Chaque tendance essaya de l'emporter et les discussions se poursuivirent fort tard dans la nuit.

Les tirailleurs furent mis en quarantaine par la population. Ils ne pouvaient acheter aucune provision, ni riz, ni œuf ou poulet et étaient parfaitement isolés. Soudain, dans la nuit du 18 au 19 juin, vers minuit et demie, plus de trois cents Joola attaquèrent le poste par surprise. Le but de l'entreprise était de tuer l'adjudant, disperser les tirailleurs, marcher sur Baïla et Biñona pour se débarrasser des Français. Grâce à la vigilance de la sentinelle, l'assaut fut repoussé après une heure de lutte. Un renfort de 25 hommes arriva le 20, vers minuit, sous le commandement du lieutenant Duval. Il chercha à déterminer les responsabilités individuelles avec les chefs de quartier et le calme revint peu à peu. Mais le 24 juin au matin, une nouvelle attaque d'une extrême violence causa deux tués et huit blessés parmi les tirailleurs et une cinquantaine de morts chez les Joola qui attaquèrent dans un désordre téméraire. Le 25, le médecin aide-major, Le Roy, arriva par voie de terre avec une escorte de 10 hommes. Le 27 au matin, un remorqueur de la Société commerciale amena l'administrateur supérieur Guyon, le capitaine Lauqué, 34 tirailleurs et des munitions. La population de Kartiak avait déserté le village. Le 28 à midi, le capitaine prit l'offensive. Il essaya de disperser les groupes armés qui s'étaient abrités dans les fourrés, entre le poste et les quartiers révoltés. Devant l'avance des tirailleurs, les Joola se retirèrent de la forêt. L'opération se poursuivit le 29 et le 30 sous la direction du lieutenant Duval. Des bœufs et du riz furent saisis à titre de gage de l'impôt et de l'amende à infliger au village.

Le 1er juillet, l'administrateur supérieur et le capitaine rejoignirent Biñona. Le lieutenant Duval fut chargé de détruire les abris provisoires que les Joola avaient installés dans la brousse. Les rebelles étaient irréductibles et encouragés dans leur résistance par les femmes fanatisées par les dilambaj. Du 9 au 11 juillet, des reconnaissances découvrirent en forêt plusieurs campements de Joola en armes qui formaient un demi-cercle autour du poste. Certains furent détruits le 9 juillet par un détachement commandé par l'adjudant Stattner. Quatre Joola et quatre femmes furent arrêtés. Le 11 juillet, une seconde reconnaissance, dirigée par le lieutenant Duval captura 19 Joola qui remirent leurs fusils. Le 12, les quartiers rebelles de Jongol, Jatumbul et Butengalul firent leur soumission et livrèrent leurs armes, soit 174 fusils dont plusieurs perfectionnés. Le capitaine Lauqué finit par apprendre que cette attaque avait été décidée depuis longtemps et que la plupart des villageois voisins attendaient la victoire de Kartiak pour se soulever à leur tour. Les meneurs, les chefs Janganbasene, Ajalip Bungen et Jasalino, grand ahan-boekin de Jatambul, furent arrêtés.

L'administrateur supérieur Guyon attira l'attention du gouverneur Camille Guy sur le rôle néfaste des Jula dans cette affaire « qui font courir les bruits les plus mensongers, avivant contre les Français la méfiance naturelle des indigènes et les poussant à la résistance ouverte en leur fournissant de la poudre, des fusils, des capsules introduites en fraude de Gambie. Ces individus, qui exploitent la naïveté et la crédulité du Joola ont vu dans le fonctionnement régulier de notre administration la fin de leurs opérations illicites. J'ai constaté par moi-même, au cours de ma dernière tournée dans le Fogny, au grand marché de Sindian, combien les diulas abusent de l'ignorance de la population. Ils ont eu soin de maintenir le système des transactions par échange en nature et c'est ainsi qu'ils paient 1 franc de caoutchouc avec 30 centimes de riz »[1]. Le 29 février 1908, le gouverneur général infligea une amende de 5000 francs à la population de Kartiak pour fait d'insurrection.

La crise qui frappait le caoutchouc en 1908 provoqua la rareté du numéraire et rendit difficile le recouvrement de l'impôt. La situation politique était satisfaisante, sauf pour les groupes de Balingore, Mandegana et Bagaya toujours hostiles. Le capitaine Lauqué poursuivit ses efforts pour dissiper leur méfiance, mais il quitta la Casamance le 15 juillet pour Dakar afin d'être rapatrié. Démobilisé, il revint dans la région en février 1912 pour créer, dans le Kombo, près de Jululu, une plantation de maïs et de ricin en association avec un ami, l'ingénieur Dutch.

En dépit des difficultés, l'administrateur supérieur Maclaud estima que la situation s'améliorait en 1909, car les Joola n'hésitaient plus à s'adresser au résident de Biñona et apportaient de plus en plus leurs litiges devant le Tribunal de la province. En juillet 1911, il tenta une expérience audacieuse dans la mesure où ses prédécesseurs s'y étaient toujours refusés. Il profita du changement de résident à Biñona (le capitaine Albin remplaça le lieutenant Javelier) pour se passer des notables malinké qui jusqu'ici servaient d'intermédiaires entre les Joola et l'administration. Les chefs autochtones se montrèrent satisfaits de ne plus être tenus au second plan et la mesure parut donner de bons résultats. Les Joola du Kombo en profitèrent pour demander le départ des chefs malinké musulmans.

d) *L'incident de Niankitte (juin 1912)* [2]

Au début de l'hivernage, une dispute éclata entre les Joola de Niankitte et ceux du quartier Bujakene du village de Sinjan, pour la possession d'une rizière située entre les deux villages. L'incident était banal. Le 26 juin, les habitants de Sinjan sous la conduite du chef Sirinjan, vinrent exposer le litige au chef de poste intérimaire, le tirailleur de 1re classe, Bala Mangasa. Celui-ci, au lieu de

[1] Archives du Sénégal. Rapport de l'administrateur supérieur Guyon au gouverneur. 1 D 170 juillet 1907.

[2] Archives du Sénégal, 2 G 12-63. Rapport du lieutenant Javelier, résident du Fogny, sur l'incident de Niankitte.

se borner à rendre compte au résident de Biñona, se laissa entraîner par un de ses hommes pour tenter de régler le différend sur le terrain. Le 27, au cours de la palabre à Niankitte, une fusillade éclata qui tua trois tirailleurs et blessa le chef de poste au visage. Averti le 28 au soir, alors qu'il était en tournée, le résident arriva sur les lieux le 29 au matin avec 80 fusils. Après avoir rassuré le village et traqué les coupables, le calme fut rétabli et le village désarmé quand survint la nouvelle rébellion de Suele.

e) *La nouvelle rébellion de Suèle (juillet 1912)* [1]

Suele avait mauvaise réputation et les rixes avec ses voisins étaient fréquentes. Au mois de juin 1912, Katuje avait eu un quartier incendié. Suele avait donné asile à deux Joola compromis dans le meurtre des trois tirailleurs à Niankitte et refusait de les livrer. Les deux fugitifs préférèrent se cacher dans la brousse, mais le premier se fit prendre et il fut envoyé en prison à Ziguinchor. Le second, un gosse de 14 ans, s'était réfugié dans la forêt avec sa mère. Comme les Joola de Niankitte étaient leurs parents, l'administrateur supérieur considéra l'incident comme clos, mais conformément aux ordres du gouverneur, il décida de désarmer le village.

Le 1er août, le lieutenant Javelier envoya un émissaire joola prévenir les habitants que l'administrateur viendrait palabrer le lendemain matin. Il insista sur le fait que ses intentions étaient pacifiques. Le 2 août, le lieutenant arriva au village à 7 heures, après avoir laissé les tirailleurs à la lisière de la forêt. Sur les instances de l'interprète, les Joola qui voyaient l'officier sans armes et seul, acceptèrent de discuter. Le lieutenant demanda aux représentants de chaque quartier de restituer les animaux et objets dérobés dans un délai de vingt-quatre heures pour qu'ils fussent remis à leurs propriétaires. Pour sanction, ils devaient livrer un nombre de fusils proportionnel à l'importance de chaque quartier. A 14 heures, tous les produits et animaux furent amenés avec 62 fusils. L'affaire se régla donc sans effusion de sang.

A la veille de la guerre de 1914-18, le Fooñi n'était pas encore soumis. Certes, le calme régnait dans l'ensemble, mais un incident grave pouvait tout remettre en question. Déjà les rumeurs sur des opérations de recrutement pour le Maroc qui avaient lieu dans le Pakao, affolaient certains Joola du Kombo qui, proches de la frontière, se déplacèrent provisoirement avec leurs familles en Gambie. Le début de la 1re guerre mondiale en Europe allait avoir de profondes répercussions en Basse Casamance sur le plan politique.

Les résistances joola étaient le reflet de la structure de la société et de son niveau de culture. Ce n'était pas un peuple en armes, homogène et uni derrière un chef qui luttait contre un envahisseur organisé et puissant, mais des foyers d'opposition qui réagissaient vigoureusement à une implantation politique, économique et culturelle très différente. Cette société caractérisée encore par le lignage, très individualiste, et jalouse de son autonomie, pouvait difficilement vaincre un adversaire techniquement et socialement mieux organisé.

[1] Archives du Sénégal, 13 G 381. Rapport du lieutenant Javelier, 22 juillet 1912.

Chapitre 3

La Moyenne et Haute Casamance (1900-1914)

1. La résignation des Malinké

La mort tragique de Fodé Kaba en mars 1901 fut le dernier acte de la résistance armée des Malinké de Moyenne Casamance. Avec le marabout disparut le dernier grand conquérant casamançais du XIXe siècle, vaincu par les canons de l'envahisseur étranger. Les Malinké renoncèrent à la guerre pour se consacrer essentiellement au commerce, aux cultures et au prosélytisme religieux. Aux marabouts conquérants, amateurs de guerre sainte, succédèrent des chefs religieux pacifiques soucieux d'étendre l'islam et leur influence sur les populations païennes. Leurs méthodes furent plus efficaces que celles de leurs prédécesseurs. L'islam fit d'énormes progrès et les Joola, notamment ceux du Fooñi, se convertirent en masse à la religion du Prophète.

Les pays malinké étaient devenus les fiefs de quelques marabouts puissants et pacifiques. La plupart n'étaient pas d'origine manding et casamançaise. L'un d'eux, Chérif Yunus, établi à Sandiñiéri depuis 1888, était originaire du Uadaï, son gendre Chérif Maxfud se partageait entre Binako en Casamance et Geba en Guinée portugaise ; Chérif Sidi, métis de maure et de noire exerçait son influence sur le Pakao et le Gaabu portugais. Seul Fodé Kajali, fils de Kemo Maja, était d'origine casamançaise. Il continuait à exercer ses activités dans le canton de Njama dont il devint le chef [1].

Chérif Yunus naquit à Abéché dans le Uadaï, vers 1850. Il fut le créateur du centre le plus important de l'islam étranger parmi les Malinké de Casamance. Initié à Abéché par Cheikh Ahmed Tidjani, il eut des liens religieux étroits avec la Mauritanie, mais aussi avec le centre tidjane de Tivaouane animé par El Haj Malik Si. Ses talibés étaient surtout des Malinké casamançais, mais aussi gambiens et guinéens. Il était vénéré par de nombreux Wolof, Toucouleur et Peul du nord Sénégal.

En octobre 1904, il effectua une tournée en Basse Casamance, qui l'amena jusqu'à Elinkine et Jembering. Sa présence attira les animistes sur son passage,

[1] Archives du Sénégal, 13 G 67. Consulter Fay Leary, *op. cit.*, p. 216-242.

et son voyage eut un succès de curiosité certain. Fin 1905, il abandonna Sandiñieri pour aller vivre un an en Guinée portugaise. Ce départ volontaire surprit car il avait de bonnes relations avec les Français. Il semble que cet exil fût dû à des sentiments d'inquiétude éprouvés par le marabout après le départ de l'administrateur en chef Aubry-Lecomte et avant l'arrivée de son successeur titulaire, Guyon. Yunus était en rivalité avec Chérif Maxfud, qui avait été invité à rentrer de Guinée portugaise par Brocard, administrateur-adjoint de Seju. Maxfud obtint l'autorisation de s'installer à Binako en 1908 sur des terrains mis à sa disposition par l'administration française et il s'y installa au mois de juillet avec une centaine de talibés. Il finit par rencontrer Chérif Yunus en août 1909 au cours d'une cérémonie solennelle où ils se congratulèrent mutuellement, mais les Français furent sceptiques sur la durée de l'entente à cause de leur jalousie réciproque. A son tour, Chérif Yunus fonda en 1911, avec l'assentiment des populations, un village de culture à Banguere, sur la rive droite du marigot de Tanaf, pour mettre en valeur des terres qui lui avaient été concédées. En 1913, quand on annonça les premières opérations de recrutement de volontaires dans le corps des tirailleurs pour le Maroc, une véritable panique s'empara de la population qui refusa énergiquement de se laisser enrôler. Yunus en profita pour lancer une grande campagne de prédications pour combattre le laxisme de certaines coutumes musulmanes et leur syncrétisme avec des pratiques païennes. Il déclara avoir vu en songe le grand Cheikh Abd el Kader Jilani qui lui demandait de prévenir tous les musulmans de la région, qu'ils seraient châtiés s'ils persistaient dans leurs erreurs. De nombreuses prières et aumônes furent prescrites en guise de pénitence. Pour obtenir quelques conscrits, l'administrateur de Seju sollicita le concours des marabouts, de Negue Konate, chef du Buje et d'Ibrahima Dumbuya fils aîné de Fodé Kaba rentré de déportation en 1912 et installé à Inor sur le Soungrougrou. L'attitude compréhensive de Chérif Yunus lui attira une certaine froideur de la part des chefs du Pakao, mais des palabres mirent fin à cette brouille et le marabout reçut des excuses.

Chérif Mamadu Maxfud, de race maure, était né à Alaundu près de Ualata, dans le Hodh en 1855. Il appartenait à une importante famille maraboutique et il était le fils de Taleb Khiar, neuvième fils de Mohamed el Fadel, fondateur et chef de la confrérie maraboutique Fadeliyya [1]. Avant de s'établir en Casamance, Maxfud fit des études en Mauritanie, à Tichit, Ualata, Tagant, Chinguetti. Pendant cette période d'instruction, il voyaga souvent au Sénégal où il sollicita des aumônes pour son oncle paternel, Cheikh Saad Bu, héritier des enseignements et traditions de son père Mohamed al Fadel. Il parcourut la Casamance en 1877 et fonda Darsilame, alors Nara, dans le Fooñi en 1900. Selon son fils, Chérif Chamsedin, il aurait rencontré Cheikh Amadu, fils d'El Hadj Omar, à Nioro et Samori Ture à Uasalu en 1893, comme intermédiaire entre Archinard et le chef jula. En 1897, il rendit visite à son cousin Chérif Abbas dans le Voyi portugais et s'installa sur le rio Geba, dans la province du Kanadugu, de 1898 à 1901, à la demande de Mamadu Pata, frère de Modi Selu Koyade, chef du Gaabu portugais officiel.

[1] La Fadeliyya est une filiale de la Khadria dont le fondateur mourut dans le Hodh en 1869.

En 1905 et 1906, il essaya de jouer un rôle de médiateur entre les Portugais et les Voyinké en rébellion. Il échoua et obtint l'autorisation d'entrer en Casamance où il s'installa en 1908, à Binako, bien placé entre ses talibés du Voyi, du Brasu portugais, du Pakao, et les communautés joola du Kombo britannique et du Fooñi. Il souhaitait convertir les Balant, mais échoua dans cette entreprise. En 1908, sa communauté de Binako était à la fois spirituelle et économique. Ses 150 talibés cultivaient du mil et du riz. Il reçut en 1911 une consécration, avec la visite du leader de sa Confrérie, son oncle Cheikh Saad Bu.

Chérif Sidi ou Sidi Mohamed Aïdara naquit dans le Niani anglais (Gambie) vers 1850. Son père, Mulay Bu Bubakar, déjà métis de maure et de noire, né à Tichit, s'était enfui à la suite de mauvais traitements exercés par ses maîtres chorfas pour venir se réfugier à Nioro-Sahel. Après avoir voyagé à travers le Buundu, le Niani-Uli, la Haute Casamance et le Gaabu portugais, il avait épousé une malinké qui lui donna un fils, Sidi, né à Dabo dans le Niani. Sidi étudia auprès des Maures de Mbur, puis chez Saad Bu, chef de la Fadeliyya, puis voyagea dans le Kayoor, le Baol, le Sine-Salum, le Bambuk et fonda des communautés à Tanaf et Kerevane en Moyenne Casamance, près de Seju. Il vivait en mauvais termes avec Chérif Maxfud pour des raisons d'influence.

Le seul marabout casamançais qui conservait quelque autorité était Fodé Kajali, fils de Kemo Maja, ancien rival de Fodé Kaba. Né à Njama-Yasin vers 1850, il fut éduqué par le marabout Karen-Kutuba de Tuba en Guinée française. Khadria, il fonda le village de Bakadadji près d'Inor, en 1890, et voyagea quelques années au Mali. Pendant son absence, Chérif Yunus réussit à faire nommer un de ses talibés comme chef de Bakadadji et les Français s'opposèrent alors au retour de Kajali dans son village, qui s'établit à Njama. Par la suite, Chérif Yunus abandonna son attitude hostile à Fodé Kajali quand il se rendit compte qu'il ne pouvait rivaliser avec lui dans la région du Yasin. En 1908, Chérif Sidi accepta la fonction de chef de canton que lui offrait l'administration, ce qui lui aliéna des sympathies parmi les notables malinké. Il partit la même année en pèlerinage à la Mecque par Marseille, Alexandrie et Haïfa.

Un dernier marabout possédait de la notoriété. C'était Chérif Bekkaï, né à Bingene en Guinée portugaise, vers 1858. Fils d'une mère malinké et demi-frère de Maxfud, il était talibé de Cheikh Saad Bu et membre de la confrérie Fadeliyya. Principal représentant de l'islam mauritanien au Fulaadu, il vivait parmi les Peul, mais avec un fort entourage malinké. Conseiller de Muusa Moolo, il partit avec lui en exil en Gambie, en 1903, mais ne tarda pas à rentrer en Casamance pour résider à Nioro, canton de Manigui. Les Français le considéraient comme un bon vivant, préoccupé de ses intérêts matériels.

Tous ces grands chefs religieux renoncèrent à toute action de guerre sainte et organisèrent leurs activités dans un but de prosélytisme religieux essentiellement pacifique. Les progrès de l'islam furent incontestables dans le Fooñi. Etroitement surveillés par l'administration qui redoutait leur influence, ils savaient que leur liberté ne tenait qu'à leur docilité et à une absence de toute ingérence dans les affaires politiques. Au contraire, leur attitude compréhensive était un gage sûr d'avantages matériels non négligeables octroyés par l'administrateur supérieur; concession de terres, facilités pour circuler. Les rivalités personnelles étaient habilement entretenues par le pouvoir colonial qui, fidèle à son principe, divisait pour mieux régner. Chaque marabout savait que toute entrave à son influence profitait à ses rivaux et l'administrateur supérieur faisait en sorte que toute faveur accordée à l'un, fût immédiatement connue de tous les autres.

De 1900 à 1914, les pays malinké entrèrent dans une période de résignation. Les rapports mensuels des administrateurs signalaient presque toujours les mêmes rubriques: « Rien à signaler », « Situation politique excellente ». Les impôts rentraient normalement [1]. Les Malinké semblaient épuisés par de longues années de lutte. La disparition de leurs chefs les plus valeureux, l'inanité de leurs efforts et de leurs espérances les avaient plongés dans un état de passivité morose. Ils subissaient en silence la loi du vainqueur. Ce fut le temps de l'assujetissement, épreuve amère mais aussi source de cohésion et d'unité.

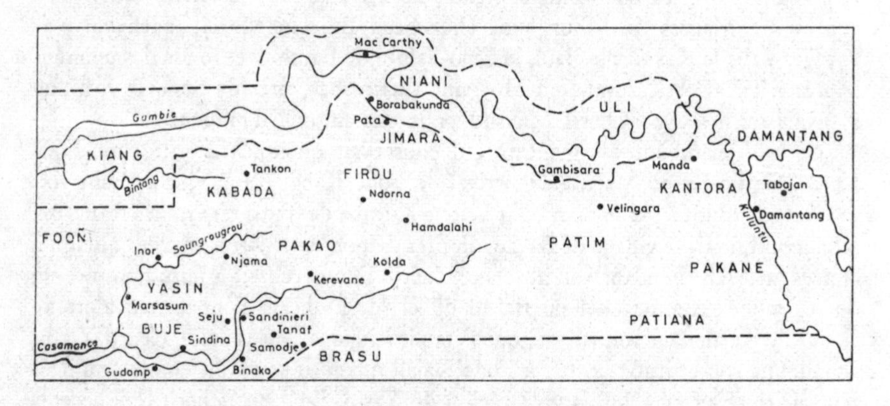

Fig. 30. Les pays malinké et le Fulaadu (1900-1914).

2. Le Fulaadu après la chute de Muusa Moolo

Le premier moment de stupeur passé, la nouvelle du départ de Muusa Moolo en Gambie ne suscita aucun remous et sembla au contraire créer un véritable soulagement chez la plupart de ses sujets. De nombreux émigrés rentrèrent de Gambie et de Guinée pour retrouver leurs villages. Les langues se délièrent et le résident de la Roncière, établi à Hamdallahi, recueillait chaque jour des récits sur les exactions et la cruauté de l'ex-roi. C'est ainsi que quelques mois auparavant, il avait renvoyé les déportés du Fooñi, sujets de Fodé Kaba, que le colonel Rouvel lui avait confiés après la prise de Medina. Au nombre de trois cents, ils avaient fini par le gêner, car le paiement de leur solde ne lui était pas versé, alors qu'il espérait l'utiliser à son profit. Mais s'il avait libéré les hommes, il s'était bien gardé de rendre toutes les femmes et les enfants, distribués ou vendus un peu partout en Guinée, Gambie, ou enfermés dans ses saniés

[1] Archives du Sénégal, 2 G. Rapports mensuels 1900-1914.

d'Hamdallahi et de Ndorna. Un nommé Meisa Dabo, parent des Dabo meurtriers des officiers anglais à Sankandi en 1900 [1], fut recueilli au poste d'Hamdallahi porteur d'une large entaille au cou, à la suite d'une tentative de suicide. Le malheureux déclara que son geste avait été inspiré par la perte de toute sa famille. Sa mère avait été donnée par Muusa Moolo au chef Pate Jide de Kento, province du Patim, sa sœur Tako Siise, sa femme Ude Dafe et sa petite fille Tako Dabo avaient été prises par le roi. La sœur avait été mise enceinte, puis donnée au chef du village de Kuti sur la route de Mac Carthy. Sa femme et sa fille avaient été emmenées en Gambie [2].

Muusa Moolo laissa donc peu de regrets et aucun mouvement armé ne se manifesta en sa faveur. On redouta, au contraire, un éventuel retour et des précautions furent prises pour s'y opposer. Son fils aine Kefuta, en désaccord avec lui, rentra en Casamance, mais il en profita pour suivre son exemple et se livra à des exactions en parcourant le pays avec 90 cavaliers. Il fut arrêté et incarcéré à Kolda en attendant d'être déporté dans le nord Sénégal. Il réussit à s'évader en janvier 1905, grâce à la complicité du brigadier Sidi Ba, chargé de le surveiller, et se réfugia en Guinée portugaise à Morbentan. La population d'Hamdallahi craignait toujours un éventuel retour offensif de son ancien maître, car tous ses propos étaient interprétés. Muusa était réfugié à Borabakunda où il venait de faire circoncire cent de ses enfants. Il déclara au cours de la cérémonie que c'était la première et dernière fois que la circoncision avait lieu dans ce village. Il n'en fallut pas plus pour créer l'émoi et une psychose de peur chez ses anciens sujets. Le résident eut pour mission de rassurer les populations et favoriser l'immigration dans cette région étendue et si peu peuplée. Il emprisonna le chef Yoro Bula du Patim pour ses exactions et détournement de l'impôt et installa, à la satisfaction générale, Mamadu Salif, bien connu dans la région. L'immigration s'effectua de Guinée portugaise et de Gambie, mais aussi du Fuuta Jaloo où trois villages du Bajar s'établirent dans le Pakane en mai 1905.

Le calme régnait. Tous les chefs de province, à l'exception du chef de Jalaba, continuaient à se montrer fidèles à l'administration. Les agents de Muusa étaient traqués, car ils cherchaient à s'immiscer dans les affaires intérieures des provinces. Le grand problème était avant tout économique. L'éloignement de Kolda ne facilitait pas les transactions commerciales. Il n'existait, en 1904, qu'un seul commerçant européen, M. de Lamothe, boutiquier qui travaillait pour une maison de Seju. Les produits étaient ramassés par les Jula au profit des comptoirs de Gambie et de Guinée portugaise. Trois Européens seulement vivaient au Fulaadu ; le résident, le commerçant, et un colon, M. Fauque qui cultivait le coton à Kanjon. L'isolement était pénible et le résident de la Roncière réclama des auxiliaires pour administrer un territoire aussi étendu. Kolda, principal village, se composait de deux parties, la plus grande était occupée par un ensemble de captifs libérés et dirigés par un affranchi, Yéro Ja (Dia). La seconde, qui avait pour chef Koli, se divisait en deux carrés fula qui possédaient une vingtaine de têtes de bétail.

[1] Voir 2e partie, chapitre 6.

[2] Archives du Sénégal, 13 G 550. Dossier confidentiel sur Muusa Moolo. Rapport du résident Riemban, 11 octobre 1902.

En mai 1907, l'alerte fut donnée pour empêcher tout passage de Muusa Moolo qui cherchait à gagner la Guinée portugaise. Il avait écrit deux fois au gouverneur de la colonie portugaise pour solliciter une autorisation qui avait été refusée. Néanmoins, comptant sur la faiblesse des Portugais et l'amitié du chef du Sama, Yero Ndeng, il avait fait commencer le transport de ses affaires.

Le 26 août 1908, à 11 heures, le gérant René Njaay de la poste de Velingara, informa par télégraphe le résident Charles de la Roncière, qu'un marabout saraxolé, Suleimane Bayaga du village de Gambisara, venait d'incendier le petit village peul de Tabajan, dans le Niani-Uli, et qu'il menaçait Manda, chef-lieu de la province du Kantora [1].

Fodé Suleimane Bayaga avait environ 60 ans. Après avoir reçu dans sa jeunesse son instruction religieuse dans le Buundu où il avait vécu de longues années, il avait séjourné dans le Guidimaxa. On le retrouve en 1888 dans le Kantora, puis dans le Bajar. C'est sur ses conseils que Bamba Dalla, roi du Bajar, aurait attaqué le capitaine Baurès, allié de Muusa Moolo, à Parumba, en juillet 1894. Recherché par Muusa Moolo, il fuit en Gambie, pour se réfugier au Damantang en 1903, à la suite de l'exil du roi du Fulaadu.

Le Damentang était une région quasi déserte, peuplée seulement de 500 habitants répartis en deux villages; Damantang occupé par 270 Malinké et Tabajan, habités par des Peul musulmans et païens. Dès son arrivée, Bayaga demanda au chef et fondateur de Tabajan, Uri Mane, l'autorisation de s'installer près de son village. Uri Mane accepta et un nouveau petit village se forma sous le nom de Tuba Saraxolé.

En 1906, Bayaga voulut construire une mosquée. Il rendit visite à Arfan Niabali, chef de la province qui l'envoya auprès de M. Portes, administrateur de Maka. Celui-ci refusa la construction. Peu à peu la discorde se développa entre Tabajan et Tuba, distants de 200 mètres, et le marabout interdit toute réjouissance publique aux Peul, les accablant de vexations pour les obliger à émigrer. Uri Mane ne se laissa pas intimider. En janvier 1908, à la suite du départ de l'administrateur de Maka, le marabout en profita pour inviter de nombreux saraxolé des régions voisines à venir construire la mosquée, mais le nouvel administrateur, M. Lambin, donna l'ordre de détruire l'édifice. Le 20 mars, le lieutenant-gouverneur Guy ordonna à l'administrateur Brunot de détruire la mosquée et d'arrêter le marabout en cas de résistance. Bayaga s'enfuit alors à Misira en Gambie britannique et la mosquée fut démolie en avril par des Peul et des Malinké de Damantang. En représailles, Bayaga et ses talibés attaquèrent, le 25 avril, le village peul de Tabajan, massacrèrent la population, razzièrent le bétail et incendièrent les cases. Dès l'annonce de la tragédie, les Français prirent des mesures pour capturer le marabout.

Une colonne militaire de 150 hommes, 3 officiers, 6 sous-officiers, une section d'artillerie de 50 hommes accompagnée de 250 porteurs, quittèrent Bakel pour la Haute Gambie sous le commandement du capitaine Viard. L'administrateur Noirot, alors à Yukunkun en Guinée française, fut nommé par le gouverneur général, délégué du pouvoir administratif auprès de la colonne. Prévenu le

[1] Archives du Sénégal, 13 G 74. Dossier sur le marabout Bayaga.

14 septembre, il arriva le 20 au soir à Damantang, distant de Tabajan d'une vingtaine de kilomètres. Son premier objectif était d'empêcher le marabout de traverser la Gambie et son affluent la Kuluntu. Dans ce but, le résident du Fulaadu, Charles de la Roncière, après avoir informé l'administrateur supérieur de Casamance, le Dr Maclaud, et obtenu confirmation de l'administrateur du Niani-Uli, se déplaça le 30 août dans le Kantora avec six gardes. Il fut accueilli dans la capitale Manda par des Peul surexcités par le massacre de leurs frères et ils accusèrent les chefs saraxolé de deux villages voisins, Medina Kokum et Timindala, de faire cause commune avec le marabout. Pour éviter tout incident, de la Roncière occupa les deux villages et les désarma avec 50 partisans de Dabo Bande, chef peul du Kantora.

Dabo Bande fut envoyé sur les rives de la confluence Gambie-Kuluntu pour couper toute communication entre Bayaga et les Saraxolé. Quatre postes furent installés avec cinquante hommes chacun. Le lieutenant Duval fut chargé de surveiller la frontière gambienne à partir de Velingara.

Le 6 octobre, la colonne française franchit la Gambie sur des sélélé (radeaux) et arriva le 11 au soir à 8 kilomètres de Tabajan. L'assaut du camp de Bayaga transformé en forteresse fut donné le 12 à 6 heures du matin et débuta par des tirs d'artillerie. La résistance fut très vive et surprit les assaillants qui perdirent sept tirailleurs et déplorèrent de nombreux blessés. Noirot fut lui-même blessé au genou. Mais le camp fut pris à 12 h 30 avec beaucoup de difficultés, admirablement défendu par 57 talibés. Bayaga fut tué, le flanc ouvert par un éclat d'obus. Son cadavre fut brûlé avec l'incendie des cases. Les biens du marabout, composés d'une centaine de calebasses, d'une tonne de maïs environ trouvé dans les greniers, de 292 têtes de bétail, furent répartis entre les survivants du massacre de Tabajan.

La surveillance exercée par les Peul du Kantora s'avéra efficace. Trois fuyards seulement passèrent le fleuve à gué dans la nuit du 12 au 13 octobre, à cause d'une violente tornade qui éloigna les surveillants. Les jours suivants, plusieurs Saraxolé furent capturés, et le 26 octobre, de la Roncière autorisa tous les Peul à rentrer chez eux après une surveillance de 54 jours. Dabo Bande du Kantora et Mauda Ba, chef du Pakane, furent félicités par le résident pour leur sang-froid et leur dévouement. La mort de Bayaga fit sensation dans toute la région et impressionna les milieux musulmans.

Du 6 au 27 novembre 1909, l'administrateur-adjoint Legrand, résident du Fulaadu, partit en tournée dans plusieurs provinces. Il fut accueilli dans le Jimara, à Pata, par Fanta Cadel, cousine de Muusa Moolo et fille de Bakari Demba, frère d'Alfa Moolo. Elle était d'une incompétence notoire, mais le résident supportait sa présence à la tête de la province, pour ne pas susciter de difficultés. Les habitants demandèrent à être recensés afin que leurs villages fussent taxés proportionnellement au nombre des contribuables. Pour se rendre dans le Kantora, Legrand traversa le Patim, divisé depuis 1908 en deux commandements, le Patim nord et le Patim sud. Dabo Bande, chef du Kantora, fut accusé de percevoir pour son compte personnel les droits de culture sur les gens de Gambie et de Guinée portugaise qui venaient cultiver l'arachide en territoire français. Il réclamait 15 francs par cultivateur. Legrand constata que cette accusation était probablement fondée, mais ses torts étaient semblables à ceux des autres chefs du Fulaadu, et il fut obligé de les tolérer. Les chefs étaient en effet les seuls intermédiaires valables entre la population et lui. La tournée s'acheva par le Pakane, où le chef Mauda Ba, un fula-dion, mis en place en 1892, était plus aimé que Dabo.

En mai 1910, Kéfuta, fils de Muusa Moolo, rentra en Casamance et fut assigné à résidence surveillée à Kolda. Il sembla vouloir renoncer à ses chevauchées, et il se mit résolument au travail en défrichant ses terres. La paix qui régnait dans la région et qui contrastait avec une vive agitation en Guinée portugaise, accrut le processus d'immigration. Sept villages du Patiana portugais arrivèrent avec leurs troupeaux, et des dissidents partis avec Muusa Moolo en 1903 rentrèrent peu à peu. Gambisara (Patim anglais) se dépeupla et les habitants passèrent en territoire français, pour des raisons fiscales, ce qui provoqua la mauvaise humeur des Britanniques, mais l'application des droits d'entrée sur les bestiaux en 1912 arrêta complètement l'immigration des sujets portugais dans les cantons déserts de l'est du Fulaadu. Au contraire, les premières opérations de recrutement des tirailleurs pour le Maroc en 1913 suscitèrent un mouvement d'émigration vers la Gambie et la Guinée portugaise, accru par les bruits colportés par les Jula. Des agents britanniques en profitèrent pour exagérer les faits et aviver les craintes dans le but d'attirer les paysans en Gambie. Ils promirent l'octroi gratuit de terres, une exonération de taxes, des dons de semences d'arachides. Cette propagande resta sans effet notable et n'influença vraiment que les populations frontalières.

Après le départ de Muusa Moolo en Gambie, le Fulaadu renonça donc à toute résistance armée. Cela tient au fait que le roi était redouté par ses sujets. Les chefs de provinces qu'il avait désignés étaient toujours en fonctions. Ils se sentirent libérés d'une tutelle pesante et acceptèrent plus aisément l'autorité directe du résident français dans la mesure où, faute de moyens, elle ne se faisait guère sentir. L'absence de contraintes rendait les relations faciles et les Fula continuèrent à payer l'impôt institué par Muusa Moolo depuis longtemps. Obéissant autrefois à un roi exigeant et dur, ils restèrent soumis à leurs chefs de provinces sur lesquels ils pouvaient faire pression par des appels auprès du résident. L'absence de toute autorité directe, la présence encore très discrète des Européens donnaient aux Peul l'illusion d'une indépendance relative. Elle suffisait pour faire de cette partie de la Casamance une région paisible qui contrastait avec l'agitation permanente des pays joola.

3. Les migrations toucouleur du Kabada

Beaucoup plus attirés par le commerce gambien que par Seju trop éloigné de la région, 1175 Toucouleur émigrèrent en Gambie en 1906, de sorte que le canton ne comptait plus, en mars 1907, que 1070 Toucouleur, 308 Fula et 16 Bañun recensés. Ce recensement révéla une immigration fula, due à la disparition de Fodé Kaba [1].

[1] Archives du Sénégal, 2 G 7 (42). Rapport mensuel de l'administrateur supérieur Guyon, mars 1907.

Devant le silence des chefs du Kabada et du Kiang, peu favorables à des relations étroites avec Seju, l'administrateur supérieur Maclaud créa en novembre 1909 une résidence à Inor, dans le Kiang, pour contrôler régulièrement ces populations très discrètes. Le résident fut chargé de faire de nombreuses tournées pour faire sentir l'autorité française auprès des Toucouleur qui ne demandaient qu'à l'ignorer. Les premiers rapports signalèrent trois faits: le manque d'autorité des chefs de canton désignés par l'administration, l'hostilité latente qui existait entre les ethnies toucouleur, joola, malinké et peul, l'émigration des populations vers la Gambie et le Fooñi, attirées par la proximité des centres commerciaux. Mais la situation politique était satisfaisante et le résident ne rencontra aucune difficulté insurmontable.

En 1911, une nouvelle opération de recensement, en vue de l'établissement de l'impôt, organisée par le résident d'Erneville accompagné du chef de canton Mamadu Kifa, irrita les habitants. L'impôt devait être versé par carrés, solution plus rationnelle, qui permettait au paysan de se rendre compte de la somme réelle à payer et qui supprimait les contestations entre le chef de village et ses administrés. Mamadu Kifa démissionna en mars 1911, car il n'acceptait plus d'exercer sa charge à titre gratuit. Cette démission ne sembla pas beaucoup gêner l'administrateur qui reconnut que l'autorité du chef était nulle.

En 1913, le mouvement d'émigration vers la Bintang se poursuivit, attiré par les traitants anglais. C'était le plus souvent une migration saisonnière que les Français étaient impuissants à empêcher, dans la mesure où, faute de moyens, ils ne pouvaient pas drainer le commerce vers la Casamance et Ziguinchor.

4. L'agitation des Balant [1]

Depuis l'installation du poste militaire à Jatakunda en 1899, le Balantakunda était plus calme. La présence des tirailleurs donnait à réfléchir. Les villages payaient l'impôt bon gré, mal gré, sur la base seulement de 1 franc par tête. Pour une ethnie aussi rétive, il était prudent de ne pas trop exiger au début. La guerre menée de l'autre côté de la frontière par Abdulaye Njaay, chef wolof dans le Haut Cacheu contre les Voyinké rebelles, était suivie en Casamance avec la plus grande attention [2]. La destruction du village frontière de Samodje, le 11 octobre 1904 par Abdul Njaay qui fit décapiter le chef, la soumission provisoire des rebelles au commandant portugais de Farim, eurent du côté français un retentissement profond. Jatakunda, Jibanar, Birkama, Sinbandi, Kunayan, Mangurungu et Kuniara, qui n'avaient donné aucun signe de vie depuis le début de l'année, payèrent rapidement leur impôt à Seju. Mais à la suite de la suppression du poste de tirailleurs à Jatakunda, les habitants, avec la complicité des

[1] Voir carte de la Basse Casamance (1914-1920).

[2] Né en 1860-65 près de Kaolak, Abdul Njaay, commerçant ambulant, se réfugia à Ziguinchor après des malversations. Employé au chargement des bateaux et à la pêche, il alla à Cacheu où il arriva à se faire valoir auprès de chefs mandjaks, surtout à Calequisse. Voleur de troupeaux, il devint chef de bande et finit par être châtié par ses hôtes. Il se vengea en offrant ses services aux Portugais.

Balant de Niafor, en profitèrent pour incendier, en juin 1905, le village malinké de Bambali. Le capitaine Pontich, commandant de la 4e Compagnie de tirailleurs stationnée à Biñona, châtia les deux villages le 1er juillet, en les brûlant à leur tour. Le petit bétail, 103 chèvres et 2 porcs, furent saisis et envoyés à Seju. Les tirailleurs revinrent à Jatakunda et furent en état d'alerte du 24 octobre au 31 décembre 1905, à la suite du sabotage du cable téléphonique qui reliait le poste à Seju. Le sous-lieutenant Yoro Jallo et ses 25 hommes étaient prêts à se défendre, mais il n'y eut pas de troubles à la suite de l'intervention des femmes balant qui s'opposèrent à la guerre en portant chez les promoteurs du soulèvement les instruments qui servaient aux hommes pour cultiver le riz. Du 11 au 25 juin 1906, les tirailleurs réussirent à obtenir le dépôt des fusils exigé par l'administrateur [1].

L'année 1909 fut très calme. Aucun incident ne fut signalé. Le poste militaire fut remplacé par un simple poste de surveillance, mais en mars 1911, le Dr Maclaud, administrateur supérieur, s'inquiéta de la mort de nombreux Balant, terrassés par le redoutable poison du tali. Les Balant, affolés par des accusations de sorcellerie lancées par un féticheur, voulurent absolument se disculper et demandèrent à subir l'épreuve ordalique [2]. Un véritable vent de folie déferla sur le pays Balant et Maclaud assista impuissant à un immense suicide collectif. Les instigateurs de cette tragédie étaient le Balant Kisma, et ses aides, le Joola Akolondi Sane, le Malinké Aujalka. Le groupe avait déjà commencé son office en 1910, à Adeane et exigeait de ses futures victimes une taxe de 6,50 francs répartie entre les trois : 5 francs pour Kisma, 1 franc pour Akolondi et 0,50 franc pour Aujalka. La coutume du tali était fort ancienne. Le poison avait déjà été distribué dans la forêt entre Gudomp et Jatakunda, puis à Kuniara. Le malheureux accusé de sorcellerie venait rendre visite à ses bourreaux, la nuit de préférence. Il payait sa taxe, et buvait le liquide puisé dans un canari. Kisma pouvait sauver la vie du consultant en puisant à la surface du récipient où le poison était faiblement concentré. Malheur, par contre, à celui qui ne pouvait acquitter la taxe, il mourait quelques instants plus tard, après avoir couru sur une centaine de mètres, terrassé par l'érythrophéine, qui est un poison cardiaque. Son cadavre était jeté dans la forêt et restait sans sépulture.

Pour mettre un terme à ce massacre, Maclaud ordonna l'arrestation des trois hommes. Akolondi et Aujalka furent pris, mais Kisma réussit à s'enfuir à Ngore, petit village situé au delà de la frontière en Guinée portugaise, où il continua son entreprise. Les Balant, en effet, passèrent la frontière pour le retrouver. Akolondi mourut en prison à Ziguinchor du béribéri, le 1er janvier 1912. Aujalka fut condamné par le tribunal de Ziguinchor à 5 ans de prison, et Kisma fut condamné à mort par contumace. A l'abri des poursuites, ce dernier attirait toujours les foules et 204 personnes succombèrent pendant le premier semestre 1911. Pendant l'hivernage, l'épreuve ordalique cessa pour reprendre en janvier 1912. 303 Casamançais trouvèrent la mort [3]. Maclaud pensa un instant à faire

[1] Archives du Sénégal, 13 G 375 (1905) et 1 D 170 (1906).

[2] Archives du Sénégal, 13 G 381. Rapport de Maclaud sur les empoisonnements rituels chez les Balant. 1911. Voir aussi première partie, chapitre 1.

[3] Jatakunda : 57 morts sur 400 habitants ; Niafor : 44 sur 250 ; Safane : 83 sur 130.

enlever Kisma en territoire portugais mais y renonça devant les conséquences diplomatiques d'un tel acte. Il organisa des palabres pour tenter de persuader les populations de renoncer à se rendre à Ngore. Les chefs reconnurent le drame de ces coutumes, mais ne pouvaient rien contre elles. Ils proposèrent de payer l'impôt des morts. Les menaces de prison, d'intervention de la force armée ne servirent à rien. Kisma tenait les Balant sous son emprise. Le gouverneur général William Ponty réclama sa capture au gouverneur de la Guinée portugaise, mais dans une lettre à Albert Lebrun, Ministre des Colonies en 1912, il déplora que le gouverneur portugais, qui lui avait promis d'arrêter Kisma, eût été dans l'impossibilité de le faire, « l'anarchie profonde qui règne en Guinée portugaise rendant illusoire toute intervention des autorités officielles » [1].

Devant l'inanité de ses efforts, Maclaud utilisa, en dernier recours, la méthode de l'insinuation et du doute. Il suggéra aux Balant de demander à Kisma de subir lui aussi, l'épreuve du tali. Toujours est-il que la tragique coutume du tali cessa en 1913. Elle ne disparut pas pour autant, et réapparut pendant la première guerre en pays joola, et en 1920 chez les Bayot. Traqués par l'administration coloniale, les ahan-boekin exerçaient leurs talents la nuit et en secret. La loi du silence était de rigueur, violée par les indicateurs de l'administrateur supérieur qui arrivaient parfois à sauver quelques vies. Les rescapés devaient cependant quitter leur village, car soupçonnés toujours de sorcellerie, leur vie était en danger [2].

En 1913, la situation politique du cercle de Seju était excellente, sauf dans le Balantakunda où l'absence de résident, selon Maclaud, incitait les Balant à l'insoumission. Le chef de Jatakunda et quelques chefs de carrés qui, sur ses instances, n'avaient pas subi l'épreuve du tali en 1912, perdirent de ce fait la confiance des Balant et virent leur faible autorité réduite à néant.

[1] Archives du Sénégal, 13 G 381. Rapport de Maclaud sur les empoisonnements rituels chez les Balant.

[2] Voir première partie, chapitre 1.

Chapitre 4

LE DÉVELOPPEMENT DE ZIGUINCHOR ET LES NOUVELLES STRUCTURES COLONIALES

1. Le développement de Ziguinchor (1890-1902)

L'explorateur Galibert, premier administrateur français de Ziguinchor, avait fort à faire. Isolé au milieu d'une population en majorité hostile, dans un site malsain à cause des eaux stagnantes des rizières toutes proches, il avait besoin de toute son énergie physique et morale pour supporter la tâche délicate qui lui avait été confiée.

Le village de Ziguinchor, peuplé en 1890 de 650 habitants, constituait un groupe de cases entassées sur les rives du fleuve et limitées par un parallélogramme de deux cent cinquante mètres sur cent vingt. Malgré les premières mesures de salubrité décidées par Galibert, la saleté des concessions était toujours aussi répugnante. Séparées par des ruelles étroites, les cases en banco et toits de paille, construites sans aucun souci d'alignement, étaient à la merci des incendies.

C'est ainsi que le lundi 30 janvier 1893, à 14 heures, un incendie détruisit en une demi-heure soixante-six cases sur soixante et onze [1]. Le feu, parti d'une cuisine dans une case en banco appartenant au traitant de caoutchouc Samuel Lisk, ravagea le village. Poussé par le vent d'est, il épargna les quatre magasins de pierre appartenant aux maisons de commerce existantes : la Compagnie française, la Société Flers Exportation, la Compagnie commerciale agricole de Casamance et la maison Lisk. Six cents personnes furent sinistrées, et la Commission coloniale, lors de sa séance du 22 mars 1893, leur accorda une somme de 1500 francs, qui fut répartie par les soins de l'administrateur de Basse Casamance et du chef de village : le bañun Gnamini dit Manuel Dia. Démunis de tout, de nombreux Ziguinchorois allèrent se réfugier dans les villages voisins et la population diminua. Quatre cent quatre-vingts personnes furent recensées en 1894 dans le village en voie de reconstruction [2].

[1] Archives du Sénégal, 13 G 470. Incendie de Ziguinchor.

[2] Archives du Sénégal, 13 G 477. Recensement de la population de Ziguinchor.

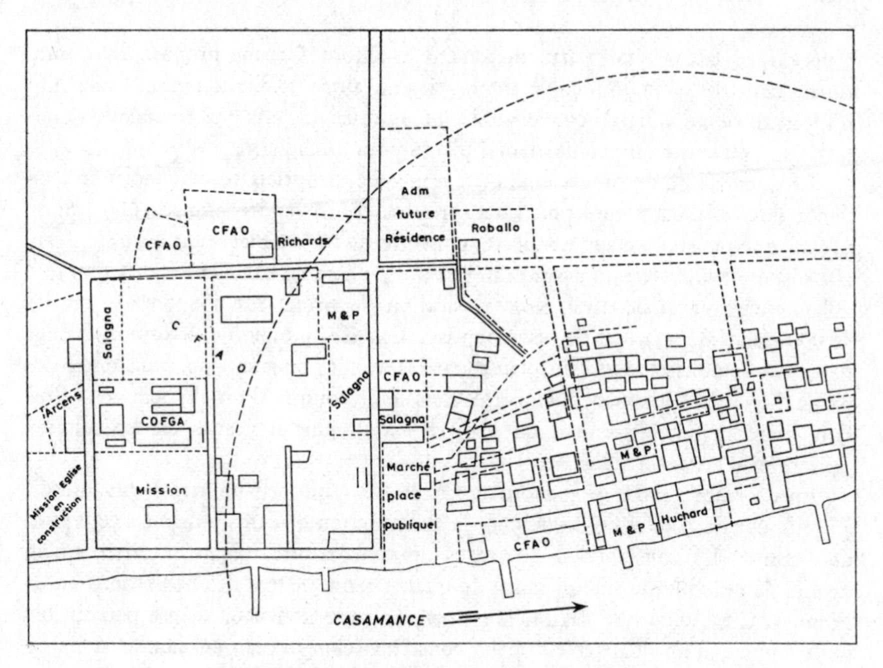

Fig. 31. Extrait du plan de Ziguinchor (1902).

Faute de logement en dur et sain, Ziguinchor fut administrée directement par l'administrateur de Basse Casamance en poste à Karabane jusqu'en 1900. Galibert, épuisé et sérieusement malade, ne fut pas remplacé à Ziguinchor après son départ en août 1890. Le village fut dirigé par Gnamini, qui dut faire face à la mauvaise volonté des familles dites portugaises. Comme il avait le pouvoir d'infliger des amendes en vertu d'un arrêté du 12 octobre 1888, il en imposa une de 25 francs le jour de Toussaint 1890 à une femme, Marie Mendès, coupable d'avoir entretenu toute la nuit l'ivresse d'un groupe d'hommes ivres. Soutenue par Milleret, employé de la Compagnie commerciale agricole de Casamance, elle refusa de payer et l'administrateur de Karabane fut appelé pour régler le différend. Il accorda son soutien à Gnamini et sollicita du gouverneur l'expulsion de Milleret pour incorrection et attitude provocatrice à l'égard de l'autorité [1].

C'est le 1er juillet 1900 que l'administration décida de louer une case pour loger l'administrateur résidant à Ziguinchor. Le lieutenant Caveng écrivit au directeur des Affaires indigènes le 1er février 1901, pour demander s'il était nécessaire de renouveler le bail. Le lieutenant était peu favorable, car le local était inhabitable et malsain [2]. Construit en terre du pays, il n'était pas solide et envahi par les termites. Sous-étagé, car insuffisamment élevé au-dessus du sol, il était couvert de tôles ondulées. Entourée de rizières où l'eau stagnait de juin

[1] Archives du Sénégal, 13 G 465. Lettre au gouverneur, 15 novembre 1890.

[2] Archives du Sénégal, 13 G 498.

à décembre, la case était particulièrement insalubre. Caveng proposa deux solutions: construire un immeuble ou louer une autre habitation plus saine. Or, il n'y avait rien d'autre de convenable à louer, et les terrains que possédait l'administration étaient trop exigus et mal placés pour construire.

La Compagnie de caoutchouc de Casamance, propriétaire de l'ancienne résidence des administrateurs portugais, proposa de la vendre pour 30 000 francs. C'était une maison à étage en pierre, couverte de tuiles. Placée au bord de l'eau, elle disposait d'un terrain assez grand et d'un wharf en excellent état. Comme il fallait envisager 10 000 francs de réparation, le projet fut abandonné, car les 40 000 francs dépassaient de beaucoup la valeur de l'immeuble. L'administrateur demanda l'établissement d'un plan cadastral, car les terrains appartenaient à des particuliers qui bâtissaient à leur gré, sans tenir compte d'un alignement. « Plus l'on retardera l'établissement du plan cadastral, plus il y aura de difficultés à vaincre et d'argent à dépenser. [1] »

En décembre 1902, le gouverneur général Roume prit un arrêté qui interdit à l'intérieur de Seju et de Ziguinchor la construction de cases indigènes couvertes de chaume. La construction des cases de cette nature n'était autorisée qu'en dehors de ces villes, à une distance de quatre cents mètres des habitations européennes. C'est ainsi que Ziguinchor prit un visage nouveau, encore perceptible de nos jours, d'un quartier européen construit selon le plan en damier, à partir du fleuve, et d'un quartier africain situé plus au sud, à proximité des fontaines de Boucotte et de Sidia. Le premier plan cadastral fut établi en 1902 par le lieutenant Lambin, administrateur du cercle de Basse Casamance.

C'est en 1908 que le lieutenant-gouverneur Camille Guy adopta la suggestion de l'administrateur supérieur Maclaud de transférer le siège de l'autorité supérieure de Seju à Ziguinchor, centre des affaires, plus pratique aussi pour surveiller la Basse Casamance alors fort troublée. Maclaud s'installa dans sa nouvelle résidence en novembre 1909. Elle est aujourd'hui la gouvernance de la région. Ziguinchor, qui avait été érigée le 18 janvier 1907 en commune mixte, était administrée par une commission municipale composée de l'administrateur-maire et président, assisté de trois notables européens et de deux notables africains. La mairie de Ziguinchor, résidence de l'administrateur-maire à l'époque, est aujourd'hui un vieux bâtiment de style colonial. Vétuste et endommagé par les rigueurs du climat, il abritait toujours, en 1975, les réunions du conseil municipal de la ville.

2. Les nouvelles structures coloniales

A partir du 1er janvier 1904, la Casamance ne forma plus qu'un seul cercle au lieu de deux. Il fut divisé en huit régions confiées à des résidents sous l'autorité de l'administrateur supérieur à Seju [2]. Ce furent le Fulaadu (Hamdallahi), les pays malinké (Seju), le Kiang et le Kabada (Bona), le Balantakunda (Jatakunda),

[1] Archives du Sénégal, 13 G 498. Lettre de l'administrateur de Ziguinchor et de Basse Casamance, 23 mai 1901.

[2] Archives du Sénégal, 1 G 328. Notice sur la Casamance par H. de Labretoigne du Mazel.

le Fooñi (Biñona), les pays joola de Brin, Seleki, et Bayot (Ziguinchor), le pays flup (Usuy), et le Kombo (Jebali). Un administrateur adjoint à l'administrateur supérieur fut chargé particulièrement des pays malinké. Les résidents de Ziguinchor, Biñona, et Usuy, étaient des officiers à la tête de détachements, en raison de l'insécurité des pays joola. Les autres étaient des fonctionnaires civils. Un certain nombre de gardes régionaux furent affectés à chaque résidence pour le maintien de l'ordre.

Seju, Ziguinchor, et Karabane restèrent des territoires d'administration directe relevant de l'autorité du Sénégal, alors que les autres territoires casamançais relevèrent de la direction de la Sénégambie-Niger.

Un arrêté du 1er juin 1907 divisa à nouveau la région en deux cercles dans le but de faire de Ziguinchor la capitale de la Casamance. Le cercle de Ziguinchor se partagea en trois résidences : Ziguinchor, Usuy, et Biñona, plus les escales de Ziguinchor et de Karabane. Le cercle de Seju eut pour limites la frontière gambienne au nord, celle de Guinée portugaise au sud, le cours de la Gambie et de son affluent la Kuluntu à l'est. Outre l'escale de Seju, il comprit trois résidences ; Seju, Kolda pour le Fulaadu et Jatakunda pour le Balantakunda [1].

Sur le plan financier, l'administrateur supérieur était ordonnateur des recettes et des dépenses de toute la région. Un receveur régional centralisait toutes les écritures à Seju et un agent spécial à Ziguinchor contrôlait les recettes et les dépenses de la Basse Casamance. En 1907, la Recette régionale fut transférée à Ziguinchor, de même que les services de douanes centralisés à Karabane. Seul, un poste de douane resta dans l'île.

La perception de l'impôt était une des préoccupations majeures de l'administration coloniale qui se heurtait à des oppositions farouches, notamment chez les Joola. Périodiquement, des recensements étaient réalisés par les résidents qui éprouvaient de vives difficultés. Les rôles de l'impôt permettaient d'apprécier l'état de la population casamançaise selon le tableau suivant :

Résidences	*Villages*	*Nombre d'habitants*
Ziguinchor	66	7 266
Seju	241	36 182
Binona	330	56 108
Kiang	110	8 250
Fulaadu	417	38 578
Usuy	55	13 264
Total [2]	1 219	159 648

[1] Archives du Sénégal, 13 G 378. Arrêté portant réorganisation des cercles de la Casamance. Voir J.O. du Sénégal, 6 juin 1907, N° 703.

[2] Archives du Sénégal. Monographie du cercle de Casamance, 1 G 343.

Les enfants, les vieillards et les infirmes ne figurent pas dans ces chiffres. Il y a lieu d'augmenter selon Maclaud cette évaluation de 1/8 pour obtenir le chiffre global donné par la statistique, soit 162 000 environ.

Au 31 décembre 1906, la situation de l'impôt personnel dans les pays de Protectorat était la suivante [1] :

Résidences	*Montant des rôles* F	*Sommes perçues* F
Seju	83 718	82 664
Jatakunda	9 336	9 280
Binona	85 710	74 810,20
Ziguinchor	18 890	22 026,79
Kombo		
Fulaadu	60 100	62 499
Usuy	25 850	26 428,90
Total	283 504	277 708,89

Territoires de l'administration directe

Résidences	*Montant des rôles* F	*Sommes perçues* F
Seju	7 312	6 868
Ziguinchor	1 364	1 172
Karabane	1 992	1 811
Total [1]	10 668	9 851

Au montant des impôts personnels s'ajoutaient les recettes diverses; les patentes et licences, les amendes et confiscations, les ports d'armes. Ainsi, en 1906, l'administrateur supérieur Guyon, qui avait prévu une recette totale de 304 199 francs, perçut 311 829,56 francs, soit 7 620,56 de plus. En 1908, le rendement des impôts doubla et atteignit les chiffres suivants: 612 675,40 francs pour l'impôt par tête et 688 365,02 francs pour la recette totale [2]. En décembre 1912, il passa respectivement à 875 291,15 francs et 915 575,51 francs.

[1] Archives du Sénégal, 13 G 378. Rapport de l'administrateur Guyon.
[2] Archives du Sénégal, 2 G 9 (40). Rapport de Maclaud, février 1909.

Nous verrons dans quelles conditions difficiles l'impôt personnel était perçu. Malgré la ferme résistance des Joola, les chiffres sont éloquents pour montrer le succès de la perception, obtenu il est vrai par la contrainte. Jusqu'en 1906, l'impôt en nature fut toléré en Basse Casamance sous la forme de bœufs et de riz. Le produit était ensuite vendu au commerce par enchères. Puis les paysans furent contraints de payer en espèces au jour préalablement indiqué par le résident qui circulait de village en village. Sur la place publique, la population rassemblée venait s'acquitter de sa contribution. En décembre 1911, l'impôt personnel fut fixé à 4,40 francs.

Quant à l'autorité judiciaire, elle était exercée par un tribunal de première instance institué d'après un décret du 8 juillet 1865. Il jugeait en correctionnelle tous les délits commis en pays de protectorat par les sujets français ou assimilés. Il comprenait l'administrateur supérieur qui présidait, assisté de deux notables désignés chaque année comme assesseurs. Avec la nouvelle division en deux cercles de 1907, l'administration de la justice fut répartie entre les deux commandants de cercle. Mais un arrêté du gouverneur général William Ponty, du 29 novembre 1908, institua à Ziguinchor une justice de paix à compétence étendue dont le ressort s'étendit à toute la Casamance. En dehors du tribunal de région dont le siège était à Ziguinchor, on créa sept tribunaux indigènes qui fonctionnèrent au chef-lieu des six résidences et au poste de surveillance de Vélingara. La justice fut rendue par des juges africains choisis par l'administrateur supérieur.

En 1906, trois médecins seulement s'occupaient de l'état sanitaire de la Casamance : un médecin du service local à Ziguinchor et deux médecins militaires à Seju et Biñona. Il n'y avait pas de local pour l'assistance médicale à Ziguinchor et Biñona. La situation était meilleure à Seju, alors chef-lieu de la Casamance. Une petite salle de visite avait été installée en mars et un infirmier recruté parmi les anciens élèves de l'école fut mis, au mois d'août, à la disposition du médecin. La moyenne mensuelle des consultations africaines était de cent cinquante par mois à Ziguinchor et de deux cent à Seju. La lèpre et la variole firent des ravages et prirent de l'ampleur à partir de 1910. Les premières campagnes de vaccination contre la variole n'eurent aucun succès.

Sur le plan de l'instruction, 135 enfants fréquentaient l'école publique de Ziguinchor en décembre 1906, dirigée par un instituteur européen de 2e classe aidé d'un stagiaire africain. L'école était fréquentée par des enfants de la ville qui appartenaient pour la plupart à des familles d'employés des maisons de commerce. A Seju, un instituteur africain et un moniteur se partageaient 111 élèves dans deux classes. A Karabane, un Africain enseignait à 56 élèves et, en 1910, Biñona et Kolda avaient une école dirigée par un instituteur du cadre local indigène. C'est Amadou Mapate Jaan (Diagne) qui servait à Kolda en novembre 1909. Originaire de Gandiole, près de Saint-Louis, il écrivit des articles dans les années 30, sur les coutumes malinké et balant. Personnalité casamançaise bien connue, il se retira à Seju, jouissant d'une retraite bien gagnée. Malgré son grand âge, il exerçait encore les fonctions de secrétaire de mairie en 1970 [1].

[1] Amadou Mapate Diagne est décédé à Seju en janvier 1976.

497 garçons et 80 filles étaient scolarisés en 1911 pour toute la Casamance. « L'enseignement donné dans ces écoles est pour le moment exclusivement théorique et spéculatif. Il est nécessaire d'orienter l'enseignement dans un sens professionnel, car les entreprises européennes ont un besoin croissant d'auxiliaires indigènes dont l'esprit soit ouvert à nos idées et à nos procédés. [1] »

Les Pères du Saint-Esprit avaient à Ziguinchor et Karabane une école de 40 à 50 élèves, et les Sœurs de Saint-Joseph de Cluny dispensaient leur éducation aux filles de ces deux mêmes cités. L'administrateur Guyon, fidèle aux instructions et à l'esprit anticlérical de l'époque, notait dans un rapport : « Je ne fais pas entrer en valeur au point de vue du progrès social les œuvres confessionnelles européennes... l'administrateur supérieur a veillé avec le plus grand soin à ce qu'aucune réunion ayant pour objet l'enseignement de la jeunesse n'ait plus lieu dans les établissements de la Mission. Au cours du second semestre, il a dû s'émouvoir des tentatives de prosélytisme faites dans la région d'Oussouye et se préoccuper d'y mettre un terme ; les conséquences politiques pouvant être des plus dangereuses. [2] »

L'administration semblait moins préoccupée par l'activité des marabouts pourtant étroitement surveillés. « L'islam en Casamance n'offre pour nous aucun danger, bien mieux encore, en bien des points, nous ne pouvons que souhaiter son installation et son développement comme un moyen de pénétrer pacifiquement les populations fétichistes insoumises de la basse rivière et de leur imposer une discipline. Les marabouts d'âge respectable et de vie confortable ont fort bien compris l'intérêt qu'il y avait pour la suprématie de leur rôle à entretenir les rapports les plus étroits et même les plus dévoués avec l'autorité administrative, seule capable de départager équitablement leur domaine spirituel et de maintenir la balance à peu près égale entre tous. [3] »

[1] Archives du Sénégal, 13 G 378. Rapport de l'administrateur Guyon sur l'année 1906.
[2] Archives du Sénégal, 13 G 378. Rapport de l'administrateur Guyon sur l'année 1906.
[3] Archives du Sénégal, 1 G 343. Monographie sur le cercle de Casamance par le Dr Maclaud, 1911.

Voir aussi chapitre 3 : « La Moyenne et la Haute Casamance avant la première guerre mondiale ».

CHAPITRE 5

LES ACTIVITÉS COMMERCIALES (1900-1914)

1. LES PRODUITS TRADITIONNELS

a) *Les cultures vivrières*

Le riz, culture traditionnelle, promettait une belle récolte en 1905, surtout au sud de Ziguinchor et les Joola, satisfaits, remplirent leurs greniers, mais en général, les récoltes étaient inférieures aux besoins. En 1903, les maisons de commerce durent importer 1181 tonnes. Au Fulaadu, il était repiqué au bord de la rivière et servait d'échange avec des articles importés de Gambie. Son grain très épais avait une saveur supérieure au riz importé [1].

Le mil restait la culture par excellence du Fulaadu et du Kabada. Les paysans cultivaient toujours les espèces traditionnelles comme le basi, le madia, le niofo et le fonio. Le basi ou gros mil, plus connu et fort apprécié, fut éprouvé en 1906 par une maladie due à une invasion de pucerons. En année normale, son rendement moyen était de 60 à 70 grains pour un. En 1907, le basi fut détruit et l'on espérait que les autres récoltes de mil et surtout le riz éviteraient la famine.

L'administration essaya de développer la culture du maïs. En juin 1908, dix-huit sacs de maïs du Dahomey furent semés dans le cercle de Seju. Mais les premiers résultats furent médiocres; les tiges trop frêles étaient couchées par le vent. Le rendement ne fut satisfaisant que sur les sols très riches. En février 1912, le capitaine Lauqué, ex-résident du Fooñi, à la retraite, s'installa à Jululu dans le Kombo avec un ingénieur, M. Dutch pour y créer une exploitation agricole consacrée à la culture du maïs et du ricin, mais leur tentative échoua quelques années plus tard.

b) *Le coton*

Deux espèces étaient cultivées: l'une dont la plante durait de longues années et produisait une qualité inférieure au fur et à mesure qu'elle vieillissait; l'autre qui était une culture annuelle, était un produit de valeur. Semée en ligne dans les champs de mil de Haute Casamance, au mois de septembre, la récolte avait

[1] Archives du Sénégal, 1 G 295. Historique du Fouladou par de La Roncière.

lieu fin décembre ou janvier. Les paysans recueillaient en moyenne 500 kg de coton brut à l'hectare. Des essais furent réalisés dans le Kombo et la région de Ziguinchor avec des espèces américaines. Quatre tonnes de semences (Excelsior et Mississipi) furent distribuées fin juillet 1906. L'ensemencement s'effectua selon la méthode africaine sous la surveillance des résidents. Les résultats furent décevants. Par contre, au Fulaadu, les Peul réussirent à conserver intacte la variété de coton (Louisiane red river) jusqu'en 1909. De toute manière, le coton poussait bien, même dans le Kabada. Le tissage se faisait sur place, sous forme de bandes dites de Sohrt ou Sorre. Le tissu était acheté par les Jula qui l'exportaient en Gambie, à Gambisara, près de Mac-Carthy où il était teint avec l'indigo qui poussait à l'état sauvage. Acheté au cultivateur à 0,25 f le kg, il était revendu par les Jula 0,40 franc [1].

c) *Les palmistes*

Appréciées sur le marché européen, 1 035 tonnes furent vendues en 1906; elles furent achetées au paysan 39 francs le quintal en 1907, prix encore jamais atteint en Casamance. Elles diminuèrent en 1910 et 1911 en passant de 34 à 29 francs le quintal.

d) *La cire*

Treize tonnes de cire clarifiée, cinq tonnes de mi-nette et vingt-neuf tonnes et demie de cire brute furent exportées en 1906. En 1911, on acheta à Kolda quatorze à quinze tonnes de cire au prix de 0,05 à 0,50 franc le kg. On comptait en général 10 à 25 % d'impuretés. La cire était considérée comme un article d'échange.

e) *L'élevage*

La bête de trait était presque inconnue en Casamance. Les chevaux mouraient rapidement, terrassés par la trypanosomiase et l'administration qui les utilisait pour les tournées, était contrainte d'en faire venir régulièrement du nord du Sénégal. Les Peul les échangeaient aux Jula de Guinée portugaise et du Siin contre des bœufs. Un cheval était échangé contre deux vaches pour une valeur de 300 francs. Les cuirs valaient entre 0,75 et 1 franc le kg. Quarante tonnes furent achetées à Kolda en 1911 [2].

2. Les activités commerciales (1900-1914)

a) *Les maisons de commerce*

En 1906, la plupart des grandes maisons de commerce étaient regroupées à Ziguinchor où elles avaient leur comptoir principal. Les plus importantes étaient Maurel et Prom, et la C.F.A.O. (Compagnie Française de l'Afrique Occidentale) qui se consacraient à la traite des arachides. La première, qui s'était installée vers 1860 en Casamance, avait quitté la région en 1890 après avoir vendu ses

[1] Archives du Sénégal, 1 G 328.

[2] Archives du Sénégal, 2 G 11 (47). Rapport mensuel, août 1911. Maclaud.

installations à la C.C.A.C. (Compagnie Commerciale et Agricole de la Casamance) pour rétablir un comptoir à Ziguinchor en 1899. La seconde, installée depuis 1895, déclarait en 1910 un capital de 9 millions.

Les autres s'intéressaient essentiellement au caoutchouc. C'étaient la Société commerciale Soller (1901) au capital de 2 millions, les Maisons Salagna (1895), Roy et Laglaize (1897), Lacoste (1905), Courvoisier, Pillot, Fouque, etc. Plus de 100 commerçants patentés en 1905, 150 en 1906, et 260 en 1907 tentaient leur chance en Casamance et se partageaient les revenus du commerce [1].

Une Chambre de Commerce fut créée à Ziguinchor en 1908 et le dimanche 9 mai 1909, les premières opérations électorales désignaient les représentants du commerce, MM. Duvernet, Alard, Gontier, Pélin, Laglaize, Courvoisier et Bernard Tavarès.

A la veille de la grande guerre, le commerce passa presque entièrement aux mains d'un nombre restreint de grosses sociétés. Selon l'administrateur supérieur Maclaud, cette monopolisation s'expliquait par les difficultés d'accès aux centres commerciaux, qui entraînaient des frais généraux considérables, et à la modification apportée aux régimes douaniers de la Casamance qui avait placé le commerce dans un état d'infériorité vis-à-vis des concurrents britanniques et portugais. Ainsi, le comptoir portugais de Farim, qui n'avait plus un seul commerçant européen en 1904, reprit à partir de 1906 toute son ancienne importance au détriment de Seju [2]. Le 1er juin, les commerçants de Seju se plaignirent amèrement dans une lettre au gouverneur général Roume des droits de douane excessifs plus élevés qu'en Gambie et Guinée portugaise. A titre d'exemple, les droits d'entrée sur certains produits en Casamance et dans le Rio Cacheu étaient comparativement les suivants :

Articles	*Casamance*	*Rio Cacheu*
Tabac	1 f/kg	0,15 f/kg
Poudre	0,70 f/kg	0,16 f/kg
Kolas	0,75 f/kg	0,08 f/kg
Armes et munitions	15 % ad valorem sur facture majorée de 25 %	10 % ad valorem

Ainsi, les vendeurs de caoutchouc du Kolla, Sankolla et Voyi portugais, n'achetaient plus à Seju, mais s'adressaient de préférence aux maisons allemandes installées depuis peu à Farim [3].

b) *La main-d'œuvre*

La main-d'œuvre était relativement difficile à trouver en Casamance. Les employés de commerce à Ziguinchor avaient une solde moyenne de 80 francs par mois. Dans les principaux villages, les comptoirs étaient confiés à des traitants,

[1] Rapport de l'administrateur supérieur Guyon pour l'année 1906. Archives du Sénégal, 13 G 378.

[2] Archives du Sénégal, 1 G 343. Monographie du cercle de Casamance, par Maclaud, 1911.

[3] Archives du Sénégal, 17 G 6. Tournée du gouverneur général Roume en compagnie du lieutenant-gouverneur Guy, 1906.

malinké en général, presque toujours illettrés. Le commerçant employeur remettait à son traitant une certaine valeur en marchandises et en espèces qui était notée dans un carnet coté et paraphé par l'administrateur. Le traitant devait donc rendre des comptes exacts. A côté d'un salaire fixe, il avait droit à une bonification sur le prix des produits acquis pour la maison. « Ces sortes d'engagements se dénouent en général en fin d'année ou fin de traite par un procès en abus de confiance. [1] »

Les manœuvres étaient employés souvent pendant la traite au chargement et déchargement des vapeurs. C'étaient surtout des femmes joola et balant qui faisaient ce travail avec un salaire quotidien de 1 f 50 (1910). Pour la manutention des marchandises, les maisons de commerce employaient des équipes permanentes de manœuvres composées de Wolof, en général, qui percevaient une solde mensuelle de 60 francs. Le portage n'existait pas en Casamance, sauf dans le Fulaadu, pour le prix en général de 1 franc par jour, mais les Fula, cultivateurs et bouviers, répugnaient à cette fonction.

Le colportage était le fait des Jula. 329 furent recensés en 1910 et soumis au paiement d'une taxe de 10 francs, en échange d'une carte d'identité. Ils étaient étroitement surveillés par l'administration, car ils propageaient toutes les nouvelles, sans craindre de les déformer ou de les exagérer et ils étaient soupçonnés de se livrer au trafic d'esclaves, notamment d'enfants, qu'ils achetaient à leur famille pour les revendre en Guinée, au Soudan, et au nord du Sénégal.

c) *Les échanges commerciaux*

En Basse Casamance, la monnaie était presque inconnue de l'habitant. Jusqu'en 1906, le paiement de l'impôt se faisait en nature (bœuf, mil, riz, caoutchouc) qui était ensuite vendu au commerce par enchères. Au contraire, dans les pays malinké, le paysan tenait à être payé en espèces. Chaque année, les maisons de commerce faisaient venir d'Europe des espèces pour leurs droits de douane à payer et leurs achats aux africains. « Deux millions de francs en monnaie d'argent et un million en billets de banque étaient introduits chaque année en Casamance. [2] » Au Fulaadu, une monnaie d'échange courante était la bande de sorre évaluée à 0,50 f. Les prix courants les plus connus étaient le taureau d'un an, 40 f; de 2 ans, 60 f; de 3 ans, 80 f. Une vache valait 150 f[3].

Les principaux produits de traite vendus par les maisons de commerce étaient [4] :

a) les tissus français ; en général des indiennes et des tissus de qualité moyenne de 0,40 à 0,50 f le mètre ;
les tissus anglais : mousselines à 0,25 f le mètre, indiennes à 0,40 f le yard, mouchoirs à 5 f la douzaine ;

[1] Archives du Sénégal, 1 G 343. Monographie du cercle de Casamance. Maclaud, 1911.
[2] Archives du Sénégal, 1 G 328. Notice sur la Casamance par H. de Labretoigne du Mazel, 1906.
[3] Archives du Sénégal, 1 G 295. Historique du Fouladou par de La Roncière, 1904.
[4] Archives du Sénégal 1 G 328. Notice sur la Casamance.

b) la poudre de traite: d'origine française de St-Chamas ou d'Angoulême, d'origine allemande importée de Hambourg;
c) les armes de traite: fusils à silex anglais, belges à 20 f la pièce;
d) le tabac en feuilles: d'origine américaine importé par Bordeaux à 2,50 f le kg;
e) le sucre d'origine française qui venait de Marseille au prix de 0,60 à 0,70 f le pain de 1 kg;
f) l'alcool d'origine allemande venant de Hambourg à 2 f le litre;
g) les kolas qui arrivaient de Sierra Leone par Dakar et Bathurst à 5 f le kg;
h) le riz importé de Marseille et de Hambourg.

Aux importations, on distinguait, en 1905 et 1906, les valeurs suivantes [1]:

Articles	*1905* F	*1906* F
Armes et poudres	73 097	59 396
Tissus	555 814	606 697
Alcools	40 914	40 712
Kolas et métaux	34 892	284 551
Huile de palme	....	25 775
Riz et Vins	429 981	634 866
Tabac	104 828	86 155
Total	1 548 526	1 738 152

Ces mêmes années, les exportations furent à peu près exclusivement l'objet de l'activité des commerçants.

Articles	*1905*		*1906*	
	Kg	F	Kg	F
Caoutchouc	402 167	1 608 669	402 167	1 608 669
Arachides	3 342 062	402 910	4 572 027	733 154
Amandes de palme	903 972	162 354	1 035 985	198 773
Cire	45 032	56 359	13 004	34 934
Oiseaux	89 550 unités	22 709	77 592 unités	19 397
Peaux de bœufs	....	....	13 050	5 221
Nattes	....	....	8 615	4 307
Total	4 782 783	2 553 001	6 023 183	2 604 555

[1] Archives du Sénégal, 13 G 378. Rapport sur la Casamance pour l'année 1906, par l'administrateur supérieur Guyon.

d) *Les produits d'exportation*

Le caoutchouc

Le caoutchouc était toujours recueilli par les Joola associés aux Akous de Gambie et les Mandjaks de Guinée portugaise. Ces derniers continuaient à faire des dégâts en exploitant brutalement les lianes à toute époque de l'année et au moment où la plante avait besoin de repos. Les conflits avec les Joola, notamment avec les Bayot, étaient incessants et l'administrateur Guyon recommanda, en 1906, de leur imposer une taxe annuelle de séjour de 10 f, dès que les Joola seraient habitués à se livrer activement à l'exploitation du caoutchouc [1].

La traite de 1906 fut satisfaisante, mais en 1907, des stocks importants de AM et B restèrent invendus sur les marchés de Hambourg et de Liverpool, à cause de leur mauvaise qualité. Le prix d'achat diminua sur place de 1 f/kg et on constata un arrêt sensible de l'arrivée du caoutchouc à Ziguinchor en mai 1907. En janvier 1908, le phénomène persista en raison de la situation sur le marché européen. La belle qualité s'acheta 6 f le kg à Ziguinchor et la qualité courante 2 f 50. Les transactions devinrent insignifiantes et une crise économique grave s'amorça dans les régions où la récolte constituait le principal commerce. Cependant, en novembre, les prix ayant sensiblement augmenté, le caoutchouc commença à arriver en plus grandes quantités sur les marchés de Ziguinchor et de Seju. A Ziguinchor, les acheteurs étaient presque exclusivement des Syriens et certains utilisaient des faux poids. L'un d'eux subit une contravention, en novembre 1909, pour avoir utilisé un poids soi-disant de 500 g qui en pesait 634 g.

Traite des principales maisons commerciales de Ziguinchor [2]

Années	*1908*	*1909*
Société Soller	110 575 kg	107 947 kg
Maurel et Prom	86 062	83 460
C.F.A.O.	90 370	89 967
Salagna	19 614	48 159
Roy et Laglaize	5 000	3 770
Lacoste	5 000	18 206
Total	316 621 kg	351 509 kg

En juin 1911, l'extension de la lèpre et de la variole dans toute la région, le début d'une épidémie de fièvre jaune à Bathurst et à Boulam amenèrent les autorités à établir un cordon sanitaire aux frontières. Les Mandjaks se firent plus rares et la production diminua. Pendant l'hivernage, les principales transactions se bornèrent aux cuirs et à la cire.

[1] Archives du Sénégal, 13 G 378. Rapport de l'administrateur Guyon.
[2] Archives du Sénégal, 1 G 343. Monographie du cercle de Casamance.

L'arachide

Pour la première fois, en octobre 1904, la culture de l'arachide prit de l'extension dans la région d'Usuy, et le traitant de la maison Courvoisier, qui s'était installé au chef-lieu de la résidence fit de bonnes affaires. Elle fut par contre quasi nulle dans la région de Ziguinchor. En novembre 1906, une décision bouleversa les habitudes du commerce de traite. L'hectolitre remplaça le boisseau de traite honni par les paysans [1]. « Le prix de revient élevé de cette mesure devrait faire diminuer le nombre de points d'achats, et par conséquent celui des petits traitants. Il donnera au commerçant et au cultivateur une sécurité qu'ils n'avaient pas auparavant. [2] » L'administrateur supérieur Guyon voulut croire que cette mesure allait modifier les procédés commerciaux alors en usage et qui étaient basés sur les crédits faits aux paysans pendant l'hivernage et remboursés en arachides « au moment de la récolte à raison de 300 % et quelques fois plus » [2].

Les traitants et les Jula persuadaient les paysans qu'il était bon de vendre toute leur récolte, et quand arrivait la saison des semailles, ils offraient à nouveau leurs services pour leur avancer les semences nécessaires. Ils prêtaient un boisseau impérial (33 kg) et exigeaient au moment de la récolte un boisseau de traite, c'est-à-dire trois fois plus que la quantité prêtée. Au début de l'hivernage, alors que les réserves vivrières commençaient à s'épuiser, ils arrivaient dans les villages avec des sacs de riz, des moustiquaires, du sucre, des kolas et les offraient à crédit aux paysans. Ils se faisaient rembourser en arachides au prix unique de 7,50 f les 100 kilogs. Ainsi, un sac de riz de 18 kg (valeur 5) était ainsi donné à crédit pour 7,50 f et remboursé par 100 kilogs d'arachides. « Cette façon de procéder n'est pas le fait de toutes les maisons. Les plus sérieuses d'entre elles payent couramment de 9 à 12 f le quintal, mais elles ne peuvent en acheter qu'une petite quantité, le remboursement des crédits absorbant la presque totalité de la récolte... [3] »

En 1905, les arachides furent livrées à Ziguinchor 20 et 21 f le quintal. En ajoutant pour le transport 2 f par quintal pour les amener dans ce comptoir au prix d'achat de 7,50 f, le prix de revient put atteindre 9,50 ou 10 f avec la manutention et les déchets. Elles furent vendues en Europe 28 et 29 f. En déduisant 3 f par quintal pour le frêt, la manutention, et les déchets, il restait au minimum une marge de 20 % [3].

« D'un autre côté, toutes les avances en marchandises et espèces consenties par les grandes maisons de commerce aux acheteurs sur place sont faites au taux moyen de 10 %. Si nous retranchons cette commission du bénéfice de 100 % que donne à l'acheteur sur place le système de crédits expliqué plus haut, c'est encore 90 % d'augmentation que peut donner la grande maison à l'indigène, tout en gardant le même bénéfice qu'elle a en ce moment. L'augmentation régulière de ces gains résultera naturellement de l'extension que ne manquera pas de prendre la culture de l'arachide quand elle sera bien payée. [3] »

[1] 1 hectolitre = 25 à 35 kg; 1 boisseau de traite = 100 kg.

[2] Archives du Sénégal, 13 G 378. Rapport de l'administrateur supérieur Guyon, 1906.

[3] Archives du Sénégal. Fonds non inventorié. Rapport mensuel de l'administrateur Guyon, novembre 1906.

Mais les commerçants n'étaient pas décidés à renoncer à un système d'exploitation des paysans qui leur avait déjà donné tant de satisfactions. Ils payèrent les arachides 4 f l'hectolitre, soit 12 f les 100 kg en décembre 1906.

L'année suivante, la traite commença vers le 25 janvier et la lutte fut vive entre les acheteurs. Les graines furent légèrement avariées et les maisons de commerce estimèrent qu'elles allaient subir en Europe une dépréciation de 15 %, mais la récolte fut belle puisqu'elle atteignit 7500 tonnes. Aussi l'activité fut-elle très grande dans les lougans en période de pré-hivernage, car les prix offerts furent élevés: 15 f en moyenne les 100 kg. De nombreux étrangers à la région vinrent de Guinée portugaise, Gambie, Salum et même du Soudan, attirés par les prix de la traite précédente. Guyon attira cependant l'attention des commerçants de Ziguinchor sur les abus de certains de leurs traitants qui profitaient de l'ignorance de l'écriture des paysans pour leur faire des crédits à 300 %. Les directeurs des maisons réprouvèrent le procédé et prirent l'engagement d'avancer aux collectivités indigènes et sous la surveillance de l'administrateur, du riz au prix maximum de 0,40 f le kg et des semences d'arachides remboursables par égales quantités lors de la récolte. Cet engagement, précisait-on, était valable pour l'année en cours.

En 1908, le commerce avoua avoir fait plus de 8000 tonnes d'arachides [1]. En Haute Casamance, les chefs se plaignirent de l'abandon des cultures vivrières au profit de l'arachide. Ils redoutèrent la disette, d'autant que les maisons de commerce avaient brusquement supprimé les avances de céréales qu'elles avaient l'habitude de consentir. Les prix d'ailleurs offerts cette année par les commerçants furent faibles: 9 f en moyenne le quintal. Les paysans refusèrent de vendre en janvier 1909, et leur résistance fut encouragée par le fait qu'ils s'étaient moins endettés et par la précaution qu'ils avaient eue de récolter du caoutchouc. La traite prit du retard, les commerçants offrant 5 f par hectolitre au lieu de 10 l'année précédente. Elle s'acheva en mars 1909 après une durée de 20 jours, les paysans étant contraints de vendre leurs récoltes d'un seul coup. La superficie arachidière en Haute Casamance diminua de moitié pendant l'hivernage suivant, car beaucoup d'étrangers s'abstinrent de venir cultiver. Les cultures vivrières, mils divers et maïs eurent la préférence.

En février 1910, les arachides furent légères en Haute Casamance: 29 à 30 kg l'hectolitre. Elles furent plus lourdes en Basse Casamance: de 24 à 37 kg l'hectolitre. Les commerçants attribuèrent cette mauvaise qualité à des semences abâtardies. Le prix moyen de l'hectolitre fut de 6 francs et la traite s'acheva en mars avec des quantités inférieures à celle de 1909.

L'arachide couvrait à présent de vastes étendues dans toute la haute vallée du Soungrougrou, mais les graines se dirigeaient de préférence vers la Gambie; celles de la Haute Casamance suivaient le même chemin, la Gambie étant plus navigable que la Casamance, accessible aux vapeurs qui remontaient fort loin. Les frais de manutention moins élevés qu'en Casamance permettaient d'offrir aux paysans des prix supérieurs. La récolte fut excellente dans le Fulaadu en ce

[1] Archives du Sénégal, 2 G 8 (34). Rapport mensuel d'avril 1908 par l'administrateur supérieur par intérim Bœuf.

début de l'année 1911, les graines pleines pesant 33 à 36 kg l'hectolitre. En Basse Casamance, les Joola n'attribuaient aucune valeur à la paille et laissaient la graine en terre jusqu'à ce que les feuilles fussent complètement sèches et tombées. Ils obtenaient ainsi une graine plus développée et d'excellente qualité.

Les Peul de Casamance refusèrent de vendre leurs graines pendant la traite de 1911 au prix de 3 f l'hectolitre et préférèrent les acheminer en Gambie. Ce départ vers les comptoirs anglais posa un problème à l'administration qui estima sans exagération que l'apport du Fulaadu en marchandises sur les marchés anglais était de 10 tonnes par an [1]. Arachides, mil, cire, cuirs, ivoire partaient pour la Gambie alors que les tissus et produits britanniques portant l'estampille anglaise pénétraient en franchise en Casamance. Les Fula payaient selon le Résident du Fulaadu, un impôt douanier de 80 000 f pour les droits de sortie des produits français à Bathurst, souvent destinés à des ports français. « L'établissement d'un cordon douanier dans cette région de 200 kilomètres de long sur 80 kilomètres de large, sillonné par aucune rivière navigable et remonté seulement par de petits chalands jusqu'à Kolda occupé par la seule Maison Roy et Laglaize, reviendrait à tuer le commerce. [2] » Le Résident suggéra que le lit du fleuve fût aménagé pour désenclaver le Fulaadu par rapport à la Basse Casamance. En attendant, l'administration pourrait favoriser l'achat de tombereaux traînés par des bœufs qui seraient loués aux paysans, moyenannt une faible rétribution. Ce système aurait pour but d'éviter les frais de 5 à 10 f payés par charge d'ânes afin d'amener les récoltes au marché [2].

En 1911, le cours moyen de l'arachide fut de 6 f l'hectolitre pour la Haute Casamance et de 7 f pour le bas pays. La production approcha de 15 000 tonnes, mais les paysans attendirent encore le dernier moment pour vendre leurs graines. Aussi des commerçants demandèrent aux pouvoirs publics de hâter la perception de l'impôt pour les forcer à céder. Les résidents du Fooñi et d'Usuy firent une campagne de propagande active pour amener les Joola à cultiver l'arachide. La Chambre de Commerce de Ziguinchor demanda instamment que 200 tonnes d'arachides du Siin fussent distribuées par les soins de l'administration pour servir de semences, et dans le but d'améliorer les graines de Casamance.

L'année qui précéda la première Guerre mondiale connut un hivernage capricieux. La rareté des pluies de juillet causa du mal aux rizières de Basse Casamance et du Fooñi, mais leur abondance en octobre favorisa le développement des arachides et des mils dans de nombreuses localités où les paysans avaient fait leurs semis en retard. Le Fulaadu annonça une bonne récolte ; Seju, une récolte moyenne. La traite commença presque partout en décembre au prix minimum de 5 f par hectolitre.

[1] Archives du Sénégal, 13 G 381. Rapport de tournée de l'administrateur adjoint Legrand, résident du Fulaadu.

[2] Archives du Sénégal, 13 G 381. Rapport de tournée de l'administrateur-adjoint Legrand, résident du Fouladou.

CHAPITRE 6

LE RECRUTEMENT ET SES DIFFICULTÉS

1. LES DÉBUTS DE L'ANNÉE 1914

Pour les Casamançais, l'année 1914 devait être semblable à la précédente. Dans cette région isolée, il est difficile de suivre avec une attention soutenue les événements internationaux. Soixante ans plus tard, malgré les progrès techniques du monde actuel, il n'est pas toujours aisé de se sentir réellement concerné par la situation internationale. Pour le Français qui réside en Casamance, l'éloignement et l'isolement ne sont pas une fiction et la vie politique en France et en Europe est assez éloignée de ses préoccupations quotidiennes.

En ce début d'année, les problèmes n'avaient pas changé en Casamance. Karabane, qui avait été victime d'un incendie en 1913, déclinait inexorablement avec le ralentissement de l'activité économique. La population abandonnait l'île pour trouver du travail à Ziguinchor et à Dakar. En Basse Casamance, l'administrateur-adjoint Richard Brunot et M. de Coppet, commandant de cercle à Ziguinchor, partirent une fois de plus en tournée avec 80 tirailleurs sous les ordres du capitaine Modest et du sous-lieutenant Lemoine, pour obtenir le reliquat de l'impôt de 1913. Les Bayot et les Seleki payèrent sans qu'il fût nécessaire d'employer la force [1]. Dans le Balantakunda, le féticheur Kisma était devenu fou et les Balant semblaient décidés à ne plus pratiquer pour l'instant l'épreuve ordalique du tali. En Guinée portugaise, l'armée renforcée par les bandes du mercenaire Abdu Njaay attaqua les villages rebelles mandjaks et papels, mais elles se heurtèrent à une vive résistance. Au mois de mars, toute la région septentrionale de la Guinée était en rébellion et le résident portugais de Mansoa fut assassiné. Dans le cercle de Seju, les populations s'inquiétaient à cause du recrutement de volontaires pour le Maroc et leur état d'esprit préoccupait l'administrateur Fays.

A Ziguinchor, deux événements dominèrent la vie politique : la visite du gouverneur général William Ponty en mars, et les élections législatives en avril.

[1] Archives du Sénégal, 2 G 14-40 (13) ; 54, février 1914. Rapport de l'administrateur Maclaud.

A plusieurs reprises, la Chambre de Commerce avait manifesté le désir de recevoir le gouverneur général pour s'entretenir avec lui des travaux de navigabilité sur le fleuve, et de diverses constructions qu'il voulait faire exécuter dans la région.

Embarqué le 16 mars à Dakar sur le « Général Archinard », il arriva à Karabane le 20, à 9 heures du matin après avoir fait une courte escale à Bathurst. Accueilli par l'administrateur supérieur Maclaud, il visita le village et repartit une heure après pour Ziguinchor où une foule nombreuse l'attendait au wharf. Dès son arrivée, plusieurs pancartes apparurent : « Vive la Casamance ! », « Vive Ponty ! » mais aussi « Autonomie ! ». L'inspirateur de cette dernière était M. Arcens, commerçant de Ziguinchor et membre de la Commission municipale qui manifestait pour obtenir l'autonomie financière de la région. Le soir, après avoir présidé une réception au cercle de la ville, William Ponty s'entretint avec Maclaud sur l'opportunité de laisser rentrer Muusa Moolo en Casamance. L'administrateur supérieur, prudent, demanda à enquêter auprès des populations frontalières pour connaître leurs réactions [1]. En outre, le gouverneur général se préoccupa de la propagande hostile au recrutement menée par certains missionnaires.

Le lendemain, William Ponty visita le marché et la ville africaine ; puis un vin d'honneur fut offert à la Chambre de Commerce et les délégués de la population sénégalaise présentèrent leurs doléances. Ils réclamèrent plus d'eau potable et de nouvelles écoles. Le gouverneur général promit, sauf en ce qui concerne la création d'écoles arabes. A 15 heures, les fonctionnaires, conduits par l'administrateur-adjoint Brunot, furent reçus en audience, puis ce furent les commerçants qui souhaitèrent la création d'une Ecole professionnelle pour ralentir l'exode des jeunes à Dakar, et un pavillon réservé aux Européens à l'hôpital. William Ponty ne s'engagea pas. La journée déjà bien chargée s'acheva par des audiences accordées aux Pères de la Mission catholique et à quelques notables locaux. Le 23 mars, le « Général Archinard » leva l'ancre pour Dakar où il arriva le 23 dans la soirée.

Quelques jours plus tard, les élections législatives suscitèrent un vif intérêt parmi la population sénégalaise. Pourtant dans son immense majorité, elle n'était pas autorisée à voter. Seuls les citoyens français, originaires des quatre communes privilégiées (Saint-Louis, Dakar, Rufisque, Gorée) pouvaient participer au vote avec les électeurs français inscrits, soit 8677 personnes. Les Sénégalais étaient impatients de savoir comment allait se comporter, devant le corps électoral, un candidat noir, Blaise Diagne qui se présentait aux élections pour la première fois. Né à Gorée le 13 octobre 1872, Blaise Diagne avait eu la chance dans son enfance de bénéficier de la générosité d'un riche métis catholique, Adolphe Crespin, qui lui permit de faire de brillantes études en France. En 1914, il tenta sa chance dans la vie politique en visant le siège de député du Sénégal. Son audace surprit ses adversaires, car c'était la première fois qu'un autochtone de race noire prétendait représenter son territoire [2]. Le député sortant François Carpot, et un

[1] Voir 3e partie, chapitre 7.

[2] Consulter Notes Africaines, juillet 1972 ; articles de G. Wesley Johnson pour la commémoration du centenaire de la naissance de Blaise Diagne.

nouveau candidat, l'avocat alsacien Henri Heimburger, soutenu par la puissante famille commerçante Devès, ne croyaient guère aux chances possibles de ce Noir qui avait la prétention de les défier. L'élection se fit au scrutin à deux tours. Les résultats du premier tour, le 26 avril, provoquèrent une grande surprise chez les Européens. Blaise Diagne arrivait largement en tête avec 1910 voix devant le député sortant qui en obtenait seulement 671. Les abstentions, les bulletins blancs et nuls étaient nombreux et la victoire de Diagne ne représentait pas la majorité des électeurs inscrits. Un second tour fut donc nécessaire. Il fut fixé au 10 mai. A la sérénité du premier tour, succédèrent l'inquiétude et la passion. La famille Devès maintint son protégé et Carpot, vexé, refusa de se retirer. En Casamance, la campagne électorale s'anima. Les électeurs européens isolés en brousse furent invités à venir voter à Ziguinchor et on se proposa d'aller les chercher au besoin s'ils ne pouvaient se déplacer. Au soir du 10 mai, Blaise Diagne fut élu député du Sénégal avec 2424 voix devant Henri Heimburger qui en obtint 2249. La joie éclata chez les Sénégalais et l'administrateur-maire de Ziguinchor nota dans son rapport: « D'une manière générale, l'élection de Monsieur Blaise Diagne a été considérée par nos administrés de Santiaba et de Boucotte comme un échec du gouvernement local et presque une leçon donnée à l'administration... Aux yeux des indigènes, Monsieur Blaise Diagne apparaît comme une sorte de « Madhi politique » dont la mission serait de lutter contre l'administration. Il n'y a pas lieu d'exagérer la portée de ces tendances, mais il n'est pas inutile de les noter. [1] »

Dans le domaine agricole, les récoltes étaient achevées depuis janvier. Le poids de l'hectolitre d'arachides variait entre 27 et 29 kilogs dans le Pakao et de 35 à 37 kilogs dans le Fooñi. Les semences du Siin distribuées en 1913 dans le Fulaadu donnèrent des arachides plus lourdes que les variétés locales: 33,5 kilogs l'hectolitre au lieu de 31,5. La récolte de mil fut exceptionnellement abondante. Malgré les prix intéressants offerts par le commerce, les Malinké refusèrent de vendre leurs arachides, spéculant sur la hausse. La baisse les rappela cruellement à la réalité. L'hectolitre passa, en effet, de 8 francs à 4,50 francs. Plusieurs maisons de commerce suspendirent même leurs achats. Dans le Fooñi, les Joola arrivèrent à vendre 6 francs l'hectolitre de 35 kilogs, ce qui équivalait à 18 francs le quintal à Kolda. Au début de l'hivernage, en juillet, une invasion de chenilles détruisit les semis de mil et de riz, obligeant les paysans à effectuer un second ensemencement.

C'est donc dans un climat politique relativement serein, et après une traite médiocre, que les Casamançais, préoccupés par leurs cultures d'hivernage, apprirent que la France était entrée en guerre en Europe. La nouvelle ne suscita guère d'émotion, car les champs de bataille étaient si loin. Hélas pour eux, ils allaient très rapidement en éprouver les conséquences, et partager avec des millions d'hommes, les souffrances physiques et morales de cette tragédie.

[1] Archives du Sénégal, 2 G 14-40. Administrateur de Coppet à administrateur supérieur Maclaud.

2. Le recrutement de 1914

Dès l'arrivée de l'ordre de mobilisation, les réservistes européens, agents ou employés de commerce furent dirigés sur Ziguinchor à partir du 4 août. Les réserves indigènes acceptèrent la mobilisation sans difficultés. Elles ignoraient évidemment le sort qui les attendait. Dès le 5 août, le général commandant supérieur des troupes de l'A.O.F. autorisa les engagements pour la durée de la guerre des anciens tirailleurs réservistes non susceptibles d'être rappelés. Une prime de 40 francs fut accordée par année d'engagement souscrit. Le 19 septembre, il ordonna le recrutement par appel ainsi que par engagements volontaires et rengagements [1]. L'appel se fit pour deux ans. Les engagements étaient souscrits pour deux, trois, quatre ou cinq ans. L'instruction des troupes fut fort difficile à cause de la pénurie des cadres d'active, du manque de fusils 1886 et de l'obligation de faire des réserves de munitions pour la défense. Pour toute l'A.O.F., le recrutement fut porté à 8000 hommes.

Depuis le mois de juin, Richard Brunot exerçait en Casamance l'intérim de l'administrateur supérieur Maclaud parti en France en congé de convalescence. Il ne revint pas à Ziguinchor et occupa par la suite le poste de médecin-chef de l'hôpital de Cannes. Brunot eut donc la charge délicate d'organiser le recrutement et de veiller aux conséquences politiques, économiques et sociales de la nouvelle situation qui venait d'être créée.

Les 112 hommes de la 17e compagnie de tirailleurs de Biñona partirent le 7 août pour Dakar à bord du « Misuren » avec leurs officiers et sous-officiers [2]. La résidence de Biñona était alors confiée au lieutenant Pommier aidé d'un sous-officier et d'un adjoint des affaires indigènes, celle de Jululu était administrée par Gorgui Njaay qui disposait de trois gardes seulement. Usuy ne comptait plus que M. Mendiharat, agent des affaires indigènes et dix laptots. Ces dispositions suffirent à maintenir l'ordre mais elles ne permirent plus de poursuivre le programme tracé, pour amener les villages récalcitrants à s'acquitter de leur impôt. En attendant son départ pour la France, le capitaine Javelier, ex-résident de Biñona, réussit à obtenir le paiement de l'impôt à Brin et Jibonker à la suite d'exercices et de promenades militaires. L'insuffisance cependant de la compagnie de Biñona, formée de jeunes recrues, empêcha toute intervention pour le rétablissement de la paix entre Mlomp et Kañut qui venait de s'affronter durement. Dans la résidence d'Usuy, plusieurs quartiers de Jembering étaient toujours en état latent de rébellion et les Joola essayaient de s'affranchir de l'autorité qui ne s'exerçait plus que par de vaines paroles. Dans la région de Ziguinchor, l'administrateur de Coppet réussit à faire payer l'impôt de l'année au canton de Brin-Seleki, soit 20 000 francs. Les Bayot résistaient toujours et ne versèrent que 1517 francs sur 3780. Excédé, de Coppet demanda à Brunot d'organiser une tournée de police avec 60 recrues [3].

[1] Archives du Sénégal, 2 D 7. Rapport du général commandant supérieur au gouverneur général.

[2] Archives des Pères du St-Esprit à Paris. Journal de paroisse du Père Esvan, curé de Ziguinchor, août 1914.

[3] Archives du Sénégal, 2 G 14-51. Journal mensuel de l'administrateur Brunot, novembre 1914.

Au mois de novembre 1914, une terrible nouvelle frappa de stupeur les Casamançais. Le 1er régiment de tirailleurs sénégalais et avec lui la compagnie de Biñona venait d'être décimée à Arras. Le capitaine Javelier et le lieutenant Lemoine étaient morts avec leurs soldats [1]. Cet événement tragique fut douloureusement ressenti par les familles qui, outre la perte de l'un des leurs, déplorèrent qu'il fût enterré en terre étrangère. Les Joola redoutent d'être inhumés en dehors de la terre de leurs ancêtres car leur esprit peut ne pas trouver la paix. Dès lors, le recrutement se heurta à une vive résistance et Brunot s'attendit à de sérieuses difficultés, car le gouverneur du Sénégal lui donna l'ordre de recruter 600 nouveaux tirailleurs. Parmi les Joola, aucun volontaire ne se présenta. Seuls quelques rares Sénégalais natifs de Saint-Louis offrirent leurs fils; parmi eux, le vieux Birama Gueye, chef de Karabane, qui donna le sien. Brunot décida d'aller à Seju, ancien chef-lieu de la Casamance pour tenter de persuader les chefs malinké de favoriser le recrutement. La palabre eut lieu à la fin du salam du soir, devant la mosquée, en présence du marabout Chérif Yunus et du vieux chef de la ville Negue Konate. Brunot qui connaissait bien son auditoire, lui tint le langage suivant [2]:

« Hommes de Seju, vous avez appris qu'il y a maintenant une grande guerre entre les Français et leurs ennemis, là-bas, au pays des Blancs. Cette guerre est aussi votre guerre. Vous ne le savez pas, mais moi, qui ne vous ai jamais trompés, je vous le dis. Avant de demander des jeunes gens au pays du Suna, du Balantakunda, du Pakao, et du Yasin, j'ai pensé que Seju devrait donner l'exemple. Vous allez inscrire les noms des jeunes gens de la ville sur ces papiers. Vous les mettrez dans cette calebasse, puis le marabout en tirera quinze. Ce sont quinze jeunes gens que je désire. Dieu désignera les siens. » Cet appel à l'intervention d'Allah rencontra un accueil glacé. Les visages se fermèrent et quelques instants plus tard, le vieux Negue répondit au nom de tous:

« Bismillahi (au nom de Dieu), ce que tu dis est la vérité. Si tu nous demandais des jeunes pour faire la guerre avec toi en Afrique, nous partirions tous, mais envoyer nos enfants faire la guerre dans le pays des Blancs, de l'autre côté de la mer, ça nous ne l'aimons pas, parce que nos jeunes gens ne reviendront pas. » Brunot n'insista pas et déclara qu'il attendrait le lendemain à la Résidence, pour présider à la visite médicale.

Le lendemain, les quinze recrues furent engagées. Toutes n'étaient peut-être pas de Seju et l'administrateur pensa que les habitants avaient dû aider la volonté divine à s'orienter vers quelques étrangers de passage puisqu'un Jula, Samba Juuf était recruté. Le soir, au moment de s'embarquer pour Ziguinchor avec son contingent, un groupe de jeunes aborda l'administrateur et l'un d'eux lui dit: « Commandant, je suis le président de la petite société des anciens élèves de l'Ecole. Après que tu as parlé à la mosquée, nous nous sommes réunis. Nous n'avons rien dit, parce qu'ils n'ont rien compris, mais nous avons bien compris et nous avons causé. Nous avons décidé d'engager quinze des nôtres. Surpris

[1] Leurs noms ont été donnés à deux rues principales de Ziguinchor.

[2] Extrait d'une note intitulée « Nos ancêtres les Gaulois », feuille dactylographiée par R. Brunot, gouverneur général, conseiller de la République. Possession du Dr Carvalho, notable à Ziguinchor.

et touché, Brunot acquiesça à leur demande. Plus tard, dans la nuit, à l'arrière du bateau qui les emmenait vers Ziguinchor, ils bavardèrent avec l'administrateur qui ne put s'empêcher de leur demander qui les avait incités à prendre leur décision. Bubakar Ja (Dia) répondit : « Ce que l'instituteur Fages nous a appris de meilleur, c'est l'histoire du Chevalier Bayard, qui se battait tout seul contre 40 hommes sur le pont de Garigliano. » Son camarade Lamine Sangare ajouta : « Il était contre notre lieutenant Sidi qui chargea les Balant avec un épieu. » Subjugués par l'anecdote de Bayard, ces quinze enfants de Seju offraient leur vie à la France. Ils tombèrent tous à Douaumont dans les rangs du 43e régiment des tirailleurs sénégalais. La terre de leurs ancêtres n'a point enseveli leurs corps.

Tous les Casamançais n'avaient point l'abnégation de la jeunesse de Seju. L'opposition au recrutement s'accentua dans les pays joola et le lieutenant Pommier, résident de Biñona, ne put arrêter les tirailleurs qui désertèrent en mars 1915, après le recrutement d'octobre 1914. Certaines recrues se réfugièrent à Jengui, à 10 kilomètres de Biñona. Les résidents d'Usuy et de Jululu eurent de plus en plus de difficutés pour se faire obéir et assurer la rentrée de l'impôt. M. Belly, à Usuy, ne disposait que de six gardes et cinq laptots. M. Mendiharat, à Jululu, ne réussit pas à obtenir un sou des villages de Itu et Hilor sur des reliquats d'impôts de 1914. Kañut, Mlomp, Jembering et Kabrousse retrouvèrent leur attitude frondeuse [1].

Le chef de Itu fut condamné à quatre ans de prison par le tribunal de cercle ainsi qu'un chef de quartier du même village pour insubordination. Du 7 au 26 avril 1915, l'administrateur de Coppet fit une tournée de perception dans le canton de Brin-Seleki et perçut 3000 francs, ce qui était peu, mais encourageant, car le résultat obtenu était supérieur à celui de 1914 à la même époque.

Dans le cercle de Seju, considéré depuis longtemps comme une circonscription sans problèmes, les Malinké manifestèrent de la mauvaise volonté pour payer l'impôt. Le Pakao fournit péniblement 17 recrues et le résident d'Inor ne put en trouver trois. Les habitants opposaient souvent une résistance passive, parfois très astucieuse. Ainsi, conformément aux instructions de l'administrateur du cercle, M. Belly, récemment affecté à la résidence d'Inor, se rendit à Jambali pour demander au chef du village un homme de 20 à 25 ans. Celui-ci lui présenta un gamin. Belly lui fit remarquer qu'il demandait un homme et non un enfant et le chef répondit qu'il n'y avait personne d'autre au village. Tous les jeunes étaient aux lougans (champs). Il ne pouvait les faire venir. Le résident ordonna alors de les convoquer par tam-tam. Un chef de quartier se précipita au-devant pour les informer de la présence de l'administrateur et personne ne répondit à l'appel ; ce qui provoqua la colère de Belly qui essuya le même échec dans le village voisin de Mesival. Bientôt, tous les villages prévenus présentèrent sur leur place, le spectacle de vieillards, de jeunes estropiés, syphilitiques et tuberculeux. A Sintian-Bojan, Belly arriva à recruter cinq Toucouleur qui le suivirent de leur plein gré. Mais la nuit, profitant du sommeil du garde Muusa Jallo, toucouleur comme eux, ils prirent la fuite [2].

[1] Archives du Sénégal, 2 G 15-41. Rapport mensuel de l'administrateur Brunot, mars 1915.

[2] Archives du Sénégal, 13 G 386. Lettre du résident d'Inor à l'administrateur du cercle de Seju, 12 juillet 1915.

3. Le recrutement d'octobre 1915

Par décret du 9 octobre 1915, le gouverneur général Clozel, qui venait de succéder à William Ponty, décédé à Dakar le 21 juillet, ordonna le recrutement de 50 000 hommes. Ce nouveau recrutement devait en principe se composer de volontaires. L'engagement était prévu pour toute la durée de la guerre. Une prime de 200 francs était payée à chaque recrue et une allocation mensuelle de 15 francs attribuée à la famille de chaque tirailleur recruté. Le 10 août 1916, le gouverneurgénéral câbla au ministre qu'il avait réussi à recruter 51 913 hommes pour toute l'A.O.F.

« La chasse à l'homme » ou le « racolage » [1] affola les populations. Le moment était particulièrement mal choisi, car il coïncidait avec les récoltes. Le Sénégal devait fournir 7500 soldats : 4500 pour les pays de protectorat et le reste dans les quatre communes. Brunot avait l'ordre d'en recruter 600. La panique régnait chez les Jula enrôlés de force et ils colportèrent dans les villages les rumeurs les plus alarmistes. Dans le Brasu, huit villages émigrèrent en Guinée portugaise. Dans le Kiang, la plus grande partie des Joola du marigot de Mampalago prirent la fuite. La plupart des recrues du cercle de Ziguinchor désertèrent et émigrèrent en Guinée ou en Gambie. D'autres se cachèrent dans les forêts ou les palétuviers de la mangrove. De nombreux Joola du Fooñi en profitèrent pour se révolter contre les chefs manding, peul ou toucouleur que les nouveaux officiers résidents avaient cru bon de leur imposer à nouveau [2]. Le Père Esvan, curé de Ziguinchor, fut un témoin précieux sur les modalités du recrutement. Profondément hostile au départ des Casamançais pour la guerre. Il était surveillé pai l'administration, qui lui reprochait ses menées « antifrançaises » et elle chercha l'occasion favorable pour le mettre en difficultés.

Le 8 décembre 1915, le Père Esvan sonna la messe à Karabane à 8 heures en l'honneur de l'Immaculée Conception. Il devait chanter l'office, mais vu la faible assistance, il dit simplement une messe basse. Les gens n'étaient pas nombreux pour la bonne raison que de Coppet, administrateur de Ziguinchor, était dans le village depuis l'avant-veille pour engager des tirailleuıs. Tous les Karabanais avaient été convoqués et six avaient accepté de s'engager : un chrétien, Albert Jaju (Diedhiou), un païen, et quatre musulmans. Satisfait, l'administrateur avait congédié les habitants qui étaient retournés aux champs.

Le 10 décembre, à 18 heures, le chef du village Birama Guèye communıqua une dépêche de Ziguinchor expédiée par de Coppet. Les jeunes de Karabane ne suffisant pas, il avait tiré au sort plusieurs noms nouveaux : Pierre Njaay, Joseph Njaay, Petit Jacques et Mamadu. Ils étaient priés de se rendre au chef-lieu par le prochain courrier avec leurs camarades déjà désignés. Birama Guèye dit au Père Esvan d'envoyer chercher son catéchiste mais le Père refusa : « Nous ne nous en occuperons pas, car nous ne sommes pas chargés d'appeler les jeunes gens mobilisés. De plus, avoir tiré au sort à Ziguinchor, alors qu'aucun Karabanais ne s'y trouvait, me semble une injustice. [3] »

[1] « Chasse à l'homme » selon Tété Diedhiou, conseiller coutumier, « racolage » selon le Père Esvan, curé de Ziguinchor.

[2] Voir chapitre 7 : « Incidence de la guerre sur la vie politique. »

[3] Archives des Pères du Saint-Esprit. Journal de Karabane. Père Esvan, 1915.

Le 21 décembre, des Lebu de passage dans l'île firent un grand salam avec chants solennels de 5 à 7 heures du soir. « C'était, paraît-il, pour que la guerre se termine et qu'ils ne soient pas pris comme soldats. [1] »

De nombreux tirailleurs, officiers et sous-officiers recruteurs partirent, le dimanche 26, par le courrier, soit « 314 volontaires de la Casamance ». Il en restait à racoler dans le pays encore 300 [1].

J'ai eu l'occasion de recueillir en 1970 plusieurs récits d'anciens combattants. Les quatre témoignages suivants nous permettent de mieux comprendre les attitudes et états d'esprit des recrues au moment de leur incorporation.

Ansumana Seydi, classe 1916, matricule N° 60695, travaillait à Adeane, quand il reçut une convocation de l'administrateur de Coppet. Il rejoignit Ziguinchor et s'engagea avec 28 camarades. Ils furent embarqués sur l'« Archinard ». Après avoir fait ses classes à Rufisque, il partit directement sur Londres à bord du Seckouna. Le navire fut malheureusement coulé par un sous-marin allemand au large de l'île d'Yeu et 210 Sénégalais trouvèrent la mort dans le naufrage. Seydi atteignit l'île à la nage avec d'autres rescapés. Nommé caporal, il fut affecté au 147e régiment des tirailleurs sénégalais en garnison à Saint-Nazaire. Admis à suivre des cours de maniement de mitrailleuse, il obtint le grade de sergent. Affecté au 78e bataillon des tirailleurs sénégalais, il partit au front et fut blessé le 8 novembre 1918 par un éclat d'obus à l'occipital gauche. Il rentra en Casamance le 2 décembre 1919 après une escale de huit jours à Lisbonne provoquée par le mauvais temps. L'accueil de ses compatriotes fut indescriptible. Chaque village environnant le reçut tour à tour avec tous les honneurs dus aux héros.

Jarabo Samake, classe 1916, matricule N° 9184, fut recruté de force à Seju. Il participa à la première bataille de Verdun en 1916. Gazé par la suite, il fut rapatrié au Sénégal en 1919.

Jan Kare, classe 1918, matricule N° 8073, fut recruté à Jana-Malari. Bijoutier, il reçut dans sa boutique le lieutenant commandant de la commission de recrutement accompagné d'un de ses amis Buñaña Cam. Emu par les propos de l'officier qui vantait les mérites guerriers de ses ancêtres, Jan Kare s'engagea sans arrière-pensée. Incorporé au 105e régiment des tirailleurs sénégalais à Dakar, il partit pour Marseille à bord du « Plata ». Il fut rapatrié en 1920.

Mapata Mane, classe 1920, matricule N° 23680, fut recruté à Ziguinchor. Manœuvre au déballage à la C.F.A.O., il répondit à la convocation de l'administrateur. Habillé le même jour, il partit suivre son instruction militaire à Saint-Louis pendant trois mois. Embarqué pour la France, il arriva au camp de Sousse à Bordeaux. Quelque temps plus tard, il partit en Turquie à Tarsus. Il fut démobilisé en 1924.

Tous les anciens combattants interrogés ont été unanimes pour reconnaître que leur angoisse était de mourir en terre étrangère. Leur retour fut triomphal et la liesse de leurs villages dura plusieurs jours.

Le 7 janvier 1916, « L'Imérithus » emmena 400 nouveaux tirailleurs. Contre toute attente, les volontaires furent plus nombreux qu'on ne s'y attendait. « Beaucoup n'ont fait aucune difficulté pour se présenter dès qu'on les a appelés. [2] »

[1] Archives des Pères du Saint-Esprit. Journal de Ziguinchor. Père Esvan, 1915.
[2] Archives des Pères du Saint-Esprit. Journal de Karabane. Père Esvan, 1916.

Le lieutenant-gouverneur du Sénégal fut satisfait. Au 31 décembre 1916, 5320 hommes avaient été recrutés dans le territoire [1]. En dehors des incidents de la région de Biñona où les Joola chassèrent à coups de fusil les chefs malinké imposés par les officiers-résidents, la situation politique sur les territoires de protectorat fut considérée comme normale. Le lieutenant-gouverneur Cor attribua le succès de ce recrutement à la promesse que la durée du service n'excéderait pas celle de la guerre, ce qui avait rassuré les recrues, qui croyaient qu'après deux ans, la guerre n'allait plus tarder à se terminer. D'autre part, les avantages financiers consentis aux soldats, l'assurance que des allocations seraient régulièrement versées à leurs familles étaient des éléments non négligeables dans leur détermination, d'autant que la colonie venait de connaître une situation économique difficile en 1914 et 1915.

Si de nombreux jeunes gens partaient avec l'insouciance de leur âge et l'ignorance des épreuves qui les attendaient, leurs parents, les mères et les épouses surtout, manifestaient bruyamment leur douleur au port de Ziguinchor, quand le bateau levait l'ancre pour Dakar. Des centaines de femmes gémissaient et pleuraient au départ de ceux qu'elles craignaient de ne plus revoir [2].

4. L'opposition du gouverneur Van Vollenhoven au nouveau recrutement

Au mois de juillet 1917, le nouveau gouverneur général Van Vollenhoven émit un avis défavorable au principe d'un nouveau recrutement demandé par le ministre Maginot. Il fondait son appréciation sur un rapport rédigé par l'inspecteur général Picanon, envoyé en mission en 1916, par le ministre des Colonies précédent, Gaston Doumergue [3].

A l'examen des faits, Picanon avait dégagé trois constatations. D'abord, le gouvernement s'était profondément mépris, dans les premières semaines qui avaient suivi la mobilisation, sur le sentiment des populations indigènes. Loin d'éprouver pour la cause française l'enthousiasme que l'on avait cru de bonne foi reconnaître chez elles, elles étaient demeurées indifférentes aux événements d'Europe ou sourdement hostiles.

A de rares exceptions près, ces populations avaient à l'égard du service militaire, contrairement à ce que l'on avait pensé, une répugnance marquée qui devint, lorsque l'expatriation dut s'ensuivre, une horreur véritable se traduisant par des exodes de villages entiers à l'annonce d'un recrutement prochain.

Chaque nouveau recrutement produisait dans le pays une perturbation profonde, semant des ferments de révolte dont quelques-uns avaient germé déjà.

[1] Archives du Sénégal, 2 G 15-6, 4e trimestre. Rapport du lieutenant-gouverneur au gouverneur général.

[2] Mgr Sagna, évêque actuel de Ziguinchor, se souvient de la douleur des femmes au départ pour le service militaire des jeunes gens pendant la guerre de 1939-45.

[3] Archives du Sénégal, 4 D 73, juillet 1917.

Dans un autre rapport de Picanon du 14 novembre 1916, Van Vollenhoven releva les lignes suivantes: « L'incorporation de près de 50 000 hommes de la fin d'octobre 1915 au commencement d'avril 1916, faisant suite sans interruption à la levée de près de 30 000 hommes effectuée de septembre 1914 à octobre 1915, paraît avoir été le maximum d'efforts en recrues qu'il était, en l'état actuel des choses, possible d'imposer à l'A.O.F. Encore n'a-t-on atteint ce résultat qu'en s'écartant de l'application stricte du principe de libre engagement formant la base des dispositions du décret du 9 octobre 1915. [1] »

Se fondant sur ce rapport et l'avis du gouverneur général Clozel, partagé par de nombreux lieutenants-gouverneurs, Van Vollenhoven conclut: « Les opérations de recrutement qui ont eu lieu de 1914 à 1917 en A.O.F. ont été excessives dans leurs résultats comme dans leurs méthodes... Aucun nouveau recrutement n'est possible tant que la Colonie ne sera pas complètement en mains et que la population n'aura pas repris une suffisante confiance en nous pour ne plus redouter les abus du récent passé. [1] »

Le 29 septembre 1917, le gouverneur général écrivit à René Besnard, nouveau ministre des Colonies: « Je vous supplie, Monsieur le Ministre, de ne pas donner l'ordre de procéder à de nouveaux recrutements de troupes noires. Vous mettriez ce pays à feu et à sang. Vous le ruineriez complètement et ce, sans aucun résultat. Nous sommes allés non seulement au delà de ce qui était sage, mais au delà de ce qu'il était possible de demander à ce pays. [2] »

Sollicité de donner son avis, le lieutenant-gouverneur du Sénégal Levecque écrivit à Van Vollenhoven: « La mesure qui est ordonnée sera pour le Sénégal, si elle est appliquée dans toute sa rigueur apparente, ou plutôt dans toute la rigueur qui vous est apparue, c'est-à-dire pour le recrutement de tous les hommes valides, sera pour la Colonie un désastre, un désastre irréparable, les seuls éléments de travail qui y restent actuellement disparaissent. [3] »

Il semble que Van Vollenhoven, appuyé par un fort « lobby commercial » de l'A.O.F. représenté par les puissantes sociétés de traite d'oléagineux bordelaises et marseillaises, ait décidé de donner la priorité à la contribution économique de l'effort de guerre [4]. Les exodes de populations vers les colonies voisines compromettaient le développement de l'agriculture, rendaient difficile le recrutement de la main-d'œuvre nécessaire aux entreprises locales. Les sociétés n'épargnaient pas l'administration coloniale de leurs craintes et la mettaient en garde contre une situation qui pouvait devenir catastrophique pour leurs intérêts [5].

Clemenceau devint Président du Conseil le 16 novembre 1917. Il choisit comme Ministre des Colonies le député radical socialiste du Tarn, Henry Simon. Les objections soulevées par le gouverneur général de l'A.O.F. ne troublèrent

[1] Archives du Sénégal, 4 D 73. Rapport de Van Vollenhoven à Maginot.

[2] Archives du Sénégal, 4 D 73. Lettre de Van Vollenhoven à René Besnard.

[3] Archives du Sénégal, 4 D 74. Lettre du lieutenant-gouverneur du Sénégal au gouverneur général, 25 décembre 1917.

[4] Maisons bordelaises: Maurel et Prom, Barthès, Lesieur, Buhan et Tesseire, Devès, Delmas, Vézia, etc.). Maison marseillaise: la C.F.A.O.

[5] Lire « La genèse du recrutement en 1918 », par MARC MICHEL. Revue française d'histoire d'Outre-Mer, N° 213, tome LVIII, année 1971.

guère le chef du gouvernement qui décida de procéder à un nouveau recrutement [1]. Pour le faire, il lui parut nécessaire de recourir hardiment à des méthodes nouvelles : « Il apparaît indispensable d'y associer ceux-là même qui, par leur origine et leur exemple, sont certains d'exercer sur les populations noires de l'Ouest africain une heureuse et efficace action. [1] » Clemenceau pensa donc à faire appel à Blaise Diagne, premier député africain du Sénégal, élu au Parlement en 1914, pour provoquer « avec succès la collaboration la plus intensive à l'action de guerre de toutes les populations africaines » [1].

Le 14 janvier 1918, le Président de la République Poincaré signa un décret contresigné par le Ministre des Colonies qui plaçait Blaise Diagne à la tête d'une mission envoyée dans l'A.O.F. et l'A.E.F. en vue de recruter des Africains. Il portait le titre de commissaire de la République. Avec son adjoint, le publiciste Pierre Alype, membre du Cabinet d'Henry Simon, ils avaient droit respectivement aux honneurs et préséances réservés au gouverneur général et au gouverneur de colonie. Délégué direct du Ministre, le commissaire de la République correspondait directement avec lui. Cependant, il ne participait pas directement aux opérations de recrutement qui restaient entièrement confiées au gouverneur général et aux gouverneurs.

Le but de Blaise Diagne était de persuader ses auditeurs par la palabre. Les manifestations publiques de sa mission devaient être accompagnées d'un certain apparat et cérémonial complété de projections cinématographiques appropriées.

Van Vollenhoven était à Paris quand il apprit la décision gouvernementale. Il offrit sa démission le 17 janvier. Il rappela ses critiques sur le recrutement mais déplora surtout l'envoi de la mission Diagne qu'il jugeait inconciliable avec le décret du 18 octobre 1904 qui réglait les pouvoirs du gouverneur général en A.O.F. Il n'admettait pas de partager le droit de correspondance avec le ministre. Clemenceau tenta sans succès de le faire revenir sur sa décision. Il finit par consentir à le remettre à la disposition de l'armée comme il le souhaitait. Incorporé avec le grade de capitaine dans un régiment d'Infanterie coloniale du Maroc où il avait déjà servi, Van Vollenhoven fut tué au combat le 10 juillet 1918. Il fut remplacé à Dakar par Gabriel Angoulvant qui exerça l'intérim jusqu'en 1919.

5. La mission Blaise Diagne en Casamance

La mission Blaise Diagne arriva en Casamance le 5 mars 1918, à bord de l'« Archinard ». Elle était accompagnée par le gouverneur Levecque. Les habitants de Karabane qui l'accueillirent à l'entrée du fleuve remarquèrent dans le groupe, deux officiers sénégalais, le lieutenant Henri Gomis des tanks, originaire de Karabane et le sous-lieutenant Galandu Juuf. Sur la place du marché, tous les chefs de la région s'étaient rassemblés pour écouter le député sénégalais qui les harangua pendant deux heures [2]. Une réception eut lieu ensuite à l'école des

[2] Archives des Pères du Saint-Esprit. Journal de Karabane, 1918.

[1] Archives du Sénégal, 4 D 73. Rapport de Clemenceau, Président du Conseil, au Président de la République.

Sœurs où les élèves chantèrent en wolof en l'honneur de l'illustre visiteur. Pierre-Marie Jata prononça un petit discours patriotique au nom de tous les catéchistes de la Basse Casamance, qui fut bien accueilli. Blaise Diagne y répondit et la cérémonie s'acheva par le chant de l'hymne « Gloire à la France ». Avant le départ pour Ziguinchor, un vin d'honneur et quelques gâteaux de pistache furent servis aux membres de la mission qui s'embarquèrent par le wharf de la maison Maurel et Prom.

Dans la capitale casamançaise, la foule attendait au wharf depuis plusieurs heures quand l'« Archinard » apparut vers 17 heures. De nombreux tirailleurs au garde-à-vous rendaient les honneurs. Dès son arrivée, Blaise Diagne se rendit à la Résidence supérieure et prononça un discours expliquant le but de sa mission et la manière dont il entendait la remplir. « Plusieurs Européens furent froissés, mais à parler net, il semble bien que le tort soit de leur côté. [1] »

Le lendemain dans la soirée, Blaise Diagne rendit visite à la Mission catholique accompagné du lieutenant Gomis et du Dr David, guadeloupéen. Il laissa entendre que le recrutement se ferait en douceur et le curé de Ziguinchor pria le Ciel qu'il en fût réellement ainsi. Avant de partir pour Kaolack via Bathurst, Blaise Diagne fit suspendre les « formidables et interminables corvées » pour la route de Kamobeul et rapporter la défense de recueillir du vin de palme [1].

La visite de la mission Blaise Diagne eut du succès, du moins à Ziguinchor. De nombreux jeunes demandèrent à s'engager, mais au même titre que les originaires des quatre communes. Blaise Diagne leur promit de travailler à l'aboutissement de leur requête. Pour les tirailleurs, le recrutement se ferait par tirage au sort dans les villages de Casamance.

Un seul parti à Ziguinchor se tint en marge de ce mouvement d'ensemble. C'était une association culturelle africaine, « l'Alliance Sénégalaise », étroitement surveillée par l'administration qui fit bien de la propagande en faveur du recrutement, mais ses membres influents se gardèrent de donner l'exemple. Usmaan Gueye, ancien instituteur, secrétaire de l'association et Malik Seck, écrivain, qui avaient fait la promesse solennelle en séance de l'« Alliance Sénégalaise de s'enrôler au premier appel « étouffèrent doucement leurs beaux sentiments patriotiques » [2].

6. Les difficultés du recrutement

Malgré tout, la conscription ne suscita aucun enthousiasme. Les chefs plus ou moins résignés, acceptèrent de faire ce qu'on leur demandait. Sur 485 incorporés jusqu'au 15 avril, on compta seulement 4 déserteurs pour toute la Casamance. Le cercle de Seju fournit un très fort pourcentage de volontaires. Dans le nouveau cercle de Kamobeul confié au capitaine Vauthier, les Seleki n'en

[1] Archives des Pères du Saint-Esprit. Journal de Ziguinchor, 1918.

[2] Archives du Sénégal. 2 G 18-20. Rapport trimestriel d'ensemble, 1er trimestre 1918. Administrateur Lanrezac à administrateur supérieur.

fournirent aucun. La population s'enfuit dans la mangrove à la seule vue d'un Européen. Dans celui de Kolda, les opérations furent ralenties par suite de la très forte proportion d'inaptes rencontrés parmi les jeunes gens présentés à la commission mobile. Bayoro Balde, chef du Jimara, s'engagea avec plusieurs membres de sa famille et beaucoup de fils et frères de chefs imitèrent son exemple. Dans la région de Biñona, parmi les 88 recrues obtenues en mars-avril (71 en mars; 17 en avril), on trouvait un grand nombre de volontaires parmi les Joola catholiques de Biñona et de l'entourage des chefs de cantons comme Ansumana Jata chez les Jugut, et Jalaman Jaju, chef de Njaan près de Marsasum [1]. Dans l'ensemble cependant, les Joola s'opposèrent au recrutement. Le lieutenant Jeanvoine, commandant le cercle de Biñona, eut des difficultés à faire désigner les recrues par les chefs et les notables. Le tirage au sort se fit à l'aide du recensement nominatif et les chefs de villages se déclarèrent impuissants à conduire devant la commission mobile les jeunes gens qui s'étaient réfugiés dans la forêt. La situation était la même dans la subdivision de Jululu, surtout chez les Blis et les Karones retranchés dans leurs îles.

Chez les Jamat, au sud d'Usuy, Efok et Yutu accueillirent avec hostilité le sergent européen et son détachement chargés de grouper les appelés. Pour être sûrs d'échapper à la conscription, les deux villages émigrèrent en Guinée portugaise.

A Jembering, les quartiers de Mosor, Kajakaye et Nialan attaquèrent le sergent et les tirailleurs durent faire usage de leurs armes pour le dégager. L'ordre fut rétabli quelque temps après, et les deux quartiers de Mosor et Kajakaye furent désarmés. Ils rendirent 102 fusils.

L'administrateur supérieur Benquey, qui avait succédé à Brunot en 1917, ne put guère compter sur la collaboration des autorités britanniques et portugaises voisines pour refouler les insoumis, car leur tâche n'était pas facile.

Le recrutement décidé en décembre 1917 fut quand même un succès au niveau de l'A.O.F. Il devait fournir 40 000 recrues. Il en donna 63 378 dont 47 000 rejoignirent la France avant l'armistice [2].

Avec emphase, le gouverneur général Angoulvant, très satisfait de lui-même, jugea que les craintes de Van Vollenhoven n'étaient pas fondées: « Bien entendu, je n'envisageais pas le danger imaginaire d'un ralentissement de la vie économique devant résulter d'une nouvelle levée d'hommes. Dût-il même s'en suivre qu'il n'aurait pas été logique de s'y arrêter. La France d'abord, la victoire avant tout... Un enthousiasme évident était suscité dans un grand nombre de milieux indigènes par la présence d'un frère de race parvenu à une haute situation dans le pays. Son action influa certainement beaucoup sur la décision prise par de nombreux chefs de s'engager ou de faire engager leurs proches pour donner l'exemple à la masse. [3] »

[1] Père de Tété Jaju, conseiller coutumier du gouverneur en 1973.

[2] Archives du Sénégal, 4 D 74. Rapport du gouverneur général Angoulvant au ministre, 26 septembre 1918.

[3] Archives du Sénégal, 4 D 74. Rapport du gouverneur général Angoulvant au ministre, 26 septembre 1918.

Angoulvant reconnut néanmoins qu'il avait été amené à réduire les contingents primitifs arrêtés pour certaines colonies afin d'éviter de créer une situation politique difficile. Exemple: Dans les cercles de Basse Casamance, bien que le chiffre des recrues demandées n'ait pas été tout à fait atteint, l'ordre fut donné de clore les opérations restant à effectuer dans quelques noyaux d'insoumis.

Une sévère épidémie de grippe décima, en septembre 1918, les cercles de Biñona, Ziguinchor et Kamobeul [1]. Elle supprima toute activité politique, agricole et commerciale. En octobre, elle se propagea aux cercles de Seju et de Kolda et causa la désolation. Certaines régions du cercle de Seju perdirent près de 20 % de leur population. Le fléau disparut avec la nouvelle de l'armistice le 11 novembre, qui fut saluée par tous avec une joie indicible. Le spectre de la mort s'éloignait et les Casamançais attendirent avec impatience le retour de leurs compatriotes des champs de bataille. Ils furent accueillis au port de Ziguinchor avec toute la liesse des fêtes africaines, contraste saisissant avec la poignante tristesse des mélopées des femmes qui saluaient leur départ.

L'arrêt des combats ne mit pas un terme aux recrutements. Jusqu'en 1924, la commission de recrutement continua à parcourir la région pour recruter des tirailleurs. Si la crainte demeurait, l'angoisse avait cessé car l'éventuel départ pour l'Europe n'était plus accompagné par la peur de mourir en terre étrangère. Les Casamançais étaient braves et courageux. Nombreux furent ceux qui donnèrent leur vie pour la France, convaincus de défendre un idéal de liberté. Nombreux furent ceux aussi qui partirent contraints et forcés et qui moururent en accomplissant une mission qu'ils ne comprenaient pas. Comme leurs camarades européens, ils subirent un traumatisme psychologique profond, sans oublier ceux qui portèrent dans leur chair les marques douloureuses des combats.

A Ziguinchor, le monument aux morts de cette tragédie, semblable à tous ceux des villages de France, rappelle leur sacrifice aux générations nouvelles. « A tous nos morts pour la patrie », peut-on lire gravé dans la pierre, mais aujourd'hui, cette épitaphe a un sens bien précis. Les Casamançais ont lutté et sont morts pour défendre en Europe la liberté menacée de leurs conquérants.

[1] Grippe dite espagnole, qui était en fait la peste pulmonaire.

CHAPITRE 7

INCIDENCE DE LA GUERRE SUR LA SITUATION POLITIQUE

Après le recrutement intensif de 1915, l'administrateur Brunot dressa le bilan. Tout s'était passé sans problèmes majeurs. Dans le cercle de Kolda, le contingent avait été essentiellement formé d'étrangers et on était heureux d'en avoir débarrassé le pays. Dans le cercle de Seju, l'exode qui s'était produit vers la Gambie semblait définitif. Par contre, l'émigration d'une partie des habitants du Brasu français vers le Brasu portugais fut temporaire. Dans le Fooñi, les Joola de la région de Sinjan-Balandine se révoltèrent au mois de décembre 1915 contre des chefs de canton malinké imposés par les résidents militaires de Biñona. C'est en 1913 qu'un résident, le capitaine Modest, prit l'initiative, sans consulter l'administrateur du cercle de Ziguinchor, de placer des chefs malinké et toucouleur, anciens jula pour la plupart, dans la région de Sinjan-Balandine (Nord Fooñi). Leurs procédés brutaux et des malversations continuelles exaspérèrent les Joola qui se révoltèrent en pillant et incendiant les carrés malinké. En pleine période de recrutement, l'intervention des tirailleurs était délicate. L'administration préféra attendre, pour éviter d'aggraver l'exode de la population vers la Gambie. De Coppet, administrateur du cercle de Ziguinchor, congédia les chefs malinké et les remplaça par un Joola, Jalaman Jaju, chef du village de Njaan. Musulman, il avait beaucoup d'influence dans les cantons de Njaan et de Mampalago [1]. Peu à peu, les Joola de la région de Sinjan-Balandine acceptèrent son autorité, notamment pour la perception de l'impôt.

1. L'HOSTILITÉ DES BAYOT

Le 23 février 1916, les administrateurs Brunot et de Coppet tentèrent l'expérience de percevoir sans escorte l'impôt chez les Bayot. Jusqu'ici, la force armée avait été nécessaire pour inspirer une crainte salutaire. Partis le 23 février à 8 heures par le canot « Camille Guy », Brunot et de Coppet arrivèrent au débarcadère de Kaïlu à 16 h 30. Ils amenaient avec eux un cotre de Maurel et Prom

[1] Jalaman Jaju, père de Tété Jaju ou Diadhiou, actuel conseiller coutumier des gouverneurs de Casamance.

et un traitant dut acheter les palmistes et le riz en paille pour permettre aux habitants de se procurer du numéraire. Le lendemain, de Coppet réunit quelques chefs de famille et leur expliqua le but de sa présence. Les gardes de cercle étaient restés à l'écart pour éviter tout incident. Mais à la réunion générale, aucun Bayot ne se présenta. Le 25 à midi, l'interprète Tété Jaju avertit les administrateurs que des Bayot en armes s'apprêtaient à les attaquer. Le camp fut levé en hâte et de Coppet décida de partir pour Kamobeul, village plus sûr.

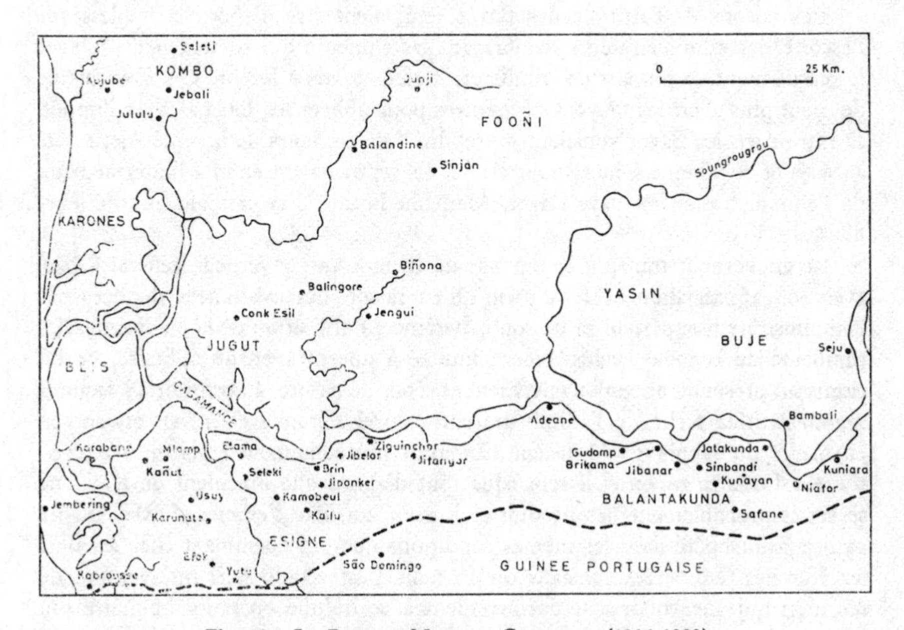

Fig. 32. La Basse et Moyenne Casamance (1914-1920).

Au moment où les dix porteurs transportaient les premiers bagages au bateau, à 1800 mètres du campement, une quarantaine de Bayot armés de fusils, d'arcs et de flèches arrivèrent par le nord, et se placèrent à une trentaine de mètres. Les Français les tinrent en respect, leurs fusils chargés à la main. Par chance, le sang-froid des gardes fut total, et aucun coup de feu ne fut tiré. Arrivé à Kamobeul, Brunot envoya immédiatement une réquisition au résident de Biñona pour avoir une centaine de tirailleurs, mais elle fut annulée par un télégramme du gouverneur qui estima qu'un tel déploiement de force risquait de produire un fâcheux effet dans tous les milieux casamançais à un moment où on essayait d'obtenir des recrues pour la guerre. Brunot fut fort surpris : « Je crois devoir vous rendre compte respectueusement qu'en Basse Casamance, c'est le contraire qui se produit *pour la principale raison qu'il y est normal de voir circuler la compagnie de Bignona* (souligné dans le texte). Depuis le début de la guerre, en effet, sans compter les continuelles sorties de la troupe du Fogny qui n'est administré qu'à coups de promenades militaires, j'ai réquisitionné trois fois la troupe sans que la moindre émotion se soit manifestée dans le pays, une première fois pour aller punir Kañut et Mlomp, une seconde fois pour aller percevoir l'impôt des Blis et des Karones, une troisième fois pour aller percevoir l'impôt de Jembéring et Kabrousse.

« La présence des tirailleurs a toujours suffi à atteindre le résultat cherché sans qu'un seul coup de fusil ait jamais été tiré ; ce qui étonne seulement la population, c'est que nous ayons été chassés des Bayot, à 18 kilomètres de Ziguinchor et que nous n'osions pas retourner à Kahilou avec des tirailleurs. [1] »

Les raisons de l'attitude des Bayot semblaient être d'abord la faiblesse de l'escorte des administrateurs, confirmant les rumeurs qui prétendaient qu'avec le recrutement, la plupart des tirailleurs étaient partis à Dakar. Les Français ne devaient plus avoir les moyens nécessaires pour obliger les Joola à payer l'impôt. D'autre part, les Bayot voulaient reprendre l'un des leurs, le nommé Aje, arrêté à Nasia et condamné à mort pour crime. Ils reprochaient enfin à l'intermédiaire de l'administration en pays Bayot, Mamadu Njaay, d'avoir violé une de leurs filles.

Le gouverneur transmit la réponse de Brunot au gouverneur général Clozel avec son appréciation [2]. Il estimait qu'en raison des assurances données par l'administrateur supérieur et de son expérience, l'utilisation de la compagnie des tirailleurs de Biñona, exclusivement limitée à une promenade militaire, ne lui paraissait présenter aucun inconvénient et serait de nature, au contraire, à faciliter grandement la tâche de l'administrateur. Clozel s'étonna et écrivit au crayon en marge du rapport : « Monsieur Cor avait précédemment émis un avis contraire. » Dans sa réponse, il remarqua tout d'abord que l'incident de Kaïlu ne se serait probablement pas produit si Brunot, au lieu d'emmener avec lui dix gardes, avait opéré dans les mêmes conditions que précédemment chez les Blis, les Karones, etc. « Dès l'instant qu'un mois s'est écoulé sans intervention de notre part, je ne vois aucun inconvénient à ce qu'une opération militaire qui m'apparaît comme aussi inopportune qu'elle l'apparaissait à vous-même le 28 février, soit différée jusqu'à ce que les circonstances nous laissent entièrement libres de nos mouvements. [3] »

Le gouverneur général déplora d'être encore astreint le plus souvent, pour obtenir le paiement de l'impôt, à user d'intimidation ou même à employer la force. « Il ne vous échappera pas que celle-ci est fâcheuse et qu'il est difficilement admissible que dans la colonie du Sénégal et dans une région occupée depuis si longtemps que la Basse Casamance, nous en soyons réduits encore, à l'heure actuelle, à des procédés qui pouvaient se justifier au début, mais qui ne sont plus de mise aujourd'hui et qui, d'ailleurs, ont disparu de la Côte d'Ivoire, notamment dans des régions beaucoup plus éloignées et favorisées encore que le Fogny et le pays des Bayottes. [3] » ... « Le moment me semble donc venu

[1] Archives du Sénégal, 13 G 383. Rapport de l'administrateur Brunot au gouverneur Cor, 6 mars 1916.

[2] Archives du Sénégal, 13 G 383. Rapport du gouverneur du Sénégal au gouverneur général Clozel, 24 mars 1916.

[3] Archives du Sénégal, 13 G 383. Lettre du gouverneur général Clozel au gouverneur Cor, 8 avril 1916.

d'envisager comment, soit en transformant les procédés d'administration actuels, soit en modifiant la répartition des troupes stationnées en Basse Casamance, nous pourrions arriver à ce que cette circonscription ne constitue plus une exception et un anachronisme dans l'ensemble de nos territoires de l'Afrique. [1] » Clozel demanda donc au gouverneur et aux administrateurs de préparer et de lui soumettre un plan d'ensemble qui donnerait des résultats plus profonds et plus stables que de petites opérations dispersées, hâtivement décidées.

En attendant, Brunot devait faire face à plusieurs difficultés. D'abord, la rentrée de l'impôt dans le Fooñi ne correspondait plus aux prévisions, après les migrations en Gambie plus importantes qu'on ne le supposait. Dans le nord du Fooñi, la population était devenue très méfiante depuis le dernier recrutement, malgré les efforts d'apaisement du commis Couturier chargé de l'administration de cette région. Le recensement qu'il venait de terminer dans la région de Sinjan accusait une diminution de 2575 personnes sur 8318 habitants comptés au recensement précédent. Dans les cantons de Brin-Seleki et Bayot, la situation était franchement mauvaise et il était indispensable d'y retourner avec un fort détachement de tirailleurs. Dans le cercle de Seju, les Malinké du Pakao rechignaient à payer l'impôt et écoutaient trop facilement les bruits fâcheux sur la guerre colportés par les Jula.

De Coppet reprocha aux officiers qui faisaient fonction de résident de prendre des initiatives intempestives aux résultats catastrophiques. Ainsi, le capitaine Ronné à Biñona, qui pourtant avait obtenu, en avril 1916, de bons résultats en désarmant pacifiquement Conk-Esil et les autres villages jugut, déclara une guerre brutale et sans motifs valables aux Musulmans, poussé par le supérieur de la Mission catholique de Biñona. L'émigration s'en trouva accélérée et de Coppet se réjouit du départ du capitaine à la fin du mois à Dakar. Il fut remplacé par le lieutenant Jeanvoine, qui essaya de ramener le calme dans la région. Ces troubles eurent une répercussion sur l'impôt et de Coppet s'attendit à un déficit de 30 000 francs. Seul motif de satisfaction et qui n'était pas négligeable, Seleki paya pour la première fois presque tout son impôt en juin (7000 francs) sans aucune intervention de l'administration.

2. Le plan Brunot de pacification de la Casamance

Brunot s'étonnait comme le gouverneur général qu'au Sénégal, à un jour de mer de Dakar, la Casamance occupée depuis longtemps ne fût pas encore entièrement soumise. Il envisagea trois sortes de raisons.

Causes géographiques : le bas pays était difficile d'accès, surtout les immenses forêts bayot, bañun, balant, « refuge inviolable des habitants qui leur permet de laisser passer les colonnes sans qu'il résulte pour eux d'autres sanctions que l'incendie des toits de paille des cases abandonnées et préalablement vidées de

[1] Archives du Sénégal, 13 G 383. Lettre du gouverneur général Clozel au gouverneur Cor, 8 avril 1916.

leur contenu »[1]. En outre, la Casamance était un long couloir entre deux colonies étrangères où à l'occasion se réfugiaient temporairement les rebelles.

Causes ethnographiques : Brunot distinguait la région bayot insoumise, le pays balant mal soumis et la région bañun soumise. Or, cette dernière était placée entre les deux premières. Cette différence s'expliquait par le contraste des races. Face aux Bañun craintifs et derniers vestiges d'une race qui s'éteignait, les Joola étaient remarquables au point de vue physique, très travailleurs et épris d'indépendance. Dans la même forêt, à quelques kilomètres de distance, le village bañun de Jibelor était soumis, celui de Brin, joola, était toujours hostile.

Causes administratives : « Nous n'avons jamais élaboré de programme d'action et nos interventions militaires déterminées au jour le jour par les événements se sont montrées sans suite et par conséquent sans effet durable. La raison en est que jusqu'à ce jour, les administrateurs de la Casamance n'ont jamais eu à leur disposition les moyens d'action suffisants. [2] » Après avoir fait l'historique de la conquête et montré l'effort des Français, surtout autour de Seju, Brunot notait que l'occupation de la Basse Casamance s'était faite surtout au début par des colonnes assez nombreuses, sans lien et sans suite, et sans grand résultat. Puis de 1902 à 1913, le Fooñi et la région d'Usuy avaient été occupées militairement. Il se félicita de l'excellent travail du capitaine Lauqué dans le Fooñi qui avait pu mener une action suivie et suffisamment longue. « De 50 000 francs, le rendement de l'impôt passa sous son commandement à 250 000 francs. [2] » Mais l'effectif trop réduit (120 hommes) de la compagnie ne permit pas une occupation semblable de la rive gauche de la Casamance. « La région d'Oussouye fut confiée à un agent des affaires indigènes n'ayant que cinq ou six gardes à sa disposition. Quant aux cantons alors totalement insoumis des Bayot, Essigne, Brin-Séléki, ils furent abandonnés à eux-mêmes. [2] »

En 1912, la rive droite était pacifiée, mais non véritablement soumise, l'impôt n'y rentrant sur certains points qu'en présence des tirailleurs. Sur la rive gauche, la région d'Usuy était prête au contraire à s'émanciper à l'exemple de la région voisine de Seleki et des Bayot. Le lieutenant Javelier passa avec sa section chez les Bayot sans difficultés en 1913. Il fut remplacé à Usuy par le lieutenant Lemoine jusqu'à la mobilisation. Ces deux officiers reprirent en main la région d'Usuy puisque depuis la guerre, elle était placée, faute de personnel, sous l'autorité de l'interprète Benjamin Jata originaire du pays. Au lendemain du départ des tirailleurs, l'impôt fut perçu par de Coppet avec l'aide des tirailleurs dans quelques villages qui résistaient encore. Pour atteindre son objectif, de Coppet faisait séjourner la troupe dans chaque village jusqu'au paiement complet, avec obligation pour les habitants de nourrir les tirailleurs. Les séjours n'excédaient jamais deux à trois jours, les Joola voyant avec consternation leurs bœufs passer à l'état de viande de boucherie[3].

[1] Archives du Sénégal, 13 G 383. Rapport de l'administrateur supérieur par intérim Brunot au lieutenant-gouverneur du Sénégal, 23 août 1916.

[2] Archives du Sénégal, 13 G 383. Rapport de Brunot, 23 août 1916.

[3] Appréciation du gouverneur : Initiative anormale et inutilisable.

En 1916, la situation était bonne dans la résidence de Jululu (Kombo). Elle était devenue à nouveau franchement mauvaise dans le Fooñi et Brunot en attribuait la responsabilité à « l'incompétence et l'incohérence de l'administration militaire dans cette région »[1]. Depuis le début de la guerre, les officiers et sous-officiers d'active étaient partis pour être remplacés par des officiers et sous-officiers de réserve « anciens sergents-majors en retraite, jamais d'administration et des sous-officiers de réserve, employés de commerce en temps normal ». « Comment demander même la plus vague connaissance du pays à des militaires qui changent continuellement sans que l'administrateur de la Casamance, pourtant responsable, soit prévenu de ces mutations ? Les résidents militaires du Fogny n'ont jamais sincèrement obéi aux directives, mêmes les plus générales, de l'administration supérieure.[2] »

Le but à atteindre pour Brunot était de faire accepter partout le principe du paiement de l'impôt. C'était un progrès, « mais notre domination n'est pas suffisamment établie, car à part l'impôt, nous ne pouvons guère obtenir de résultats en Basse Casamance sans force militaire »[2]. Par exemple, l'arrestation d'un autochtone prévenu d'un délit quelconque était difficile sans force militaire. Par conséquent, il était absolument nécessaire de désarmer complètement la population. « Nous n'avons pas affaire à des rebelles à châtier, nous avons partout à compter avec un désir latent de révolte, désir qui se manifeste ou non suivant l'importance du nombre de fusils détenus par rapport à l'importance du détachement de tirailleurs prêts à intervenir.[3] »

Le désarmement devrait être assuré par une troupe de 200 hommes venant de Dakar. Après avoir débarqué à Ziguinchor, elle aurait à parcourir le pays bayot, les régions de Brin-Seleki, Esiñe, Usuy. Par Karabane, elle atteindrait les Blis et Karones sur la rive droite, et visiterait le pays jugut, le Fooñi pour terminer par le Balantakunda. La tournée durerait au moins quatre mois. Le réarmement toujours possible serait empêché par une surveillance active des frontières et des sanctions sévères contre la détention illicite des armes.

Après le désarmement, la pacification exigerait la création d'une résidence dans les cantons inoccupés des Bayot, Esiñe et Brin Seleki, de préférence à Kamobeul pour des raisons de sécurité. Quant à la subdivision de Biñona, Brunot estimait qu'il était grand temps de la remettre à des fonctionnaires civils avec maintien des garnisons actuellement prévues dans les postes de Biñona et de Balandine (100 hommes à Biñona et 40 à Balandine).

Sur ce dernier point, l'Etat-Major à Dakar s'inquiéta du très mauvais état des deux postes et demanda au gouverneur général de les faire restaurer par les services de l'administration de la Casamance[4]. Sur l'ordre du gouverneur du Sénégal, Brunot se rendit à Biñona et Balandine avec le lieutenant Jeanvoine, commandant de la 17e compagnie : « Je n'hésite pas à affirmer de même que

[1] Archives du Sénégal, 13 G 383. Rapport de l'administrateur Brunot, 23 août 1916.

[2] Archives du Sénégal, 13 G 383. Rapport de Brunot, 23 août 1916.

[3] Brunot estime que le Fooni détenait encore 10 000 fusils car chaque Joola possédait habituellement deux fusils.

[4] Archives du Sénégal, 13 G 383. Le général Pineau, commandant supérieur des troupes en A.O.F. au gouverneur général, 18 mai 1916.

Monsieur Jeanvoine que le camp de Bignona permet de loger très convenablement et dans de bonnes conditions d'hygiène l'effectif actuel de la compagnie... Quant au poste de Balandine, il ne tombe pas plus en ruine que celui de Bignona, ayant été recouvert à neuf avant l'hivernage. Il comprend une résidence de quatre pièces et une salle à manger séparée, couverte en paille, très confortable et vingt cases rondes pour les tirailleurs... L'autorité militaire supérieure peut être rassurée sur les conditions dans lesquelles la 17e compagnie est casernée en Basse Casamance. [1] »

De Labretoigne du Mazel, gouverneur par intérim, approuva le plan Brunot d'autant qu'il avait servi en Casamance, et le soumit à l'approbation d'Angoulvant exerçant l'intérim de Clozel [2]. Par télégramme, le gouverneur général demanda au gouverneur de prévoir pour 1917 un sérieux renforcement des effectifs de gardes de cercle pour la Casamance ainsi qu'une augmentation immédiate du personnel européen, en opérant au besoin une diminution sur d'autres points de la colonie [3]. Angoulvant adopta les conclusions du rapport Brunot. Satisfait, il donna les instructions nécessaires à la réalisation du plan.

La Casamance devait être pourvue sans retard d'un nombre suffisant de fonctionnaires européens prélevés sur les effectifs des cercles du Fleuve et sur le personnel du chef-lieu. La compagnie de Biñona reçut les 200 hommes demandés et le général commandant supérieur des troupes se vit prier de rappeler aux officiers en service dans le Fooñi de rester étroitement subordonnés aux directives de l'autorité civile.

Si Brunot fut félicité, le gouverneur du Sénégal fut par contre blâmé. « Il m'apparaît que jusqu'ici, l'administration de la colonie du Sénégal s'est par trop désintéressée de cette portion lointaine, mais riche de son domaine, et que c'est à cette négligence regrettable qu'est due la persistance d'une situation intolérable. Je compte tout particulièrement sur vous pour mettre un terme à ces fâcheux errements et pour accorder à la Casamance la même attention qu'à n'importe quelle autre partie de la Colonie. [4] »

3. L'exécution du plan Brunot

Sans tarder, Angoulvant informa les gouverneurs de Gambie et de Guinée portugaise de sa décision de procéder au désarmement intégral des habitants de Basse Casamance. Il demanda au premier d'examiner la possibilité d'interdire dès maintenant le trafic des armes à feu et de leurs munitions à destination de la colonie sénégalaise et remercia le second d'y avoir déjà pensé depuis sa décision du 21 août 1916 [5].

[1] Archives du Sénégal, 2 G 16 (37). Rapport de Brunot au gouverneur, 31 juillet 1916.

[2] Archives du Sénégal, 2 G 16 (37). Rapport du gouverneur du Mazel au gouverneur général, 19 septembre 1916.

[3] Archives du Sénégal, 13 G 383. Lettre d'Angoulvant au gouverneur, 29 septembre 1916.

[4] Archives du Sénégal, 13 G 383. Le gouverneur général Angoulvant au gouverneur du Sénégal. 29 septembre 1916.

[5] 13 G 383. Le gouverneur général Angoulvant aux gouverneurs de Guinée portugaise et de Gambie.

Dès le 18 octobre, un détachement de 90 tirailleurs s'embarqua pour la Casamance sur le vapeur « Ponty ». C'est alors que Brunot informa le nouveau gouverneur Levecque [1] de la difficile capture du chef joola Kinjon dans le nord du Fooñi par M. de Coppet avec une escorte de 50 tirailleurs.

a) *La capture de Kinjon Baaji*

Kinjon était un chef joola de Jonji qui, en décembre 1915, avait fomenté la rébellion contre les chefs manding imposés par l'officier résident de Biñona. Couturier, chef de poste de Sinjan, voulant bien faire, tenta de le capturer en juillet 1916, en l'attirant dans un guet-apens. Il échoua et fut rappelé à Ziguinchor.

Au mois d'octobre, Kinjon, recherché pour meurtre, se déclara ouvertement en état de rébellion et annonça qu'il allait reprendre la guerre contre les Malinké en allant attaquer ceux de Jibijone qui avaient demandé protection au poste de Balandine. Kinjon fut capturé la nuit à Jonji dans un quartier isolé et encerclé par les tirailleurs. L'opération fut difficile et mouvementée à cause des herbes hautes protégeant le fugitif. L'opération réussit à cause de la menace d'incendie du village et Brunot nota dans son rapport : « Cette capture s'imposait mais j'avoue que lorsque j'ai autorisé Monsieur de Coppet à la tenter, je ne pensais pas qu'il réussirait. [2] »

De retour à son poste, Clozel réagit vivement à cette nouvelle. Cette arrestation aurait pu entraîner des difficultés totalement inopportunes à un moment où la situation était délicate et que tous les moyens indispensables pour le plan de désarmement général n'étaient pas encore tous à la disposition des autorités casamançaises. Afin d'éviter des incidents de ce genre, il interdit toute nouvelle opération quelconque sans qu'il en eût donné l'ordre [3]. Clozel blâma Brunot d'avoir autorisé de Coppet à prendre des risques : « C'était une initiative téméraire et une imprudence injustifiable. [4] » Il fut surtout choqué par la méthode d'intimidation des populations. « Il ne saurait être toléré, par exemple, qu'un commandant de cercle menace de brûler les habitations des gens qui tardent à se rendre à sa convocation, ou qu'un agent des affaires indigènes (Couturier) attire un chef dans un guet-apens et soit obligé ensuite de lâcher son prisonnier et de s'enfuir devant ses administrés. De tels procédés et de pareils actes, outre qu'ils ne sont pas dignes de l'administration coloniale française, loin de tendre à améliorer la situation lamentable dans laquelle se débat depuis trop longtemps cette région de la colonie du Sénégal, sont de nature à en accentuer les inconvénients ou tout au moins à les perpétuer. [5] »

Mis en cause, Brunot fit remarquer que M. de Coppet avait menacé de brûler les cases des indigènes de Sinjan s'ils refusaient de se rendre à sa convocation et non s'ils tardaient à y venir. « A cette occasion, Monsieur de Coppet a agi suivant mes ordres suivant la pratique que j'ai toujours vu suivre en Basse

[1] Depuis le 19 octobre 1916.

[2] Archives du Sénégal, 13 G 383. Rapport Brunot, 24 octobre 1916.

[3] Archives du Sénégal, 13 G 383. Télégramme du gouverneur général au gouverneur Levecque, 27 octobre 1916.

[4] Archives du Sénégal. Le gouverneur général au gouverneur du Sénégal, 16 novembre 1916.

[5] Archives du Sénégal, 13 G 384. Le gouverneur général au gouverneur, 16 novembre 1916.

Casamance, et cela parce qu'elle constitue la seule ligne de conduite possible dans ces régions insoumises. J'ajoute que les incendies de carrés pour cette cause ont été fréquents, qu'il en a été rendu compte au gouverneur qui n'a jamais désapprouvé cette pratique... Il s'agit d'une autre hypothèse que celle d'un manque d'empressement à obéir, celle d'un refus complet d'obéissance qui ne comporte aucune sanction possible que l'incendie de la case des fugitifs... Dans ces régions de forêts impénétrables, nous ne pouvons agir que sur ce qu'il est impossible d'emporter, sur les cases qui sont le seul point faible des Diolas dans leur résistance contre nous. Nous interdire d'y toucher, c'est nous désarmer complètement vis-à-vis d'eux. [1] »

Le gouverneur général mit un terme à cette polémique. Tout en louant les qualités et les résultats remarquables obtenus par l'administrateur supérieur et ses collaborateurs, il ne modifia pas son appréciation sur la méthode utilisée pour capturer Kinjon. « Quant aux incendies de cases, même après refus de se rendre à une convocation, c'est là un procédé d'administration que je ne saurais approuver. [2] »

Dès le début de 1917, l'opération de désarmement se développa. Déjà en novembre 1916, de Coppet, toujours actif, avait réussi à désarmer sans escorte les villages de la région d'Usuy, notamment Jembering, ce qui était un exploit. 1500 fusils et autant de sagaies et sabres furent récupérés au cours de cette tournée. Au mois de février 1917, le Fooñi rendit plus de 500 fusils. Lentement mais sûrement, le désarmement se poursuivit. L'état d'esprit des populations ne s'améliora pas pour autant. L'opposition à l'impôt, toujours très vive, pouvait à tout instant susciter un incident.

b) *L'affaire de Seleti (24 juin 1917)*

Quelques jours avant le départ définitif de M. de Coppet pour une nouvelle affectation en Guinée, le poste de Jululu fut attaqué par une bande armée formée de talibés d'un marabout peu connu, El Hadj Aïdara. L'adjudant Basset, préposé aux douanes fut assassiné au poste frontière de Seleti avec deux subordonnés [3].

Depuis mars 1917, El Hadj Aïdara, venu du Soudan, s'était installé à Kujube, à 10 kilomètres à l'est de Jululu. Il était arrivé accompagné de quatre talibés non armés. Très vite, il avait fabriqué des gris-gris, créé des prières tandis que ses suivants préparaient des champs de culture. Se proclamant Chérif, il finit par recruter quelques adeptes dans des villages gambiens proches de la frontière, parmi des compatriotes attirés surtout par les terrains de culture.

Le 24 juin au soir, à la tête d'un groupe de quinze hommes, Aïdara arriva à Seleti et convoqua les habitants. Il leur dit simplement : « Voici arrivé le moment que nous avions dit. Le Blanc est là, ne le laissons pas s'échapper. » Les gens de Seleti le suivirent et quatre d'entre eux s'armèrent de fusils. En pleine nuit, ils attaquèrent le poste de douane, tuèrent l'adjudant, son cuisinier, et le garde

[1] Archives du Sénégal, 13 G 384. Brunot au gouverneur, 7 décembre 1916.
[2] Archives du Sénégal, 13 G 384. Le gouverneur général au gouverneur, janvier 1917.
[3] Archives du Sénégal, 13 G 382. L'administrateur supérieur Benquey au gouverneur, juin 1917.

de cercle Amadi-Nor pendant que le marabout, dans la cour du poste, psalmodiait des versets du Coran du haut de son cheval. Affolés, les autres gardes-frontières et leurs femmes se sauvèrent à Jululu où ils donnèrent l'alerte. L'interprète Gorgui Njaay, qui faisait fonction de résident organisa la défense du village avec les gardes et M. Dutch, colon européen. Ils repoussèrent les assaillants qui se réfugièrent en Gambie.

Le 26 juin, l'administrateur Brunot, le Dr Poirier et Guénot, chef du Bureau des Douanes de Ziguinchor, partirent à Jululu pour procéder à l'enquête. Ils acquirent la certitude que les habitants de Seleti, Jebali et Koba avaient participé à l'attaque. En représailles, Brunot ordonna la destruction des trois villages avec interdiction absolue de les reconstruire. Aïdara fut arrêté en Gambie le 29. Extradé, il fut incarcéré à la prison de Ziguinchor le 4 juillet.

L'enquête révéla que les conjurés voulaient soulever tout le Fooñi. Aïdara était manœuvré par un certain Amadu Siise qui était l'instigateur de l'affaire. C'était lui qui avait favorisé la collaboration des gens de Seleti, Jebali, Koba et même d'un certain nombre de Jululu. Il s'enfuit en Gambie.

L'interprète Gorgui Njaay fut relevé de ses fonctions de résident pour être remplacé par un sergent européen à la tête d'un détachement de tirailleurs qui s'installa à Jululu. Il dut parcourir toute la région avec son escorte, pour montrer sa force à la population franchement hostile. Le poste frontière de Kabajo, au bord de la mer, fut renforcé à la suite de plusieurs démonstrations agressives des Karones [1].

Le 7 juillet, de Coppet fit ses adieux à Ziguinchor. Il fut remplacé par M. de la Rocca [2]. Brunot quitta lui aussi la Casamance, par le même bateau. Il fut remplacé par un officier de réserve, le commandant Benquey, jugé apte à mener à bien l'opération de désarmement de la Basse Casamance.

Avant de partir, de Coppet fit le point de la situation dans son cercle.

4. La situation politique du cercle de Ziguinchor en juillet 1917 [3]

Outre la commune mixte, le cercle comportait quatre subdivisions : Ziguinchor, Usuy, Biñona et Jululu.

La subdivision de Ziguinchor se divisait en deux circonscriptions distinctes ; le canton soumis des Bañun où l'impôt était perçu sans aucune difficulté ; il suffisait de prévenir les villages quinze jours à l'avance, et les cantons insoumis de Brin-Seleki, des Bayot et d'Esiñe. Ils payaient l'impôt contraints et forcés. Depuis le début de l'année, selon le vœu de Brunot, un poste militaire avait été construit à Kamobeul. Il était dirigé par l'adjudant-chef Richard qui disposait de 60 tirailleurs.

[1] Archives du Sénégal, 13 G 384. Rapport politique sur la Casamance, juillet 1917.

[2] Opinion de Tété Jaju, actuel conseiller coutumier du gouverneur qui les a bien connus : « de Coppet, homme intègre et brave ; de la Rocca, homme qui ne valait rien ».

[3] Rapport de l'administrateur de Coppet pour son successeur, juillet 1917. L'exemplaire consulté est la propriété de Tété Jaju.

Dans la subdivision d'Usuy, région « la plus intéressante et la plus délicate du cercle à administrer en raison du caractère particulier des Flup qui l'habitent », les habitants n'étaient point rebelles, car ils payaient l'impôt et faisaient à l'occasion quelques corvées de route, mais c'étaient les seules concessions qu'ils faisaient à l'administration. Pour le reste, ils lui échappaient complètement et réglaient eux-mêmes leurs affaires. Très réfractaires au recrutement, il fallait se méfier de leurs femmes qui les influençaient par des insultes et des sarcasmes sur leur virilité, ce qui les exaspérait. Les villages particulièrement difficiles étaient Karunate, qui avait fait échouer le recrutement organisé en décembre 1915, Efok, qui avait congédié le lieutenant Lemoine avec son escorte, Jembering, qui ne payait l'impôt que sous la pression des tirailleurs et qui n'était que partiellement désarmé. Depuis octobre 1916, la circonscription était confiée à M. Guillet, commis des Affaires indigènes, qui avait succédé à l'interprète Benjamin Jata, homme de valeur mais partial en faveur de Kabrousse.

La subdivision de Biñona était plus calme depuis l'arrestation de Kinjon Baaji à Sinjan. Le désarmement était activement mené par le lieutenant Jeanvoine, résident de Biñona. Il restait à faire dans la région de Balandine-Sinjan fort troublée par le recrutement et à Conk-Esil.

La subdivision de Jululu dépendait autrefois de Biñona. La situation était meilleure que dans le reste du Fooñi. On décida de la placer, en 1912, sous l'administration civile. En 1915, devant le calme de la région, on lui rattacha la rive droite du marigot de Balandine. Au point de vue politique, il fallait distinguer pourtant trois régions distinctes.

1° La région de Jululu, qui ne présentait pas de difficultés en temps normal.

2° La rive droite du marigot de Balandine, profondément troublée par le recrutement. L'exode vers la Gambie avait d'ailleurs été important dans tout le nord du Fooñi. Si la plupart des habitants étaient rentrés et l'impôt payé, les fusils restaient à rendre.

3° La région des Blis et Karones était la plus difficile d'accès. Les Karones avaient longtemps refusé de payer l'impôt. Ils s'étaient décidés, en 1915, à cause de la présence des tirailleurs, mais ils avaient encore des armes et une tournée de police était nécessaire avant ou après l'hivernage, car en saison sèche, les hommes voyageaient beaucoup et allaient travailler en Gambie et au Sénégal dans les ports.

De la Rocca fut impressionné par la tâche qui restait à accomplir. Il dressa un tableau franchement pessimiste. « Au sud du fleuve, la situation politique n'est pas meilleure (qu'au nord). Sous un calme apparent, les populations de cette région cachent des sentiments déplorables. C'est l'anarchie... L'hostilité des Noirs est un fait indiscutable... C'est seulement lorsqu'il (le Noir) sera contraint d'obéir et que la preuve qu'il ne peut échapper à notre action lui aura été donnée que le Noir du cercle commencera à évoluer dans le bon sens. C'est à cette seule condition que nous établirons les relations inexistantes actuellement entre l'indigène de la brousse, le commerce et l'administration. [1] »

[1] Archives du Sénégal, 2 G 17-24 (13); 36. Rapport de juillet 1917.

Autoritaire et cassant, le nouvel administrateur obligea par la contrainte les villages de Brin, Jibelor, Jibonker, Esil, Enampore, Kamobeul, Bajat et Batinière à participer à la mise en chantier de la route de Ziguinchor à Elinkine, près de l'île de Karabane. Les Joola furent occupés aux travaux deux journées et demie par semaine. La route de Kamobeul, aux trois quarts tracée, fut désormais accessible aux premières automobiles.

Au mois de décembre 1917, les Joola de Jembering chassèrent de la Rocca qui ne dut son salut qu'à la force armée du capitaine Vauthier, commandant du nouveau cercle de Kamobeul [1]. Il fut alors muté à Matam et remplacé par M. Lanrezac, administrateur-adjoint de 1re classe [2].

L'administrateur supérieur Benquey n'était guère satisfait lui non plus, des résultats acquis en Basse Casamance, malgré la présence d'une force militaire importante. Ceci était imputable au fait que les opérations avaient dû s'interrompre provisoirement pour permettre le recrutement. « Quoi qu'il en soit, les Diolas viennent de nous prouver que leur obstination incoercible est tout aussi difficile à vaincre qu'une rébellion active et qu'en définitive, les résultats sont les mêmes... Nous sommes malheureusement à peu près désarmés devant ce genre de résistance. On n'admettrait pas, en effet, l'emploi d'armes contre une population butée qui ne répond à aucune de nos mises en demeure d'obéir, mais qui se garde bien de faire le moindre geste ou de se livrer à une démonstration menaçante. S'il existait dans ces régions des chefs de province, de canton ou de village ayant de l'autorité ou même de l'influence, nous pourrions peut-être, par leur moyen, arriver à les soumettre, mais dans toute la Basse Casamance, les commandants de cercle ne rencontrent aucun chef capable de les seconder... Presque toujours, derrière le chef nominal présenté au commandant de cercle, existe un pouvoir occulte... puisant dans les pratiques de sorcellerie une autorité absolue et qui décide de toutes les questions importantes entourant la communauté. Ses ordres, quels qu'ils soient, sont toujours exécutés et la crainte qu'il inspire est telle que pas un habitant n'oserait s'y soustraire. [3] »

Malgré la récupération d'armes déjà effectuée, les fusils étaient encore nombreux entre les mains des Joola et des Balant. Balingore, village du cercle de Biñona, supporta pendant un mois sans céder, une garnison de tirailleurs qu'il dut nourrir. Pour briser cette résistance, Benquey suggéra l'arrestation des féticheurs, des notables influents et de quelques femmes qui, par leurs conseils ou agissements, poussaient leurs maris et fils à résister. « Ce n'est pas la peur des Blancs qui les font agir comme ils le disent, mais la volonté bien arrêtée de ne pas nous obéir. Et cela dure ainsi depuis que nous occupons le pays, c'est-à-dire depuis 50 ou 60 ans environ. [3] »

[1] Un arrêté du 20 novembre 1917 du gouverneur général créa deux nouveaux cercles qui correspondaient aux subdivisions de Binona et de Kamobeul. La région d'Usuy fut rattachée au cercle de Kamobeul.

[2] Opinion de Tété Jaju : « homme de valeur et affable ».

[3] Archives du Sénégal, 13 G 384. Rapport de l'administrateur supérieur Benquey sur la situation politique de la Casamance, les progrès du désarmement et de la mise en main de la population.

L'administrateur recommanda une action sévère et parfois dure. « Quand je dis durement, je ne veux pas dire brutalement ni cruellement. [1] » Il faudrait l'entreprendre à la fin des récoltes, c'est-à-dire fin décembre ou début janvier. Les marabouts et leurs talibés seront étroitement surveillés, notamment en Basse Casamance où un certain nombre d'étrangers au pays, traitants des maisons de commerce, employés de l'administration, simples jula ont constitué peu à peu dans le Fooñi de petits centres musulmans de Wolof, Malinké et autres races. « Nous-mêmes avons fréquemment favorisé l'installation de ces étrangers dans la pensée qu'au contact d'indigènes d'une civilisation moins fruste, les natifs se polisseraient quelque peu... Il faut reconnaître aujourd'hui que ce ferment n'a pas agi sur la masse. [2] » En fait, l'influence malinké et musulmane avait marqué la société joola du Fooñi et nous avons montré dans la première partie de notre étude que la société traditionnelle fétichiste dite du bukut s'est peu à peu constituée à la suite des contacts avec les influences étrangères.

5. L'occupation militaire de la Basse Casamance en 1917

Après les troubles du Kombo (assassinat du chef de la douane de Seleti), le gouverneur général Van Vollenhoven, récemment arrivé à Dakar, décida de visiter la Basse Casamance sur la suggestion du gouverneur du Sénégal. Il effectua sa tournée en août, et après avoir étudié les différents rapports, il attribua la responsabilité de la situation difficile en Basse Casamance aux administrateurs Brunot et de Coppet. Le gouverneur Levecque mit plutôt en cause le Dr Maclaud qui « aurait été par son défaut de vigilance et son manque d'autorité la vraie cause de l'arrêt qui s'est produit dans le développement de la Casamance » [3]. D'accord sur le principe de l'occupation militaire, les deux hommes divergèrent sur les moyens de la réaliser. Levecque tenait à ce que la Casamance restât sous l'autorité civile et s'opposait à la nomination d'un commandant militaire.

Van Vollenhoven voulait en finir avec l'opposition politique et estimait urgent de ne plus tarder davantage la réalisation du programme d'occupation militaire qui avait été différée en raison des événements du Dahomey. L'ordre fut donné de commencer l'exécution du plan dès le mois de novembre [4]. Mais les nouvelles se propagèrent vite et les Mandjaks colportèrent du côté portugais la rumeur de l'imminence de l'occupation militaire du pays bayot. L'exode commença et plusieurs villages bayot du canton d'Esiñe firent passer vers le village guinéen d'Elia leurs réserves de bétail et de riz [5].

Le 1er novembre, les autorités militaires demandèrent que l'administrateur Benquey fût mobilisé en qualité de chef de bataillon et affecté comme tel au

[1] Archives du Sénégal, 13 G 384. Expression soulignée dans le texte.

[2] Archives du Sénégal, 13 G 384. Rapport de l'administrateur Benquey.

[3] Archives du Sénégal. Dossier confidentiel 13 G 545. Lettre No 113 du gouverneur du Sénégal au gouverneur général, 12 octobre 1917.

[4] Archives du Sénégal, 13 G 384. Lettre du gouverneur général au Ministre, 25 octobre 1917.

[5] Archives du Sénégal, 13 G 384. Lettre du gouverneur général au lieutenant-gouverneur du Sénégal, d'après un rapport du vice-consul de France à Bissau.

1er Régiment des tirailleurs sénégalais. Le commandant Benquey exerçait ainsi des pouvoirs civils et militaires. Van Vollenhoven fut formel : « Nous ne sommes pas les maîtres de la Basse Casamance ; nous y sommes seulement tolérés... Il faut que la Casamance ne soit plus une sorte de verrue dans la colonie dont elle devrait être le joyau. [1] »

L'occupation devait se faire avec trois compagnies. Celle qui était en Casamance occuperait le Fooñi et le Kombo ; les deux autres, provenant de Guinée française, s'installeraient respectivement dans les cantons bayot et flup et dans le Balantakunda qui dépendait du cercle de Seju. Il était bien entendu qu'il s'agissait d'une occupation et non d'une colonne d'opération. Les instructions étaient claires : « Procéder au solide établissement dans le pays de forts détachements en mesure d'imposer le respect, organiser méthodiquement chaque région, en faire le recensement exact, exiger la rentrée de l'impôt dans des conditions régulières, amener la population à venir sans être obligés de l'aller chercher, instruire les indigènes des procédés à améliorer leur sort, les conduire à multiplier les routes et à aménager les sentiers traversant leur pays, les habituer à obéir dans leur intérêt plutôt que par crainte. Tel est, dans ses grandes lignes, le programme de l'œuvre à entreprendre. [2] »

« Pour le réaliser, la méthode à employer vis-à-vis des populations méfiantes ne doit être ni brutale, ni brusque, mais aucune pitié, ni aucun ménagement ne sauraient être de mise avec les groupes qui se rebelleraient de façon violente. Les foyers de révolte et de dissidence seront supprimés radicalement et par l'emploi de la force jusqu'à la disparition complète de toute velléité de résistance. Les meneurs seront incarcérés et déportés si nécessaire. [2] » Van Vollenhoven émit des réserves quant aux destructions des villages. Elles constituaient un procédé dont il était l'adversaire résolu parce qu'il était « inutile, pernicieux et injuste » [2]. Cependant, les villages qui présentaient de véritables places fortes munies de défense devaient être rasés sans qu'il en restât trace. « Pour ce qui est des récoltes, il peut être utile et salutaire de les confisquer, ainsi que les troupeaux, et de prélever sur ces prises à titre de punition et de réparation, les céréales et la viande nécessaires à l'alimentation du détachement dont les agissements des indigènes ont nécessité l'intervention. [2] » On voit mal en quoi les instructions de Van Vollenhoven différaient des méthodes utilisées par les administrateurs de Casamance, notamment de Coppet et Brunot.

L'action militaire passa au premier plan et pour la faciliter, le cercle de Basse Casamance fut divisé une fois de plus en trois circonscriptions autonomes : le cercle de Ziguinchor, dirigé par un administrateur-adjoint à l'administrateur supérieur et maire de la commune mixte, le cercle de Kamobeul, dirigé par le commandant de la compagnie d'occupation, celui de Biñona dirigé lui aussi par le commandant de la compagnie. Les postes de Sinjan, Balandine et Usuy furent supprimés.

[1] Archives du Sénégal, 13 G 384. Le gouverneur général au lieutenant-gouverneur, 17 novembre 1917.

[2] Archives du Sénégal, 13 G 384. Lettre du gouverneur général Van Vollenhoven au lieutenant-gouverneur du Sénégal, 17 novembre 1917.

Le gouverneur du Sénégal fut d'accord sur le but de l'entreprise, mais il désapprouva les principes et les moyens de son exécution. « Vous voulez que pour la Basse Casamance, tous les pouvoirs soient concentrés dans la main qui dispose de la force, c'est-à-dire, ajoutez-vous, de la main de l'autorité militaire. C'est sur ce point essentiel que nous différons. [1] » Levecque n'approuvait pas le principe de l'occupation d'une région qui relevait de son autorité, sous le contrôle exclusif du pouvoir militaire. Son rôle s'effaçait et son autorité était amoindrie. Van Vollenhoven passa outre et rappela que l'occupation militaire de la Basse Casamance avait été recommandée depuis au moins dix ans par les gouverneurs généraux et lieutenants-gouverneurs qui l'avaient précédé [2]. L'administrateur Benquey, bien que mobilisé, resta sous les ordres du gouverneur, qui eut ainsi un droit de contrôle et de direction renforcé.

Malgré la présence des troupes dans la région, les Seleki continuèrent à résister à leur manière. Ils refusèrent de vendre du riz à la garnison stationnée à Kamobeul. Pour effectuer une réquisition, l'adjudant-chef Richard fit arrêter le chef Seguila et son fils Galson qui incitaient les villageois à résister [3]. Ils furent condamnés respectivement par le tribunal de cercle à 3 et 4 ans de prison. Au village d'Etama la population refusa de participer aux travaux des routes et une perquisition amena la découverte de dépôts de poudre dans six cases qui furent détruites. A Jembering, l'ahan-boekin Jalene fut arrêté pour agitation subversive. Dans le Fooñi, l'esprit des Joola était à la résistance et les ordres ne furent exécutés que sous la contrainte.

Angoulvant, successeur de Van Vollenhoven qui avait démissionné le 11 janvier 1918, surveilla de très près l'exécution du plan d'occupation. Il demanda, en février, au gouverneur, un rapport sur la situation qu'il espérait en voie d'amélioration [4]. Levecque attira son attention sur les répercussions que pouvait entraîner la nouvelle levée de recrues et il reçut pour instructions d'attendre le départ de Casamance de la mission Blaise Diagne pour ne pas faire coïncider son passage avec les opérations dites de pacification.

Dans les régions forestières où les populations étaient toujours hostiles, l'administration fut assurée provisoirement par l'armée, mais Angoulvant promit que celle-ci laisserait la place à l'autorité civile dès que le désarmement y aurait été assuré de manière à donner des gages de sécurité pour l'avenir.

A la fin de l'année, l'impression générale était meilleure. L'impôt avait été perçu au taux de sept francs par tête, soit une majoration de deux francs par contribuable, mais de l'avis de l'administrateur supérieur, il restait beaucoup à faire, notamment dans les cercles de Biñona et Kamobeul. Dans le Balantakunda, la région de Jatakunda était de nouveau calme et soumise, mais les Balant n'étaient pas définitivement assagis.

[1] Archives du Sénégal, 13 G 384. Lettre du gouverneur Levecque au gouverneur général, 2 décembre 1917.

[2] Archives du Sénégal, 13 G 384. Lettre du gouverneur général Van Vollenhoven au lieutenant-gouverneur du Sénégal, 11 décembre 1917.

[3] Archives du Sénégal, 2 G 17-5. Rapport d'ensemble. Sénégal à A.O.F., 4e trimestre 1917.

[4] Archives du Sénégal, 13 G 385. Télégramme du gouverneur général Angoulvant au lieutenant-gouverneur, 8 février 1918.

La fin de la guerre créa-t-elle une détente des esprits? C'est fort vraisemblable car le désarmement progressa sans problèmes majeurs au début de l'année 1919. Onze cents fusils furent récupérés dans le cercle de Kolda. En pays bayot, le capitaine Balesi obtint 58 fusils, dont 47 à piston, tous en parfait état d'entretien. Il arriva à parcourir la région sans escorte au mois de mai, ce qui était significatif. Une femme ahan-boekin Alaguiso fut arrêtée à Etama avec une douzaine d'hommes à sa dévotion. Chef d'une association consacrée à un boekin, elle terrorisait la région par sa réputation d'empoisonneuse. Condamnée par le Tribunal de cercle de Kamobeul à l'emprisonnement perpétuel avec dix de ses complices, le verdict ne provoqua aucun remous dans la région de Seleki, pourtant toujours prompte à se rebeller.

En Gambie comme en Guinée portugaise, les gouvernements locaux réprimèrent les agissements de personnages bien connus en Casamance sans que cela suscitât une émotion particulière. Muusa Moolo fut interné à Bathurst à la suite de l'occupation de son sanié fortifié à Kansekunda. Il fut par la suite exilé quelques années en Sierra-Leone. Abdu Njaay, mercenaire wolof au service des Portugais, fut arrêté à Farim en juillet 1919 par ses protecteurs, exécédés par ses velléités d'indépendance. Il fut déporté aux îles du Cap Vert. Bien connu à Ziguinchor où il avait travaillé autrefois comme manœuvre, son arrestation fut un fait divers dont on parla beaucoup, mais sans plus [1].

6. Le retour a la paix

Avec la fin de la guerre, les Casamançais semblèrent vouloir cesser leurs résistances. Au début 1920, la situation politique fut qualifiée de satisfaisante [2]. On prépara le prochain recrutement. Il eut lieu au cours du premier trimestre par tirage au sort. L'exode des jeunes gens en Gambie et Guinée portugaise se poursuivit cependant dans certains cantons des cercles de Seju et de Kamobeul. Pendant plusieurs années, le même phénomène se reproduisit selon un rite immuable. Les éventuelles recrues abandonnaient leurs villages au moment du tirage au sort et revenaient au début de l'hivernage pour préparer leurs cultures.

A la fin de l'année 1920, la Casamance était en paix et la tranquillité que l'on signalait un peu partout permit d'envisager la suppression prochaine des quelques postes militaires installés en 1918. Mais il était encore trop tôt pour relâcher la surveillance. Les postes de Jembering et de Jatakunda, fermés en 1919 par faute de personnel, durent être réoccupés sans tarder, la population étant prête à se rebeller de nouveau.

[1] Tété Jaju, conseiller coutumier du gouverneur de Casamance en 1973, m'a montré l'ordre de mission lui prescrivant d'aller prévenir Abdu Njaay de l'imminence de son arrestation par les Portugais. Agent de renseignement des Français, Abdu Njaay, incrédule, refusa de se rendre à la frontière où un détachement de tirailleurs l'attendait. Il fut arrêté par les Portugais le lendemain.

[2] Archives du Sénégal, 2 G 20-36; 37. Rapport de l'administrateur supérieur Benquey, janvier 1920.

En 1921, l'étreinte se desserra et le cercle de Seju fut entièrement rendu à l'administration civile, mais la population joola resta encore sous le contrôle de l'armée. En 1923, les cercles de Kamobeul et de Ziguinchor fusionnèrent et l'autorité civile se substitua à l'administration militaire. « Les populations et cantons de Brin-Séléki, des Bayot, d'Essigne, de la Province d'Oussouye et de Diembéring, si elles ont été remuantes, sont aujourd'hui complètement assagies. [1] » Cette même année, les groupements ethniques furent placés sous l'autorité de chefs autochtones subordonnés aux commandants de cercle. Deux cantons étaient encore dépourvus de chefs, Adeane et Esiñe.

En 1924, la Casamance avait 156 000 habitants recensés. Les Joola formaient la moitié de la population, les Peul le quart, et les Malinké 15 %. Le cercle de Biñona restait le plus difficile à administrer à cause de l'élément joola dominant, mais l'impôt rentrait à présent normalement et les chefs autochtones récemment nommés donnaient satisfaction. Le cercle de Seju (37 000 habitants), peuplé essentiellement de Malinké, Balant et Fula, n'opposait pratiquement plus de résistance, de même que celui de Kolda (36 000 habitants sur 14 000 km²) qui semblait avoir oublié Muusa Moolo. Les Malinké, si redoutés et vilipendés dans les années 1870-80, représentaient maintenant un élément sur lequel l'administration s'appuyait pour le succès de sa pénétration politique et économique. « L'influence alliée de leurs marabouts est précieuse. C'est parmi eux que nous avons recruté les premiers juges de nos tribunaux indigènes. Ce sont eux qui fournissent également à notre commerce les manœuvres, boutiquiers, traitants, sinon les plus honnêtes, du moins les plus actifs et les plus intelligents. [2] » Les Balant s'acquittaient de leurs impôts grâce aux fréquentes tournées du chef de poste de Jatakunda. Les Fula au caractère doux et pacifique maintenaient leur autonomie vis-à-vis des autres races. Soumis à leurs chefs de canton autochtones, ils payaient leurs contributions avec ponctualité et se soumettaient sans problèmes aux décisions des tribunaux indigènes installés par l'administration.

Conquise certes, mais difficilement soumise, la Casamance se résigna à son sort, épuisée par une longue lutte aux résultats ingrats. L'autorité coloniale n'ignorait pas que les esprits échappaient encore à son influence et elle comptait sur le temps, la paix et la sécurité pour les convaincre du bien-fondé de sa présence et de la valeur de sa civilisation. L'attitude des Casamançais, vingt ans plus tard, au cours de la 2e guerre mondiale, révéla que leur esprit de résistance était toujours aussi vif.

7. Ziguinchor pendant la guerre

Dès 1915, de Coppet connut des difficultés pour faire rentrer l'impôt, d'abord à cause de la crise économique et en raison du retard du contribuable à se mettre en règle avec le fisc. Pro-musulman, l'administrateur se heurta à l'élément

[1] Archives du Sénégal, 2 G 23-54; 67. Rapport de l'administrateur Léon, 4e trimestre, cercle de Ziguinchor.

[2] Archives du Sénégal, 1 G 343. Monographie du cercle de Casamance postérieure à 1920. Sans nom d'auteur.

pro-portugais catholique « toujours turbulent et agressif dans son attitude, peu respectueux de l'autorité pour laquelle il ne cache pas son antipathie »[1]. Les relations avec le clergé furent tendues, comme le montre l'affaire du Père Esvan, curé de Ziguinchor.

a) *L'affaire du Père Esvan*

Le 5 janvier 1915, une épidémie de variole éclata à Ziguinchor et six filles, élèves des Sœurs, furent atteintes de forte fièvre avec éruption. Aucun décès ne fut à déplorer. Une semaine plus tard, le docteur et le commissaire de Police vinrent faire une inspection chez les religieuses et le commissaire demanda au Père Esvan s'il était au courant de la situation. Le Père répondit affirmativement, mais ajouta que la maladie régnait ailleurs, à Jifangor, par exemple. Le commissaire lui reprocha alors de ne pas avoir prévenu l'administration. Dans la soirée du 13 janvier, le curé de Ziguinchor se vit infliger un procès-verbal pour non-déclaration de variole, et deux jours plus tard, il fut condamné à 100 francs d'amende et à un mois de prison. La sévérité de la sentence ulcéra le milieu catholique qui prit fait et cause pour son curé contre l'administrateur, taxé de partialité et d'anticléricalisme. Sur l'ordre de son évêque, Mgr Jalabert, le Père Esvan fit appel le 28 janvier devant les tribunaux de Dakar et partit le 3 mars pour la capitale de l'A.O.F. L'affaire passa en jugement le 26 mars et le Père fut acquitté, la colonie devant payer les frais du procès. Ce désaveu n'améliora pas les relations du curé et de l'administrateur-maire, qui déplora l'effet désastreux d'un voyage à Ziguinchor de Mgr Jalabert où il laissa entendre aux catholiques qu'il était envoyé par le gouverneur général pour régler l'incident[2].

b) *La fondation de « L'Alliance sénégalaise »*

En 1916, les Européens manifestèrent leur mécontentement à cause de l'interruption des communications télégraphiques avec l'extérieur de la région, du 24 juillet au 14 septembre. La très grande majorité des Casamançais, indifférente à cette absence de nouvelles, s'intéressa davantage à la création d'une société locale, « L'Alliance sénégalaise de la Casamance » qui avait pour but de « resserrer les liens de sympathie et de solidarité existant entre ses membres, de créer une salle d'études tendant à la propagation de la langue française »[3]. L'administration, méfiante, suivit l'évolution de cette société avec circonspection. Elle constata le peu d'empressement des adhérents à payer leurs cotisations. L'année suivante, « L'Alliance sénégalaise » menaça de disparaître par suite de l'absence d'une autorité active, et les recettes s'élevèrent à 400 francs au lieu de 6000. Ceci ne fut pas pour déplaire à l'administrateur, peu favorable à l'organisation d'un groupe autochtone toujours enclin à critiquer.

[1] Archives du Sénégal, 2 G 15-28. Rapport trimestriel, 1er trimestre 1915.

[2] Archives du Sénégal, 2 G 15-28. Rapport trimestriel, 2e trimestre 1915. Le Dr Carvalho, notable à Ziguinchor, se souvient que la Municipalité organisait des matches de football entre catholiques et musulmans. De Coppet prenait parti pour les musulmans et Brunot pour les catholiques.

[3] Archives du Sénégal, 2 G 16-25. Rapport trimestriel, 3e trimestre 1916.

De Coppet ne put faire débroussailler correctement l'escale en 1917 par manque de main-d'œuvre. Cinquante manœuvres furent sollicités, mais les Joola y virent un piège pour le recrutement et l'administration arriva péniblement à engager vingt personnes, vieillards et jeunes adolescents.

Le 5 août 1917, le nouveau gouverneur général Van Vollenhoven visita Ziguinchor. Il reçut une délégation de « l'Alliance sénégalaise » qui tint bon, malgré ses difficultés financières. En termes fermes mais empreints de bienveillance, Van Vollenhoven conseilla à certains membres marquants de l'association de modifier leur état d'esprit à l'égard de l'administration. S'il acceptait en effet les rôles des sociétés de secours mutuels et d'assistance, il n'admettait pas qu'un groupe quelconque s'arrogeât des droits de contrôle sur les actes de l'administration [1].

Malgré les aléas du recrutement, les esprits s'apaisèrent avec la reprise du commerce qui permit l'exportation de nombreuses marchandises vers la Métropole [2]. Les prix augmentèrent et les paysans furent obligés d'augmenter les leurs.

Avec la fin de la guerre, de nombreux Bañun et Mandjaks partis en Guinée portugaise à cause du recrutement, revinrent à Ziguinchor pour se soustraire aux prestations imposées par les Portugais. La scolarisation fit des progrès et, en 1920, l'Ecole publique primaire, animée par un directeur, deux instituteurs et deux institutrices, accueillait 344 élèves dont 42 filles. Ville propre, à l'exception du quartier de Budodi qui posait toujours des problèmes à l'administrateur-maire, elle prit peu à peu l'aspect qu'on lui connaît aujourd'hui. Au petit village portugais, sale et encombré de cases serrées, avait succédé une petite cité de 25 000 habitants formée d'un quartier européen reconnaissable à son plan en damier et agréable par ses maisons enchâssées dans un écrin de verdure. Au sud, les rizières et forêts de palmiers de Bucotte, Santiaba, avaient faire place à des quartiers africains populeux et vivants. Les fontaines de Bucotte et de Sinjan, si loin du port en 1888, étaient à présent à proximité des cases. Les femmes y venaient toujours en procession quérir leur eau et les querelles qui les opposaient parfois étaient toujours aussi passionnées. Ziguinchor était devenue sans conteste la capitale de la Casamance. Karabane, à l'entrée du fleuve, agonisait, le village se vidait et les bâtiments administratifs tombaient en ruines. Seju conservait une certaine activité grâce à la traite arachidière, mais elle n'était plus en mesure de rivaliser avec celle qui l'avait supplantée. Son fort était encore là pour témoigner de son rôle d'ancienne capitale, de place forte au passé aventureux. Ziguinchor, ancien site de la tribu des Izguichos, était vouée à un avenir plein de promesses. Les Bañun, peuple humilié et victime d'un véritable génocide depuis le XVIIe siècle de la part de ses belliqueux voisins Malinké et Joola, pouvaient voir dans ce fait, une étrange revanche du destin.

[1] Archives du Sénégal, 14 G 384. Instructions adressées le 12 septembre 1917 par le gouverneur général au lieutenant-gouverneur à la suite de sa tournée en Casamance.

[2] Voir chapitre 8, sur l'économie pendant la guerre.

CHAPITRE 8

LES DIFFICULTÉS ÉCONOMIQUES ET SOCIALES DES CASAMANÇAIS PENDANT LA GUERRE DE 1914-18

Si Karabane déclinait lentement, envahie d'un côté par la mer, de l'autre par le sable, Ziguinchor, qui était la cause de son effondrement, prenait au contraire de l'importance à la veille de la guerre. Les navires de grand tonnage étaient chaque année plus nombreux. Les populations de l'intérieur affluaient au marché où les recettes atteignaient, au second trimestre de l'année 1914, 2625 francs, chiffre encore jamais atteint au cours des trimestres correspondants des années passées [1].

1. LA CRISE DES ANNÉES 1914-1915

La guerre apporta quelques perturbations économiques, « un état d'esprit déplorable chez certains commerçants européens, par contre un dévouement sincère chez presque l'unanimité des populations indigènes » [2]. L'élément catholique portugais se tint à l'écart du mouvement patriotique. Deux d'entre eux ayant proclamé qu'ils souhaitaient la victoire de l'Allemagne furent sévèrement réprimandés.

Dès les premiers jours du mois d'août 1914, diverses maisons de commerce de Ziguinchor s'entendirent pour refuser tout crédit aux habitants. Certaines, peu scrupuleuses, majorèrent toutes leurs denrées de 40 à 50 % et diminuèrent de moitié leurs prix d'achat. D'autres spéculèrent sur le riz, à l'exception de la Nouvelle Société Commerciale Africaine et la C.F.A.O. La première céda à l'administration six tonnes de riz à 34 francs le quintal. La seconde maintint ses prix alors que les autres commerçants dont Barthès et Lesieur vendaient le riz 1 franc le kilog. M. Arcens, citoyen français, membre de la Commission municipale, pensa que la famine allait contraindre les Casamançais à payer plus cher et il refusa de vendre à aucun prix. Pour mettre un terme à ces abus, de Coppet

[1] Archives du Sénégal, 2 G 14-40. Rapport trimestriel, 2e trimestre 1914.
[2] Archives du Sénégal, 2 G 14-40. Rapport trimestriel, 3e trimestre 1914.

prit un arrêté le 12 août, qui taxait le riz à 40 centimes dans le cercle de Ziguinchor, à l'exception du territoire de la commune mixte, mais les commerçants ignoraient ce détail et « j'ai préféré les laisser dans cette erreur jusqu'au 31 août, date de la réunion de la Commission municipale à qui j'ai jugé bon de rendre compte de l'arrêté » [1]. Cependant, les commerçants essayèrent de frauder quand même en ne vendant qu'au sac, très cher et qui n'était pas taxé. A Seju, Maurel et Prom, Barthès et Lesieur suspendirent leurs ventes. Par chance, les paysans avaient récolté le riz dit de montagne. Le 15 septembre, de Coppet infligea huit jours de prison à un boutiquier de M. Arcens à Adeane qui vendait son riz en contravention de l'arrêté du 12 août. Cette sanction provoqua la colère d'Arcens qui s'opposa avec éclat à l'administrateur-maire au sein de la Commission municipale. Furieux, il donna sa démission.

Le contrôle strict de l'application de l'arrêté sur le riz diminua le mécontentement provoqué par l'enchérissement des denrées alimentaires. Cependant, la reprise des affaires qui avait lieu habituellement vers le milieu de décembre, tarda à se manifester [2]. Les paysans étaient démunis de numéraire et les maisons de commerce annoncèrent partout que leurs achats très restreints auraient lieu surtout contre des marchandises. Le chômage s'étendit et de Coppet s'attendit à un abaissement des salaires. Dans la région de Kolda, la récolte d'arachide fut meilleure qu'en 1913 et elle fut vendue à 7,50 francs le quintal, payable en marchandises. Seule la Compagnie française paya en numéraire [3], mais le mouvement commercial de l'escale resta médiocre. De nombreux paysans virent leurs arachides délaissées à cause de leur mauvaise qualité.

En janvier 1915, la traite n'avait pas encore débuté dans la région de Seju. Le mouvement commercial était nul. Les populations, mécontentes, étaient impatientes de trouver de l'argent. Les très bas prix offerts par les compagnies de traite, 5 à 7 francs le quintal, étaient l'unique raison pour laquelle elles refusèrent de céder leurs récoltes. En février, les prix excessivement bas rebutaient toujours les paysans. L'administrateur supérieur Brunot s'inquiéta : « Je vais ordonner aux indigènes de vendre, car la rentrée de l'impôt serait vraiment compromise. [4] » Dans le Fulaadu, la situation ne s'améliora pas. Les habitants de l'arrière-pays éprouvèrent de sérieuses difficultés à la suite de l'interdiction qui leur avait été faite de ne plus aller vendre en Gambie et à cause de l'éloignement du point de traite de Kolda. Dès le mois d'avril, ils affluèrent dans les boutiques de Kolda pour avoir du riz. Le prix d'achat passa de 22 francs le quintal à 27,50 francs. 300 tonnes de riz et 600 tonnes de mil furent traitées pendant le mois. Les arachides se vendirent mal et les prix descendirent à 3,50 francs le quintal. A Seju par contre, la difficulté d'exporter vers l'Europe obligea les traitants à stocker les arachides achetées. Le paysan vendit peu et mal et acheta à des prix excessifs. Ecœuré, il s'apprêta à abandonner l'arachide pour se consacrer au mil et au riz, pendant le prochain hivernage.

[1] Archives du Sénégal, 2 G 14-40. Rapport trimestriel, 3e trimestre 1914.

[2] Archives du Sénégal, 2 G 14-40. Rapport trimestriel, 4e trimestre 1914.

[3] Archives du Sénégal, 2 G 14-51. Rapport mensuel de l'administrateur Brunot, décembre 1914.

[4] Archives du Sénégal, 2 G 15-41. Rapport mensuel de l'administrateur Brunot, février 1915.

A Ziguinchor, les apports de caoutchouc furent presque nuls et la crise économique eut une répercussion sur la perception de l'impôt déjà difficile à obtenir en temps normal. De nombreux manœuvres quittèrent la ville faute d'emploi. Un homme de peine payé 45 francs par mois en 1914, n'en gagna plus que 20 [1].

La situation s'améliora pourtant à la fin de l'année 1915. Le caoutchouc, plus abondant sur le marché, se vendit entre 3,50 francs et 4,50 le kilog, selon la qualité. Le cours de l'arachide dans le cercle de Seju augmenta un peu et varia entre 6 et 10 francs le quintal. Les paysans vendirent les arachides de 1914 quand ils avaient pu les stocker. La production était faible mais d'excellente qualité et le quintal finit par être vendu entre 17,50 et 20 francs le quintal dans le cercle de Ziguinchor en décembre 1915 [2]. Les récoltes de mil et de riz furent abondantes et de très belle qualité. Les greniers se remplirent et les paysans envisagèrent l'avenir avec moins d'appréhension.

2. La reprise (1916-1918)

Au début de l'hivernage 1916, les prévisions étaient optimistes en raison des pluies très abondantes et suivies dès le début du mois de juillet. Le paysan avait besoin de se procurer de l'argent pour effacer les conséquences de la mauvaise traite 1914-1915. Les semences prêtées furent nombreuses et on espéra que les prix payés aux producteurs pendant la traite 1915-1916 les encourageraient au travail.

Si les récoltes de riz et d'arachide étaient satisfaisantes dans les cercles de Kolda et de Seju, elles étaicnt médiocres dans celui de Ziguinchor, surtout le riz qui avait souffert de l'arrêt des pluies en octobre. Les prix des marchandises restèrent cependant élevés.

La nécessité de ravitailler la Métropole et la région du Cap Vert amena les compagnies de traite à faire un effort exceptionnel pour expédier le maximum de produits. Au troisième trimestre de 1917, huit vapeurs vinrent charger dans le port de Ziguinchor 7674 tonnes manutentionnées presque exclusivement par des femmes joola [3]. Les importations représentèrent pour cette même période une valeur de 639 949 francs dont 146 666 venant de France. Les exportations s'élevèrent à 2 060 571 francs dont 2462 francs seulement pour l'étranger [3]. Les tonnages des divers produits exportés sont indiqués dans le tableau suivant :

Arachides	5797,667 kg	Riz net. . .	96 000 kg
Amandes de palme	1621,209 »	Caoutchouc	5,553 »
Huile de palme .	13,397 »	Cire	5,400 »
Cuirs	13,034 »	Bois à brûler	119 000 »

[1] Archives du Sénégal, 2 G 15-18. Rapport d'ensemble.
[2] Archives du Sénégal, 2 G 15-41. Rapport de l'administrateur Brunot, décembre 1915.
[3] Archives du Sénégal, 2 G 17-(24). Rapport trimestriel d'ensemble, 3e trimestre 1917.

En mars 1918, la tendance à la hausse se maintint et le commerce acheta des quantités considérables de riz et de mil à 70 centimes le kilog pour le riz et 35 centimes pour le mil, prix élevés. Des habitants de Guinée portugaise vinrent vendre leur riz à Kolda, attirés par les prix plus rénumérateurs qu'à Farim. La Société agricole du Sénégal s'établit à Velingara dans l'est du Fulaadu, défavorisé jusqu'ici sur le plan commercial. Les prix du riz et du mil ayant pratiquement doublé, les maisons de commerce s'attendirent à une baisse de la production arachidière. Les paysans avaient vendu toutes leurs graines. Ils se retrouvèrent sans semences et l'administration fut obligée de leur en faire prêter, surtout dans le cercle de Seju.

La traite des palmistes fut abondante et de bonne qualité. On voulut accroître la production par les mesures suivantes : D'abord acheter les amandes de palme contre des espèces. D'habitude les achats se faisaient par troc d'un demi-hectolitre de paddy contre une quantité égale d'amandes de palme. L'écart entre les prix des deux produits qui constituait le bénéfice de l'intermédiaire était au désavantage du paysan. Par ce moyen, les acheteurs pouvaient ne pas payer au producteur le prix minimum de 40 centimes le kilog. Ensuite, il fallait que le commerce européen achetât directement l'huile de palme qui était monopolisée par les Mandjaks de Guinée portugaise qui recueillaient l'huile dans les villages casamançais pour la transporter dans des barriques au Sénégal et la vendre au détail dans les marchés à 4 ou 5 francs le litre [1]. Les exportations passèrent de 600 tonnes en 1916 à 2000 tonnes en 1918.

Hormis la farine et les pommes de terre qui avaient pratiquement disparu du marché de Ziguinchor, les denrées consommées par les Européens ne s'étaient pas trop raréfiées. Les maisons de commerce écoulaient leurs stocks d'avant-guerre à des prix excessifs.

La redoutable épidémie de grippe qui sévit en septembre et octobre 1918 empêcha de nombreux paysans d'arracher les arachides juste après l'arrêt des pluies. La terre ayant durci, elles furent perdues, car elles ne pouvaient plus être déterrées. La traite de 1918-1919 fut donc plus faible que la précédente. 8000 tonnes furent traitées au lieu de 10 000. Les exportations de riz diminuèrent. En mars 1919, 600 tonnes furent exportées au lieu de 2000 en mars 1918. Cette différence fut due au fait que les habitants du cercle de Kolda réservèrent une partie du riz qu'ils pouvaient vendre, à leur alimentation, à cause de la mauvaise récolte de mil provoquée par une maladie, « la rouille », qui fit d'importants dégâts. Les achats de riz au producteur se firent au prix moyen de 40 centimes le kilog et furent revendus à Dakar 80 centimes.

3. La nouvelle crise 1919-1920

Au mois de juin 1919, de nombreux paysans vinrent à nouveau solliciter des avances de semences. Malgré toutes les recommandations, ils n'avaient rien conservé et comptaient toujours sur l'administration. Mais le commerce était en

[1] Archives du Sénégal, 2 G 18-44. Rapport de l'administrateur supérieur Benquey, juin 1918.

partie responsable de cette situation. Il avait poussé les achats jusqu'à la dernière graine et n'avait pas reversé dans les points de traite le stock nécessaire pour satisfaire les demandes des paysans [1].

La perte de mil due à « la rouille » provoqua à la fin de l'année une pénurie de riz. Le riz net fut revendu en boutique 1 franc le kilog et les maisons de commerce en trouvèrent difficilement. Telle société qui achetait couramment une tonne par jour les années précédentes, n'en acheta plus que 100 kilogs en janvier 1920. Devant les besoins locaux, l'administrateur supérieur ne fut pas favorable à sa sortie de Casamance pour le nord du Sénégal, car toute exportation entraînait sur place une hausse des prix au détail. En février, le riz net acheté à l'indigène 60 à 70 centimes le kilog fut revendu 1 à 1,25 franc le kilog. Le mil passa de 30 centimes à 0,75 franc. La hausse des produits de première nécessité suscita un mécontentement général. Les commerçants conservèrent leurs stocks pour les exporter sur Dakar et pour la nourriture de leur personnel.

Le début de l'hivernage commença mal. Les pluies tombèrent avec retard et tous les semis de riz des cercles de Ziguinchor et de Kamobeul furent détruits par une prolifération de petites chenilles noires. Le pessimisme revint et les commerçants s'inquiétèrent de la baisse considérable des palmistes qui passèrent de 100 à 50 francs le quintal.

Les arachides eurent un cours fluctuant. Achetées d'abord en novembre à 40 francs le quintal, elles tombèrent à 30 francs à cause de la baisse des prix en Europe. A la fin de l'année, l'administration s'attendait à une récolte de 15 000 tonnes qui, au prix de 300 francs la tonne, donnerait un chiffre d'affaires de 4 500 000 francs.

Faisant ses comptes, l'administrateur par intérim Paris-Leclerc estima à 2 000 000 de francs le revenu de 4000 tonnes d'amandes de palme à 50 francs la tonne, soit avec l'arachide un total de 6 500 000 francs. En déduisant 3 000 000 de francs pour l'impôt personnel et l'impôt sur le bétail créé en 1917, il considéra que c'était 3 500 000 francs que devraient se partager les 200 000 Casamançais, ce qui représentait 22,50 francs par personne et par an. « Il est vrai que les cultures vivrières, riz, mil, maïs ayant donné des résultats moins médiocres que prévus, l'indigène peut se nourrir mais son pouvoir d'achat est insignifiant et tout superflu lui est interdit » [2], surtout si l'on considérait quelques prix de vente au détail à Ziguinchor : bœuf 2 francs le kilog, veau 2 f 50, mouton 2 f 50, porc 1 f 50, pain 2 francs le kilog, prix maximum [3].

L'administrateur supérieur compara le Baol qui produisait 75 000 tonnes d'arachides et la Casamance qui en assurait 15 000 tonnes. Or, la population de la seconde région était plus nombreuse. La raison fondamentale de cette différence était, selon lui, la rareté des moyens de communication et de transport [4]. Pour désenclaver la Casamance, Paris-Leclerc suggéra la création d'une route

[1] Archives du Sénégal, 2 G 19-20. Rapport mensuel de juin 1919.

[2] Archives du Sénégal, 2 G 20-36 ; 37. Rapport de l'administrateur supérieur Benquey, 4e trimestre 1920.

[3] Arrêtés municipaux de la commune mixte de Ziguinchor, 1919.

[4] La première voiture qui relia Kolda à Velingara fut une camionnette Ford appartenant à la Maison Morandy-Escudié qui fit le trajet le 15 février 1919 en 10 heures.

qui relierait Seju à la voie ferrée Thiès-Kayes par Kolda et Vélingara. En outre, il souhaitait l'établissement d'une voie ferrée Decauville qui irait de Seju à Tambakunda pour drainer les produits de la Moyenne et Haute Casamance ; certains paysans étant obligés de faire trois à quatre jours de marche pour vendre à l'escale leurs produits, souvent à des prix peu rémunérateurs. Il n'y avait toujours pas de service régulier de bateau entre Dakar et Ziguinchor et le courrier transporté par des cotres pouvait mettre de huit jours à un mois pour relier Saint-Louis à Ziguinchor.

L'exploitation du caoutchouc, qui avait connu son plein épanouissement en 1905 avec 1067 tonnes (valeur : 4 700 010 francs) périclita à partir de 1910 en raison de la chute des cours sur les marchés européens. Tombée à 2 tonnes en 1914, elle atteignit péniblement 40 tonnes en 1920, fournissant un revenu de 197 750 francs. Par la suite, elle diminua inexorablement : 15 tonnes en 1928 (138 634 francs) pour disparaître après 1930. A partir de cette époque, la saignée des lianes fut abandonnée ; les prix étaient vraiment trop bas et les transactions cessèrent [1].

Ainsi la Casamance, région favorisée par la nature, n'était pas aussi riche qu'on se l'imaginait. Les paysans travaillaient péniblement pour des revenus dérisoires qui ne leur permettaient pas de sortir de leur condition matérielle difficile. L'exploitation des ressources ne profitait que fort peu à la région et les bénéfices des compagnies de traite n'étaient pas réinvestis. Les routes construites par les dures corvées des Casamançais avaient surtout pour but de permettre aux commerçants et aux administratifs de pénétrer plus aisément dans les lieux encore difficiles d'accès.

Quand on parcourt aujourd'hui les pistes de Casamance, et que l'on visite les villages bayot, flup, jamat etc., il est difficile d'imaginer que dans ces cadres de verdure, si plaisants pour le touriste, où la population accaparée par ses travaux séculaires vous accueille avec sympathie, la guerre et la violence aient pu exister. Quand le pays est mieux connu, plus familier, il devient évident que les Casamançais ne tenaient pas à résoudre des problèmes créés chez eux par des étrangers. Leur milieu leur suffisait et ils faisaient face aux dangers d'une nature souvent ingrate et dangereuse. Il faut songer à ce qu'a pu être l'état d'esprit d'un Joola de Seleki quand l'Européen est venu pour la première fois exiger une part de riz en guise d'impôt. Son hostilité et son agressivité n'étonnent plus. Ces communautés quasi autarciques, fortement individualistes, ne demandaient qu'à vivre en paix et en toute liberté.

[1] Renseignements communiqués par la Chambre de Commerce de Ziguinchor. Consulter les télégrammes et lettres du 8 janvier 1932.

Conclusion

Venus pour faire du commerce, les Européens auraient pu s'abstenir d'imposer leur domination. Les rivalités, leur empressement à créer des zones où les transactions commerciales leur étaient exclusivement réservées, favorisèrent le désir de conquête. La présence française en Casamance s'explique essentiellement par des impératifs économiques: expansion de la culture arachidière, développement de la cueillette du caoutchouc et des ressources de la forêt. De partenaires, les Français se comportèrent vite en maîtres exigeants, provoquant d'inévitables réactions de la part des populations de Casamance.

Deux types de résistance sont à considérer: la résistance des Malinké et celle des peuples forestiers comme les Joola et les Balant. Unis par l'islam, les premiers vivant dans des zones forestières claires, étaient pour la plupart soumis à des chefs ayant une forte personnalité comme Fodé Kaba, Fodé Silla, Sunkari Kamara. Organisés en communautés aux liens de vassalité étroits, les Malinké résistèrent avec énergie jusqu'au moment où ils furent vaincus par la puissance de leurs adversaires. Dépourvus de nouveaux chefs susceptibles de les unir et de les entraîner au combat, ils se résignèrent alors avec amertume. Les seconds, résidant dans des forêts plus épaisses et d'accès difficile à cause du labyrinthe des chenaux de marée, appartenaient à des sociétés divisées en clans autonomes et égaux. Très individualistes, ils n'étaient pas soumis à des chefs comme leurs voisins malinké. Dotés d'un courage et d'une ténacité indéniables, ils furent les plus durs à soumettre. Combattants valeureux contre les guerriers de Fodé Kaba et de Fodé Silla, ils n'acceptèrent pas davantage l'intrusion des Français dans leur vie quotidienne. Conscients de leur infériorité matérielle, ils utilisèrent de préférence, et dans la mesure du possible, la résistance passive à la confrontation armée. Refusant d'obéir, ils paralysèrent longtemps l'activité administrative. L'idée de certains administrateurs de leur imposer des chefs africains étrangers à leur ethnie fut un échec et retarda l'installation de l'administration coloniale. Après 1920, quand l'époque de la résistance armée eut cessé, les Joola et Balant demeurèrent rétifs encore longtemps, prompts à se rebeller. Aujourd'hui encore, ils passent pour être difficiles à administrer et se signalent parfois par un comportement obstiné qu'il n'est pas aisé de vaincre.

Quant à la résistance des Peul, elle se manifesta davantage dans leur lutte contre les Gaabunke et Fodé Kaba. Soumis à Muusa Moolo, maître redouté, ils suivirent sa politique d'intrigue souvent habile. La faiblesse, jusqu'en 1914, de la présence française en pays peul, éloigné de l'océan et de Ziguinchor, explique aussi peut-être leur relative passivité.

Clozel s'étonnait, en 1916, de voir que la Casamance constituait un anachronisme en A.O.F. en raison de son état d'insoumission. La même année, Angoulvant blâmait le gouverneur du Sénégal pour le peu d'intérêt porté par l'administration de Saint-Louis à l'égard de cette région. Eloignée de la capitale sénégalaise et enclavée entre la Gambie et la Guinée, il semble bien, en effet, qu'elle n'ait pas suscité le même intérêt que les régions arachidières du nord. Cette sensation d'isolement et de délaissement était éprouvée par de nombreux Casamançais, et certains n'hésitent pas à affirmer aujourd'hui qu'ils ressentent encore cette impression. Dans le passé, les postes administratifs en Casamance étaient peu appréciés, en raison des sites souvent malsains et de l'hostilité latente des habitants. De nombreux administrateurs sont morts au XIXe siècle, terrassés par les fièvres. Il faut reconnaître que la plupart ont servi dans cette région, persuadés d'accomplir une mission civilisatrice. Leur tâche n'était pas facile, et ils l'ont assumée avec courage et dignité. Certains administrateurs ont amorcé en Casamance des carrières brillantes, comme par exemple de Coppet, qui devint gouverneur général de l'A.O.F. à l'époque du Front Populaire.

Avec l'indépendance retrouvée, les Casamançais ont perdu l'agressivité de leurs ancêtres. Pacifiques, ils forment aujourd'hui une population d'agriculteurs laborieux et accueillants. Le voyageur qui circule à présent sur les pistes ombragées de la forêt des Bayot est bien en peine d'imaginer qu'aucun étranger n'osait s'y aventurer au début du XXe siècle, sans une escorte armée. Pourtant le décor est le même. Les cases aux murs de banco et aux toits de paille sont dissimulées dans la verdure. Les Joola vaquent à leurs occupations. Pendant l'hivernage, les femmes aux crânes rasés repiquent le riz dans les rizières. Au cours de la saison sèche, les hommes, aux trois quarts nus, recueillent le vin de palme au sommet des arbres. Retenus par un cerceau de forme elliptique passé autour des reins, ils accomplissent un rite séculaire en chantant. La brousse casamançaise, sous le chaud soleil de la journée, loin des bruits de la civilisation industrielle, surprend l'homme de la ville par son silence et sa sérénité.

La résistance des Casamançais comme celle de l'ensemble du peuple sénégalais témoigne de leur volonté de défendre leur liberté et leur dignité. Longtemps isolés par les obstacles naturels et les vicissitudes historiques, ils ont conservé les réactions de leurs ancêtres. Ouverts et accueillants, ils peuvent devenir inquiets, méfiants, voire hostiles quand s'accumulent les incompréhensions. Les autorités coloniales en ont fait l'expérience à leurs dépens. L'histoire éclaire le présent et doit servir de leçon. Les vertus du dialogue sont bien connues. Il permet la dissipation des malentendus et le retour à l'apaisement. Dialoguer avec des responsables de la population vraiment représentatifs dans un esprit d'ouverture et d'estime réciproque est la seule possibilité pour l'Administration de maintenir dans cette merveilleuse région le climat de paix et de sérénité si bien illustré par sa nature.

Bibliographie

SOURCES MANUSCRITES

De nombreux dossiers ont été dépouillés. Nous mentionnons les plus importants, notamment ceux dont les références sont données en notes de bas de page.

I. ARCHIVES DU SÉNÉGAL (DAKAR)

Période 1800-1920

Série B. *Correspondance générale*

Sous-série 2 B

Cote	Dates	Contenu
2 B 18	1839	Correspondance du gouverneur au ministre
2 B 3	1859	id.
2 B 33	1860-1866	id.
2 B 33 bis	1865-1868	id.
2 B 34	1868-1869	id.
2 B 73 2 B 74 2 B 75 2 B 76 2 B 77 2 B 78	1874-1891	Registres des situations politiques

Sous-série 3 B. Correspondances diverses des gouverneurs

Cote	Dates	Contenu
3 B 65	1851-1852	Lettres au commandant de Gorée
3 B 81	1861-1864	
3 B 83	1862	
3 B 86	1862-1866	
3 B 88	1867-1868	
3 B 89	1865-66	
3 B 90	1865-66	

Sous-série 4 B. Correspondance, départ du commandant de Gorée, du commandant du 2e arrondissement, du lieutenant-gouverneur, du Délégué à l'Intérieur à Dakar (1816-1896)

4 B 19	1859-61	Lettres adressées aux chefs de poste de Carabane et de Sedhiou
4 B 33	1846-50	Correspondance avec les comptoirs du sud
4 B 34	1850-58	id.
4 B 35	1859-68	id.
4 B 36	1865-71	id.
4 B 50	1871-77	id.
4 B 60	1877-81	Lettres du Bureau politique aux commandants de poste
4 B 62	1881-82	
4 B 73	1881-87	Correspondance de Gorée avec les commandants des comptoirs du sud

Sous-série 6 B. Correspondance du ministre aux commandants de Gorée par l'intermédiaire du gouverneur

6 B 2	1859-62
6 B 3	1863-68
6 B 4	1869-82

Série D. *Affaires militaires*

Sous-série 1 D

1 D 16	1860	Expédition en Casamance
1 D 20	1861	Expédition de Pinet-Laprade en Moyenne Casamance
1 D 38	1881-82	Expédition de Dodds en Moyenne Casamance
1 D 50	1886	Expédition à Séléki
1 D 56	1886-94	Expédition sur la frontière de Casamance
1 D 170	1906-1912	Opérations de police en Casamance

Sous-série 5 D. Défense et organisation militaire

5 D 3	1840-1878	Défense de la colonie du Sénégal. Rapports. Rapport sur l'expédition de la Haute Casamance par le capitaine Fulcrand (1861)
5 D 4		Carte générale de la Casamance (1861)
5 D 18		Rapports périodiques du commandant supérieur des troupes sur la situation militaire du Sénégal
	1881-1890	id.
5 D 19	1894-1900	id.

Série E. *Conseils et Assemblées*

Sous-série 3 E. Conseil privé du Sénégal

3 E 11	1837	Séances du Conseil privé
3 E 13	1840	Séances du Conseil privé

Série F. *Affaires Etrangères*

Sous-série 1 F. Gambie

1 F 8	1894	Délimitation de la Gambie
1 F 9	1903	Relations avec la Gambie
1 F 16	1889-1893	Délimitation de la Gambie. Convention franco-britannique du 10 août 1889
1 F 17	1893	Mission Morin
1 F 18	1895	Délimitation de la Gambie
1 F 19	1896	Mission Farques
1 F 20	1896	id.
1 F 21	1898	Mission Adam
1 F 22	1899	Mission Adam

Sous-série 2 F. Guinée portugaise

2 F 4 1886 Relations avec les Portugais. Convention franco-portugaise du 12 mai 1886
2 F 5 1885-1909 Relations avec les Portugais
2 F 16 1902-1905 id.
2 F 17 1905-1907 id.

Série G. *Politique et administration générale*

Sous-série 1 G. Etudes générales, missions, notices, monographies

1 G 14 1838 Mission Dagorne en Casamance
1 G 26 1860 Voyage de Faidherbe à la Côte occidentale d'Afrique
1 G 34 1860-1866 Exploration de la Haute Casamance et de ses rivières
1 G 68 1884 Mission Lenoir en Casamance et Falémé
1 G 111 1887-1889 Mission Levasseur
1 G 193 1838-1883 Monographie sur Sedhiou par l'administrateur Adam
1 G 295 1904 Historique du Fouladou par l'administrateur de la Roncière
1 G 328 1906 Notice sur la Casamance par l'administrateur de Labretoigne du Mazel
1 G 343 1911 Monographie sur la Casamance par l'administrateur Maclaud

Sous-série 7 G. Guinée. Fouta-Djalon

7 G 77 1895 Relations de Muusa Moolo avec le Fouta-Djalon
7 G 78 1896 Opposition de Muusa Moolo à Alfayaya de Labé

Sous-série 13 G. Sénégal et Dépendances

13 G 1 à 12 Recueil de traités passés avec les souverains et chefs indigènes. Pour la Casamance, consulter notamment 13 G 4 (1828-1884) et 13 G 7 (1837-1893)
13 G 23 1848-1876 Situation générale du Sénégal
13 G 25 1881-1885 id.
13 G 26 1886-1889 id.
13 G 299 1854-1863 Papiers de Pinet-Laprade
13 G 300 1860 Rapports de Pinet-Laprade au gouverneur
13 G 301 1863-1865 id.
13 G 361 1845-1859 Casamance. Situation générale. Correspondance échangée entre les résidents de Carabane et Sedhiou avec le commandant de Gorée. Recensements, instructions, renseignements
13 G 362 1851 Casamance. Sedhiou. Correspondance du commandant de poste au commandant de Gorée
13 G 363 1859 id.
13 G 364 1854-1859 Sedhiou. Comptes rendus trimestriels du personnel, du matériel, de la situation commerciale, des relations evec les peuples indigènes
13 G 365 1858-1893 Postes de Sedhiou et de Carabane. Travaux et états des lieux
13 G 366 1861-1862 Casamance. Correspondance des commandants de poste de Sedhiou et de Carabane au commandant de Gorée, et de ce dernier avec le gouverneur
13 G 367 1863-1865 id.
13 G 368 1866-1867 Sedhiou. Correspondance du commandant de poste au commandant de Gorée
13 G 369 1868-1872 Casamance. Correspondance des commandants de poste de Sedhiou et de Carabane au commandant de Gorée, et ce dernier au gouverneur
13 G 370 1874-1879 id.
13 G 371 1881-1891 Casamance. Correspondance des commandants de poste de Sedhiou et de Carabane au commandant du second arrondissement, puis au lieutenant-gouverneur, et de ces derniers au gouverneur. Lettres, rapports, instructions

13 G 372 1892-1894 Casamance. Correspondance échangée entre les commandants de poste, l'administrateur supérieur de Casamance, le gouverneur du Sénégal
13 G 373 1895-1898 Casamance. Correspondance échangée entre les commandants de poste, l'administrateur supérieur de Casamance, le gouverneur général, et le commandant en chef des troupes de l'A.O.F.
13 G 374 1899-1900 Casamance. Correspondance échangée entre les commandants de poste, l'administrateur supérieur de Casamance, le directeur des Affaires indigènes, le gouverneur général, le commandant supérieur des troupes
13 G 375 1892-1916 Documents divers provenant des archives du poste de Ziguinchor
13 G 376 1892-1916 Casamance. Affaires politiques. Renseignements sur Fodé Kaba, incidents en Casamance, colonne contre Fodé Kaba, correspondance franco-anglaise
13 G 377 1903-1915 Casamance. Chefferies indigènes. Dossier Muusa Moolo
13 G 378 1906-1908 Réorganisation de la Casamance. Arrêté du 1er juin 1907. Rapport de l'administrateur supérieur de Casamance à la fin de 1906
13 G 379 1908 Casamance. Affaires musulmanes. Mission R. Arnaud en Casamance, étude des questions musulmanes
13 G 380 1904-1909 Casamance. Affaires politiques diverses
13 G 381 1910-1914 id.
13 G 382 1916-1917 id.
13 G 383 1916 Casamance. Affaires politiques. Rapports et correspondance sur la situation politique de la Casamance. Agitation chez les Bayot
13 G 384 1917 Affaires politiques. Rapports et correspondance sur la situation politique de la Casamance. Occupation militaire de la Basse Casamance
13 G 385 1918-1919 Affaires politiques. Rapports et correspondance sur la situation politique de la Casamance. Programme de désarmement et de mise en main de la population. Occupation militaire de la Basse Casamance
13 G 386 1914-1915 Inor. Correspondance départ du résident d'Inor à l'administrateur de Sedhiou

Sous-série 15 G. Correspondance avec les chefs indigènes

15 G 68 1888 Correspondance avec Muusa Moolo
Sous-série 17 G. Affaires politiques. A.O.F. (1895-1920)
17 G 6 1906 Tournée du gouverneur général Roume en Casamance
17 G 7 1914 Voyage du gouverneur général William Ponty en Casamance
17 G 15 1914-1916 Déplacements et activités de M. Diagne, député
17 G 38 1909-1917 Circulaires des gouverneurs généraux William Ponty et Van Vollenhoven concernant la politique indigène

Sous-série 22 G. Statistiques

22 G 6 1870 Recensement de Sedhiou; pièce 29
23 G 7 1875-1884 Actes de décès de la Casamance. Sedhiou et Carabane

Série J. *Enseignement*

J 5 Enseignement laïque. Carabane
1876-1895
J 27 1903-1920 Statistiques scolaires. Carabane

Série L. *Concessions de terrains en Casamance*

L 17 1850-1878 Carabane
1852-1870 Sedhiou

Série P.

P 163 1852 Plan du village de Carabane

Série Q. *Affaires économiques*

Q 32	1872-1886	Correspondance départ du président de la Chambre de Commerce de Gorée
Q 33	1869-1879	Correspondance reçue par la Chambre de Commerce de Gorée
Q 34	1882-1887	id.
Q 35	1888-1895	Correspondance reçue par la Chambre de Commerce de Gorée
Q 36	1896-1902	id.
Q 37	1903-1908	id.

PÉRIODE 1895-1940

Série 2 G. *Rapports politiques annuels et trimestriels. Sénégal*

2 G 1-5	1898	Rapport politique annuel
2 G 2-1/5	1902	id.
2 G 3-18	1903	id.
2 G 4-7	1904	Rapports politiques trimestriels
2 G 5-7/8	1905	id.
2 G 6-3/4	1906	Rapport politique d'ensemble
2 G 7-9	1907	Rapports politiques trimestriels
2 G 8-10	1908	id.
2 G 9-7	1909	id.
2 G 10-13	1910	id.
2 G 11-7	1911	id.
2 G 12-8	1912	id.
2 G 13-8	1913	id.
2 G 14-6	1914	id.
2 G 15-6	1915	id.
2 G 16-4	1916	id.
2 G 17-5/6	1917	id.
2 G 18-1	1918	id.
2 G 19-12	1919	id.
2 G 20-3/5	1920	id.
2 G 21-8	1921	id.

Rapports politiques et rapports d'ensemble sur la Casamance, les cercles, et les résidences

2 G 8-42	1908	Balantakunda
2 G 9-41	1909	id.
2 G 20-23	1920	Bignona
2 G 11-45	1911	Carabane
2 G 13-46	1913	Carabane
2 G 4-29	1904	Territoire de Casamance
2 G 7-42	1907	id.
2 G 8-34	1908	id.
2 G 9-40	1909	id.
2 G 10-39	1910	id.
2 G 11-47	1911	id.
2 G 12-63	1912	id.
2 G 13-56	1913	id.
2 G 14-51	1914	id.
2 G 15-41	1915	id.
2 G 16-37	1916	id.
2 G 18-44	1918	id.
2 G 19-26	1919	id.
2 G 20-36	1920	id.

2 G 13-57	1913	Diouloulou (Kombo)
2 G 4-30	1904	Hamdallahi (Firdu)
2 G 5-30	1905	id.
2 G 8-40	1908	id.
2 G 9-42	1909	id.
2 G 9-43	1909	Inor, Kiang, Kabada
2 G 10-40	1910	id.
2 G 11-53	1911	id.
2 G 12-64	1912	id.
2 G 13-58	1913	id.
2 G 18-33	1918	Kamobeul
2 G 19-24	1919	id.
2 G 10-41	1910	Kolda (Firdu)
2 G 11-48	1911	id.
2 G 11-31	1904	Cussouye
2 G 9-44	1909	id.
2 G 12-45	1912	id.
2 G 14-40	1914	id.
2 G 17-24	1917	id.
2 G 11-32	1904	Sedhiou
2 G 5-31	1905	id.
2 G 6-31	1906	id.
2 G 12-45	1912	id.
2 G 13-46	1913	id.
2 G 14-40	1914	id.
2 G 15-28	1915	id.
2 G 16-25	1916	id.
2 G 17-24	1917	id.
2 G 18-20	1918	id.
2 G 11-48	1911	Vélingara (Fulaadu)
2 G 8-42	1908	Yatakunda ou Diatakunda
2 G 9-41	1909	id.
2 G 4-33	1904	Ziguinchor
2 G 5-32	1905	id.
2 G 6-32	1906	id.
2 G 7-44	1907	id.
2 G 8-43	1908	id.
2 G 9-46	1909	id.
2 G 11-52	1911	id.
2 G 12-45	1912	id.
2 G 13-46	1913	Ziguinchor
2 G 14-40	1914	id.
2 G 15-28	1915	id.
2 G 16-25	1916	id.
2 G 17-24	1917	id.
2 G 18-19	1918	id.
2 G 19-20	1919	id.
2 G 23-54	1923	id.
2 G 24-49	1924	id.
2 G 25-56	1925	id.

II. ARCHIVES NATIONALES (Section Outre-Mer) PARIS

Sénégal et Dépendances III

Dossier 8. 1849-1851 Exploration et mission Hecquard

Dossier 13. 1891 Brosselard (Casamance)

Sénégal et Dépendances IV

Dossier 51. Casamance

a) Expéditions militaires 1859-1861
b) Rapports avec les indigènes 1862-1869
c) Expédition contre les Balant de Couniara 1870
d) Conflit avec les Manding 1873

Dossier 106. Expansion territoriale et Politique indigène en Casamance

a) Expédition de 1882
b) Traité avec le roi du Firdou
c) Correspondance diverse

Dossier 107. Expansion territoriale et Politique indigène en Casamance

a) Expédition contre Séléki 1886-1891
b) Suppression des postes de la Pointe St-Georges et des îles Tristao 1886
c) Correspondance diverse 1887-1889

Dossier 108. Expansion territoriale et Politique indigène en Casamance

a) Relations avec Fodé Kaba
b) Généralités
c) Relations avec Fodé Silla 1890-1895
d) Relations avec Moussa Moolo 1890-1895
e) Relations avec Mangoné Sèye 1890-1895

Dossier 5. Affaires diplomatiques. Portugal 1840-1860

a) Conflits en Casamance

Dossier 14. Affaires diplomatiques. Portugal 1881-1888

a) Conflits en Casamance

Dossier 25. Affaires diplomatiques. Angleterre 1890-1895

a) Délimitation en Gambie. Correspondance 1890-1891
b) Rapports. id. 1890-1891
c) Documents relatifs à Fodé Kaba et Fodé Silla

Gorée et Dépendances I

Dossier 1. Correspondance générale. Commandant supérieur Monléon 1854-1856

a) Dépêches du commandant
b) Dépêches du ministre
c) Pièces annexes

Dossier 2. Correspondance générale. Commandant supérieur Protêt 1856-1859

a) Dépêches du commandant
b) Dépêches du ministre
c) Pièces annexes

Dossier 3. Correspondance générale. Commandant particulier Ropert 1855

a) Dépêches du commandant
b) Dépêches du ministre

Gorée et Dépendances IV

Dossier 2. Expansion territoriale et Politique indigène 1854-1859

a) Casamance

Afrique VI

Dossier 31.	Affaires diplomatiques. Conflit en Casamance	1882
Dossier 60.	Mission Brosselard	1887
Dossier 67.	Délimitation Casamance	1888

A.O.F. VI

Relations avec les Puissances étrangères 1895-1898
Angleterre. Opérations de délimitation de la Gambie

Correspondance générale des gouverneurs du Sénégal

Sénégal et Dépendances I de 35 à 96 ter
Sénégal et Dépendances I de 35 à 96 ter

Sénégal 1.96 ter.	Cercle de Basse Casamance. Rapport politique de juin	1901
Sénégal 1.97 bis.	Rapports trimestriels	1906
Sénégal 1.97 ter.	id.	1907-1909
Sénégal 1.97 quart.	id.	1910-1913

III. ARCHIVES DIPLOMATIQUES (QUAI D'ORSAY), PARIS

Afrique occidentale

Sénégal et Dépendances :

Volume 84.	Dossier sur des conflits avec des Portugais de Casamance	1884
Volume 85.	id.	1885
Volume 124.	Intrigues de Moussa Moolo et de Fodé Kaba	
Volume 102.	Délimitation franco-portugaise dans l'Afrique occidentale	

IV. SERVICE HISTORIQUE DE L'ARMÉE (CHATEAU DE VINCENNE), PARIS

Série Outre-Mer 02. Série Sénégal

V. ARCHIVES DE LA CONGRÉGATION DES PÈRES DU SAINT-ESPRIT (30, RUE LHOMOND), PARIS (5e)

Sénégal 7

Boîtes 671, 673, 690
Journaux des communautés missionnaires

Ziguinchor

Cahier 1.	1890-1900	Résumé pour les années 1891, 1892, 1893 jusqu'à l'arrivée du Père Gaillard à Ziguinchor
Cahier 2.	1900-1917	Registre avec des feuillets. Ecriture lisible
Cahier 3.	1917-1920	Même format que le précédent. Père Esvan

Carabane et Sedhiou

Cahier 1. 1890-1892 Journal du Père Kieffer et lettre de Mgr Barthet sur la Casamance. Journal du Père Girod sur Carabane et Sedhiou
Cahier 2. 1898-1907 Cahier cartonné de format ordinaire. Ecriture lisible. Carabane
Cahier 3. 1907-1920 Journal de communauté, cahier grand format, très lisible. Carabane, Père Esvan
Cahier 4. 1902-1910 Cahier en format ordinaire, dos arraché, écriture lisible. Sedhiou

BIBLIOTHÈQUE NATIONALE

Le Brasseur. Détails historiques et politiques sur la Religion, les Mœurs, et le Commerce des peuples qui habitent la côte occidentale d'Afrique depuis l'Empire du Maroc jusqu'aux rivières de Casamance et de Gambie.
Rédigés et présentés à Son Altesse Sérénissime, Mgr le duc de Penthièvre, Amiral de France, par Monsieur le Brasseur, Commissaire-ordonnateur, ancien commandant pour le Roi et administrateur général des possessions françaises à la Côte occidentale d'Afrique, au mois de juin 1778, à Rambouillet.
Manuscrit N° 120080, Fond français, mis en évidence par Jean Boulègue

SOURCES IMPRIMÉES

I. Bibliographies, annuaires, journaux, cartes
II. Le milieu naturel
III. Les pays et les hommes
IV. Voyages
V. Histoire générale

I. BIBLIOGRAPHIES, ANNUAIRES, JOURNAUX, CARTES

Porges L. Bibliographie des Régions du Sénégal, éditée par le ministère du Plan et du Développement, chapitre II, Région de la Casamance, p. 147, 1967.

Snyder F. Bibliographie sur les Diola de la Casamance (Sénégal). Bulletin de l'I.F.A.N. (Institut fondamental d'Afrique, Série B, Sciences humaines, tome XXXIV, N° 2, avril 1972.

Annuaire du Sénégal. Des années 1858 à 1904. Saint-Louis, Imprimerie du gouvernement. Notices historiques, textes de traités, liste des gouverneurs et des ordonnateurs de la colonie.

Du Clercq. Recueil des Traités de la France. Paris, Durand et Pédone, 20 volumes. 1880-1919, in 8°.

Saint-Martin Y. Une source d'histoire coloniale du Sénégal. Les Rapports de situation politique. 1874-1891. Dakar, Université de Dakar, 1966, in 8°, 170 pages.

Schefer Ch. Instructions générales données de 1763 à 1870 aux gouverneurs et ordonnateurs des Etablissements français en Afrique occidentale. Paris, Société de l'Histoire des Colonies françaises, 1927, 2 volumes, in 8°.
Recueil de textes qui s'arrête aux instructions remises au gouverneur Valière.

Journaux officiels

Feuille officielle du Sénégal et Dépendances (hebdomadaire), 1850-1856 et 1861-1864
Moniteur du Sénégal et Dépendances (hebdomadaire), 1856-1861 et 1864-1891
Journal officiel de la Colonie du Sénégal et Dépendances (depuis 1892), a remplacé le Moniteur.
Bulletin administratif du Sénégal (depuis 1819).

CARTES MODERNES

Le Service géographique de Dakar-Hann, rattaché à l'Institut Géographique National (I.G.N.), 107, rue de la Boétie, Paris, 8e, vend des séries de cartes modernes de l'Afrique occidentale. Certaines localités citées dans les manuscrits ont parfois disparu et les noms peuvent être déformés. Exemple : Yatakunda et Diatakunda, village balant.

Les cartes suivantes ont été utilisées :

Echelle 1/3000 000. Carte de l'Afrique occidentale publiée par Michelin.
Echelle 1/1500 000. Cartoguide Shell, Sénégal.
Echelle 1/500 0000. Carte de l'Afrique de l'ouest, I.G.N.
Feuilles : Ziguinchor, Tambacounda. République du Sénégal.
Echelle 1/200 000. Carte de l'Afrique de l'ouest, I.G.N.
Feuilles : Ziguinchor, Sedhiou, Kolda, Vélingara, Sokone, Nioro du Rip.
République du Sénégal. Feuille : Youkounkoun. République de Guinée.
Carte de la Guinée Portugaise, 1948, publiée par le Centre d'Etudes de Guinée Portugaise. Reconhecimianto das estradas, localisaçao das povoaçoes e desenho por A. Texeira da Mota.

CARTES ANCIENNES

Carte de la Guinée Portugaise rédigée par Bertrand-Bocandé, juin 1849. Bulletin de la Société de Géographie, t. II, N° 65-66.
Carte de la Casamance vers 1850, sans nom d'auteur. Archives du Sénégal, 1 D 38, pièce 27.
Carte de la Casamance dressée par M. Mage, lieutenant de vaisseau, d'après les travaux de M. Vallon, octobre 1862, Revue maritime coloniale, t. 6, octobre-décembre 1862.

II. LE MILIEU NATUREL

AUBREVILLE A. *La Casamance*, L'agronomie tropicale, 1948, N° 1-2, p. 25-52.
— *Contribution à la paléo-histoire des forêts de l'Afrique tropicale*. Société d'éditions géographiques maritimes et coloniales, Paris, 1949, 99 pages.

MORAL P. *Le climat du Sénégal*, Revue de géographie d'Afrique occidentale, N° 1-2, 1965, p. 49-70.

PÉLISSIER P. *Les paysans du Sénégal. Les civilisations agraires du Cayor à la Casamance*. Imprimerie Fabrègue, Saint-Yrieix, Haute-Vienne, 1966, 940 pages.

PORTÈRES R. *Historique sur les premiers échantillons d'oryza glaberrima en Afrique*, Journal d'Agriculture tropicale et de Botanique appliquée, octobre-novembre 1955, p. 535-537.

SECK A. *La Moyenne Casamance, étude de géographie physique*, Travaux du département de géographie de l'Institut des hautes études de Dakar, N° 4, 1955, 49 pages.

III. LES PAYS ET LES HOMMES

a) *Casamance*

ALLIER M. *Région de Casamance. Monographie régionale*, Bulletin de l'Enseignement de l'A.O.F., N° 6, juin 1913, p. 203-207.

BÉRENGER-FÉRAUD Dr. *Etude sur les populations de la Casamance*, Revue anthropologique, t. 3, 1874, p. 445-461.

BERTRAND-BOCANDÉ E. *Carabane et Sedhiou. Des ressources que présentent dans leur état actuel les comptoirs français établis sur les bords de la Casamance*, Revue Coloniale, t. XVI, juillet-décembre 1856, p. 398.
— Moniteur du Sénégal, N° 41-42-44-45-48-54-59, janvier-mai 1857.
— *Rapport à Monsieur le Ministre de la Marine et des Colonies sur les ressources que présentent dans leur état actuel, les comptoirs français établis sur les bords de la Casamance*, Imprimerie P. Dupont, Paris, 1856, 24 cm, 24 pages.

BOUR CH. *Etude sur le fleuve Casamance*, Revue maritime coloniale, t. 75, octobre-décembre 1892, p. 330-358.
— *Les dépendances du Sénégal. Géographie, Population, productions, commerce, colonisation*, Librairie militaire L. Baudoin et Cie, 1885, 89 pages, une carte (un chapitre est consacré à la Casamance).

BONNET L. *La Casamance*, Bulletin de la Société de Géographie de Bordeaux, 2e série, 1878.

BROSSELARD-FAIDHERBE. *Casamance et Mellacorée. Pénétration au Soudan*, Paris, « A la librairie illustrée », 1891, in 4o, 106 pages.

CHEVALIER A. *La Casamance*, Annales de Géographie, t. 10, No 50, 15 mars 1901, p. 165-176.

CARVALHO Dr. *Contribution à l'histoire de la Casamance*, Revue Afrique-Documents, No 91, 1967.

CHAPOUTHIER (Capitaine). *Trois itinéraires en Casamance (1860-1901-1938)*, Revue des Troupes coloniales, No 269 et 270, mars et avril 1940.

COURTET E. *En Casamance*, Bulletin de la Société géographique, 1900, p. 407-423. Description de la région et des villages de Carabane et de Sedhiou.

COUSIN A. *Concession coloniale. Etude sur la concession de la rive gauche de la Casamance*, Paris, Editeur Chalamel, 1899, 141 pages, une carte.

DEBIEN G. *Emmanuel Bertrand-Bocandé (1812-1881). Un nantais en Casamance*, Bulletin de l'I.F.A.N., t. XXXI, série B, No 1, janvier 1869.

DIAGNE M. *Alimentation indigène. Casamance*, Cahier de l'Ecole Normale William-Ponty, 90 pages, I.F.A.N., cote (I Sc 31).

DONEUX Père. *Systèmes phonologiques de la Casamance*, Centre de linguistique appliquée de Dakar (C.L.A.D.), Etude No XXVIII.

ETESSE M. *Rapport sur le caoutchouc en Casamance*, Supplément au Journal Officiel de l'A.O.F., 4 mai 1912, p. 121-136.

FOULQUIER J. *Les Français en Casamance de 1826 à 1854*, Mémoire dactylographié pour le D.E.S. d'Histoire, Faculté des Lettres et des Sciences humaines, Dakar, 1966.

GARNIER Dr. *Contribution à la Géographie médicale. Souvenirs médicaux du poste de Sedhiou*, Rochefort s/mer, Imprimerie Charles Thèze, 1888, No 43, 28 cm, 88 pages.

GUYON C. *Considérations sur la Casamance*, Bulletin de la Société géographique de l'A.O.F., No 5, 31 mars 1908, p. 6-19.

HECQUARD H. *Rapport sur un voyage dans la Casamance en 1850*, Revue Coloniale, mai 1852, p. 409-432.
— *Voyage sur la côte et dans l'intérieur de l'Afrique occidentale*, Paris, Imprimerie de Bénard et Cie, 1853, 409 pages.

HOURSANGLOU L. *Français et Portugais en Casamance et Haute Guinée*, Mémoire de l'Ecole Nationale de la France d'Outre-Mer, No 17, 1953-1954, Paris, 43 pages dactylographiées.

LASNET Dr. *Les races du Sénégal, Sénégambie et Casamance*, Mission au Sénégal, Paris, Challamel, 1900, 23 cm, 190 pages.

LEARY F. *Islam, Politics and Colonialism. A Political history of Islam in the Casamance Region of Senegal (1850-1914)*, Exemplaire dactylographié aux Archives du Sénégal, 1 G 213.

LECARD Th. *Notice sur la Casamance et ses productions*, Moniteur du Sénégal No 532, 1866, p. 347-348; No 540, 1866, p. 379-380; No 541, 1866, p. 383-385; No 543, 1866, p. 391-392.

LEONARD Dr. *Observations recueillies au poste de Sedhiou (1863-64)*, Thèse de doctorat de médecine, 5 avril 1869, Faculté de Médecine, Paris.

LEYRAT M. *Le Sénégal, Etude sur la Casamance*, extrait du Bulletin de la Société française des ingénieurs coloniaux, 1936, 117 pages.

MEYREUIL M. *La mission Maclaud: la délimitation de la frontière entre la Guinée française, la Casamance et la Guinée portugaise*, Afrique française. Renseignements coloniaux, n° 11, 1904, p. 254-257.

MIZANDE. *Une opération de police en Casamance*, revue « A travers le Monde », 1912, microfilm à l'I.F.A.N. à Dakar, p. 1894 (1912).

PALASNE DE CHAMPEAUX Dr. *Une colonne en Casamance (mars-mai 1901)*, Archives de la médecine navale, t. 74, septembre 1901, p. 161-194.

— *La Casamance*, Bulletin de la Société coloniale, maritime, octobre 1901, p. 299-306.

ROCHE C. *Portraits de chefs casamançais du XIXe siècle*, Revue française d'histoire d'Outre-Mer, tome LVIII, N° 213, 4e trimestre 1971.

— *Les Trois Fodé Kaba*, Notes Africaines, N° 128, octobre 1970.

— *Un résistant oublié, Sunkaru Kamara, chef malinké de Casamance*, Bulletin de l'I.F.A.N., tome XXXIV, série B, N° 1, 1972.

— *La mort de Jinaabo*, Notes Africaines, N° 134, avril 1972.

— *Quand Ziguinchor était portugaise*, Revue Afrique littéraire et artistique, N° 26, 1972.

— *Ziguinchor et son passé*, Centre d'Etudes de Guinée Portugaise, N° 189, 1973.

SANNER P. *La France en Casamance*, Revue Sénégal, N° 30-32-34, 1942, p. 706-708, 706-749, 789-793; N° 48, 1943, p. 77-80.

SAULNIER E. *Les Français en Casamance et dans l'archipel des Bissagos. Mission Dangles (1828)*, Revue historique de la colonisation française, 1914, p. 41-76.

SIMON E. *La Cazamance et les peuplades qui en habitent les bords*, Bulletin de la Société géographique de Paris, 4e série, t. 18, août 1859, p. 115-142.

SECK A. *L'alimentation indigène en Casamance*, Cahier de l'Ecole Normale William-Ponty, 1939, I.F.A.N., cote (I-Sc-5).

TELLIER Commandant. *Possessions françaises du Sénégal. Cercle de la Basse Casamance. Poste de Carabane*, Bulletin de l'Union géographique du nord de la France, 1885, p. 421-428, microfilm à l'I.F.A.N. (Mic) 846.

TOUNKARA Ch. *La chasse en Casamance*, Cahier de l'Ecole Normale William-Ponty, I.F.A.N., cote (XIII-Sc-1).

TOURE O. *Médecine indigène à Ziguinchor*, Cahier de l'Ecole Normale William-Ponty, I.F.A.N., cote (XXI-Sc-4).

VALLON Amiral. *La Casamance, dépendance du Sénégal*, Revue maritime coloniale, t. 6, octobre-décembre 1862, p. 456-474.

WAILLE J. *La pénétration et l'installation française en Casamance (1855-1883)*, Mémoire de l'Ecole nationale de la France d'Outre-Mer, 1946, 16 pages dactylographiées.

WAHRENHORST G. *La Casamance (Côte occidentale d'Afrique)*, 10 reproductions de photos et 2 dessins, 1891, Paris, Jouvet et Cie, 1891, in 8°, 14 pages.

ANONYMES. *Rapports présentés par le Conseil d'administration de la C.C.A.C. (Compagnie commerciale et agricole de la Casamance), Exercice 1891, 11 juin 1892, Exercice 1892, 27 juin 1893*, Archives nationales, section Outre-Mer, Paris.

— *Sedhiou*, Revue Coloniale, t. XIV, 1855, p. 355-357, Archives nationales, section Outre-Mer, Paris.

b) *Les Banun*

BOULÈGUE J. *Aux confins du monde malinké: le royaume du Kasa (Casamance)*, Communication présentée au Congrès d'Etudes Manding, de Londres, juillet 1972. Publication du Département d'Histoire de l'Université de Dakar.

NOGUEIRA A. *Monografia sobre a tribu Banhum*, Boletim cultural da Guiné Portuguesa, octobre 1947, p. 974-1008.

c) *Les Balant*

BIAYE M. *Origine des Balantes*, Bulletin mensuel du centre régional d'Information de Ziguinchor, N° 5, 1er décembre 1960, une page.

BONVALET E. *Au pays des Balantes.* Bulletin de la Société de Géographie de Lille, t. 18, 1892, p. 234-239.

DIAGNE A. M. *Contribution à l'étude des coutumes des Balantes de Sedhiou*, Outre-Mer, N° 1, mars 1933, p. 16-42.

LASNET Dr. *Le tali, poison d'épreuve de la Casamance*, Revue culturelle coloniale, t. VI, N° 54, 5 juin 1900, p. 340-341.

MACLAUD Dr. *Ordalies collectives par le poison chez les Balantes de la Casamance*, compte rendu, Institut français d'Anthropologie, N° 6, séance du 23 octobre 1912, p. 105-108.

d) *Les Fula*

DEMOUGEOT, Gouverneur. *Notes sur l'organisation politique et administrative du Labé avant et depuis l'occupation française*, Paris, Larose librairie, 11, rue V.-Cousin, 1944.

DIALLO Lefebvre. *La race peul*, Cahier de l'Ecole Normale William-Ponty, I.F.A.N., cote (XI-Sc-5).

DIALLO Th. *Les Institutions politiques du Fouta-Djalon au XIXe siècle*, Mémoire de 3e cycle, Faculté des lettres et des Sciences humaines, Sorbonne, Paris, 337 pages dactylographiées, 1968.

DUPIRE M. *Organisation sociale des Peul*, Paris, Librairie Plon, 1970, 625 p.

GIRARD J. M. *De la communauté traditionnelle à la collectivité moderne en Casamance: Essai sur le dynamisme du droit traditionnel*, Annales Africaines, 1964, p. 135-165.
— *Note sur l'histoire locale du Fouladou (Cercle de Vélingara, Haute Casamance)*, Journal de la Société des Africanistes, XXXIV, 11 (1964), p. 302-306.
— *Notes sur l'histoire traditionnelle de la Haute Casamance*, Bulletin de l'I.F.A.N., série B, t. XVIII, N° 1-2, janvier 1966, avril 1966, p. 540-554.

LAFONT F. *Les hauts fourneaux de la région de Kolda avant 1861*, Notes Africaines, N° 10, avril 1941, p. 20.

DE LA RONCIÈRE Ch. *Historique du Fouladou (1869-1902)*, Archives nationales du Sénégal, 1 G 295.

MENDES-MOREIRA J. *Fulas do Gabu*, Centre d'Etudes de Guinée Portugaise, N° 6, 1948.

SOW M. S. *La région de Labé (Fouta-Djalon) au XIXe siècle et au début du XXe siècle*, Mémoire de D.E.S., Sorbonne, Paris, 1971.

e) *Les Joola*

ALBINET Capitaine. *Mœurs et coutumes diola*, Revue militaire, A.O.F., N° 25, 15 avril 1935, p. 35-37, une carte.

COLY G. *Rites funéraires, Cercle de Ziguinchor, Casamance*, Cahier de l'Ecole Normale William-Ponty, I.F.A.N., cote (X-Sc-12).

DIAGNE A. M. *Notes sur les coutumes des Diola du Fogny oriental*, Bulletin de l'Enseignement de l'A.O.F., N° 83, avril-juin 1933, p. 85-106.

GIRARD J. M. *Genèse du pouvoir charismatique en Basse Casamance (Sénégal)*, Dakar, I.F.A.N., 1969, 24 cm, 372 pages.

HANIN Ch. *Une association nécrophagique de la Basse Casamance. Le Koussanga*, Outre-Mer, N° 2 et 3, avril et septembre 1933, p. 118-135.

JOFFROY, Père. *Les coutumes des Diola du Fogny (Casamance)*, Bulletin du comité d'études historiques et scientifiques de l'A.O.F., 1920, p. 181-192.

LEPRINCE J. *Les Bayottes*, revue « A travers le Monde », N° 40, 7 octobre 1905; N° 41, 14 octobre 1905.
— *Notes sur deux tribus de Basse Casamance*, Revue Coloniale, 1905, p. 513-527 et p. 581-605.
— *Une tribu de la Basse Casamance: Les Floups*, revue « A travers le Monde », N° 3, 1906, p. 17-20.

MACLAUD Dr. *La Basse Casamance et ses habitants*, Bulletin de la Société commerciale de Géographie, 1907, t. XXIX.
— *Notes anthropologiques sur les Diola de Casamance*, Anthropologie, XVIII, 1907, Paris.

SAGNA A. *Funérailles chez les Floups*, Notes Africaines, N° 41, janvier 1949, p. 7-8.

THOMAS L. V. *Les Diola. Essai d'analyse fonctionnelle sur une population de Basse Casamance*, Dakar, I.F.A.N., 1958-1959, 2 volumes, 821 pages, une carte h.-t.; 38 planches h.-t.
— *Faut-il sauver Karabane?* Notes Africaines, N° 102, avril 1964, p. 13-46, plan cadastral de 1892.
— *L'animisme*, Bulletin I.F.A.N., t. XXVII, N° 1-2, janvier-avril 1965, p. 1-41, 11 graphiques, 14 photographies.
— *Initiation à la royauté chez les Floup*, Notes africaines, N° 109, 1966.
— *Le Diola et le Temps*, extrait du Bulletin de l'I.F.A.N., t. XXI, série B, N° 1-2, janvier 1967.
— *Samba Diatta « roi des Bliss »*, Notes Africaines, N° 115, juillet 1967, p. 82-89.
— *Les rois diola, hier, aujourd'hui, demain*, Bulletin de l'I.F.A.N., t. XXXIV, série B, N° 1, 1972.
L. V. Thomas, sociologue et ethnologue, est l'auteur d'un très grand nombre d'articles consacrés à l'ethnie diola.

SAPIR J. D. *A Grammar of Diola-Fogny*, Cambridge University Press. In association with the West African language survey and the institute of African studies, Ibadan, 1965.

WINTZ, Père. *Dictionnaire français-diola*, Imprimerie Paillart, Abbeville, 1909.

f) *Les Manding*

BONVALET E. *Au pays des Mandingues*, Bulletin de la Société géographique de Lille, t. 18, 2e semestre 1892, p. 77-83.

COLY D. *Autour du mariage en pays manding, Casamance*, Notes Africaines, N° 27, avril 1948, p. 13.

CISSOKO S. M. *Traits fondamentaux des Sociétés du Soudan occidental du XVIIe au début du XIXe siècle*, Bulletin de l'I.F.A.N., t. XXXI, série B, N° 2, 1969.

CARREIRA A. *Mandingas da Guiné Portuguesa*, Centre d'Etudes de Guinée Portugaise, N° 4, 1947, 276 pages.

CAROCO-VELLEZ J. *Monjur. O Gabu e a sua historia*, Centre d'Etudes de Guinée Portugaise, N° 8, 1948, 276 pages.

MACKLIN R. *Queens and Kings of Niumi*, Revue Man, XXXV, 1971, p. 67-68.

MARTY P. *Les Mandingues, élément islamisé de Casamance*, Revue du Monde musulman, t. XXXI, 1915-1916, p. 443-468.
— *Chérif Yunus de Casamance*, Revue du Monde musulman, t. XXXI, 1915, 1916, p. 469-480.

QUINN Ch. *Niumi, Mandingo Kingdom in the Senegambia*, Revue Africa, vol. XXXVIII, octobre 1968, N° 4, p. 443-453.

g) *Sénégal, Sénégambie, Guinée*

BISSET-ARCHER F. *The Gambia Colony and Protectorate*, London, Frank Cass and Co, 1967, 364 p.

BERTRAND-BOCANDÉ E. *Notes sur la Guinée Portugaise ou Sénégambie méridionale*, Bulletin de la Société géographique, t. 11, N° 65-66, mai-juin 1849, p. 265-330, une carte; t. 12, N° 67-68, juillet-août 1849, p. 57-93.

BONVALET E. *La Sénégambie de la Casamance au rio Cacheu*, Bulletin de la Société géographique de Lille, t. 14, août 1890, p. 113-120.

BRIGAUD F. *Histoire traditionnelle du Sénégal*, Saint-Louis, Imprimerie de la République du Sénégal, 1962, in 8°, 335 pages.
— *Histoire du Sénégal. Des origines aux traités de protectorat.* Dakar, Edition Clairafrique, 1964, in 8°.

BROSSELARD H. *La Guinée Portugaise et les possessions françaises voisines.* Lille, Imprimerie L. Daniel, 1889, 116 pages, deux planches, deux cartes. Un chapitre est consacré à la Casamance. Description détaillée de Carabane, Ziguinchor, Sedhiou.
— *Voyage dans la Sénégambie et la Guinée Portugaise*, extrait du « Tour du Monde », 1889, p. 97-144.

BOUTEILLER J. *De Saint-Louis à la Sierra-Leone. Huit ans de navigation dans les Rivières du sud*, Paris, Challamel, 1891, X-334 pages, deux plans.

COURTET E. *Etude sur le Sénégal. Productions, Agriculture, Commerce, Géologie, Ethnographie, Travaux publics, Main-d'œuvre*, Paris, Challamel, 1903.

DECRESSAC-VILLEGRAND M. *Souvenirs du Sénégal. Lettres sur la Gambie et la Casamance*, Guéret, Imprimerie P. Amiault, 1891.

DESCHAMPS H. *Le Sénégal et la Gambie*, Paris, P.U.F., 1964, collection « Que Sais-je ? » N° 597.

EANES DE ZURARA G. *Chronique de Guinée*, préface et traduction de Léon Bourdon avec la collaboration de Robert Ricard, Mémoire de l'I.F.A.N., Dakar, 1960, 301 pages.

GALIBERT F. *En Sénégambie*, Bulletin de la Société de Géographie commerciale de Paris, t. 12, 1er octobre 1889 - 1er octobre 1890, p. 268-284.

GALLIÉNI Lt-Colonel. *Deux campagnes au Soudan français, 1886-1888*, Paris, Librairie Hachette et Cie, 1891.

GAILEY HARRY. *A History of the Gambia*, London, Rentledge and Kegen Paul, 1964, 244 p.

GRAY J. M. *History of the Gambia*, Londres, Frank Cass & C° Ltd, 1966.

HARDY G. *La mise en valeur du Sénégal de 1817 à 1854*, Paris, Emile Larose, Librairie-Editeur, 11, rue V.-Cousin, 1921, 376 pages.

JOHNSON-WESLEY G. *The emergence of Black politics in Senegal. The struggle for power in the four communes (1900-1920)*, Stanford University Press, 1971, 264 p.

MADROLLE Cl. *En Guinée: Côte occidentale d'Afrique, Casamance, Guinée Portugaise, Guinée française, Fouta-Djallon, Sierra-Leone, Soudan français et Haut-Niger*, Paris, Librairie H. le Sondier, 1895, in 4°, 407 pages.

NOGUEIRA A. *Abdul Injai.* Boletim Cultural da Guiné Portuguesa, janvier 1949, N° 13.

RANCON A. *Dans la Haute Gambie. Voyage d'exploration scientifique*, Paris, Société d'édition scientifique, 1894, in 8°, 592 pages.

SABATIE A. *Le Sénégal. Sa conquête, son organisation (1364-1925)*, Saint-Louis, Imprimerie du gouvernement, in 8°, 425 pages, 1925.

SAULNIER E. *Une compagnie à privilège au XIXe siècle. La Compagnie de Galam*, Paris, Larose, 1921, in 8°, 199 pages.

TEXEIRA DA MOTA A. *Guiné Portuguesa*, Lisboa, Agencio géral do Ultramar, 2 volumes, 1954.

TARDIEU A. *Sénégambie et Guinée*, Paris, Didot, in 8°, 1878, 338 pages. Abondantes notes se rapportant aux premiers voyageurs à la côte d'Afrique et à la géographie de la Casamance.

UKPABI S. C. *The Gambia Expedition of 1901*, t. XXXIII, avril 1971, N° 2, Bulletin de l'I.F.A.N., série B.

VILLARD A. *Histoire du Sénégal*, Dakar, Viale, 1943, in 16°, 265 pages, 10 planches, 3 cartes.

WALTER J. *Honorio Pereira Barreto. Biografia. Documentos. Memoria sobre o estado actual de Senegambia portuguesa*, Bissau, 1947, in 8°. XV. Centre d'Etudes de Guinée Portugaise N° 5

IV. LES VOYAGES

BOULÈGUE J. *Relation de Francisco d'Andrade sur les îles du Cap Vert et la Côte occidentale d'Afrique (1582)*, Extrait du Bulletin de l'I.F.A.N., t. XXIX, série B, N° 1-2, janvier-avril 1967.

BRASIO, Père. *Relation de voyage à la Côte occidentale d'Alvise ça da Mosto (1455-1457)*, dans Monumenta Misionaria Africana, segunda serie, vol. I, Lisboa, 1958, p. 287-373.
— *Alvarès d'Almda*, dans Monumenta Misionaria Africana, segunda serie, vol. III, Lisboa, 1964.

BERLIOUX F. *André Brue ou l'origine de la colonie du Sénégal*, avec une carte de la Sénégambie, Librairie de Guillaume et Cie, 1874, in 8°, 341 pages.

COELHO F. *Duas Descriçoes Seiscentistas de Guiné*, Lisbonne, 1953, édité par Damiâo Peres.

CULTRU P. *Premier voyage du Sieur de la Courbe fait à la Côte d'Afrique en 1685*, Paris, Champion-Larose, 1913, p. 201 et suivantes.

LABAT, Père. *Nouvelle Relation de l'Afrique occidentale*, Paris, G. Cavelier, 1728, 5 volumes, 346 pages, 376 pages, 387 pages, 404 pages.

DURAND J. B. L. *Atlas pour servir au voyage du Sénégal*, Paris. H. Agasse, 1802.
— *Voyage au Sénégal*, Paris, H. Agasse, 2 tomes, 1802.

MARCHE A. *Trois voyages dans l'Afrique Occidentale, Sénégal, Gambie, Casamance, Gabon, Ogooé*, Paris, Hachette, 1882, 18 cm, 376 pages.

MAUNY R. *Voyage à la côte occidentale d'Afrique (1479-1480) par Eustache de la Fosse*, Boletim Cultural da Guiné Portuguesa, avril 1949, p. 181-195.

MONOD Th., MAUNY R., TEXEIRA DA MOTA A. *Description de la côte occidentale d'Afrique (Sénégal au Cap Monte) par Valentim Fernandes*, Centre d'Etudes de Guinée Portugaise, Bissau, 1951, 223 pages.

PERROTTET. *Voyage de Saint-Louis du Sénégal à la presqu'île du Cap Vert, à Albréda sur la Gambie et à la rivière de Casamance dans les pays des Feloupes-Yola (1829)*, Nouvelles Annales des Voyages, 1833, t. III, p. 137-185; t. IV, p. 6-63.

V. HISTOIRE GÉNÉRALE

BRUNSCHWIG H. *Un faux problème. L'ethno-histoire*, extrait des Annales, mars-avril 1965, p. 291-300.
— Mythes et réalités de l'Impérialisme colonial français, 1871-1914, Paris, Armand Colin, 1960, in 8°, 206 pages.

CARREIRA A. *Cabo Verde. Formaçao e extinçao de uma sociedade escravocrata (1460-1878)*, Centre d'Etudes de Guinée Portugaise, 1971.
— *As Companhias Pombalinas de navegaçao, comercio, e trafico de escravos entre a costa africana e o nordeste Brasileiro*. Centre d'Etudes de Guinée Portugaise, 1969.

CHAILLEY M. *Histoire de l'Afrique occidentale française, 1638-1959*, Paris, Editions Berger-Levrault, 1968.

CORNEVIN R. *Histoire des peuples d'Afrique Noire*, Paris, Editions Berger-Levrault, 1962.

CULTRU P. *Les origines de l'A.O.F. Histoire du Sénégal, du XVe siècle à 1870*. Paris, E. Larose, 1910, in 8°, 376 pages.

CASTILHO A. *Descripsào e roteiro da costa occidental de Africa*, Lisboa, Imprensa Nacional, 1866-1867, 2 volumes, in 8°.

DUBOC Général. *L'épopée coloniale en Afrique occidentale française*, Paris, S.F.E.L.T., Editions Edgar Malfere, 1938.

DESCHAMPS H. *Histoire générale de l'Afrique noire, de Madagascar et des Archipels*, publiée sous la direction de H. Deschamps. T. 1, Des origines à 1800 ; t. 2, De 1800 à nos jours. Paris, P.U.F., 1970-1971, 576-720 p.

DELAFOSSE M. *L'Afrique occidentale française*, t. 4 de l'Histoire des colonies françaises et l'expansion de la France dans le Monde, Paris, Plon, 1931.

DUCHÊNE A. *La politique coloniale de la France. Le Ministère des Colonies depuis Richelieu*, Paris, Payot, 1928, 349 pages.

HARDGREAVE. *Prelude to the Partition of West-Africa*, 1963.

KI-ZERBO J. *Histoire de l'Afrique Noire d'hier à demain.* Paris, Hatier, 1972, 702 p.

KANYA-FORSTNER A. S. *The conquest of the Western-Sudan. A study in French military imperialism.*

LOPES DE LIMA J. J. *Ensaios sobre a statistica das possessoes portuguesas na Africa occidental*, Lisboa, Imp. Nacional, 1844-1846, in 8°.

LAVRADIO, Marquis de. *Portugal em Africa depois 1851*, Lisboa, Agencia Geral das Colonias, 1935. Archives de la Fondation Gulbenkian, 51, Avenue d'Iéna, Paris., cote (ULC-128 E).

PERSON Y. *Tradition orale et chronologie*, Cahier d'Etudes Africaines, 11, 1962, p. 463.

SCHNAPPER B. *La politique et le commerce français dans le golfe de Guinée, de 1838 à 1871*, Paris, Monton et Cie, 1961, in 8°, 286 pages, 12 cartes et tableaux.

— *La fin du régime de l'exclusif: le commerce étranger dans les possessions françaises de l'Afrique tropicale (1817-1870)*, Annales Africaines, 1959, p. 149-199.

Documents

ANNEXE N° 1

22 G 6. Pièce 29. Recensement de Sedhiou en 1870 de la population astreinte à l'impôt.

Maisons de commerce

Maison Griffon,	représentant : M. Driot	51 hommes
Maurel et Prom,	représentant : M. Charles Enguelmans	51 hommes
Maison Merle,	représentant : M. Pesnel	81 hommes
Maison Pastré,	représentant : ?	50 hommes 2 femmes
Maison Franciero,	représentant : M. Franciéro	9 hommes 1 femme
Maison Guillabert,	représentant : M. Guillabert	22 hommes
Maison Stephen,	représentant : M. Stephen	16 hommes 1 femme
Maison Brousse,	représentant : M. Brousse	5 hommes 1 femme
Maison Sangné,	représentant : M. Sangné	1 homme 1 femme

Total : 235 hommes + 6 femmes = 241 personnes

Village Dagorne

117 hommes et 148 femmes . . . . = 265 personnes
Ethnies représentées : Bambara, Joola, Wolof, Maure, Toucouleur, Balant, Baynuk, Noirs portugais, quelques rares Malinké

Villages proches et dépendant de Sedhiou

Kandiarra	84 hommes et	89 femmes =	173	personnes
Patiabor	8 hommes et	9 femmes =	17	»
Tumakunda	16 hommes et	8 femmes =	24	»
Baynor	5 hommes et	5 femmes =	10	»
Badiari, quartier bambara	99 hommes et	63 femmes =	162	»

Badiari, quartier peul	50 hommes et	37 femmes =	87	»
Badiari, quartier peul	31 hommes et	18 femmes =	49	»
Badiari, quartier peul	10 hommes et	8 femmes =	18	»
Village de Tambana-Sounkoutou . . . . (Malinké)	18 hommes et	22 femmes =	40	»
Village de Petit Tambana . . . . (Saraxolé, Balant, Joola, Bambara)	16 hommes et	16 femmes =	32	»
Village de Buno . . . . (Saraxolé, Balant, Wolof, Toucouleur, Malinké)	162 hommes et	60 femmes =	222	»
Village de Marie Palla	17 hommes et	16 femmes =	33	»
Total	919 hommes et	495 femmes =	1414 personnes	

ANNEXE N° 2

Archives du Sénégal, 13 G 461.

Traité avec le Souna, le Pakao, le Boudhié, le Yacine

Au nom de la République française et en vertu des pouvoirs qui nous sont délégués par Monsieur le Gouverneur du Sénégal et Dépendances,

Nous Henri Canard, chef d'Escadron de cavalerie, Officier de la Légion d'Honneur, commandant supérieur de l'arrondissement de Gorée, avons conclu le traité suivant avec Fodé Madia, chef supérieur de tous les pays mandingues de la Haute Casamance, Fodé Fansaly et Fodé Fassany chefs du Souna, Fodé Kadou-Conté, Bourin Sagna et Coulé Conté chefs du Pakao, Sounkary et Boukary-Yaté chefs du Boudhié, Arfen Diané chef du Yacine, lesquels chefs représentent tous les pays mandingues de la Haute Casamance.

Article 1er. Les chefs ci-dessus désignés du consentement de leur peuple reconnaissent la suzeraineté de la France sur tout le territoire du Souna, du Pakao, du Boudhié et du Yacine.

Article 2. Tout sujet français pourra s'établir dans le Souna, le Pakao, le Boudhié et le Yacine en achetant aux habitants le terrain qui leur sera nécessaire.

Il pourra couper dans ces pays, sans aucune redevance, tous les bois dont il aura besoin pour la construction de ses établissements et de ses embarcations.

Nul étranger ne pourra fixer sa résidence dans le Souna, le Pakao, le Boudhié et le Yacine sans l'autorisation du gouvernement français.

Article 3. Les Français qui s'établiront dans le Souna, le Pakao, le Boudhié et le Yacine, ne seront soumis qu'aux droits fixés par l'autorité française.

Article 4. Toutes les contestations qui pourraient s'élever entre des sujets français et les gens du Souna, du Pakao, du Boudhié et du Yacine seront jugées par le gouvernement français.

Article 5. Les villages mandingues dont les habitants ont pris part à l'attaque de Sedhiou paieront une indemnité de 2000 francs.

Article 6. Toutes les conventions antérieures au présent traité seront annulées.

Le présent traité fait en double expédition arabe et française a été conclu et signé à Sedhiou le 19 janvier 1873.

Ont signé : Le commandant supérieur de Gorée
Les chefs supérieurs des pays mandingues de la Haute Casamance
Les chefs du Pakao
Les chefs du Yacine
Les chefs du Souna
Les chefs du Boudhié

ANNEXE N° 3

Tradition orale sur Fodé Kaba

Recueillie le 9 mai 1970 à Dakar auprès de Maya Dumbuya, notable, fils de Fodé Kaba, elle a été traduite par M. Ibrahima Diallo, d'origine malinké et petit-fils de Fodé Kaba.

Les origines de la famille de Fodé Kaba

Nos ancêtres sont venus de Bani sira ila. Sept grands saints avaient souvent des visions sous forme de nuages qui entouraient leurs demeures. Ils demandaient à Dieu que la force spirituelle de ces nuages descende sur leurs familles. Parmi les sept familles, l'une d'elles était plus pauvre. La Providence voulut que la lumière de ces nuées descende dans cette famille. Les autres familles furent jalouses. C'est de cette maison que sont nés les ancêtres de Fodé Kaba.

Un prédicateur vint annoncer au chef de famille que Dieu l'avait comblé d'une grande faveur. Au cours de la 4e génération, un de ses descendants devrait partir pour un pays lointain et c'est son enfant qui serait le porteur de cette lumière. Au cours de la 4e génération, un prédicateur vint dire au chef de famille de s'en aller vers l'ouest. Il devrait s'établir dans un lieu où il résiderait cinq années consacrées à la prière. Chaque chef de nouvelle génération dut se déplacer à l'ouest et la 6e vit apparaître le père de Fodé Kaba, Fodé Bakari Dumbuya.

Fodé Bakari Dumbuya était un homme qui avait consacré sa vie à la prière. Il se déplaça vers un endroit où il y avait un cours d'eau. Avec deux talibés, il défricha le lieu et construisit une hutte. Il prit quelques affaires, un peu d'eau et s'enferma dans la hutte pour prier. Après avoir congédié les enfants, il vécut seul 40 jours à prier sans autre aliment qu'un peu d'eau. Au cours d'une nuit, il entendit une voix qui l'appelait. Il ne répondit pas. La voix l'appela une seconde fois, puis une troisième fois. Fodé Bakari vit alors un homme qui lui déclara être envoyé par Dieu. Il ne répondit pas. La nuit suivante, une autre vision humaine l'appela et lui dit que Dieu avait agréé ses prières. Une autre nuit, un troisième messager l'appela et lui demanda de répondre. Fodé Bakari répondit que tous les saints de la terre devraient avoir pour chef un de ses fils qui devrait être un grand saint. Tel était son souhait. Le messager lui fit répéter son vœu trois fois. Une autre nuit, un autre messager lui fit renouveler sa demande et il partit. Un cinquième envoyé fit la même démarche et c'est le sixième qui lui annonça que Dieu l'avait exaucé. Il lui dit que la mission du Prophète qui restait à accomplir se divisait en quatre parties. Dieu permettait qu'une partie soit confiée à son fils. Fodé Bakari ne voulut pas accepter tout de suite car ce n'était pas ce qu'il avait demandé et il continua à prier.

Un septième envoyé vint lui dire que Dieu lui ordonnait de cesser ses prières car il estimait lui avoir déjà beaucoup accordé. Il devait accepter la mission pour son fils. Fodé Bakari finit par céder mais posa les conditions suivantes. Ses descendants ne subiraient pas de déshonneur public et ne seraient jamais assujettis à une autre descendance. Ses yeux verraient le destin de son fils. Un secret divin serait transmis à sa descendance. Ces nouvelles demandes furent accordées.

Après son séjour dans la hutte, Fodé Bakari retourna à Gumbel où naquit Fodé Kaba.

ANNEXE N° 4

Généalogie de Sunkari-Yiri Kamara

La famille Kamara était originaire du Guidimaxa. Elle vint s'installer dans le Niani, sur la rive nord de la Gambie, au village de Dungusin.

Ndura Kamara, père de Sunkari, maître d'école coranique, enseigna le Coran à Basaf, puis à Bakum près de Seju où il défricha du terrain.

Ibrahima Kamara

|

Ndura Kamara qui épouse Duno-Yirimanding de Sandiniéri

|

Ibrahima Sunkar-Yiri ou Sunkari

|

Pas de postérité mâle

ANNEXE N° 5

GÉNÉALOGIE DES CHAMBAZ A ZIGUINCHOR

Jean Frédéric Chambaz

Né le 2 août 1832 à Roche Noire, commune de Saint-Barthélemy (Isère). Décédé en décembre 1887 à Ziguinchor (Casamance) Sénégal.

Ses concubines	*Ses enfants*	*Ses petits-enfants vivants*
1) Jéromina BASSE	Marguerite CHAMBAZ	Albert
	Joséphine CHAMBAZ	Jeanne, en religion Mère Hermogène
	Rosine CHAMBAZ	
	Berthe CHAMBAZ	Anna et John KING
	Rachel CHAMBAZ	Elisabeth HUCHARD
2) Diokina DIA	Marie CHAMBAZ	François GOMIS Marie-Anne GOMIS
	Edouard CHAMBAZ	
	René CHAMBAZ	Rosine CHAMBAZ *Edouard* CHAMBAZ
	Virginie CHAMBAZ	Amélia *Etienne* CARVALHO *maire actuel de Ziguinchor*
3) Marie DIAGA	Frédéric CHAMBAZ	Joséphine CHAMBAZ Emilie CHAMBAZ
	Sophie CHAMBAZ	Julie SAGNA
	Elisa CHAMBAZ	Emile et Webel
	Alexandre CHAMBAZ	

ANNEXE N° 6

LISTE DES CHEFS BANUN DE ZIGUINCHOR DEPUIS 1888

Gnamini KABO, du clan des Kabo de Jibelor
Dimingo KABO
Carlos KABO
Gnamini KABO
Ataba TABAR
Keitane dit Muniati CARVALHO

LISTE DES CHEFS DES TROIS PRINCIPAUX QUARTIERS DE ZIGUINCHOR DEPUIS 1888

Boucotte	*Santiaba*	*Budoli*
Sivanti TAMBA	Lamine DRAME	—
Gudji SECK	Makodu NJAAY	—
Gumbane NDAW	Lamine TURE	—
Birane BEYE	Famara SEYDI	—
Mapate SECK	Francisco CARVALHO	Alexandre CARVALHO
Matar JEME	Seydu KANE	Luc MENDI
Malang SANE		
Jane JEJU (Diedhiou)		

ANNEXE 7

13 G 373. Extrait du rapport sur le Fulaadu par l'administrateur Adam

NOMENCLATURE DES PROVINCES ET VILLAGES DU FULAADU CASAMANCAIS EN 1896

Province d'Hamdallaye: Hamdallaye, Jabanoto, Saré-galodio, Saré-Kolidiang, Saré-ilo, Fancoye, Saré-Kanta, Saré-Simali, Koniari, Joumana, Gumbanta, Sabari, Jacino, Sukuta, Fulniata, Tiéti, Kukaia, Saré-Bori, Uli-Bolari, Saré-Dembel, Katia, Famuto, Kunfara, Mankane, Uanju, Timando, Juruku, Bakor, Munini, Udala, Dorna, Sobuldé, Sulabali, Korvé, Lavundari, Tugudé, Sindi, Tabatakolon, Bayungu, Buruka, Budusambu, Pata, Saré-Guidubalo, Tiédi, Kundiala, Favati, Kartaba, Saré-badjio.

Province du Jimara: Chef Mamadu, résidant à Saré Bojo-Demo. Linkinharo, Dimbu, Kurukuru, Jaubé, Médina, Kurol, Urja, Kabasa, Maru, Languéril, Fandana, Saré-Sambayel; Kunjala, Satato, Korop, Sumakunda, Konianguira, Saré-Biran, Sarimata, Savendunbé, Saré-Sambel, Dina, Pakidi, Bojo-Dema, Linkajan.

Province de Mamakunda: Kunbali, Fodé-Bayo, Dembo-Foréa, Boeda, Malik-Malieme, Tabandaye, Konianguira, Kandina, Gundumar, Jalembéré.

Province de Talto: Gambisara, Mankiamena.

Province de Fatim: Chef Yéro-Bula, résidant à Bulukunda: Bantanto, Neto, Saré-Jedo, Kéréwane, Buna, Kutiera, Nami, Banari, Bankunda, Gapé, Pidéré, Tabujallo, Dembayel, Jatamine, Dabo.

Province du Patiana: Niaxaré, Kuti, Jatajakunda, Karumé, Kutihidé, Parumba.

Province du Kudura: Kudura, Niékéné, Mistianko, Saré-guidi.

Province du Niampayo: Tutumé, Guidima, Kanjon.

Province du Kibo: Kumuburé, Linkérate, Sunkor, Baju, Kibu.

Province du Kamako: Chef Paté, résidant à Bantankunda. Baki, Tankanto, Tiutankel, Nabo, Faraba, Sibéré, Jufana, Tabatansar, Baki, Tankanto, Hili, Kolda, Sinbandin, Boguel, Kandé, Jandeti, Jana, Bodel.

Province du Passa: Chef Seydu, résidant à Passa.

Province de Badare: Kolinto, Kutukunda, Saré-Biro, Ualibé, Kunéda.

Province du Manigui: Chef Ali, résidant à Aliano. Péligara, Tiankar, Saré-Ali, Saré-Manigui, Tabajanko.

ANNEXE N° 8

LA POLITIQUE FRANÇAISE AU FULAADU

Lettre de Moussa Moolo au gouverneur

« De la part de Moussa fils d'Alpha Molo, Emir du Firdou à Monsieur le Gouverneur du Sénégal.

Le but de la présente est de vous faire savoir que vous êtes maître absolu des pays et c'est vous qui les administrez en réalité. Il est de votre coutume d'écrire tout ce que vous avez dit, nous autres indigènes, nous n'avons pas cette habitude, mais nous avons le don de nous souvenir de ce que nous avons dit.

Vous avez dit que vous partagerez mon territoire en trois parties, une pour les Anglais, une pour les Portugais, et une pour les Français, et vous avez dit que vous me donneriez quelque chose qui me compensera des deux parties données aux Anglais et aux Portugais.

Le capitaine Baurès m'a parlé de me donner Pakési, Badiaye... ; ..., Damantan et Kantora. Si vous voyez que depuis que j'ai entendu ceci, je ne vous l'ai pas demandé, ni envoyé d'express, c'est parce que je sais que vous êtes mon père et ma mère et quand un père promet à son fils, ce dernier ne doit faire que l'attendre patiemment... »

Lettre traduite de l'arabe à Saint-Louis en octobre 1896. Trouvée dans le fond non inventorié des Archives du Sénégal. Sans cote.

ANNEXE N° 9

Liste des commandants de Karabane

1838	Baudin (Jean)
1839	Baudin (Pierre)
1840	»
1841	»
1842	»
1843	»
1844	»
1845	»
1846	»
1847	»
1848	Dufour
1849	Bocandé
1850	»
1851	»
1852	»
1853	»
1854	»
1855	»
1856	Bocandé, Bourdeny
1857	Bocandé, Bourdeny
1858	Bourdeny
1859	Bourdeny, Guizery, Courrant
1860	Courrant, Baulin, Lemonier
1861	Lemonier, Jariez
1862	Jariez
1863	Jariez, Cauvin, Giraud
1864	Giraud
1865	»
1866	»
1867	Legourmand, de Pardailhan, Sorel
1868	Sorel
1869	Sorel, Jauréguiberry
1870	Jauréguiberry
1871	Jauréguiberry, Dorat
1872	Dorat
1873	Dorat, Erny
1874	Erny, Martin
1875	Martin
1876	Martin, Maurer
1877	Maurer
1878	Maurer, Gith
1879	Gith, Luguière
1880	Luguière, Couhitte
1881	Couhitte, Massenet
1882	Massenet
1883	Massenet, Teillier
1884	Massenet, Boudou, Laplace
1885	Laplace, Marres, Phelippeaux
1886	Phelippeaux, Pereton, Bauer
1887	Bauer, Ly
1888	Ly, Galibert
1889	Galibert, Miribel, Milanini
1890	Milanini, Martin, Seguin
1891	Seguin, Laplène, Réaux
1892	Réaux
1893	Réaux, Adam, d'Osmoy
1894	d'Osmoy
1895	d'Osmoy, Valzi
1896	Valzi
1897	Valzi
1898	Barret, Senide, Arrighi
1899	Arrighi, Zimmer, Valzi
1900	Valzi, Caveng
1901	Caveng, Lambin
1902	Zimmer
1903	Zimmer
1904	Zimmer
1905	Zimmer

Liste des commandants de Seju

1838	Dalen
1839	Dalen, Pourpe, Mion
1840	Mion, Tessier
1841	Tessier, Dalen
1842	Dalen
1843	Dalen, Pelletier
1844	Pelletier
1845	Pelletier, Cathernault

1846 Heckel, Vignon, Beaurepaire
1847 Valentin, Taboel, Boyer
1848 Boyer, Medoni
1849 Medoni, Roger, Tessier
1850 Tessier
1851 Tessier, Davet, Medoni
1852 Medoni, Vovrau
1853 Vovrau, Gueneau
1854 Gueneau
1855 Gueneau, Coulon
1856 Coulon, Guillon
1857 Guillon, Lix
1858 Lix, Pelletier, Grasland
1859 Grasland, Faliu, Loupy
1860 Loupy, Fabien
1861 Fabien, Chalbert
1862 Chalbert, Lafont de Fontgaufier
1863 Mailhetard
1864 »
1865 »
1866 Mailhetard, Dorval-Alvarès
1867 Dorval-Alvarès, de Pardailhan
1868 de Pardailhan, Dorval-Alvarès
1869 Dorval-Alvarès, de Pardailhan
1870 Lelièvre, Rajaut, Hellaine
1871 Hellaine, Daniel, Reygasse
1872 Reygasse
1873 Reygasse, Arnault, Paimparey, Chiron
1874 Chiron, Hamon, Bonnafont, Vie
1875 Vie, Senes
1876 Senes, Vie, Martin, Clément
1877 Clément, Martin, Prévost
1878 Prévost
1879 Prévost, Mahric
1880 Mahric, Jeannin, Bour
1881 Bour, Gelpy, Reynaud
1882 Reynaud, Amstutz, Lenoir
1883 Greiner
1884 Greiner
1885 Greiner, Truche
1886 Truche, Opigez
1887 Opigez
1888 Opigez
1889 Opigez, Forichon
1890 Forichon, Martin, Laborie
1891 Laborie
1892 Laborie, Bertrandon, Grand
1893 Grand, Têtart, Adam
1894 Adam
1895 Adam, Farque, Denès
1896 Denès, Adam
1897 Adam
1898 Adam, Seguin
1899 Seguin, Forestier
1900 Forestier, de Maugras
1901 Forestier, de Maugras
1902 de Maugras, du Mazel
1903 du Mazel
1904 du Mazel, Lecomte
1905 Lecomte
1906 Lecomte, Guyon
1907 Guyon
1908 Guyon, Maclaud
1909 Maclaud, Lebœuf
1910 Bœuf, Brunot
1911 Brunot
1912 Brunot, Ecalle, de Coppet
1913 de Coppet, Gaube
1914 Gaube, Faijs
1915 Faijs, Castel
1916 Castel
1917 Boutal
1918 Boutal
1919 Boutal, Baldy
1920 Troadec, Baldy

Liste des commandants en résidence a Ziguinchor

1902 Lambin
1903 Lambin, Dutigny
1904 Dutigny, Lambin
1905 Lambin, Dutigny, Lambin
1906 Lambin
1907 Lambin, Zimmer
1908 Zimmer, Chevrier, Barthe
1909 Maclaud (A.S.)
1910 Maclaud (A.S.), Toupenay
1911 Toupenay (A.S.), Money
1912 Maclaud (A.S.), Brunot
1913 Brunot, Maclaud (A.S.)
1914 Maclaud (A.S.), Brunot, de Coppet
1915 Brunot (A.S.), de Coppet
1916 Brunot (A.S.), de Coppet
1917 Benquey (A.S.), de Coppet, de la Rocca
1918 Benquey (A.S.), Guillet, Lamy
1919 Benquey (A.S.), Lamy
1920 Benquey (A.S.), Descemet (A.S.), Lamy.

A.S.: Administrateur Supérieur

INDEX

C

L

TABLE DES CARTES ET CROQUIS

TABLE DES MATIÈRES

ÉDITIONS KARTHALA

(extrait du catalogue)

Collection *Méridiens*

Christian RUDEL, *Guatemala, terrorisme d'État.*
Bernard JOINET, *Tanzanie, manger d'abord* (épuisé).
Philippe LEYMARIE, *Océan Indien, le nouveau cœur du monde.*
André LAUDOUZE, *Djibouti, nation-carrefour.*
Bernard LEHEMBRE, *L'Ile Maurice.*
Alain GANDOLFI, *Nicaragua, la difficulté d'être libre.*
Christian RUDEL, *Mexique, des Mayas au pétrole.*
J. BURNET et J. GUILVOUT, *La Thaïlande.*

Collection *Les Afriques*

Ezzedine MESTIRI, *Les Cubains et l'Afrique* (épuisé).
Bernard LANNE, *Tchad-Libye : la querelle des frontières* (épuisé).
J.S. WHITAKER, *Les États-Unis et l'Afrique : les intérêts en jeu.*
Abdou TOURÉ, *La civilisation quotidienne en Côte-d'Ivoire.* Procès d'occidentalisation.
Jean-Marc ELA, *L'Afrique des villages.*
Guy BELLONCLE, *La question paysanne en Afrique noire* (épuisé).
Collectif, *Demain la Namibie.*
Amadou DIALLO, *La mort de Diallo Telli, premier secrétaire général de l'O.U.A.*
Christian COULON, *Les Musulmans et le pouvoir en Afrique noire.*
Jean-Marc ELA, *La ville en Afrique noire.*
Jacques GIRI, *Le Sahel demain. Catastrophe ou renaissance ?*
Michel N'GANGBET, *Peut-on encore sauver le Tchad ?*
Marcel AMONDJI, *Felix Houphouët et la Côte-d'Ivoire.* L'envers d'une légende.
Jean-François BAYART, *La politique africaine de François Mitterrand.*
Jacques MARCHAND, *La propagande de l'apartheid.* Comment l'Afrique du Sud se crée une image de marque.

Collection *Afrique et développement*

1. *Essais*

BLACT, *Introduction à la coopération en Afrique noire.*
I. MBAYE DIENG et J. BUGNICOURT, *Touristes-rois en Afrique.*
G.R.A.A.P., *Paroles de brousse* (épuisé).
Andrée MICHEL et al., *Femmes et multinationales.*
Collectif, *Alphabétisation et gestion des groupements villageois en Afrique sahélienne.*
Guy BELLONCLE, *La question éducative en Afrique noire.*

2. *Études*

P. EASTON, *L'Éducation des adultes en Afrique noire.*
Tome 1 : Théorie. Tome 2 : Technique.
Collectif, *La participation populaire au développement.* En coédition avec l'Institut Panafricain par le Développement (Douala).

Collection *Gens du Sud*

Alain ANSELIN, *La question peule.*
Christiane BOUGEROL, *La médecine populaire à la Guadeloupe.*
Paul LAPORTE, *La Guyane des Écoles.*
Christian MONTBRUN, *Les Petites Antilles avant Christophe Colomb.*
Keletigui MARIKO, *Les Touaregs.*
P. NGUEMA-OBAM, *Aspects de la religion fang.*
Carlos MOORE, *Fela, Fela ; cette putain de vie.*
Attilio GAUDIO et Patrick VAN ROEKEGHEM, *Étonnante Côte-d'Ivoire.*

Collection *Hommes et Sociétés*

1. *Sciences sociales*

Abdoulaye Bara DIOP, *La société wolof.*
J.F. MÉDARD, Y.A. FAURÉ et al., *État et bourgeoisie en Côte-d'Ivoire.*
Guy ROCHETEAU, *Pouvoir financier et indépendance économique en Afrique : le cas du Sénégal.* En coédition avec l'ORSTOM.
Collectif, *Enjeux fonciers en Afrique noire.* En coédition avec l'ORSTOM.
Nicole GRIMAUD, *La politique extérieure de l'Algérie.*
G. HESSELING, *Histoire politique du Sénégal.*
Zaki LAÏDI, *L'U.R.S.S. vue du Tiers-Monde.*

2. *Histoire et Civilisations*

Joseph AMBOUROUE-AVARO, *Un peuple gabonais à l'aube de la colonisation. Le bas Ogowé au XIXe siècle.* En coédition avec le Centre de Recherches Africaines.

Collectif, *La civilisation ancienne des peuples des Grands Lacs.* En coédition avec le Centre de Civilisation Burundaise.

François GAULME, *Le pays de Cama. Un ancien État côtier du Gabon et ses origines.* En coédition avec le Centre de Recherches Africaines.

Antoine GISLER, *L'esclavage aux Antilles françaises (XVIIe-XIXe siècles).*

Juliette BESSIS, *La Méditerranée fasciste, l'Italie mussolinienne et la Tunisie.* En coédition avec les Publications de la Sorbonne.

Yoro FALL, *L'Afrique à la naissance de la cartographie moderne (XIVe-XVe siècles).* En coédition avec le Centre de Recherches Africaines.

Zakari DRAMANI ISSIFOU, *L'Afrique dans les relations internationales au XVIe siècle.* En coédition avec le Centre de Recherches Africaines.

Louis NGONGO, *Histoire des forces religieuses au Cameroun* (1916-1955).

Raymond VERDIER, *Le pays kabiyé. Cité des dieux, cité des hommes.*

François RAISON-JOURDE (Et. réunies par), *Les souverains malgaches.*

Bakoly DOMENICHINI-RAMIARAMANANA, *Du Ohabolana au Hainteny : langue, littérature et politique à Madagascar.* En coédition avec le Centre de Recherches Africaines.

Susan ASCH, *L'Église du Prophète Kimbangu. De ses origines à son rôle actuel au Zaïre.*

Joseph GAHAMA, *Le Burundi sous administration belge.* En coédition avec le Centre de Recherches Africaines.

Collectif, *Peuples du Golfe du Bénin. Les Aja-Ewe.* En coédition avec le Centre de Recherches Africaines.

Jean-Pierre RAISON, *Les Hautes Terres de Madagascar.* En coédition avec l'ORSTOM.

Claude PRUDHOMME, *Histoire religieuse de la Réunion.*

Jean-Pierre OLIVIER DE SARDAN, *Les sociétés songhay-zarma. Mali-Niger.*

Jean-Pierre DOZON, *La société bété (Côte-d'Ivoire).*

3. *Langues*

Pierre DUMONT, *Le français et les langues africaines au Sénégal.* En coédition avec l'A.C.C.T.

Philippe NTAHOMBAYE, *Des noms et des hommes. Aspects psychologiques et sociologiques du nom au Burundi.*

A. LENSELAER, *Dictionnaire swahili-français.*

4. *Archéologies africaines*

Jean-Baptiste KIETHEGA, *L'or de la Volta noire. Exploitation traditionnelle : histoire et archéologie.* En coédition avec le Centre de Recherches Africaines.

5. *Divers*

Collectif, *Études africaines en Europe,* Bilan et inventaire (2 tomes).

Collection *Relire*

Eugène MAGE, *Voyage au Soudan occidental* (1863-1866). Introduction d'Yves Person.
David LIVINGSTONE, *Explorations dans l'Afrique australe et dans le Bassin du Zambèze* (1840-1864). Introduction d'Elikia M'Bokolo.
Ida PFEIFFER, *Voyage à Madagascar* (1856). Introduction de Faranirina Esoavelomandroso.
Victor SCHOELCHER, *Vie de Toussaint Louverture.* Introduction de J. Adélaïde-Merlande.
David BOILAT, *Esquisses sénégalaises.* Introduction de Abdoulaye-Bara Diop.
Antoine METRAL, *Histoire de l'expédition française à Saint-Domingue (1802-1803).* Introduction de J. Adélaïde-Merlande.

Politique africaine (revue trimestrielle)

1. *La politique en Afrique noire : le haut et le bas* (épuisé).
2. *L'Afrique dans le système international.*
3. *Tensions et ruptures politiques en Afrique noire.*
4. *La question islamique en Afrique noire.*
5. *La France en Afrique.*
6. *Le pouvoir d'être riche.*
7. *Le pouvoir de tuer.*
8. *Discours populistes, mouvements populaires.*
9. *L'Afrique sans frontières.*
10. *Les puissances moyennes et l'Afrique.*
11. *Quelle démocratie pour l'Afrique ?*
12. *La politique africaine des États-Unis.*
13. *Littérature et société.*
14. *Les paysans et le pouvoir en Afrique noire.*
15. *Images de la diaspora noire.*
16. *Le Tchad.*
17. *Les politiques urbaines en Afrique noire.*

(Pour plus de précisions sur ces titres, demandez le catalogue complet des éditions Karthala : 22-24, bd Arago, 75013 Paris.)

ACHEVÉ D'IMPRIMER PAR
CORLET, IMPRIMEUR, S.A.
14110 CONDÉ-SUR-NOIREAU

N° d'Imprimeur : 5101
Dépôt légal : février 1985

Imprimé en France